# Android开发进阶

## 从小工到专家

◆ 何红辉 著

# ANDROID PROGRAMMING

## from journeyman to master

人 民 邮 电 出 版 社

北 京

**图书在版编目（CIP）数据**

Android开发进阶 ：从小工到专家 / 何红辉著. -- 北京 ：人民邮电出版社，2016.2（2016.11重印）
ISBN 978-7-115-41591-2

Ⅰ. ①A… Ⅱ. ①何… Ⅲ. ①移动终端－应用程序－程序设计 Ⅳ. ①TN929.53

中国版本图书馆CIP数据核字(2016)第016330号

## 内容提要

本书是一本专门介绍 Android 开发的图书。书中首先对 Android 开发的核心知识点进行深入讲解，然后介绍单元测试、代码规范、版本控制、重构、架构等重要的知识，使得读者在深入掌握技术的同时也帮助他们开阔眼界，且能够以更专业的方式设计应用软件，完成从只会实现功能的初级程序员到软件工程师、设计师的转变。

本书的主要内容为：构成 Android 系统基石的四大组件、创造出丰富多彩的 UI 设计的控件、保证 App 流畅的多线程开发、必知必会的 HTTP 网络请求应用、数据存储的核心 SQLite 数据库、让程序更优秀的性能优化、让程序更整洁的代码规范、管理程序的好帮手 Git 版本控制，以及需要掌握的高级技术，如单元测试、六大原则与设计模式、重构和综合实战等。

本书适合 Android 开发初学者、程序员学习，也适合作为大中专院校相关专业的师生用书和培训学校的教材。

◆ 著　　　　何红辉
　责任编辑　张　涛
　责任印制　张佳莹　焦志炜
◆ 人民邮电出版社出版发行　　北京市丰台区成寿寺路 11 号
　邮编 100164　　电子邮件 315@ptpress.com.cn
　网址 http://www.ptpress.com.cn
　北京艺辉印刷有限公司印刷
◆ 开本：800×1000　1/16
　印张：24.5
　字数：660 千字　　　　2016 年 2 月第 1 版
　印数：8001–9500 册　　2016 年 11月北京第 4 次印刷

定价：69.00 元

**读者服务热线：(010)81055410　印装质量热线：(010)81055316**
**反盗版热线：(010)81055315**

# 前　言

## 为什么写这本书

写这本书的念头由来已久了。也许是从我打算写《Android 源码设计模式解析与实战》那时起就萌生了这个念头，因为设计模式属于仅次于架构之下的局部战术，阅读这类书籍能够让具备一定工作经验的开发人员提升自己的设计能力，构建更灵活的软件。但是，对于初、中级工程师而言，最重要的还是在于基础知识以及知识广度的掌握上。因此，在《Android 源码设计模式解析与实战》交稿之后，我就立即开始了本书的写作之旅。

从单位的面试经历和与开发群中网友的交流中，我发现很多有一定工作经验的开发人员对于 Android 的基础知识都还只停留在“会用”的阶段，而对于其基本原理一概不知，以至于工作多年之后依旧停留在很表面的层次。这样的知识结构的程序员往往是一旦开发的系统出现问题或者需要优化时就不能应对了。因此，仔细阅读一本深入讲述 Android 核心开发知识点的书是很有必要的。

目前，图书市场上关于 Android 的入门书籍大多是覆盖整个 Android 开发知识体系，这类书籍的特点是讲解的知识面多，也正是这个原因使得这类书籍缺乏深度，往往只是点到即止。例如，关于网络请求的技术，通常只讲解如何发送一个 GET 请求，但是，对于 HTTP 原理不会涉及，这使得很多读者在定制一些请求时根本无从下手，如上传图片、参数格式为 Json 等。

另一个问题就是，很多开发人员即使从业多年，可能都不知道什么是单元测试，不知道重构、面向对象基本原则，这使得他们的代码耦合度可能很高，难以测试和维护，这样带来的后果就是质量没法保证，随着时间的推移系统逐渐“腐化”。因此，读一本讲述设计软件的书也是必要的。

本书的目的就是解决上述两个问题，首先对 Android 开发的核心知识点进行深入讲解，然后介绍单元测试、代码规范、版本控制、重构、架构等重要知识点，使得读者在深入技术的同时开阔眼界，能够以更专业的方式设计应用软件，帮助读者完成从只会实现功能的“码农”到软件工程师、设计师的过渡。

## 本书的特色

本书主要分为 3 部分，第一部分是前 6 章，在第一部分中深入讲解了 Android 开发过程中的核心知识点，包括 View 与动画、多线程、网络、数据库、性能优化，使得读者深入了解开发中最为重要的知识；第二部分是第 7~11 章，涵盖的内容包括代码规范、单元测试、版本控制、OOP 与模式、重构等内容，从代码规范化、专业化的角度着手，开阔读者的眼界，使读者具备构建低耦合、灵活性强的应用软件的基本能力；最后一部分是第 12 章，在第 12 章中通过一个完整的示例，演示了如何把一个充满问题的应用软件逐步演化为低耦合、清晰、可测试的实现过程，在其中展示了常见的重构手法、测试手段，使读者从真实的示例中汲取知识与经验，提升技术与设计能力，绕过编程中的诸多陷阱。

当然，书中的知识点很多都只是做了部分讲解，起到一个抛砖引玉的作用，因此，如果需要更深入地了解各领域的知识，希望读者阅读其他专业书籍。

## 面向的读者

本书面向的读者为初、中、高级 Android 工程师。本书的定位是学习 Android 开发的第二本书，因此，阅读的前提是读者需要有一定的 Android 开发知识。在阅读完本书之后，读者还可以选择《Android 群英传》《Android 开发艺术探索》《Android 源码设计模式解析与实战》等书进行更深入地学习，从更深、更高的层次提升自己，完成从“码农”到专家的蜕变。

## 如何阅读本书

本书从整体结构上分为 3 部分，分别为 Android 核心开发知识、规范化与专业化开发基本知识、实战示例。初、中级工程师建议阅读全书，高级工程师可以选择自己感兴趣的部分进行阅读。实战示例部分需要第二部分的知识，因此，在阅读最后一章时，如果你学习了第二部分的知识，那么理解效果会更好。判定你是否需要阅读某个章节的标准是，当你看到标题时是否对这个知识点了然于心，如果答案是否定的，那么阅读该章节还是很有必要的。当然，通读全书自然是最好的选择。

“纸上得来终觉浅，绝知此事要躬行”，这放到任何一本书中都适用。因此，阅读本书时建议重新完成书中的示例，然后进行思考，从中体会为什么要这样做，这样做得到的好处是什么。读书、实践、思考结合起来，才会让你在技术道路上跑得更快、更远！

## 读者反馈

最后需要说明的是，任何一本书籍都难免会有一些错误的地方，因此，我很乐意听到读者关于本书的意见或建议，希望与大家共同进步。读者可以通过发邮件（邮箱地址：simplecoder.h@gmail.com）的方式进行反馈，在这里致以诚挚的谢意。编辑联系邮箱：zhangtao@ptpress.com.cn。

## 代码下载

本书中的示例代码都托管在 Github，地址为 https://github.com/bboyfeiyu/android_jtm_sourcecode，读者可以通过 Git 进行下载。另外，本书的勘误地址为：https://github.com/bboyfeiyu/android-jtm-issues。如果读者发现了书中的错误，也可以提交到该项目中。

何红辉

于北京

# 致　谢

在本书的出版过程中得到了很多朋友的帮助，首先要感谢佳星、毕老师、凯子、小雨、文辉等好友的审稿，他们的付出使书中的大部分文字错误都在早期被修正。最重要的是要感谢张涛编辑的信任，在上一本书《Android 源码设计模式解析与实战》的写作过程中，张涛编辑给了我很大的自由空间，对于我的各种问题也是耐心解答，也正是这些原因使我毫不犹豫地再度与张涛编辑合作。最后要感谢我的家人，在我写作的时候给我建议、校稿，在整个过程中给予我很大的支持。

何红辉

于北京

# 目　录

# 第 1 章　Android 的构成基石——四大组件

由于本书的目标读者是有一定 Android 基础的开发人员，因此，本章不再介绍 Android 系统的架构、历史等知识，而是直接切入主题，从讲解 Android 的四大组件开始，然后一步一步深入学习开发中的重要知识点，使得我们能够从基本原理层面掌握 Android 开发基础知识。

Android 中最重要的是四大组件，即 Activity、Service、ContentProvider 和 Broadcast。这 4 个组件分工明确，共同构成了可重用、灵活、低耦合的 Android 系统。Activity 负责 UI 元素的加载与页面之间的跳转，代表了一个页面单元；Service 负责与 UI 无关的工作，如在后台执行耗时操作等；ContentProvider 负责存储、共享数据，使得数据可以在多个应用之间共享；Broadcast 则是在各个组件、应用之间进行通信，简化了 Android 开发中的通信问题。

下面就来简单学习一下这四大开发组件。

## 1.1 Activity

Activity 在应用中的表现就是一个用户界面，它会加载指定的布局文件来显示各种 UI 元素，例如 TextView、Button、ImageView、ListView 等，并且为这些 UI 元素设置事件处理函数，使得用户可以与这些 UI 进行交互。同时，Activity 还可以在不同的 Activity 之间跳转，将不同的页面串连在一起，共同完成特定的操作流程。每个应用都是由一个或者多个 Activity 组成，它是 Android 应用程序中不可缺少的部分。

应用启动时会加载一个默认的 Activity，这个 Activity 在 AndroidManifest.xml 中会被设置为如下 intent-filter：

```
<intent-filter>
    <action android:name="android.intent.action.MAIN" />
    <category android:name="android.intent.category.LAUNCHER" />
</intent-filter>
```

每个 Activity 都有生命周期，在不同的阶段会回调不同的生命周期函数，Activity 的生命周期函数有如下几个。

### 1. onCreate()

相信这是开发者见过次数最多的函数，我们在创建继承自 Activity 的类时都会默认生成这个函数。它会在 Activity 第一次被创建时调用，通常会在这个函数中完成 Activity 的初始化操作，如设置布局、初始化视图、绑定事件等。

### 2. onStart()

这个函数在 Activity 的 onCreate 函数调用之后被调用，此时的 Activity 还处在不可见状态，它的下一个状态就是 Activity 变得可见的时候，也就是这个函数在 Activity 可见之前被调用。

### 3. onResume()

这个函数在 Activity 变为可见时被调用，执行完 onResume 之后，Activity 就会请求 AMS 渲染它所管理的视图。此时的 Activity 一定位于返回栈的栈顶，并且处于运行状态。

### 4. onPause()

这个函数在系统准备去启动或者恢复另一个 Activity 时调用，也就是在 Activity 即将从可见状态变为不可见时。我们通常会在这个函数中将一些消耗 CPU 的资源释放掉，以及保存一些关键数据。

### 5. onStop()

这个函数在 Activity 完全不可见时调用。它和 onPause()函数的主要区别在于，如果新启动的 Activity 是一个对话框式的 Activity，那么 onPause()函数会得到执行，而 onStop() 函数并不会执行。

### 6. onDestroy()

这个函数在 Activity 被销毁之前调用，之后 Activity 的状态将变为销毁状态。

### 7. onRestart()

这个函数在 Activity 由停止状态重新变为运行状态之前调用，也就是 Activity 被重新启动了。

从 onCreate()函数到 onDestroy()函数运行的时期就是一个 Activity 的完整生命周期。一般情况下。我们会在一个 Activity 的 onCreate()函数中完成各种初始化操作，而在 onDestroy()函数中完成释放内存的操作。然而并不是各个时期 Activity 都是可见的，只有 onResume()函数和 onStop()函数之间的 Activity 是可见的，在 Activity 可见期内，用户可以与 Activity 进行交互，完成所需的功能。

为了帮助读者能够更好地理解，Android 官方提供了一个 Activity 生命周期的示意图，如图 1-1 所示。

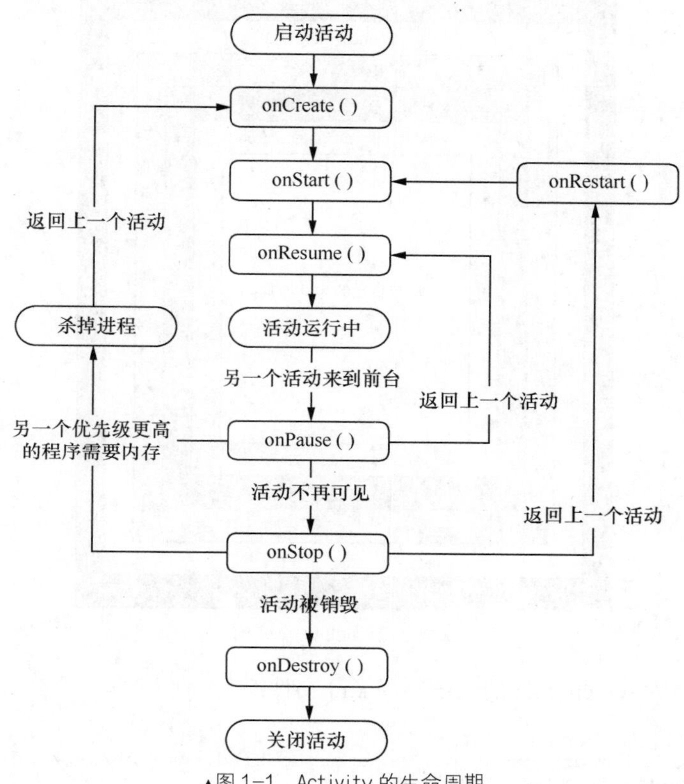


▲图 1-1 Activity 的生命周期

### 1.1.1 Activity 的构成

Activity 的构成并不是一个 Activity 对象再加上一个布局文件那么简单，在 Activity 和开发人员设置的视图之间还隔着两层。实际上视图会被设置给一个 Window 类，这个 Window 中含有一个 DecorView，这个 DecorView 才是整个窗口的顶级视图。开发人员设置的布局会被设置到这个 DecorView 的 mContentParent 布局中。也就是说 Android 中实际上内置了一些系统布局文件 xml，我们在 xml 中定义的视图最终会被设置到这些系统布局的特定节点之下，这样就形成了整个 DecorView。结构如图 1-2 所示。

从图 1-2 中可以看到，我们的 Activity 之下有一个 PhoneWindow，这个 PhoneWindow 是 Window 的实现类，然后 Window 之下包含一个 DecorView，DecorView 实际上是页面的顶级视图，它从一些系统布局中加载，并且在运行时将开发人员设置给 Activity 的布局资源添加到系统布局的 mContentParent 中。这样一来，用户界面就被添加到系统布局中了，而系统布局会为我们设置好标题栏区域等。

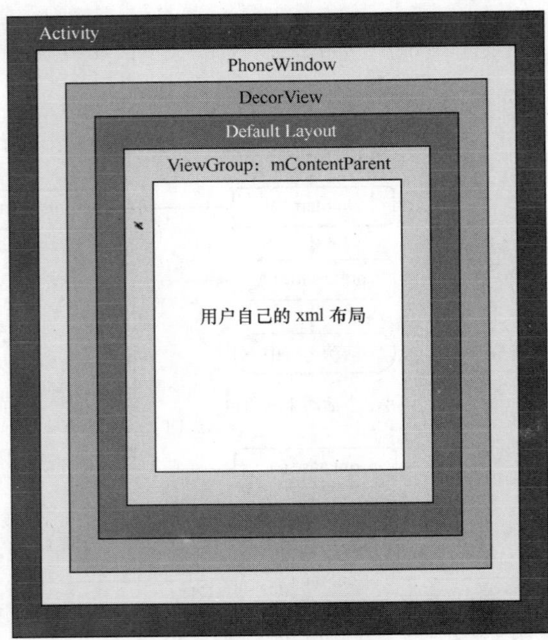


▲图 1-2　Activity 结构

下面就是一个名为 screen_title 的系统布局 xml 文件：

```
<?xml version="1.0" encoding="utf-8"?>
<LinearLayout xmlns:android="http://schemas.android.com/apk/res/android"
    android:orientation="vertical"
    android:fitsSystemWindows="true">
    <!-- Popout bar for action modes -->
    <ViewStub android:id="@+id/action_mode_bar_stub"
              android:inflatedId="@+id/action_mode_bar"
              android:layout="@layout/action_mode_bar"
              android:layout_width="match_parent"
              android:layout_height="wrap_content"
              android:theme="?attr/actionBarTheme" />
    <FrameLayout
        android:layout_width="match_parent"
        android:layout_height="?android:attr/windowTitleSize"
        style="?android:attr/windowTitleBackgroundStyle">
      <TextView android:id="@android:id/title"
            style="?android:attr/windowTitleStyle"
            android:background="@null"
            android:fadingEdge="horizontal"
            android:gravity="center_vertical"
            android:layout_width="match_parent"
            android:layout_height="match_parent" />
    </FrameLayout>
    <!—这里就是开发人员设置的布局所填充的位置-->
    <FrameLayout android:id="@android:id/content"
        android:layout_width="match_parent"
        android:layout_height="0dip"
        android:layout_weight="1"
        android:foregroundGravity="fill_horizontal|top"
        android:foreground="?android:attr/windowContentOverlay" />
</LinearLayout>
```

上述xml文件中包含了actionbar和标题栏区域,下面就是开发人员设置给Activity的布局区域,这个区域被添加到名为content的布局中，而这整个screen_title.xml又是DecorView的子视图，因此，最终用户界面会显示为标题栏、开发人员设置的界面。例如我们的Activity布局代码如下：

```
<RelativeLayout xmlns:android="http://schemas.android.com/apk/res/android"
   xmlns:tools="http://schemas.android.com/tools" android:layout_width="match_parent"
   android:layout_height="match_parent"
   android:paddingLeft="@dimen/activity_horizontal_margin"
   android:paddingRight="@dimen/activity_horizontal_margin"
   android:paddingTop="@dimen/activity_vertical_margin"
   android:gravity="center"
   android:paddingBottom="@dimen/activity_vertical_margin"
tools:context=".MainActivity">

   <TextView android:text="@string/hello_world" android:layout_width="wrap_content"
          android:textSize="30sp"
          android:gravity="center"
          android:layout_height="wrap_content" />

</RelativeLayout>
```

该布局的根视图为RelativeLayout，其中只有一个居中的TextView。运行后的界面如图1-3所示。

jtm_chap01显示的区域就是id为title的TextView，而Hello World就是content布局下的一个子视图。当Activity的onResume函数被调用之后，用户界面就显示在我们面前了。

### 1.1.2 Activity的4种启动模式

每个应用程序都是由一个或者多个Activity组成，因此，Android内部使用通过回退栈来管理Activity实例。栈是一种后进先出的集合，对于Android来说，当前显示的Activity就在栈顶，当用户点击后退键或者点击应用上的返回按钮，系统就会将栈顶的Activity出栈，此时原来栈顶下的Activity就会变为栈顶显示到设备上。

然而事情可能并不是那么简单，在一些特殊情况下我们可能需要对Activity实例做一些特殊的处理，例如，为了避免重复创建Activity，我们要求一个Activity只有一个实例。好在Android系统为我们提供了这些功能，也就是我们本节要说的Activity的4个启动模式。用户可以在AndroidManifext.xml注册Activity时设置它的启动模式，例如：

```
<activity
    android:name=".MyActivity"
    android:launchMode=" singleTask"
    android:label="@string/app_name" >
</activity>
```

Activity的启动模式有4个，分别为standard、singleTop、singleTask、singleInstance，下面我们逐个介绍它们。

#### 1. standard（标准启动模式）

这是Activity的标准启动模式，也是Activity的默认启动模式。在这种模式下启动的Activity

可以被多次实例化，即在同一个任务栈中可以存在多个 Activity 实例，每个实例都会处理一个 Intent 对象。如果 ActivityA 的启动模式为 standard，并且已经有一个 ActivityA 被启动，在该 ActivityA 中调用 startActivity 时会启动一个新的 ActivityA 实例。栈的变化如图 1-4 所示。

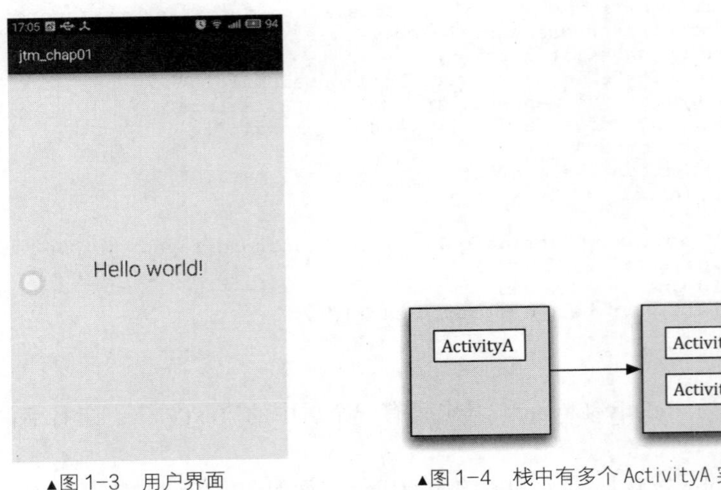


▲图 1-3　用户界面　　▲图 1-4　栈中有多个 ActivityA 实例

如果 ActivityA 是一个非常耗资源的类，那么将会使它所依附的应用消耗更多的系统资源。

### 2. singleTop

如果一个以 singleTop 模式启动的 Activity 的实例已经存在于任务栈的栈顶，那么再启动这个 Activity 时，不会创建新的实例，而是重用位于栈顶的那个实例，并且会调用该实例的 onNewIntent() 函数将 Intent 对象传递到这个实例中。例如，ActivityA 的启动模式为 singleTop，并且 ActivityA 的一个实例已经存在于栈顶中。那么再调用 startActivity 启动另一个 ActivityA 时，不会再次创建 ActivityA 的实例，而是重用原来的实例，并且调用原来实例的 onNewIntent()函数。此时任务栈中还是这一个 ActivityA 的实例。栈内变化如图 1-5 所示。

如果以 singleTop 模式启动的 Activity 的一个实例已经存在于任务栈中，但是不在栈顶，那么它的行为和 standard 模式相同也会创建一个新的实例。栈内变化如图 1-6 所示。

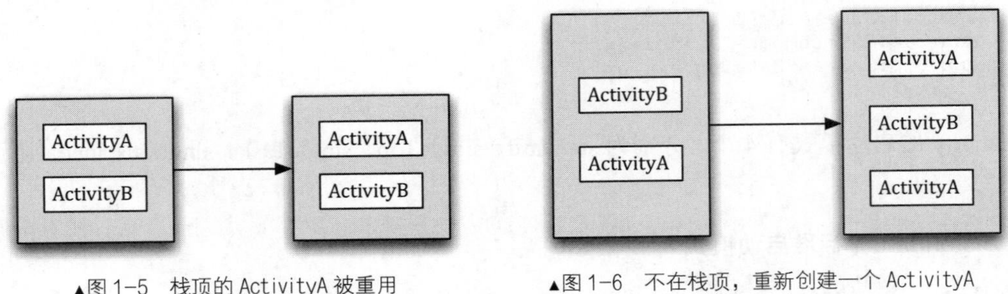


▲图 1-5　栈顶的 ActivityA 被重用　　▲图 1-6　不在栈顶，重新创建一个 ActivityA

### 3. singleTask

singleTask 模式是常用的启动模式，如果一个 Activity 设置了该启动模式，那么在一个任务栈中只能有一个该 Activity 的实例。如果任务栈中还没有该 Activity，会新创建一个实例并放在栈顶。但是，如果已经存在 Activity，系统会销毁处在该 Activity 上的所有 Activity，最终让该 Activity 实例处于栈顶。最终让该 Activity 实例处于栈顶，同时回调该 Activity 的 onNewIntent()函数。栈内变化如图 1-7 所示。

### 4. singleInstance

设置了 singleInstance 模式的 Activity 会在一个独立的任务中开启，并且这个新的任务中有且只有这一个实例，也就是说被该实例启动的其他 Activity 会自动运行于另一个任务中。当再次启动该 Activity 实例时，会重用已存在的任务和实例。并且会调用该实例的 onNewIntent()函数，将 Intent 实例传递到该实例中。

和 singleTask 不同的是，同一时刻在系统中只会存在一个这样的 Activity 实例，而 singleTask 模式的 Activity 是可以有多个实例的，只要这些 Activity 在不同的任务栈中即可，例如，应用 A 启动了一个启动模式为 singleTask 的 ActivityA，应用 B 又通过 Intent 想要启动一个 ActivityA，此时由于应用 A 和应用 B 都有自己的任务栈，因此，在这两个任务栈中分别都有一个 ActivityA 示例。而 singleInstance 能够保证 Activity 在系统中只有一个实例，不管多少应用要启动该 Activity，这个 Activity 有且只有一个，如图 1-8 所示。

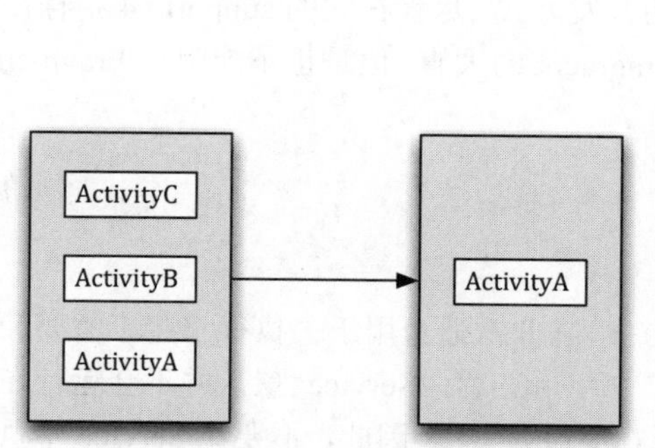


▲图 1-7 处在 ActivityA 上的 Activity 被销毁

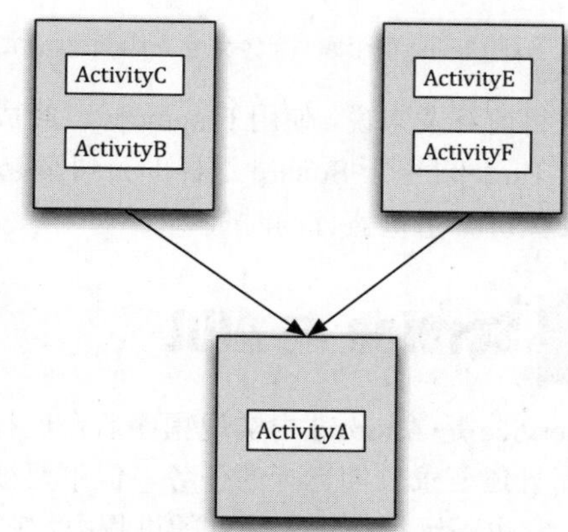


▲图 1-8 singleInstance 的 Activity 独占一个任务栈

## 1.1.3 FragmentActivity 与 Fragment

为了更好地运用越来越大的屏幕空间，Android 在 3.0 版本引入了 Fragment，它可以像 Activity 一样包含布局。不同的是 Fragment 是被嵌套在 Activity 中使用，它作为一个更大粒度的 UI 单元。如果需要兼容低于 Android 3.0 的系统，那么开发人员需要引用 android-support-v4 的 jar 包才能使用 Fragment 功能。

假如有这样的场景：我们的新闻应用含有两个 Activity，第一个 Activity 是显示新闻标题、概要信息的列表，当用户点击这些标题时进入该新闻的详情页面进行阅读。

这是一个再普通不过的场景，但是这样做真的合适吗？我们是否能够简化用户的操作？

答案是：必须的！

Fragment 就是为了应对这种情况而出现的，我们可以使用两个 Fragment，Fragment1 包含了一个新闻标题的列表，每行显示一个新闻的标题；Fragment2 则展示这条新闻的详细内容。如果现在程序运行在竖屏模式的平板电脑或手机上，Fragment 1 可能嵌入在一个 Activity 中，而 Fragment 2 可能嵌入在另一个 Activity 中，如图 1-9 所示。

而如果现在程序运行在横屏模式的平板电脑上，两个 Fragment 就可以嵌入在同一个 Activity 中，如图 1-10 所示。

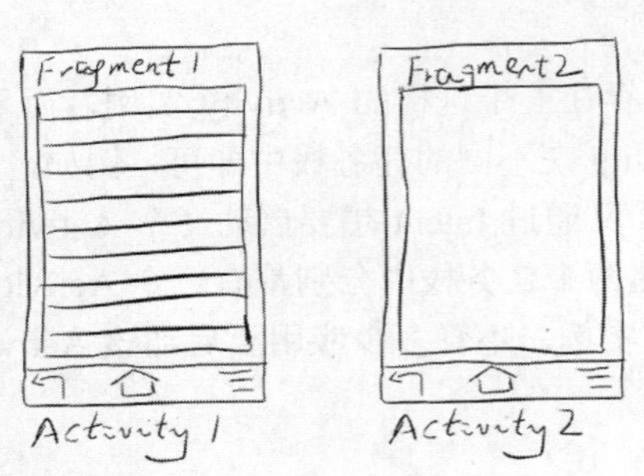


▲图 1-9　每个 Activity 包含一个 Fragment

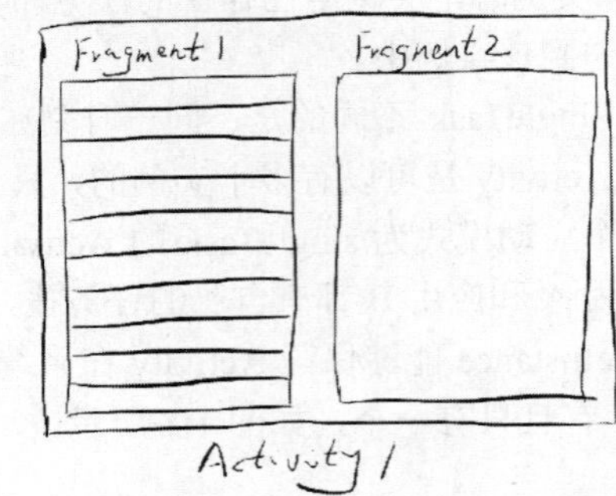


▲图 1-10　横屏模式下包含两个 Fragment 的 Activity

就目前开发来说，使用 Fragment 已经成为流行的开发方式，尽管在它的 support v4 中存在各种各样的 Bug，以至于 Square 这样的公司举起了声讨 Fragment 的大旗，但是也不能阻止 Fragment“驰骋”在大屏幕手机盛行的时代。

## 1.2 Service 与 AIDL

Service 是 Android 中实现程序后台运行的解决方案，它非常适合用于去执行那些不需要和用户交互而且还要求长期运行的任务。但不要被“后台”二字所迷惑，Service 默认并不会运行在子线程中，它也不运行在一个独立的进程中，它同样执行在 UI 线程中，因此，不要在 Service 中执行耗时的操作，除非你在 Service 中创建了子线程来完成耗时操作。

Service 的运行不依赖于任何用户界面，即使程序被切换到后台或者用户打开了另外一个应用程序，Service 仍然能够保持正常运行，这也正是 Service 的使用场景。当某个应用程序进程被杀掉时，所有依赖于该进程的 Service 也会停止运行。

### 1.2.1　普通 Service

Service 的生命周期相对 Activity 来说简单得多，只有 3 个，分别为 onCreate、onStartCommand

和 onDestory。一旦在项目的任何位置调用了 Context 的 startService()函数，相应的服务就会启动起来，首次创建时会调用 onCreate 函数，然后回调 onStartCommand()函数。服务启动了之后会一直保持运行状态，直到 stopService()或 stopSelf()函数被调用。虽然每调用一次 startService()函数，onStartCommand()就会执行一次，但实际上每个服务都只会存在一个实例。所以不管你调用了多少次 startService()函数，只需调用一个 stopService()或 stopSelf()函数，服务就会被停止。

通常的 Service 大致如下：

```
public class MyService extends Service {

    @Override
    public int onStartCommand(Intent intent, int flags, int startId) {
        doMyJob(intent);
        return super.onStartCommand(intent, flags, startId);
    }

    private void doMyJob(Intent intent){
        // 从 Intent 中获取数据
        // 执行相关操作
        new Thread(){
            @Override
            public void run() {
                // 耗时操作
            }
        }.start();
    }

    @Nullable
    @Override
    public IBinder onBind(Intent intent) {
        return null;
    }
}
```

与 Activity 一样，Service 也需要在 AndroidManifest.xml 中进行注册，示例如下：

```
<service android:name=".service.MyService" />
```

上述示例表示注册一个在应用包 service 目录下的 MyService 服务，注册之后，当用户调用 startService(new Intent(mContext，MyService.class)) 时会调用 onStartCommand 函数，我们在该函数中调用 doMyJob，而在 doMyJob 中我们创建了一个线程来执行耗时操作，以避免阻塞 UI 线程。当我们的 Service 完成使命时，需要调用 stopService 来停止该服务。

### 1.2.2 IntentService

完成一个简单的后台任务需要这么麻烦，Android 显然早就“洞察”了这一点。因此，提供了一个 IntentService 来完成这样的操作，IntentService 将用户的请求执行在一个子线程中，用户只需要覆写 onHandleIntent 函数，并且在该函数中完成自己的耗时操作即可。需要注意的是，在任务执行完毕之后 IntentService 会调用 stopSelf 自我销毁，因此，它适用于完成一些短期的耗时任务。示例如下：

```
public class MyIntentService extends IntentService {

  MyIntentService(){
```

```
        super(MyIntentService.class.getName());
    }

    @Override
    protected void onHandleIntent(Intent intent) {
        // 这里执行耗时操作
    }
}
```

### 1.2.3 运行在前台的 Service

Service 默认是运行在后台的，因此，它的优先级相对比较低，当系统出现内存不足的情况时，它就有可能会被回收掉。如果希望 Service 可以一直保持运行状态，而不会由于系统内存不足被回收，可以将 Service 运行在前台。前台服务不仅不会被系统无情地回收，它还会在通知栏显示一条消息，下拉状态栏后可以看到更加详细的信息。例如，墨迹天气在前台运行了一个 Service，并且在 Service 中定时更新通知栏上的天气信息，如图 1-11 所示。

下面我们就来实现一个类似于如图 1-11 所示的效果，首先我们定义一个服务，代码如下：

```
public class WeatherService extends Service {

    private static final int NOTIFY_ID = 123;

    @Override
    public void onCreate() {
        super.onCreate();
        showNotification();
    }

    /**
     * 在通知栏显示天气信息
     */
    private void showNotification() {
        NotificationCompat.Builder mBuilder =
                new NotificationCompat.Builder(this)
                        .setSmallIcon(R.drawable.weather)
                        .setContentTitle(getText(R.string.the_day))
                        .setContentText(getText(R.string.weather));
        // 创建通知被点击时触发的 Intent
        Intent resultIntent = new Intent(this, MainActivity.class);

        // 创建任务栈 Builder
        TaskStackBuilder stackBuilder = TaskStackBuilder.create(this);
        stackBuilder.addParentStack(MainActivity.class);
        stackBuilder.addNextIntent(resultIntent);
        PendingIntent resultPendingIntent =
                stackBuilder.getPendingIntent(
                        0, PendingIntent.FLAG_UPDATE_CURRENT);
        mBuilder.setContentIntent(resultPendingIntent);
        NotificationManager mNotifyMgr =
                (NotificationManager) getSystemService(Context.NOTIFICATION_SERVICE);
        // 构建通知
        final Notification notification = mBuilder.build() ;
        // 显示通知
        mNotifyMgr.notify(NOTIFY_ID, notification);
        // 启动为前台服务
        startForeground(NOTIFY_ID, notification);
```

```
        }
    }
```

我们在 onCreate 函数中调用了 showNotification 函数显示通知，并且在最后调用 startForeground 将服务设置为前台服务。在 AndroidManifest.xml 注册之后我们就可以启动该 Service 了。效果如图 1-12 所示。

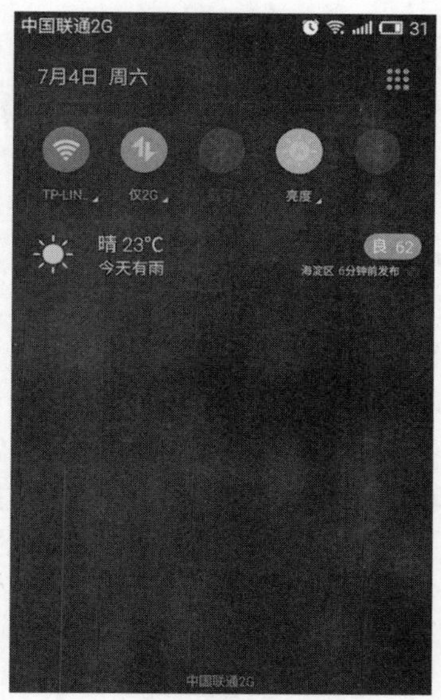


▲图 1-11 墨迹天气界面

▲图 1-12 WeatherService 效果

## 1.2.4 AIDL（Android 接口描述语言）

AIDL（Android 接口描述语言）是一种接口描述语言，通常用于进程间通信。编译器根据 AIDL 文件生成一个系列对应的 Java 类，通过预先定义的接口以及 Binder 机制达到进程间通信的目的。说白了，AIDL 就是定义一个接口，客户端(调用端)通过 bindService 来与远程服务端建立一个连接，在该连接建立时会返回一个 IBinder 对象，该对象是服务端 Binder 的 BinderProxy，在建立连接时，客户端通过 asInterface 函数将该 BinderProxy 对象包装成本地的 Proxy，并将远程服务端的 BinderProxy 对象赋值给 Proxy 类的 mRemote 字段，就是通过 mRemote 执行远程函数调用。

在客户端新建一个 AIDL 文件，如图 1-13 所示。

在 SsoAuth.aidl 文件中会默认有一个 basicTypes 函数，我们在程序后面添加一个 ssoAuth 的函数用于 SSO 授权。代码如下：

```
interface SsoAuth {
    void basicTypes(int anInt, long aLong, boolean aBoolean, float aFloat,
            double aDouble, String aString);

    /**
     * 实现 SSO 授权
     */
     void ssoAuth(String userName, String pwd);
}
```

因为客户端是调用端，因此，只需要定义 AIDL 文件，此时 Rebuild 一下工程就会生成一个 SsoAuth.java 类，该类根据 SsoAuth.aidl 文件生成，包含了我们在 AIDL 文件中定义的函数。因为 AIDL 通常用于进程间通信，因此，我们新建一个被调用端的工程，我们命名为 aidl_server，然后将客户端的 AIDL 文件夹复制到 aidl_server 的 app/src/main 目录下，结构如图 1-14 所示。

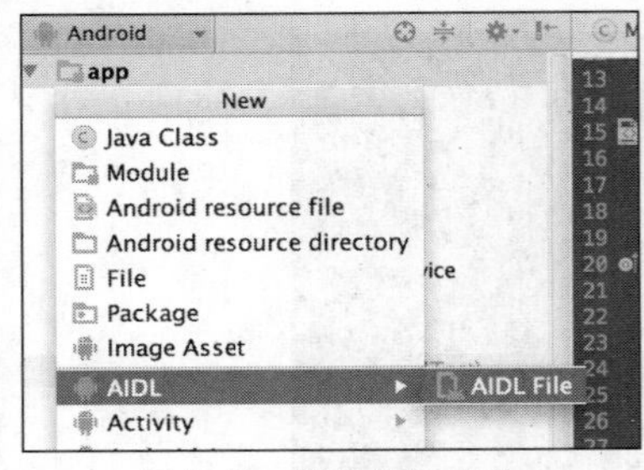


▲图 1-13　新建 AIDL 文件

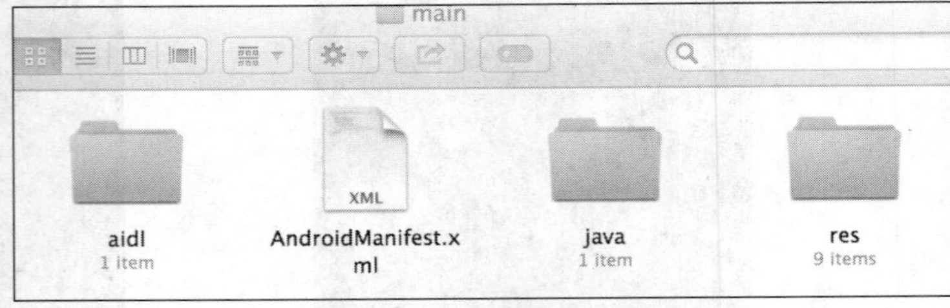


▲图 1-14　server 中的 AIDL

此时相当于在客户端和被调用端都有同一份 SsoAuth.aidl 文件，它们的包名、类名完全一致，生成的 SsoAuth.java 类也完全一致，这样在远程调用时它们就能够拥有一致的类型。Rebuild 被调用端工程之后就会生成 SsoAuth.java 文件，该文件中有一个 Stub 类实现了 SsoAuth 接口。我们首先需要定义一个 Service 子类，然后再定义一个继承自 Stub 的子类，并且在 Service 的 onBind 函数中返回这个 Stub 子类的对象。示例代码如下：

```
public class SinaSsoAuthService extends Service {

    SinaSsoImpl mBinder = new SinaSsoImpl();

    @Override
    public void onCreate() {
        super.onCreate();
        Log.e("","### sso auth created") ;
    }

    @Nullable
    @Override
    public IBinder onBind(Intent intent) {
        return mBinder;
    }

    // 继承自 Stub 类,在这里实现 ssoAuth 函数
    class SinaSsoImpl extends SsoAuth.Stub {

        @Override
        public void ssoAuth(String userName, String pwd) throws RemoteException {
            Log.e("", "这里是新浪客户端, 执行 SSO 登录啦,用户名 : "
                                    + userName + ", 密码 : " + pwd) ;
        }

        @Override
        public void basicTypes(int anInt, long aLong,
            boolean aBoolean, float aFloat,
            double aDouble, String aString) throws RemoteException {
        }
    }
}
```

从上述代码中我们看到，实际上完成功能的是继承自 Stub 的 SinaSsoImpl 类，Service 只提供了一个让 SinaSsoImpl 依附的外壳。完成 SinaSsoAuthService 之后我们需要将它注册在被调用端应用的 Manifest 中，注册代码如下：

```
<service
    android:name=".service.SinaSsoAuthService"
    android:exported="true"
    android:process=":remote"
    android:label="@string/app_name">
  <intent-filter>
        <action android:name="book.aidl_server.service.SinaSsoAuthService"/>
  </intent-filter>
</service>
```

然后先运行被调用端（也就是 Server 端）应用，并且在客户端中完成调用 Server 的代码。客户端 Activity 的代码如下：

```
public class MainActivity extends AppCompatActivity {

    SsoAuth mSsoAuth ;

    @Override
    protected void onCreate(Bundle savedInstanceState) {
        super.onCreate(savedInstanceState);
        setContentView(R.layout.activity_main);
        // 执行操作
        findViewById(R.id.sso_btn).setOnClickListener(new View.OnClickListener() {
            @Override
            public void onClick(View view) {
                if ( mSsoAuth == null ) {
                    // 绑定远程服务,并且进行登录
                    bindSsoAuthService();
                } else {
                    doSsoAuth();
                }
            }
        });
    }

    private void bindSsoAuthService() {
        Intent intent = new Intent("book.aidl_server.service.SinaSsoAuthService") ;
        bindService(intent, mConnection, Context.BIND_AUTO_CREATE) ;
    }

    ServiceConnection mConnection = new ServiceConnection() {
        @Override
        public void onServiceConnected(ComponentName componentName, IBinder iBinder) {
            // 建立连接之后将 Binder 转换为 mSsoAuth
            mSsoAuth = SsoAuth.Stub.asInterface(iBinder) ;
            doSsoAuth();
        }

        @Override
        public void onServiceDisconnected(ComponentName componentName) {
            mSsoAuth = null;
        }
    } ;

    private void doSsoAuth() {
```

```
        try {
            // 执行登录,实际上调用的是 Server 端的 ssoAuth 函数
            mSsoAuth.ssoAuth("Mr.Simple", "pwd123");
        } catch (RemoteException e) {
            e.printStackTrace();
        }
    }

    @Override
    protected void onDestroy() {
        super.onDestroy();
        unbindService(mConnection);
    }
}
```

在上述 Activity 程序中，运行程序后点击登录按钮时会向 Server 端发起连接 Service 请求，在建立连接之后会将 Binder 对象转换为 SsoAuth 对象，然后调用 SsoAuth 对象的 ssoAuth 函数。此时的 ssoAuth 函数实际上调用的就是 Server 端中 SinaSsoImpl 类的实现。运行程序后点击登录按钮，如图 1-15 所示。

输出结果，如图 1-16 所示。

▲图 1-15　客户端的登录界面

```
E/ : ### sso auth created
E/ : 这里是新浪客户端, 执行SSO登录啦,用户名 : Mr.Simple, 密码 : pwd123
```

▲图 1-16　AIDL 远程调用

这一切的核心都是通过 AIDL 文件生成的 Stub 类以及其背后的 Binder 机制。首先我们看看生成的 SsoAuth.java，Stub 类就是该文件中的内部类。代码如下：

```
// 根据 SsoAuth.aidl 生成的接口
public interface SsoAuth extends android.os.IInterface{
    /** Stub 类继承自 Binder，并且实现了 SsoAuth 接口 */
    public static abstract class Stub extends android.os.Binder
        implements book.jtm_chap01.SsoAuth {
        private static final java.lang.String DESCRIPTOR = "book.jtm_chap01.SsoAuth";
```

```
        public Stub(){
            this.attachInterface(this, DESCRIPTOR);
        }
        /**
         * 将 Binder 转换为 book.jtm_chap01.SsoAuth 接口或者包装为一个 Proxy
         */
        public static book.jtm_chap01.SsoAuth asInterface(android.os.IBinder obj){
            if ((obj==null)) {
                return null;
            }
            android.os.IInterface iin = obj.queryLocalInterface(DESCRIPTOR);
            if (((iin!=null)&&(iin instanceof book.jtm_chap01.SsoAuth))) {
                return ((book.jtm_chap01.SsoAuth)iin);
            }
            return new book.jtm_chap01.SsoAuth.Stub.Proxy(obj);
        }
        @Override public android.os.IBinder asBinder(){
            return this;
        }
        @Override public boolean onTransact(int code,
             android.os.Parcel data, android.os.Parcel reply,
             int flags) throws android.os.RemoteException{
            switch (code){
                case INTERFACE_TRANSACTION:{
                    reply.writeString(DESCRIPTOR);
                    return true;
                }
                case TRANSACTION_basicTypes:{
                    data.enforceInterface(DESCRIPTOR);
                     // 代码省略
                    return true;
                }
                case TRANSACTION_ssoAuth:    // 执行 ssoAuth 函数时提交给 Binder 的数据
                {
                    data.enforceInterface(DESCRIPTOR);
                    java.lang.String _arg0;
                    _arg0 = data.readString();
                    java.lang.String _arg1;
                    _arg1 = data.readString();
                    this.ssoAuth(_arg0, _arg1);
                    reply.writeNoException();
                    return true;
                }
            }
            return super.onTransact(code, data, reply, flags);
        }

        // 本地代理，通过 Binder 与服务端的对象进行交互
        private static class Proxy implements book.jtm_chap01.SsoAuth{
            private android.os.IBinder mRemote;
            Proxy(android.os.IBinder remote){
                mRemote = remote;
            }
            @Override public android.os.IBinder asBinder(){
                return mRemote;
            }
            // 代码省略

            /**
             * 实现 SSO 授权
             */
            @Override public void ssoAuth(java.lang.String userName,
```

```
                java.lang.String pwd) throws android.os.RemoteException{
            android.os.Parcel _data = android.os.Parcel.obtain();
            android.os.Parcel _reply = android.os.Parcel.obtain();
            try {
                _data.writeInterfaceToken(DESCRIPTOR);
                _data.writeString(userName);
                _data.writeString(pwd);
                mRemote.transact(Stub.TRANSACTION_ssoAuth, _data, _reply, 0);
                _reply.readException();
            }
            finally {
                _reply.recycle();
                _data.recycle();
            }
        }
    }
    static final int TRANSACTION_basicTypes
                = (android.os.IBinder.FIRST_CALL_TRANSACTION + 0);
    static final int TRANSACTION_ssoAuth
                = (android.os.IBinder.FIRST_CALL_TRANSACTION + 1);
  }

  public void basicTypes(int anInt, long aLong, boolean aBoolean, float aFloat, double
  aDouble, java.lang.String aString) throws android.os.RemoteException;
  // 实现 SSO 授权
  public void ssoAuth(java.lang.String userName, java.lang.String pwd)
          throws android.os.RemoteException;
}
```

在 SsoAuth.java 中自动生成了 SsoAuth 接口，该接口中有一个 ssoAuth 函数。但最，重要的是生成了一个 Stub 类，该类继承自 Binder 类，并且实现了 SsoAuth 接口。Stub 里面最重要的就是 asInterface()这个函数，在这个函数中会判断 obj 参数的类型，如果该 obj 是本地的接口类型，则认为不是进程间调用，此时将该 obj 转换成 SsoAuth 类型；否则会通过自动生成的另一个内部类 Proxy 来包装 obj，将其赋值给 Proxy 中的 mRemote 字段。Proxy 类也实现了 SsoAuth 接口，不同的是它是通过 Binder 机制来与远程进程进行交互，例如，在 ssoAuth ()函数中，Proxy 将通过 Binder 机制向服务端传递请求和数据，它请求的类型为 TRANSACTION_ssoAuth，参数分别是 String 类型的 userName 和 pwd。

对于服务端代码来说，它也有同一份 SsoAuth.aidli 以及 SsoAuth.java，但不同的是服务端是指令的接收端，客户端的调用会通过 Binder 机制传递到服务端，最终调用 Stub 类中的 onTransact 函数。可以看到在 case TRANSACTION_ssoAuth 处执行了 this.ssoAuth()函数，意思是当接收到客户端的 TRANSACTION_ssoAuth 请求时，执行 this.ssoAuth()函数，通过客户端的分析我们知道，当我们调用 ssoAuth()时实际上就是通过 mRemote 向服务端提交了一个 TRANSACTION_ssoAuth 请求，因此，这两端通过 Binder 机制就对接上了，我们可以简单地理解为 C/S 模式。

而在客户端调用 bindService 之后，如果绑定成功则会调用 onServiceConnected(ComponentName name，IBinder service)，这里的 Service 对象是 BinderProxy 类型，经过 asInterface 转换后被包装成了 Proxy 类型，但是调用的时候，执行的是服务端 SinaSsoImpl 中的 ssoAuth()函数。因此，SinaSsoImpl 实例 mBinder 被服务端包装成 BinderProxy 类型，再经过客户端的 Proxy 进行包装，通过 Binder 机制进行数据传输，实现进程间调用。

它们的调用时序图如图 1-17 所示。

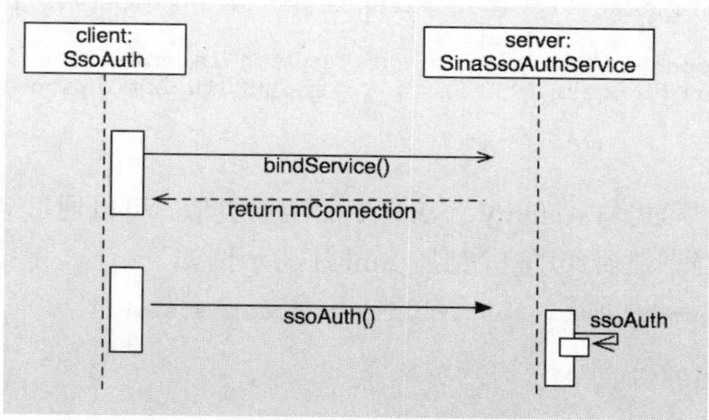


▲图 1-17 调用时序图

打个比方说，有两个公司打算进行合作需要进行业务磋商，并且这次合作已经签署了合同，只剩下一些细节没有最终确定。但是由于大 BOSS 比较忙，因此各自都派了一个代表进行沟通。由于两家公司相距较远，双方代表都通过电话进行沟通。BOSS-A 跟代表-A 交代说，这次合作对方支付的酬劳不能低于十块钱，于是代表-A 通过电话与代表 B 进行沟通，代表-B 得到消息之后跑到 BOSS-B 的办公室请示，BOSS-B 确认之后又由代表-B 回复代表-A，代表-A 最终反馈给 BOSS-A。这个例子中的两个 BOSS 分别对应客户端和服务端，合同就对应了 SsoAuth 接口，而两个代表则对应了两端的 Proxy，代表的通信方式则是电话，而代码的通信方式是 Binder。

总体来说，使用 AIDL 并不是一件困难的事，但是理解 AIDL 的机制确实有一定的难度。也正是如此，Android 通过 AIDL 这个机制将一些复杂的概念与逻辑通过自动生成类型的方式屏蔽掉，使得开发人员能够更简单地进行进程间通信。

## 1.3 Broadcast（广播）

Broadcast 是一种广泛运用的、在应用程序之间传输信息的机制，Android 中的广播与传统意义上的电台广播类似，一个广播可以有任意个接收者。广播机制是一个典型的发布—订阅模式，也就是我们所说的观察者模式。广播机制最大的特点就是发送方并不关心接收方是否接到数据，也不关心接收方是如何处理数据的，通过这样的形式来达到接、收双方的完全解耦合。

Android 广播机制包含 3 个基本要素，分别是用于发送广播的 Broadcast、接收广播的 BroadcastReceiver 以及用于传递信息的 Intent。Android 广播可分为普通广播、有序广播、本地广播和 Sticky 广播。

### 1.3.1 普通广播

普通广播是完全异步的，通过 Context 的 sendBroadcast()函数来发送，消息传递的效率比较高，但所有的 receivers（接收器）的执行顺序不确定。缺点是：接收者不能将处理结果传递给下一个接收者，并且无法终止广播 Intent 的传播，直到没有与之匹配的广播接收器为止。

首先我们需要定义一个广播接收器，示例如下：

```
public class HelloBroadcastReceiver extends BroadcastReceiver {
    @Override
    public void onReceive(Context context, Intent intent) {
        Toast.makeText(context, "hello", Toast.LENGTH_LONG).show();
    }
}
```

第二步是注册广播，形式与 Activity、Service 的注册类似，可以通过 AndroidManifest.xml 或者代码进行注册，分别是静态注册和动态注册。xml 注册示例如下：

```
<receiver android:name=".broadcast.HelloBroadcastReceiver" >
  <intent-filter>
        <action android:name="hello"/>
  </intent-filter>
</receiver>
```

动态注册的示例代码为：

```
private void registerHelloBroadcast() {
        registerReceiver(new HelloBroadcastReceiver(),
                new IntentFilter(HELLO_ACTON)) ;
}
```

如果是在 Activity 或者 Fragment 中动态测试，那么不要忘了在执行 onDestory 时注销该广播。注册之后就可以发送广播了，代码如下所示：

```
private void sendNormalBroadcast() {
    sendBroadcast(new Intent(HELLO_ACTON));
}
```

然后就会调用 HelloBroadcastReceiver 的 onReceive 函数，在该函数中执行相关操作即可。

### 1.3.2 有序广播

有序广播通过 Context.sendOrderedBroadcast()来发送，所有的广播接收器按照优先级依次执行，广播接收器的优先级通过 receiver 的 intent-filter 中的 android:priority 属性来设置，数值越大优先级越高。当广播接收器接收到广播后，可以使用 setResult()函数来结果传给下一个广播接收器接，然后通过 getResult()函数来取得上个广播接收器接返回的结果，并可以用 abortBroadcast()函数来让系统丢弃该广播，使该广播不再传送到别的广播接收器接。

设置广播的优先级示例：

```
<receiver android:name=".broadcast.HelloBroadcastReceiver" >
  <intent-filter android:priority="100">
        <action android:name="hello"/>
  </intent-filter>
</receiver>
```

发送有序广播：

```
private void sendOrderBroadcast() {
    sendOrderedBroadcast(new Intent(HELLO_ACTON), null);
}
```

### 1.3.3 本地广播

在 21 版的 Support v4 包中新增本地广播，也就是 LocalBroadcastManager。之前广播都是全局的，所有应用程序都可以接收到，这样就会带来安全隐患。但是，有的时候我们并不需要把自己应用内的信息广播给所有应用，而只是进程内使用，现在使用 Support v4 包中的 LocalBroadcastManager 就能够实现限于应用内的广播。

它的用法很简单，只需要把调用 context 的 sendBroadcast、registerReceiver 、unregisterReceiver 的地方替换为 LocalBroadcastManager getInstance (Context context)中对应的函数即可，如图 1-1 所示。

表 1-1　函数的作用

| 函　数 | 作　用 |
|---|---|
| LocalBroadcastManager.getInstance(context).registerReceiver(receiver,intentFilter) | 注册 Receiver |
| LocalBroadcastManager.getInstance(context).unregisterReceiver(receiver) | 注销 Receiver |
| LocalBroadcastManager.getInstance(context).sendBroadcast(new Intent(HELLO_ACTON)); | 发送异步广播 |
| LocalBroadcastManager.getInstance(context).sendBroadcastSync(new Intent()); | 发送同步广播 |

本地广播与普通广播只是操作的类不一样，其他的接口基本上都类似，因此，替换为本地广播的成本相对较低。为了程序的安全性，建议在不需要其他进程接收广播的情况下使用本地广播。

### 1.3.4 sticky 广播

sticky 广播通过 Context.sendStickyBroadcast()函数来发送，用此函数发送的广播会一直滞留，当有匹配此广播的广播接收器被注册后，该广播接收器就会收到此条广播。使用此函数发送广播时，需要获得 BROADCAST_STICKY 权限：

```
<uses-permission android:name="android.permission.BROADCAST_STICKY"/>
```

sendStickyBroadcast 只保留最后一条广播，并且一直保留下去，这样即使已经有广播接收器处理了该广播，当再有匹配的广播接收器被注册时，此广播仍会被接收。如果你只想处理一遍该广播，可以通过 removeStickyBroadcast()函数实现。

## 1.4 ContentProvider（外共享数据）

ContentProvider 在 android 中的作用是对外共享数据，也就是说可以通过 ContentProvider 把应用中的数据共享给其他应用访问，其他应用可以通过 ContentProvider 对应用中的数据进行添、删、改、查。使用 ContentProvider 对外共享数据的好处是，统一了数据的访问方式，它实际上是对 SQliteOpenHelper 的进一步封装，通过 Uri 映射来判断选择需要操作数据库中的哪个表，并且进行增、删、改、查处理。

首先我们先来学习 Uri，Uri 代表了要操作的数据表的绝对路径，Uri 主要包含了两部分信息，一是需要操作的 ContentProvider，二是对 ContentProvider 中的哪个表进行操作。对于 ContentProvider 来说，一个 Uri 由以下几部分组成，如图 1-18 所示。

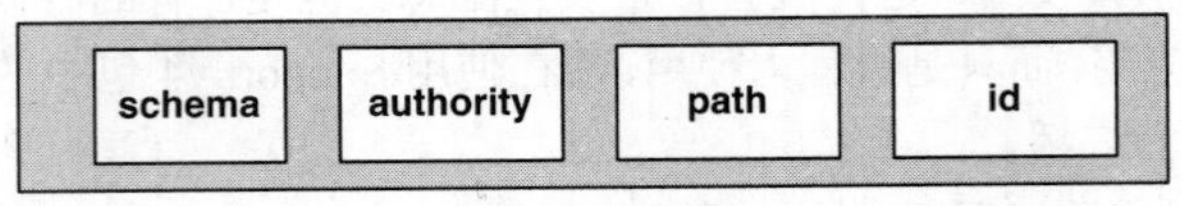


▲图 1-18　Uri 格式

ContentProvider 的 scheme 已经由 Android 固定设置为 content://,Authority 用于唯一标识这个 ContentProvider，外部调用者可以根据这个标识来找到它。这里的 path 就是要操作的数据库表，最后的 id 关键字是可选字段，例如，我们要操作特定的数据项时就会指定一个查询条件，如所有联系人的 Uri：content://contacts/people，某个联系人的 Uri: content://contacts/people/5，这个 5 就是联系人的 id，也就对应了这里的查询关键字。

如果要把一个字符串转换成 Uri，可以使用 Uri 类中的 parse()函数，如下：

```
Uri uri = Uri.parse("content://contacts /people");
```

Android 系统根据 Uri 来定位注册到系统的 ContentProvider 中，找到 ContentProvider 之后会通过 ContentResolver 来操作对应的数据库。实现 ContentProvider 的第一步就是需要覆写 ContentProvider 的 insert、query、upate、delete、getType 函数。下面我们要创建一个 ContentProvider，该 ContentProvider 存储了一些服务行业人员的电话信息，如一些系统中就存储了快递人员、肯德基订餐电话等信息。我们要做的就是实现类似的功能，首先定义一个 ContentProvider，代码如下：

```
public class UserInfoProvider extends ContentProvider {
    private static final String CONTENT = "content://";
    public static final String AUTHORIY = "com.book.jtm.info";
    /**
     * 该 ContentProvider 所返回的数据类型定义、数据集合
     */
    public static final String CONTENT_TYPE = "vnd.android.cursor.dir/vnd." + AUTHORIY;
    /**
     * 单项数据
     */
    public static final String CONTENT_TYPE_ITEM = "vnd.android.cursor.item/vnd." + AUTHORIY;

    /**
     * 数据集合操作时的 Uri
     */
    public static final Uri POSTCODE_URI = Uri.parse(CONTENT + AUTHORIY + "/" +
    UserInfoDbHelper.TABLE_USER_INFO);
    /**
     * 数据集合操作时的 Uri

     */
    public static final Uri COMPANY_URI = Uri.parse(CONTENT + AUTHORIY + "/" +
    UserInfoDbHelper.TABLE_COMPANY);

    private SQLiteDatabase mDatabase;

    static final int USER_INFOS = 1;
```

```
    static final int USER_INFO_ITEM = 2;
    static final int COMPANY = 3;
    static final int COMPANY_ITEM = 4;

    static UriMatcher uriMatcher = new UriMatcher(UriMatcher.NO_MATCH);

    static {
        uriMatcher.addURI(AUTHORIY, "userinfo", USER_INFOS);
        uriMatcher.addURI(AUTHORIY, "userinfo/*", USER_INFO_ITEM);
        uriMatcher.addURI(AUTHORIY, "company", COMPANY);
        uriMatcher.addURI(AUTHORIY, "company/#",COMPANY_ITEM);
    }

    @Override
    public String getType(Uri uri) {
        switch (uriMatcher.match(uri)) {
            case USER_INFOS:
            case COMPANY:
                return CONTENT_TYPE;
            case USER_INFO_ITEM:
            case  COMPANY_ITEM:
                return CONTENT_TYPE_ITEM;
            default:
                throw new RuntimeException("错误的Uri");
        }
    }

    // 删除、更新的代码省略
}
```

我们需要在 ContentProvider 中根据 Uri 建立关系映射，通过 UriMatcher 管理不同 Uri 对应的 Type 类型，这个类型会在 getType 中被返回。当在 ContentProvider 中进行增、删、改、查操作时，就会根据这个类型选择对应的数据表。在这个例子中，我们通过 UriMatcher 映射了 4 种 Uri 类型，Uri 的格式主要有两种，以表名结尾就表示期望访问该表中所有的数据，以 id 结尾就表示期望访问该表中拥有相应 id 的数据。我们可以使用通配符的方式来分别匹配这两种格式的内容 Uri，“*”表示匹配任意长度的任意字符，“#”表示匹配任意长度的数字。因此，content://com.book.jtm.info /userinfo 表示要查询 userinfo 表中的所有数据，而 content://com.book.jtm.info /userinfo/#表示要根据一个数字 id 查询一个用户。

下面我们就完成数据库操作的相关代码：

```
    @Override
    public boolean onCreate() {
        mDatabase = new UserInfoDbHelper(getContext()).getWritableDatabase();
        return true;
    }

    @Override
    public Uri insert(Uri uri, ContentValues values) {
        long newId = 0 ;
        Uri newUri = null;
        switch (uriMatcher.match(uri)) {
            case USER_INFOS:
                newId =  mDatabase.insert(UserInfoDbHelper.TABLE_USER_INFO, null, values);
                newUri = Uri.parse(CONTENT + AUTHORIY + "/"
                        + UserInfoDbHelper.TABLE_USER_INFO + "/" + newId);
                break;
```

```
            case COMPANY:
                newId = mDatabase.insert(UserInfoDbHelper.TABLE_COMPANY, null, values);
                newUri = Uri.parse(CONTENT + AUTHORIY + "/"
                        + UserInfoDbHelper.TABLE_COMPANY + "/" + newId);
                break;
        }
        if (newId > 0) {
            return newUri;
        }
        throw new IllegalArgumentException("Failed to insert row into" + uri);
    }

    @Override
    public Cursor query(Uri uri, String[] projection, String selection, String[]
    selectionArgs, String sortOrder) {

        Cursor cursor = null;
        switch (uriMatcher.match(uri)) {
            case USER_INFOS:
                cursor = mDatabase.query(UserInfoDbHelper.TABLE_USER_INFO, projection,
                        selection, selectionArgs, null, null, sortOrder);
                break;

            case USER_INFO_ITEM:
                String tel = uri.getPathSegments().get(1);
                cursor = mDatabase.query(UserInfoDbHelper.TABLE_USER_INFO, projection,
                        "tel_num = ?", new String[]{tel}, null, null, sortOrder);
                break;
            case COMPANY:
                cursor = mDatabase.query(UserInfoDbHelper.TABLE_COMPANY, projection,
                        selection, selectionArgs, null, null, sortOrder);
                break;
            case COMPANY_ITEM:
                String cid = uri.getPathSegments().get(1);
                cursor = mDatabase.query(UserInfoDbHelper.TABLE_COMPANY, projection,
                        "id = ?", new String[]{cid}, null, null, sortOrder);
                break;
        }
        return cursor;
    }
    // 删除、更新的代码省略
```

上述代码中，我们把传递进来的 Uri 通过 UriMatcher 进行解析，得到 type 之后，再根据 type 来判断要操作哪个表，根据它的数据类型是所有数据还是单个数据，然后执行对应的数据库操作。对数据库的操作通过 UserInfoDbHelper 类实现。代码如下：

```
public class UserInfoDbHelper extends SQLiteOpenHelper {

    private static final String DB_NAME = "userinfo.db";
    private static final int DB_VERSION = 1;

    public static final String TABLE_USER_INFO = "userinfo";
    public static final String TABLE_COMPANY = "company";

    public static final String TEL_COLUMN = "tel_num";
    public static final String DESC_COLUMN = "desc";
    public static final String COMP_ID_COLUMN = "comp_id";
    public static final String ID_COLUMN = "id";
    public static final String BUSINESS_COLUMN = "business";
    public static final String ADDR_COLUMN = "addr";
```

```
    private static final String POSTCODE_TABLE_SQL = "CREATE TABLE " + TABLE_USER_INFO + "  ("
            + TEL_COLUMN + " TEXT ,"
            + COMP_ID_COLUMN + " TEXT  , "
            + DESC_COLUMN + " TEXT "
            + ")";

    private static final String COMPANY_TABLE_SQL = "CREATE TABLE " + TABLE_COMPANY + " ("
            + ID_COLUMN + " TEXT PRIMARY KEY , "
            + BUSINESS_COLUMN + " TEXT , "
            + ADDR_COLUMN + " TEXT"
            +  ")";


    public UserInfoDbHelper(Context context) {
       super(context, DB_NAME, null, DB_VERSION);
    }

    @Override
    public void onCreate(SQLiteDatabase db) {
       db.execSQL(POSTCODE_TABLE_SQL);
       db.execSQL(COMPANY_TABLE_SQL);
    }

    @Override
    public void onUpgrade(SQLiteDatabase db, int oldVersion, int newVersion) {

    }
}
```

在 UserInfoDbHelper 中我们建立了两个表，分别为 userinfo 和 company，表结构表 1-2 和表 1-3 所示。

表 1-2　　userinfo

| 字 段 名 | 类　型 | 意　义 |
|---|---|---|
| Tel_num | TEXT | 电话号码 |
| Desc | TEXT | 描述 |
| comp_id | INTEGER | 公司 id |

表 1-3　　company

| 字 段 名 | 类　型 | 意　义 |
|---|---|---|
| Id | INTEGER | 公司的 id |
| Business | TEXT | 公司业务 |
| Addr | TEXT | 公司位置 |
| | | |

完成 ContentProvider 代码之后，第二步需要在 AndroidManifest.xml 中使用<provider>对该 ContentProvider 进行配置，为了能让其他应用找到该 ContentProvider ，ContentProvider 采用了 authorities 对它进行唯一标识，示例如下：

```
<provider android:name=".provider.UserInfoProvider"
    android:authorities="com.book.jtm.info" />
```

此时，我们就可以使用该 ContentProvider 了。

我们新建一个 ProviderActivity，在该 Activity 中存储、查询用户信息，代码如下所示：

```
public class ProviderActivity extends Activity {

    EditText mUserDescEdittext;     // 用户描述信息
    EditText mUserTelEdittext;      // 电话号码
    EditText mUserCompIdEdittext ;  // 用户所属的公司 id
    Button mSubmitBtn;              // 提交按钮

    EditText mCompIdEdittext;       // 公司 id
    EditText mCompBusinessEdittext; // 公司业务
    EditText mCompAddrEdittext;     // 公司地址
    Button mCompSubmitBtn;          // 提交按钮

    @Override
    protected void onCreate(Bundle savedInstanceState) {
        super.onCreate(savedInstanceState);
        setContentView(R.layout.activity_provider);
        initWidgets();
    }

    private void initWidgets() {
        // 用户信息相关的 View
        mUserDescEdittext = (EditText) findViewById(R.id.desc_edit);
        mUserTelEdittext = (EditText) findViewById(R.id.tel_edit);
        mUserCompIdEdittext = (EditText) findViewById(R.id.comp_edit);

        mSubmitBtn = (Button) findViewById(R.id.submit_btn);
        mSubmitBtn.setOnClickListener(new View.OnClickListener() {
            @Override
            public void onClick(View view) {
                saveUserInfoRecord();
                mSubmitBtn.postDelayed(new Runnable() {
                    @Override
                    public void run() {
                        queryPostCode();
                    }
                }, 1000) ;
            }
        });

        // 公司信息相关的 View
        mCompAddrEdittext = (EditText) findViewById(R.id.comp_addr_edit);
        mCompIdEdittext = (EditText) findViewById(R.id.comp_id_edit);
        mCompBusinessEdittext = (EditText) findViewById(R.id.comp_business_edit);

        mCompSubmitBtn = (Button) findViewById(R.id.submit_comp_btn);
        mCompSubmitBtn.setOnClickListener(new View.OnClickListener() {
            @Override
            public void onClick(View view) {
                saveCompanyRecord();
            }
        });
    }

    /**
```

```
     * 存储用户信息到 ContentProvider
     */
    private void saveUserInfoRecord() {
        ContentValues newRecord = new ContentValues();
        newRecord.put(UserInfoDbHelper.DESC_COLUMN,
            mUserDescEdittext.getText().toString());
        newRecord.put(UserInfoDbHelper.TEL_COLUMN,
            mUserTelEdittext.getText().toString());
        newRecord.put(UserInfoDbHelper.COMP_ID_COLUMN,
            mCompIdEdittext.getText().toString());
        getContentResolver().insert(UserInfoProvider.USERINFO_URI, newRecord);
    }

    /**
     * 存储公司信息到 ContentProvider 中
     */
    private void saveCompanyRecord() {
        ContentValues newRecord = new ContentValues();
        newRecord.put(UserInfoDbHelper.ADDR_COLUMN,
            mCompAddrEdittext.getText().toString());
        newRecord.put(UserInfoDbHelper.BUSINESS_COLUMN,
            mCompBusinessEdittext.getText().toString());
        newRecord.put(UserInfoDbHelper.ID_COLUMN, mCompIdEdittext.getText().toString());
        getContentResolver().insert(UserInfoProvider.COMPANY_URI, newRecord);
    }

    /**
     * 通过电话号码查询相关信息
     */
    private void queryPostCode() {
        Uri queryUri = Uri.parse("content://com.book.jtm.info/userinfo/123456");
        Cursor cursor = getContentResolver().query(queryUri, null, null, null, null);
        if (cursor.moveToFirst()) {
            Toast.makeText(this, "电话来自 : "
            + cursor.getString(2), Toast.LENGTH_SHORT).show();
        }
    }
}
```

上述 Activity 中我们可以将用户信息和公司信息根据不同的 Uri 插入到同一个 ContentProvider 中，UserInfoProvider 会根据 Uri 选择对应的表进行插入，查询也是同样的道理。首先我们插入一条用户数据，该用户的电话为 123456，描述为顺风快递员吴老二，公司 id 为 11，插入之后我们可通过电话号码 123456 到 ContentProvider 中查询该用户的信息，此时就会得到该用户的描述信息，如图 1-19 所示。

然后我们再插入该公司的信息，此时该 ConentProvider 的数据库中就有了数据，我们将数据库导出到 PC 中，结果如图 1-20 和图 1-21 所示。

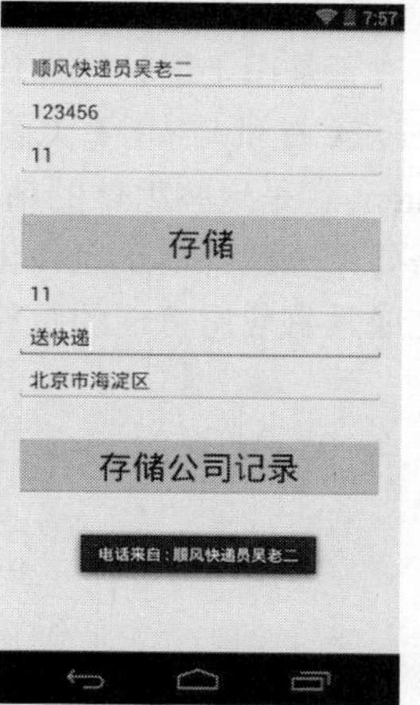


▲图 1-19

Table: userinfo

| | tel_num | comp_id | desc |
|---|---|---|---|
| 1 | 123456 | 1 | 顺风快递员吴老二 |

▲图 1-20　userinfo 表的数据

Table: company

| | id | business | addr |
|---|---|---|---|
| 1 | 11 | 送快递 | 北京市海淀区 |

▲图 1-21　company 表的数据

正如本章前文所说，ContentProvider 不过是对 SQLiteOpenHelper 的二次封装，通过 UriMatcher 将数据库中的表与 Uri 建立关联，当用户通过 Uri 操作 ContentProvider 时，ContentProvider 会根据 Uri 选择对应的数据库表进行增、删、改、查操作。通过 ContentProvider 机制，使得数据可以在各应用之间共享，并且为用户提供了统一的 API 接口，降低了用户的使用成本。

## 1.5 小结

Android 之父 Andy Rubin 在被采访时说过，在设计 Android 之初他就希望 Android 能像 Facebook 那样可以使用不同的应用中的功能模块，通过现有的模块像搭积木一样方便地构建一个应用。

正是基于这种理念，Android 被设计为高度组件化、可复用的系统。通常来说，一旦在系统中存在了某个功能模块，你就能够通过 Intent 复用它，而不必重复实现它，如图片浏览。开发者需要依照 Android 规范，编写一个个独立的组件，然后通过配置文件对每个组件的需求和能力进行描述，Android 系统会统一管理这些组件。这就意味着，应用中的某一项功能，可能是由来自很多应用的若干组件共同完成的，各个 Android 应用，只有明确的组件边界，而不再有明确的应用边界。

正是由于这种组件化的设计思想，使得 Android 变得极为灵活，Activity 提供 UI 界面的管理、Service 提供与 UI 无关的服务、ContentProvider 用于共享数据、Broadcast 用于跨进程数据传输，而 Intent 就是这些组件的粘合剂将它们联结在一起，但彼此之间却几乎没有耦合。对于开发者而言，需要充分理解基于组件化的应用设计模式，并利用组件化带来的灵活性和可复用性，在此基础上再完成具有应用特性的组件即可打造丰富多彩的应用。

# 第2章　创造出丰富多彩的UI——View与动画

在第一章中，我们说到Android的用户界面构成，实际上就是Activity由一个搭载着视图树的Window构成。作为与用户直接交互的元素，UI控件变得尤为重要。本章将介绍部分常用且重要的控件、自定义控件、动画等内容，使我们进一步认识View，进入更丰富多彩的视图世界。

## 2.1 重要的View控件

通常来说用户界面都是由Activity组成，Activity中关联了一个PhoneWindow创建，在这个窗口下则管理了一颗视图树。这颗视图树的顶级视图就是一个ViewGroup类型的DecorView，DecorView下就是各个视图控件。这样一来就组成了Android丰富多彩的UI元素。如图2-1所示。

本章我们并不会从TextView、Button等最基本控件谈起，正如我们前文所说的，会介绍部分重要的UI控件以及它们的基本原理，本章的重点是掌握自定义View以及动画。通过了解重要控件的基本原理以及自定义 View，使我们能够深入了解View系统，并且能够有能力创建出自己所需的View。

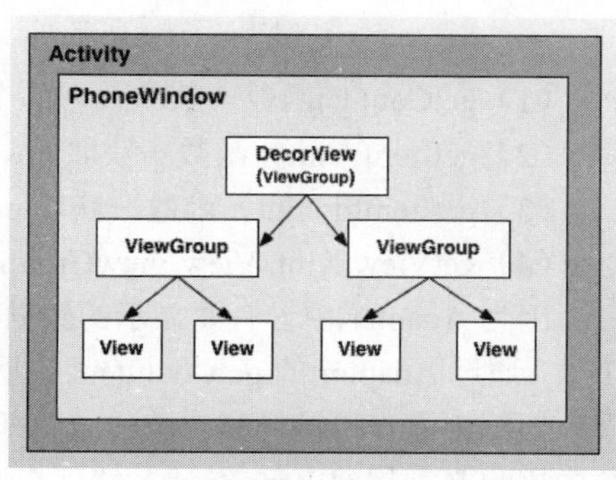


▲图2-1　用户界面组成

### 2.1.1　ListView与GridView

对于用Android开发来说，最重要的控件应该非ListView莫属。它以列表的形式展示具体内容，并且能够根据数据的长度自适应显示。如图2-2和图2-3所示。

列表数据的显示需要4个元素，分别为：

（1）用来展示列表的ListView；

（2）用来把数据映射到ListView上的Adapter；

（3）需要展示的数据集；

（4）数据展示的View模板。

首先自然是ListView控件，但是该控件只负责加载、管理视图（每项数据称为Item View），至于有多少项数据、每一项数据是如何显示的它并不关心。而这一切都是交给Adapter类实现，通过

Adapter 模式，用户只需覆写特定的几个函数就可以将 ListView 的每项数据构建出来。需要实现的 Adapter 函数为：

▲图 2-2　列表视图

▲图 2-3　Gmail 邮件列表

（1）getCount()函数—获取数据的个数；

（2）getItem（int）函数—获取 position 位置的数据；

（3）getItemId（int）函数—获取 position 位置的数据 id，一般直接返回 position 即可；

（4）getView（int, View,ViewGroup）函数—获取 position 位置上的 Item View 视图。

因为 Adapter 中含有要显示的数据集合，数据集合中的元素个数也就是要展示的 Item View 的个数，通过 Adapter 的 getCount()函数返回；而每个数据的获取则通过 Adapter 的 getItem(int)函数实现，根据索引直接访问集合中的元素即可；每个 Item View 则是通过 getView 函数实现，在这个函数中用户必须构建 Item View，然后将该 position 位置上数据绑定到 Item View 上。这样一来，数据就和视图结合在一起了。

当 ListView 加载时会根据数据的个数来创建 Item View，然后根据该 View 的索引从数据集合中获取数据，调用 getView 获取具体的视图，并且与数据绑定。但是，并不是有多少数据项就会产生多少 Item View，Android 采用了视图复用的形式来避免创建过多的 Item View，这样能够非常有效地提升性能和降低内存占用率。具体的设计如图 2-4 所示。

在处理数据量较大时，ListView 会构建铺满屏幕所需的 Item View 个数，当屏幕向下滚动时，第一项数据将会滚出屏幕的可见范围之内，并且进入 ListView 的一个 Recycler 中，Recycler 会将该视图缓存，如图 2-4 中的 item 1。而此时第 8 项也需要加载，ListView 首先会从 Recycler 中获取视图，如果视图存在，那么用户可以直接使用该缓存视图，或者重新创建新的视图。当然，这些步骤都是在 Adapter 中完成的，一个典型的 getView 函数大致如下：

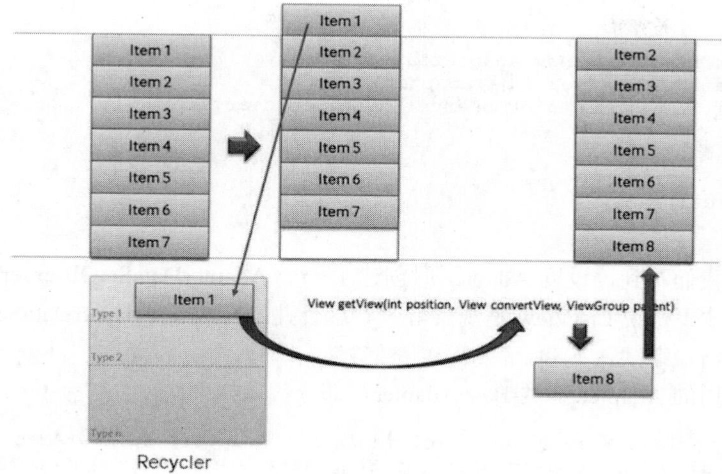


▲图 2-4 ListView 的 Item View 复用机制

```
public View getView(int position, View convertView, ViewGroup parent) {
     View view = null;
     // 有视图缓存，复用视图
     if (convertView != null) {
          view = convertView;
     } else {
          // 重新加载视图
     }
     // 进行数据绑定
     // 返回 Item View
     return view;
}
```

getView 函数的 position 就表示该视图是第几项数据，convertView 就表示缓存的 Item View，parent 表示该 Item View 的父视图，对于 ListView 来说这个 parent 就代表 ListView 本身。这里最重要的就是 convertView 参数，如果有缓存那么该参数不为空，此时直接复用该视图；否则需要重新创建一个新的视图，最后绑定数据并且将该 Item View 返回。

我们说到 ListView 只会展示有限数量的 Item View，例如 8 个 Item View 就能够铺满屏幕，那么即使数据项有 1000 个，通过复用机制 Item View 可以只产生 8 个，这样既节约内存又能很大程度上提高运行效率。复用 Item View 机制也是优化 ListView 等集合组件最重要的手段。

那么当某个数据源发生变化之后如何更新 ListView 呢？

我们知道 ListView 运用了 Adapter 模式，但是，在 Adapter 类中却还运用了观察者模式，Adapter 内部有一个可观察者类，ListView 则作为它的其中一个观察者。在将 Adapter 设置给 ListView 时，ListView 会被注册到这个观察者对象中。代码如下：

```
@Override
public void setAdapter(ListAdapter adapter) {
    resetList();
    // 清空视图缓存 mRecycler
    mRecycler.clear();
```

```
    if (mAdapter != null) {
        mDataSetObserver = new AdapterDataSetObserver();
        // 将 mDataSetObserver 注册到 adapter 中
        mAdapter.registerDataSetObserver(mDataSetObserver);
    } else {
        // 代码省略
    }
    requestLayout();
}
```

从以上程序中我们看到，设置 Adapter 时创建了一个 AdapterDataSetObserver 对象，然后注册到 mAdapter 中。刚才不是说 ListView 是观察者吗？这会儿怎么成了 AdapterDataSetObserver 对象？我们先放下这个疑问，继续往下看。

首先看我们常用的 Adapter 基类-BaseAdapter，部分代码如下：

```
public abstract class BaseAdapter implements ListAdapter, SpinnerAdapter {
    private final DataSetObservable mDataSetObservable = new DataSetObservable();

    public void registerDataSetObserver(DataSetObserver observer) {
        mDataSetObservable.registerObserver(observer);
    }

    public void notifyDataSetChanged() {
        mDataSetObservable.notifyChanged();
    }

    // 代码省略
}
```

从以上程序中可以看到，注册观察者实际上是调用了 DataSetObservable 对应的函数。DataSetObservable 拥有一个观察者集合，当可观察者发生变更时，就会通知观察者做出相应的处理。代码如下：

```
public abstract class Observable<T> {
    // 观察者列表
    protected final ArrayList<T> mObservers = new ArrayList<T>();

    public void registerObserver(T observer) {
        if (observer == null) {
            throw new IllegalArgumentException("The observer is null.");
        }
        synchronized(mObservers) {
            // 代码省略
            // 注册观察者
            mObservers.add(observer);
        }
    }
}
```

当 Adapter 的数据源发生变化时，我们会调用 Adapter 的 notifyDataSetChanged 函数，在该函数中又会调用 DataSetObservable 对象的 notifyChanged 函数通知所有观察者数据发生了变化，使观察者进行相应的操作。代码如下：

```
public class DataSetObservable extends Observable<DataSetObserver> {

    public void notifyChanged() {
```

```
        synchronized(mObservers) {
            for (int i = mObservers.size() - 1; i >= 0; i--) {
                // 调用观察者的 onChanged 函数
                mObservers.get(i).onChanged();
            }
        }
    }
}
```

对于 ListView 来说，这个观察者就是 AdapterDataSetObserver 对象，该类声明在 AdapterView 类中，也是 ListView 中的一个父类。AdapterDataSetObserver 的代码如下：

```
// AdapterView 的内部类 AdapterDataSetObserver 中
class AdapterDataSetObserver extends DataSetObserver {

    private Parcelable mInstanceState = null;

    @Override
    public void onChanged() {
        mDataChanged = true;
        mOldItemCount = mItemCount;
        // 获取元素个数
        mItemCount = getAdapter().getCount();
        // 代码省略

       checkFocus();
        // 重新布局
       requestLayout();
    }

    // 代码省略
}
```

从以上程序中可以看到，在 AdapterDataSetObserver 的 onChanged 函数中会调用 ViewGroup 的 requestLayout()函数进行重新策略、布局、绘制整个 ListView 的 Item View，执行完这个过程之后 ListView 的元素就发生了变化，因此，此时会根据新的数据来加载 Item View。

现在我们回到上面提到的问题，也就是 ListView 并不是观察者，而 AdapterDataSetObserver 对象才是观察者的问题。在 AdapterDataSetObserver 的 onChanged 函数中，实际上调用的却是 AdapterView 或者 ViewGroup 类中的属性或者函数完成功能，因此，AdapterDataSetObserver 只是在外层做了一下包装，真正核心的功能应该是 ListView，确切地说应该是 AdapterView。ListView 就是通过 Adapter 模式、观察者模式、Item View 复用机制实现了高效的列表显示。

与 ListView 相似，GridView 同样继承自 AbsListView，而 AbsListView 又是 AdapterView 的子类。GridView 因此同样集成了 AbsListView 的 Adapter 模式、观察者模式、Item View 复用机制等特性，它与 ListView 不同的就是布局方式。ListView 以列表形式展示，而 GridView 与它的名字一样则是通过网格布局形式展示。如图 2-5 所示。

▲图 2-5 列数为 3 的 GridView

本是同根生使得 ListView 和 GridView 拥有了很好的兼容性，同一个 Adapter 可以设置给 ListView 或者 GridView，不需要半点修改。当然也可以同时设置给这两个视图，这样一来，两个视图都作为该 Adapter 的观察者，数据会同时显示到这两个视图上。我想这就是为什么要运用观察者模式的缘由吧。

### 2.1.2　数据展示更好的实现——RecyclerView

观察者模式、Adapter 模式赋予了 ListView、GridView 等视图良好的可扩展性，但是从另一个角度看，它们似乎太过于相似了，以至于让我们不禁思考，这样做真的是最好的吗?

从上文中我们知道，ListView、GridView 基本上只有布局方式不一样而已，其他的机制基本一致。那么有没有更好的实现方式呢？答案是肯定的。

RecyclerView 就是作为 ListView、GridView 的替代者出现的。它的设计与 ListView、GridView 类似，也使用了 Adapter，不过该 Adapter 并不是 ListView 中的 Adapter，而是 RecyclerView 的一个静态内部类。该 Adapter 有一个泛型参数 VH，代表的就是 ViewHolder。RecyclerView 还封装了一个 ViewHolder 类型，该类型中有一个 itemView 字段，代表的就是每一项数据的根视图，需要在构造函数中传递给 ViewHolder 对象。RecyclerView 这么设计相当于 Android 团队将 ListView 的 Adapter 进行了再次封装，把 getView 函数中判断是否含有缓存的代码段封装到 RecyclerView 内部，使这部分逻辑对用户不可见。用户只需要告诉 RecyclerView 每项数据是怎么样的以及将数据绑定到每项数据上，分别对应的函数为 onCreateViewHolder 函数、onBindViewHolder 函数，当然还需要通过 getItemCount 告诉 RecyclerView 有多少项数据，以往适用于 ListView 的 Adapter 中的 getView 函数中的逻辑就不需要用户来处理了。一个 RecyclerView 的 Adapter 大致如下：

```
public class RecyclerAdapter extends Adapter<RecyclerViewHolder> {
    List<String> mDataSet = new ArrayList<String>() ;

    @Override
    public int getItemCount() {
        return mDataSet.size();
    }

    @Override
    public void onBindViewHolder(RecyclerViewHolder viewHolder, int position) {
        // 绑定数据
        viewHolder.nameTv.setText(mDataSet.get(position));
    }

    @Override
    public RecyclerViewHolder onCreateViewHolder(ViewGroup parant, int viewType) {
        // 创建 ViewHolder
        return new RecyclerViewHolder(new TextView(parant.getContext()));
    }

    // 自定义的 ViewHolder
    static class RecyclerViewHolder extends ViewHolder {
        TextView nameTv ;
        public RecyclerViewHolder(View itemView) {
            super(itemView) ;
            nameTv = (TextView)itemView.findViewById(R.id.username_tv);
        }
    }

}
```

从 RecyclerAdapter 中可以看到代码量比 ListView 的 Adapter 要少了很多，尤其是不需要用户判断是否使用 Item View 缓存，用户只需要完成具体的 ViewHolder 构造以及数据绑定即可。

光这点改进还不足以让 RecyclerView 如此光芒四射，它的另一大特点就是将布局方式抽象为 LayoutManager，默认提供了 LinearLayoutManager、GridLayoutManager、StaggeredGridLayoutManager 3 种布局，对应为线性布局、网格布局、交错网格布局，如果这些都无法满足你的需求，你还可以定制布局管理器实现特定的布局方式。如图 2-6 所示分别为线性布局、网格布局、自定义布局。

▲图 2-6　Recycler 的布局方式

RecyclerView 通过桥接的方式将布局职责抽离出去，使得 RecyclerView 变得更灵活。例如，如果用户只需要修改 RecyclerView 的布局方式，只需要修改 LayoutManager 即可，而不需要操作复杂的 RecyclerView 类型。而 ListView、GridView 正好是相反的，它们只是布局方式不一样，但却是两个类型，它们覆写了基类 AbsListView 的 layoutChildren 函数来实现不同的布局。显然，通过组合的形式要好于通过继承，因此，RecyclerView 在设计上也要好于 AbsListView 类族。

除此之外，RecyclerView 对于 Item View 的控制也更为精细，可以通过 ItemDecotation 为 Item View 添加装饰，也就是在 Item View 上进行二次加工；又可以用过 ItemAnimator 为 Item View 添加动画。职责分明、结构清晰使得 RecyclerView 具有了非常好的扩展性，这也是它成为未来几年最重要控件的重要原因。

### 2.1.3　让页面显示更流畅——ViewPager

一个应用中通常都会有页面导航，用户根据页面导航进入到不同的功能界面，这几乎是每个应用的必备功能。由于 Android 设备都是触摸屏，因此，通过滑动来进行页面导航再适合不过。ViewPager 就是为这种场景而生的，尤其是它与 Fragment 结合在一起使用时简直可称为“黑白双煞”，Android 也深知其的重要性，因此，提供了几个适用于 Fragment 的 Adapter。

没错，又是 Adapter！通常来说，定制含有 Item View 类型的控件都应该使用 Adapter 模式，因为你不知道用户的 Item View 是怎样的，你只能通过一个 Adapter 来进行抽象，让用户将具体的视图、数据通过 Adapter 进行操作。例如，通过 getItem 获取某个数据、通过 getView 获取每个 Item View，这样一来变化的部分就交给用户来实现，控件只需关注自身的逻辑，然后通过 Adapter 的 getView 来获取每个 Item View 即可。

ViewPager 内部同样也是维护了一个视图集合，这些视图集合横向布局，用户可以通过左右滑动来进行页面切换。如图 2-7 所示。

如前文所说，ViewPager 通常都用于显示 Fragment，而 ViewPager 与 Fragment 组合时通常会有一个指示器（ViewPagerIndicator）表明当前显示的是哪个页面。如图 2-8 所示。

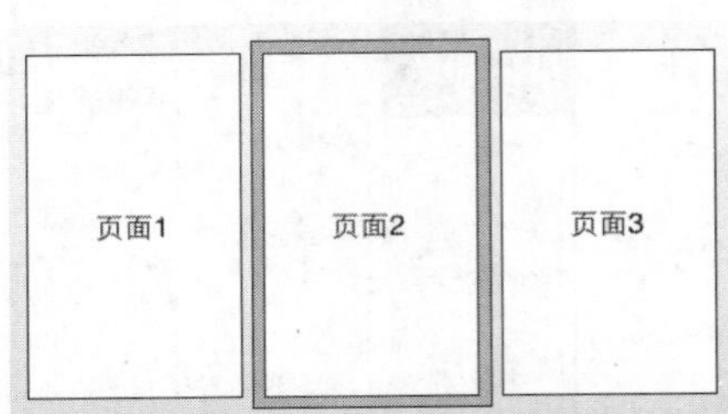


▲图 2-7　ViewPager 示例

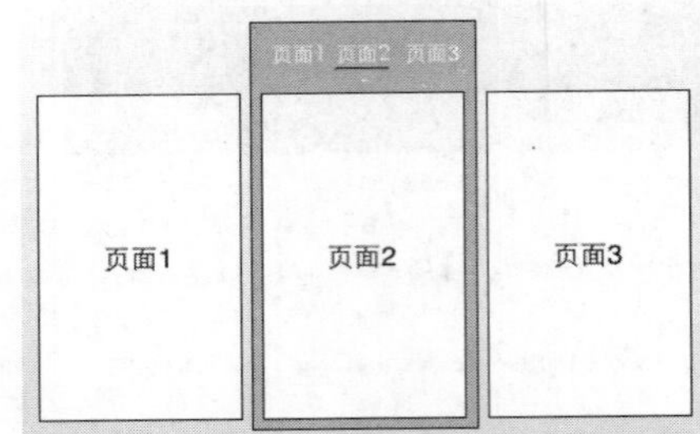


▲图 2-8　ViewPager 和 ViewIndicator

指示器与 ViewPager 实际上是两个视图，指示器根据 ViewPager 的页面数量以及提供的数据生成特定的指示器项，当 ViewPager 进行滑动时，指示器上的当前页面标识会随之变化。

图 2-8 的视图布局程序如下：

```
<LinearLayout
   xmlns:android="http://schemas.android.com/apk/res/android"
   android:orientation="vertical"
   android:layout_width="fill_parent"
   android:layout_height="fill_parent">

   <com.viewpagerindicator.TabPageIndicator
      android:id="@+id/indicator"
      android:layout_height="wrap_content"
      android:layout_width="fill_parent"
      />
   <android.support.v4.view.ViewPager
      android:id="@+id/pager"
      android:layout_width="fill_parent"
      android:layout_height="0dp"
      android:layout_weight="1"
      />

</LinearLayout>
```

在代码中我们需要进行设置，示例如下：

```
public class MainActivity extends FragmentActivity {
    // Tab 标题
    private static final String[] TITLE = new String[] { "页面 1", "页面 2", "页面 3"};
```

```
    @Override
    protected void onCreate(Bundle savedInstanceState) {
        super.onCreate(savedInstanceState);
        setContentView(R.layout.activity_main);

        //ViewPager 的 adapter
        FragmentPagerAdapter adapter
                = new TabPageIndicatorAdapter(getSupportFragmentManager());
        ViewPager pager = (ViewPager)findViewById(R.id.pager);
        // 将 Adapter 设置给 ViewPager
        pager.setAdapter(adapter);

        //实例化 TabPageIndicator 后与 ViewPager 进行关联
        TabPageIndicator indicator = (TabPageIndicator)findViewById(R.id.indicator);
        indicator.setViewPager(pager);
    }

    // ViewPager 适配器
    class TabPageIndicatorAdapter extends FragmentPagerAdapter {
        public TabPageIndicatorAdapter(FragmentManager fm) {
            super(fm);
        }

        @Override
        public Fragment getItem(int position) {
            //新建一个 Fragment 来展示 ViewPager item 的内容，并传递参数
            Fragment fragment = new ItemFragment();
            Bundle args = new Bundle();
            args.putString("arg", TITLE[position]);
            fragment.setArguments(args);
            return fragment;
        }

        @Override
        public CharSequence getPageTitle(int position) {
            return TITLE[position % TITLE.length];
        }

        @Override
        public int getCount() {
            return TITLE.length;
        }
    }
}
```

ViewPagerIndicator 会与 ViewPager 进行管理，并且通过 ViewPager 的 Adapter 获取到页面数量、每个页面的标题等信息，然后绘制出指示器视图。当 ViewPager 滚动时，指示器视图也会发生相应的变化，以此达到指示页面切换的效果。

## 2.2 必须掌握的最重要的技能——自定义控件

虽然 Android 已经自带了很多强大的 UI 控件，但是依旧不能满足所有开发人员的需求。通常开发人员需要实现设计师精心设计的视觉效果，这种情况下可能现有的控件就不能满足需求或者说使用现有的控件实现起来成本很高，此时我们只能寻找是否有类似的开源库，如果没有人实现过类

似的效果，我们只能通过自定义 View 实现。因此，自定义 View 就成了开发人员必须掌握的最重要技能之一。

自定义 View 也有几种实现类型，分别为继承自 View 完全自定义、继承自现有控件（如 ImageView）实现特定效果、继承自 ViewGroup 实现布局类，在这其中比较重要的知识点是 View 的测量与布局、View 的绘制、处理触摸事件、动画等，也就是本章我们要学习的重要知识点。

### 2.2.1　最为自由的一种实现——自定义 View

继承自 View 完全实现自定义控件是最为自由的一种实现，也是相对来说比较复杂的一种。因为你通常需要正确地测量 View 的尺寸，并且需要手动绘制各种视觉效果，因此，它的工作量相对来说比较大，但是，能够自由地控制整个 View 的实现。

下面我们就继承 View 来实现一个简单的 ImageView，它能够根据用户设置的大小将图片缩放，使得图片在任何尺寸下都能够正确显示。

对于继承自 View 类的自定义控件来说，核心的步骤分别为尺寸测量与绘制，对应的函数是 onMeasure、onDraw。因为 View 类型的子类也是视图树的叶子节点，因此，它只负责绘制好自身内容即可，而这两步就是完成它职责的所有工作。

下面我们来简单实现一个显示图片的 ImageView，第一版控件的核心代码如下：

```
/**
 * 简单的 ImageView,用于显示图片
 */
public class SimpleImageView extends View {
    // 画笔
    private Paint mBitmapPaint;
    // 图片 drawable
    private Drawable mDrawable;
    // View 的宽度
    private int mWidth;
    // View 的高度
    private int mHeight;

    public SimpleImageView(Context context) {
          this(context, null);
    }

    public SimpleImageView(Context context, AttributeSet attrs) {
           super(context, attrs);
           // 根据属性初始化
           initAttrs(attrs);
           // 初始化画笔
          mBitmapPaint = new Paint();
          mBitmapPaint.setAntiAlias(true);
    }

    private void initAttrs(AttributeSet attrs) {
        if (attrs != null) {
            TypedArray array = null;
            try {
                array =
                getContext().obtainStyledAttributes(attrs, R.styleable.SimpleImageView);
                // 根据图片 id 获取到 Drawable 对象
                mDrawable = array.getDrawable(R.styleable.SimpleImageView_src);
```

```
                // 测量 Drawable 对象的宽、高
                measureDrawable();
            } finally {
                if (array != null) {
                        array.recycle();
                }
            }
        }
    }
    // 代码省略
}
```

首先我们创建了一个继承自 View 的 SimpleImageView 类，在含有构造函数中我们会获取该控件的属性，并且进行初始化要绘制的图片及画笔。在 values/attr.xml 中定义了这个 View 的属性，为了便于后续的圆形 ImageView 使用，我们命名为 CircleImageView，attr.xml 中的内容如下：

```
<resources>
    <declare-styleable name="SimpleImageView">
        <attr name="src" format="integer" />
    </declare-styleable>
</resources>
```

该属性集的名字为 SimpleImageView，里面只有一个名为 src 的整型属性。我们通过这个属性为 SimpleImageView 设置图片的资源 id。代码如下所示：

```
<LinearLayout xmlns:android="http://schemas.android.com/apk/res/android"
    xmlns:img="http://schemas.android.com/apk/res/com.book.jtm"
    android:layout_width="match_parent"
    android:layout_height="match_parent"
    android:orientation="vertical" >

    <com.book.jtm.chap02.SimpleImageView
    android:layout_width="wrap_content"
    android:layout_height="wrap_content"
    img:src="@drawable/icon_400" />

</LinearLayout>
```

注意，在使用自定义的属性时，我们需要将该属性所在的命名空间引入到 xml 文件中，命名空间实际上就是该工程的应用包名，如上述代码中的加粗部分。因为自定义的属性集最终会编译为 R 类，R 类的完整路径是应用的包名. “R”，我们的示例应用包名为 com.book.jtm，因此，我们引入了一个名为 img 的命名控件，它的格式为 ：

```
xmlns:名字="http://schemas.android.com/apk/res/应用包名"
```

此时我们在 xml 文件中定义了一个 SimpleImageView，并且指定它的图片资源为 drawable 目录下的 icon_400，这是 values/drawable 目录下的一张图片。当应用启动时会从这个 xml 布局中解析 SimpleImageView 的属性，例如宽度、高度都为 wrap_content，src 属性为 drawable 目录下的 icon_400。进入 SimpleImageView 构造函数后会调用 initAttrs 函数进行初始化。

在 initAttrs 函数中，我们首先读取 CircleImageView 的属性集 TypedArray；再从该对象中读取 SimpleImageView_src 属性值，该属性是一个 drawable 的资源 id 值；然后我们根据这个 id 从该 TypedArray 对象中获取到该 id 对应的 Drawable；最后我们调用 measureDrawable 函数测量该图片

Drawable 的大小。代码如下：

```
private void measureDrawable() {
    if (mDrawable == null) {
        throw new RuntimeException("drawable 不能为空!");
    }
    mWidth = mDrawable.getIntrinsicWidth();
    mHeight = mDrawable.getIntrinsicHeight();
}
```

我们在 SimpleImageView 中定义了两个字段 mWidth、mHeight，分别表示该视图的宽度、高度。在 measureDrawable 函数中，我们通过在 xml 文件中指定资源 id 对应的 Drawable 得到图片的宽度和高度，并且把它们当作 SimpleImageView 的宽和高，也就是说图片多大，SimpleImageView 就多大。在 SimpleImageView 被加载时，首先会调用 onMeasure 函数测量 SimpleImageView 的大小，然后再将图片绘制出来。代码如下：

```
    @Override
    protected void onMeasure(int widthMeasureSpec, int heightMeasureSpec) {
        // 设置 View 的宽和高为图片的宽和高
        setMeasuredDimension(mWidth, mHeight);
    }

    @Override
    protected void onDraw(Canvas canvas) {
        if (mDrawable == null) {
            return;
        }
        // 绘制图片
        canvas.drawBitmap(ImageUtils.drawableToBitamp (mDrawable),
        getLeft(), getTop(), mBitmapPaint);
}
```

运行示例，结果如图 2-9 所示。

▲图 2-9　SimpleImageView 显示图片

我们总结一下这个过程：

（1）继承自 View 创建自定义控件;

（2）如有需要自定义 View 属性，也就是在 values/attrs.xml 中定义属性集;

（3）在 xml 中引入命名控件，设置属性;

（4）在代码中读取 xml 中的属性，初始化视图;

（5）测量视图大小;

（6）绘制视图内容。

实现起来并不难，但是，这只是最简单的 ImageView 而已。SimpleImageView 的宽、高设置为 match_parent 会怎么样，设置为指定大小的值又会正常显示吗？

### 2.2.2　View 的尺寸测量

我们都知道 Android 的视图树在创建时会调用根视图的 measure、layout、draw 三个函数，分别对应尺寸测量、视图布局、绘制内容。但是，对于非 ViewGroup 类型来说，layout 这个步骤是不需要的，因为它并不是一个视图容器。它需要做的工作只是测量尺寸与绘制自身内容，上述 SimpleImageView 就是这样的例子。

但是，SimpleImageView 的尺寸测量只能够根据图片的大小进行设置，如果用户想支持 match_parent 和具体的宽高值则不会生效，SimpleImageView 的宽高还是图片的宽高。因此，我们需要根据用户设置的宽高模式来计算 SimpleImageView 的尺寸，而不是一概地使用图片的宽高值作为视图的宽高。

在视图树渲染时 View 系统的绘制流程会从 ViewRoot 的 performTraversals()方法中开始，在其内部调用 View 的 measure()方法。measure()方法接收两个参数：widthMeasureSpec 和 heightMeasureSpec，这两个值分别用于确定视图的宽度、高度的规格和大小。MeasureSpec 的值由 specSize 和 specMode 共同组成，其中 specSize 记录的是大小，specMode 记录的是规格。在支持 match_parent、具体宽高值之前，我们需要了解 specMode 的 3 种类型，如表 2-1 所示。

表 2-1 SpecMode 类型

| 模式类型 | 说明 |
|---|---|
| EXACTLY | 表示父视图希望子视图的大小应该是由 specSize 的值来决定的，系统默认会按照这个规则来设置子视图的大小，开发人员当然也可以按照自己的意愿设置成任意的大小。match_parent、具体的数值（如 100dp）对应的都是这个模式 |
| AT_MOST | 表示子视图最多只能是 specSize 中指定的大小，开发人员应该尽可能小地去设置这个视图，并且保证不会超过 specSize。系统默认会按照这个规则来设置子视图的大小，开发人员当然也可以按照自己的意愿设置成任意的大小。一般来说 wrap_content 对应这种模式 |
| UNSPECIFIED | 表示开发人员可以将视图按照自己的意愿设置成任意的大小，没有任何限制。这种情况比较少见，不太会用到 |

那么这两个 MeasureSpec 又是从哪里来的呢？其实这是从整个视图树的控制类 ViewRootImpl 创建的，在 ViewRootImpl 的 measureHierarchy 函数中会调用如下代码获取 MeasureSpec：

```
if (!goodMeasure) {
    // 获取 MeasureSpec
    childWidthMeasureSpec = getRootMeasureSpec(desiredWindowWidth, lp.width);
    childHeightMeasureSpec = getRootMeasureSpec(desiredWindowHeight, lp.height);
    // 执行测量过程
    performMeasure(childWidthMeasureSpec, childHeightMeasureSpec);
    if (mWidth != host.getMeasuredWidth() || mHeight != host.getMeasuredHeight()) {
        windowSizeMayChange = true;
    }
}
```

从上述程序中可以看到，这里调用了 getRootMeasureSpec()方法来获取 widthMeasureSpec 和 heightMeasureSpec 的值。注意，方法中传入的参数，参数 1 为窗口的宽度或者高度，而 lp.width 和 lp.height 在创建 ViewGroup 实例时就被赋值了，它们都等于 MATCH_PARENT。然后看一下 getRootMeasureSpec()方法中的代码，如下所示：

```
private int getRootMeasureSpec(int windowSize, int rootDimension) {
    int measureSpec;
    switch (rootDimension) {
    case ViewGroup.LayoutParams.MATCH_PARENT:
```

```
            measureSpec = MeasureSpec.makeMeasureSpec(windowSize, MeasureSpec.EXACTLY);
            break;
        case ViewGroup.LayoutParams.WRAP_CONTENT:
            measureSpec = MeasureSpec.makeMeasureSpec(windowSize, MeasureSpec.AT_MOST);
            break;
        default:
            measureSpec =
                MeasureSpec.makeMeasureSpec(rootDimension, MeasureSpec.EXACTLY);
            break;
        }
        return measureSpec;
    }
```

从上述程序中可以看到，这里使用了 MeasureSpec.makeMeasureSpec()方法来组装一个 MeasureSpec，当 rootDimension 参数等于 MATCH_PARENT 时，MeasureSpec 的 specMode 就等于 EXACTLY，当 rootDimension 等于 WRAP_CONTENT 时，MeasureSpec 的 specMode 就等于 AT_MOST；并且 MATCH_PARENT 和 WRAP_CONTENT 的 specSize 都是等于 windowSize 的，也就意味着根视图总是会充满全屏的。

当构建完根视图的MeasureSpec之后就会执行performMeasure函数从根视图开始一层一层测量视图的大小。最终会调用每个 View 的 onMeasure 函数，在该函数中用户需要根据 MeasureSpec 测量 View 的大小，最终调用 setMeasuredDimension 函数设置该视图的大小。下面我们看看 SimpleImageView 根据 MeasureSpec 设置大小的实现，修改的部分只有测量视图的部分，代码如下：

```
    @Override
    protected void onMeasure(int widthMeasureSpec, int heightMeasureSpec) {
        // 获取宽度的模式与大小
        int widthMode = MeasureSpec.getMode(widthMeasureSpec);
        int width = MeasureSpec.getSize(widthMeasureSpec);
        // 高度的模式与大小
        int heightMode = MeasureSpec.getMode(heightMeasureSpec);
        int height = MeasureSpec.getSize(heightMeasureSpec);
        // 设置 View 的宽高
        setMeasuredDimension(measureWidth(widthMode, width),
            measureHeight(heightMode, height));
    }

    private int measureWidth(int mode, int width) {
        switch (mode) {
            case MeasureSpec.UNSPECIFIED:
            case MeasureSpec.AT_MOST:
                break;
            case MeasureSpec.EXACTLY:
                mWidth = width;
                break;
        }
        return mWidth;
    }

    private int measureHeight(int mode, int height) {
        switch (mode) {
            case MeasureSpec.UNSPECIFIED:
            case MeasureSpec.AT_MOST:
                break;
            case MeasureSpec.EXACTLY:
                mHeight = height;
                break;
```

```
        }
        return mHeight;
    }

    @Override
    protected void onDraw(Canvas canvas) {
        if (mBitmap == null) {
            mBitmap = Bitmap.createScaledBitmap(
            ImageUtils.drawableToBitamp(mDrawable),getMeasuredWidth(),
            getMeasuredHeight(), true);
        }
        // 绘制图片
        canvas.drawBitmap(mBitmap,
        getLeft(), getTop(), mBitmapPaint);
    }
```

在 onMeasure 函数中我们获取宽、高的模式与大小，然后分别调用 measureWidth、measureHeight 函数根据 MeasureSpec 的 mode 与大小计算 View 的具体大小。在 MeasureSpec.UNSPECIFIED 与 MeasureSpec.AT_MOST 类型中，我们都将 View 的宽高设置为图片的宽高，而用户指定了具体的大小或 match_parent 时，它的模式则为 EXACTLY，它的值就是 MeasureSpec 中的值。最后在绘制图片时，会根据 View 的大小重新创建一个图片，得到一个与 View 大小一致的 Bitmap，然后绘制到 View 上。

图 2-10、图 2-11 和图 2-12 分别为宽高设置为 wrap_content、match_parent、具体值的显示效果。

▲图 2-10　wrap_content

▲图 2-11　match_parent

▲图 2-12　具体值 120dp*180dp

View 的测量是自定义 View 中最为重要的一步，如果不能正确地测量视图的大小，那么将会导致视图显示不完整等情况，这将严重影响 View 的显示效果。因此，理解 MeasureSpec 以及正确的测量方法对于开发人员来说是必不可少的。

### 2.2.3　Canvas 与 Paint（画布与画笔）

在上一节中我们自定义了一个 SimpleImageView，该视图的作用就是用于显示一张图片。图片并不是自动显示在 SimpleImageView 上的，而是我们在 onDraw 函数中通过 Canvas 和 Paint 绘制到视图上的，这就引入了 Canvas 和 Paint 这两个概念。

对于 Android 来说，整个 View 就是一张画布，也就是 Canvas。开发人员可以通过画笔 Paint 在这张画布上绘制各种各样的图形、元素，例如矩形、圆形、椭圆、文字、圆弧、图片等，通过修改画笔的属性则可以将同一个元素绘制出不同的效果，例如设置画笔的颜色为红色，那么通过该画笔绘制一个矩形时，该矩形的颜色则为红色。

Canvas 和 Paint 的重要函数如表 2-2 和表 2-3 所示。

表 2-2　　Canvas 部分函数

| 函 数 名 | 作　用 |
|---|---|
| drawRect(RectF rect, Paint paint) | 绘制一个矩形，参数一为 RectF 一个区域 |
| drawBitmap (Bitmap bitmap, float left, float top, Paint paint) | 绘制一张图片，left 做左边起点，top 为上边起点 |
| drawPath(Path path, Paint paint) | 绘制一个路径，参数一为 Path 路径对象 |
| drawLine(float startX, float startY, float stopX, float stopY, Paint paint) | 绘制线段 |
| drawText(String text, float x, float y, Paint paint) | 绘制文本 |
| drawOval(RectF oval, Paint paint) | 绘制椭圆 |
| drawCircle(float cx, float cy, float radius,Paint paint) | 绘制圆形，参数一是中心点的 x 轴，参数二是中心点的 y 轴，参数三是半径，参数四是 paint 对象 |
| drawArc(RectF oval, float startAngle, float sweepAngle, boolean useCenter, Paint paint) | 画扇形或者弧形。圆形进度条就是使用这个函数不断地绘制扇形或者弧形实现 |
| clipRect (float left, float top, float right, float bottom) | 裁剪画布上的一个区域，使得后续的操作只在这个区域上有效 |
| save () | 存储当前矩阵和裁剪状态到一个私有的栈中。随后调用 translate,scale,rotate,skew,concat or clipRect,clipPath 等函数还是会正常执行，但是调用了 restore()之后，这些调用产生的效果就会失效，在 save 之前的 Canvas 状态就会被恢复 |
| void restore () | 恢复到 save 之前的状态 |

表 2-3　　Paint 部分函数

| 函 数 名 | 作　用 |
|---|---|
| setARGB(int a,int r,int g,int b); | 设置绘制的颜色，a 代表透明度，r、g、b 代表颜色值 |
| setColor(int color); | 设置绘制的颜色，使用颜色值来表示，该颜色值包括透明度和 RGB 颜色 |

续表

| 函 数 名 | 作　用 |
|---|---|
| setAntiAlias(boolean aa); | 设置是否使用抗锯齿功能，会消耗较大资源，绘制图形速度会变慢 |
| setShader(Shader shader); | 设置图像效果，使用 Shader 可以绘制出各种渐变效果 |
| setShadowLayer(float radius ,float dx,float dy,int color); | 在图形下面设置阴影层，产生阴影效果，radius 为阴影的角度，dx 和 dy 为阴影在 x 轴和 y 轴上的距离，color 为阴影的颜色 |
| setStyle(Paint.Style style); | 设置画笔的样式，为 FILL、FILL_OR_STROKE 或 STROKE　Style.FILL: 实心，STROKE:空心　FILL_OR_STROKE:同时实心与空心 |
| setStrokeCap(Paint.Cap cap); | 当画笔样式为 STROKE 或 FILL_OR_STROKE 时，设置笔刷的图形样式，如圆形样式 Cap.ROUND,或方形样式 Cap.SQUARE |
| setStrokeWidth(float width); | 当画笔样式为 STROKE 或 FILL_OR_STROKE 时，设置笔刷的粗细度 |
| setXfermode(Xfermode xfermode); | 设置图形重叠时的处理模式，如合并、取交集或并集，经常用来制作橡皮的擦除效果 |
| setTextSize(float textSize); | 设置绘制文字的字号大小 |

Canvas 和 Paint 的函数较多，但理解起来都比较简单，因此我们不过多赘述。在 onDraw 方法里我们经常会看到调用 Canvas 的 save 和 restore 方法，这两个函数很重要，那么它们的作用是什么呢？

有的时候我们需要使用 Canvas 来绘制一些特殊的效果，在做一些特殊效果之前，我们希望不保存原来的 Canvas 状态，此时需要调用 Canvas 的 save 函数。执行 save 之后，可以调用 Canvas 的平移、放缩、旋转、skew（倾斜）、裁剪等操作，然后再进行其他的绘制操作。当绘制完毕之后，我们需要调用 restore 函数来恢复 Canvas 之前保存的状态。save 和 restore 要配对使用，但需要注意的是，restore 函数的调用次数可以比 save 函数少，不能多，否则会引发异常。

例如，需要在 SimpleImageView 中绘制一个竖向的文本，我们知道 drawText 函数默认是横向绘制的，如果直接在 onDraw 函数中绘制文本，那么得到的效果如图 2-13 所示。

▲图 2-13　默认的文字绘制

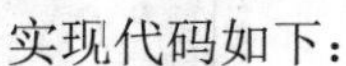
实现代码如下：

```
@Override
protected void onDraw(Canvas canvas) {
    if (mBitmap == null) {
        mBitmap =
        Bitmap.createScaledBitmap(ImageUtils.drawableToBitamp(mDrawable),
        getMeasuredWidth(), getMeasuredHeight(), true);
    }
    // 绘制图片
    canvas.drawBitmap(mBitmap,
         getLeft(), getTop(), mBitmapPaint);
```

```
    // 绘制文字
    mBitmapPaint.setColor(Color.YELLOW);
    mBitmapPaint.setTextSize(30);
    canvas.drawText("AngelaBaby", getLeft() + 50, getTop() - 50, mBitmapPaint);
}
```

但是我们的需求是将文字竖向显示，那么如何实现呢？

通常的思路是在绘制文本之前将画布旋转一定的角度，使得画布的角度发生变化，此时再在画布上绘制文字，得到的效果就是文字被绘制为竖向的。实现代码如下：

```
@Override
protected void onDraw(Canvas canvas) {
    if (mBitmap == null) {
        mBitmap = Bitmap.createScaledBitmap(ImageUtils.drawableToBitamp(mDrawable),
              getMeasuredWidth(), getMeasuredHeight(), true);
    }
    // 绘制图片
    canvas.drawBitmap(mBitmap,
         getLeft(), getTop(), mBitmapPaint);
    // 保存画布状态
    canvas.save();
    // 旋转 90°
    canvas.rotate(90);
    mBitmapPaint.setColor(Color.YELLOW);
    mBitmapPaint.setTextSize(30);
    // 绘制文本
   canvas.drawText("AngelaBaby", getLeft() + 50, getTop() - 50, mBitmapPaint);
    // 恢复原来的状态
    canvas.restore();
}
```

得到的效果如图 2-14 所示。

实现思路是在绘制文本之前将画布旋转 90°，即顺时针方向旋转 90°，然后再在画布上绘制文字，最后将画布 restore 到 save 之前的状态。整个过程如图 2-15 所示。

▲图 2-14　竖向的文字

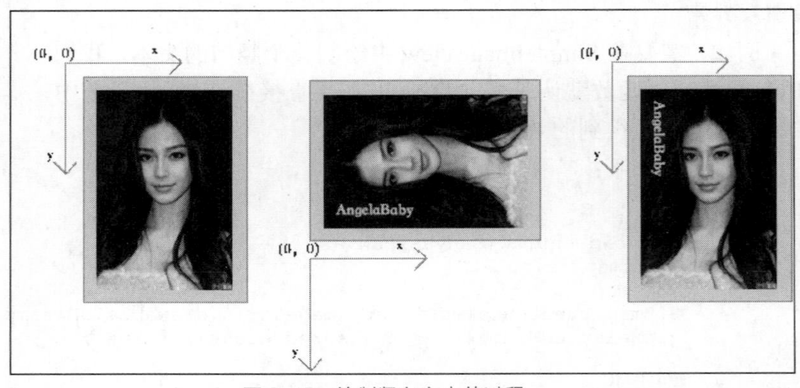


▲图 2-15　绘制竖向文本的过程

首先将画布选择 90° 之后画布大致如图 2-16 所示的第二幅图，此时原点到了左下角，向右的方向 x 递增，向下则为 y 轴递增。此时我们在该画布上绘制文本，假设 SimpleImageView 的 left 和 top 都为 0，那么绘制文本的起始坐标为(50,−50)，x 越大越靠右，*y* 值越小越向上偏移。绘制完文本之后将画布再还原，此时得到的效果就是文本被竖向显示了。

### 2.2.4 自定义 ViewGroup

自定义 ViewGroup 是另一种重要的自定义 View 形式，当我们需要自定义子视图的排列方式时，通常需要通过这种形式实现。例如，最常用的下拉刷新组件，实现下拉刷新、上拉加载更多的原理就是自定义一个 ViewGroup，将 Header View、Content View、Footer View 从上到下依次布局，如图 2-16 所示（红色区域为屏幕的显示区域运行时可看到色彩）。然后在初始时通过 Scroller 滚动使得该组件在 y 轴方向上滚动 HeaderView 的高度，这样当依赖该 ViewGroup 显示在用户眼前时 HeaderView 就被隐藏掉了，如图 2-17 所示。而 Content View 的宽度和高度都是 match_parent 的，因此，此时屏幕上只显示 Content View，HeaderView 和 FooterView 都被隐藏在屏幕之外。当 Content View 被滚动到顶部，此时如果用户继续下拉，那么该下拉刷新组件将拦截触摸事件，然后根据用户的触摸事件获取到手指滑动的 *y* 轴距离，并通过 Scroller 将该下拉刷新组件在 *y* 轴上滚动手指滑动的距离，实现 HeaderView 显示与隐藏，从而到达下拉的效果，如图 2-18 所示。当用户滑动到最底部时会触发加载更多的操作，此时会通过 Scroller 滚动该下拉刷新组件，将 Footer View 显示出来，实现加载更多的效果。

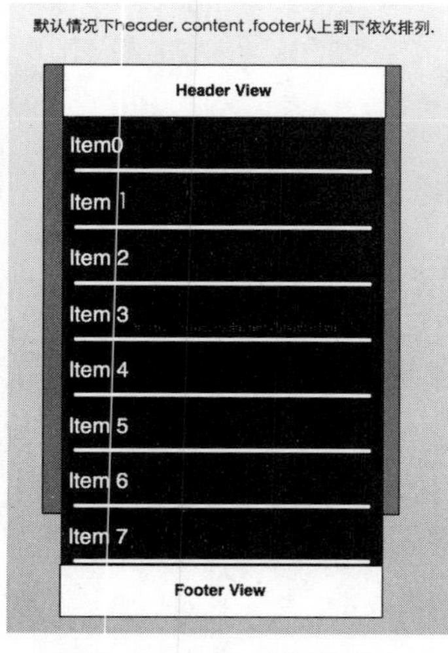

▲图 2-16 红色区域为屏幕

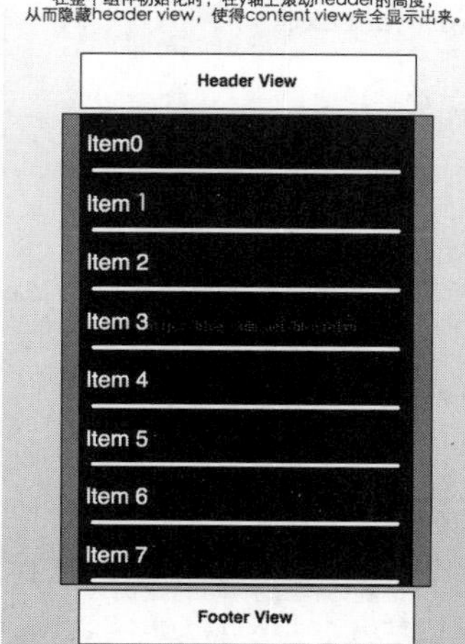

▲图 2-17 向下滚动 Header 的高度

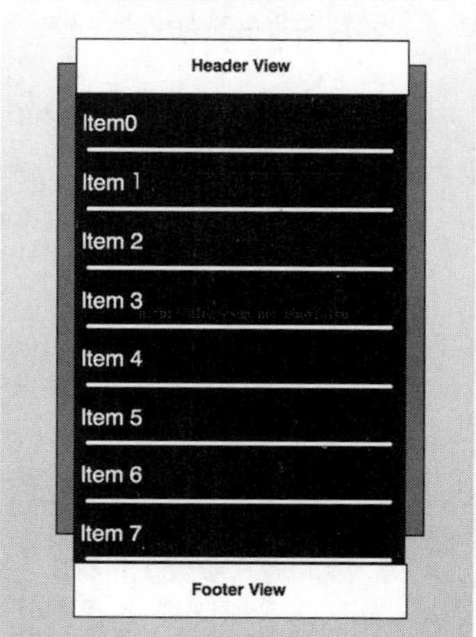

▲图 2-18 下拉

通过使用 Scroller 使得整个滚动效果更加平滑，使用 Margin 来实现则需要自己来计算滚动时间和 margin 值，滚动效果不是很流畅，且频繁地修改布局参数效率也不高。使用 Scroller 只是滚动位置，而没有修改布局参数，因此，使用 Scroller 是最好的选择。

## 2.3 Scroller 的使用

为了更好地理解下拉刷新的实现，我们先要了解 Scroller 的作用以及如何使用。这里我们将做一个简单的示例来说明。

Scroller 是一个帮助 View 滚动的辅助类，在使用它之前，用户需要通过 startScroll 来设置滚动的参数，即起始点坐标和（x,y）轴上要滚动的距离。Scroller 它封装了滚动时间、要滚动的目标 x 轴和 y 轴，以及在每个时间内 View 应该滚动到的（x,y）轴的坐标点，这样用户就可以在有效的滚动周期内通过 Scroller 的 getCurX()和 getCurY()来获取当前时刻 View 应该滚动的位置，然后通过调用 View 的 scrollTo 或者 ScrollBy 方法进行滚动。那么如何判断滚动是否结束呢？ 我们只需要覆写 View 类的 computeScroll 方法，该方法会在 View 绘制时被调用，在里面调用 Scroller 的 computeScrollOffset 来判断滚动是否完成，如果返回 true 表明滚动未完成，否则滚动完成。上述说的 scrollTo 或者 ScrollBy 的调用就是在 computeScrollOffset 为 true 的情况下调用，并且最后还要调用目标 View 的 postInvalidate()或者 invalidate()以实现 View 的重绘。View 的重绘又会导致 computeScroll 方法被调用，从而继续整个滚动过程，直至 computeScrollOffset 返回 false， 即滚动结束。整个过程有点绕，我们看一个实例：

```
public class ScrollLayout extends FrameLayout {
   private String TAG = ScrollLayout.class.getSimpleName();
   Scroller mScroller ;

   public ScrollLayout(Context context) {
      super(context);
      mScroller = new Scroller(context) ;
   }

   // 该函数会在 View 重绘之时被调用
   @Override
   public void computeScroll() {
      if ( mScroller.computeScrollOffset() ) {
         // 滚动到此,View 应该滚动到的 x,y 坐标上
         this.scrollTo(mScroller.getCurrX(), mScroller.getCurrY());
         // 请求重绘该 View，从而又会导致 computeScroll 被调用，然后继续滚动，
         // 直到 computeScrollOffset 返回 false
       this.postInvalidate();
      }
   }
   // 调用这个方法进行滚动，这里我们只滚动竖直方向
   public void scrollTo(int y) {
       // 参数 1 和参数 2 分别为滚动的起始点水平、竖直方向的滚动偏移量
       // 参数 3 和参数 4 为在水平和竖直方向上滚动的距离
       mScroller.startScroll(getScrollX(), getScrollY(), 0, y);
       this.invalidate();
   }
}
```

滚动该视图的代码：

```
ScrollLayout scrollView = new ScrollLayout(getContext()) ;
  scrollView.scrollTo(100);
```

通过上面这段代码会让 scrollView 在 y 轴上向下滚动 100 个像素点。我们结合代码来分析一下。首先调用 scrollTo(inty)方法，然后在该方法中通过 mScroller.startScroll()方法来设置滚动的参数，再调用 invalidate()方法使得该 View 重绘。重绘时会调用 computeScroll 方法，在该方法中通过 mScroller.computeScrollOffset()判断滚动是否完成，如果返回 true，代表没有滚动完成，此时把该 View 滚动到此刻 View 应该滚动到的 x、 y 位置，这个位置通过 mScroller 的 getCurrX 和 getCurrY 获得。然后继续调用重绘方法，继续执行滚动过程，直至滚动完成。

了解了 Scroller 原理后，我们继续看通用的下拉刷新组件的实现吧。

**下拉刷新实现**

代码量不算多，但是也挺有用的，我们这里只拿出重要的点来分析，完整的源码请访问 github（地址为 https：//github。Com/bboyfeiyu/android my pull refresh viewltreel masterlsvc/coml uit/pull refresh/scroller）获取。以下是重要的代码段：

```
// 下拉刷新组件抽象基类，泛型参数 T 为中间内容视图的类型
public abstract class RefreshLayoutBase<T extends View>
    extends ViewGroup implementsOnScrollListener {

    // 滚动控制器
    protected Scroller mScroller;
    //下拉刷新时显示的 header View
    protected View mHeaderView;
    //上拉加载更多时显示的 footer View
    protected View mFooterView;
    //本次触摸滑动 y 坐标上的偏移量
    protected int mYOffset;
    // 内容视图，即用户触摸导致下拉刷新、上拉加载的主视图，如 ListView、 GridView 等
    protected T mContentView;
    //最初的滚动位置，第一次布局时滚动 header 高度的距离
    protected int mInitScrollY = 0;
    // 最后一次触摸事件的 y 轴坐标
    protected int mLastY = 0;
    // 空闲状态
    public static final int STATUS_IDLE = 0;
    // 下拉或者上拉状态，还没有到达可刷新的状态
    public static final int STATUS_PULL_TO_REFRESH = 1;
    // 下拉或者上拉状态
    public static final int STATUS_RELEASE_TO_REFRESH = 2;
    // 刷新中
    public static final int STATUS_REFRESHING = 3;
    // Loading 中
    public static final int STATUS_LOADING = 4;
    //当前状态
    protected int mCurrentStatus = STATUS_IDLE;
    // header 中的箭头图标
    private ImageView mArrowImageView;
    // 箭头是否向上
    private boolean isArrowUp;
    // header 中的文本标签
    private TextView mTipsTextView;
    // header 中的时间标签
    private TextView mTimeTextView;
    // header 中的进度条
    private ProgressBar mProgressBar;
    // 屏幕的高度
```

```
    private int mScreenHeight;
    // header 的高度
    private int mHeaderHeight;
    // 下拉刷新回调
    protected OnRefreshListener mOnRefreshListener;
    // 加载更多的回调
    protected OnLoadListener mLoadListener;

    public RefreshLayoutBase(Context context) {
        this(context, null);
    }

    public RefreshLayoutBase(Context context, AttributeSet attrs) {
        this(context, attrs, 0);
    }

    public RefreshLayoutBase(Context context, AttributeSet attrs, int defStyle) {
        super(context, attrs);
        // 初始化 Scroller 对象
        mScroller = new Scroller(context);
        // 获取屏幕高度
        mScreenHeight = context.getResources().
            getDisplayMetrics().heightPixels;
        // header 的高度为屏幕高度的 1/4
        mHeaderHeight = mScreenHeight / 4;

        // 初始化整个布局
        initLayout(context);
    }

    // 初始化整个布局,从上到下分别为 header、内容视图、footer
    private final void initLayout(Context context) {
        // 设置 header view
      setupHeaderView(context);
        // 设置内容视图
        setupContentView(context);
        // 设置布局参数
       setDefaultContentLayoutParams();
        //添加内容视图,如 ListView、GridView 等
        addView(mContentView);
        // footer view
        setupFooterView(context);
    }
    // 代码省略
}
```

在构造函数中首先调用 initLayout 函数初始化整个布局，从上到下分别为 Header View、内容视图、Footer View，我们先看看这 3 部分的相关函数：

```
//初始化 header view
protected void setupHeaderView(Context context) {
        mHeaderView = LayoutInflater.from(context).inflate(
            R.layout.pull_to_refresh_header, this,false);
        mHeaderView.setLayoutParams(newViewGroup.LayoutParams(
            LayoutParams.MATCH_PARENT, mHeaderHeight));
        mHeaderView.setBackgroundColor(Color.RED);
        // header 的高度为 1/4 的屏幕高度，但是，它只有 100px 是有效的显示区域
       //取余为 paddingTop，这样是为了达到下拉的效果
        mHeaderView.setPadding(0, mHeaderHeight - 100, 0, 0);
        addView(mHeaderView);
```

```
        // 初始化 header view 中的子视图
        mArrowImageView = (ImageView)
            mHeaderView.findViewById(R.id.pull_to_arrow_image);
        mTipsTextView = (TextView)
            mHeaderView.findViewById(R.id.pull_to_refresh_text);
        mTimeTextView = (TextView)
            mHeaderView.findViewById(R.id.pull_to_refresh_updated_at);
        mProgressBar = (ProgressBar)
            mHeaderView.findViewById(R.id.pull_to_refresh_progress);
}

 //初始化 Content View，子类覆写
protected abstract void setupContentView(Context context);

// 初始化 footer view
protected void setupFooterView(Context context) {
    mFooterView = LayoutInflater.from(context).inflate(
            R.layout.pull_to_refresh_footer,this, false);
    addView(mFooterView);
 }
```

其中 header view 和 footer view 都是从默认的布局中加载，因此，它们是固定的。但是，最中间的内容视图是可变的，例如，我们显示内容的控件可能是 ListView、GridView、TextView 等，因此，这部分是未知的，所以 setContentView 留给子类去具体化。还有另外两个抽象函数，分别为判断是否下拉到顶部以及上拉到底部的函数，因为不同内容视图判断是否滚动到顶部、底部的实现代码也是不一样的，因此，也需要抽象化。函数定义如下：

```
//是否已经到了最顶部,子类需覆写该方法,使得 mContentView 滑动到最顶端时返回 true
//如果到达最顶端用户继续下拉则拦截事件
protected abstract boolean isTop();

//是否已经到了最底部,子类需覆写该方法,使得 mContentView 滑动到最底端时返回 true
//从而触发自动加载更多的操作
protected abstract boolean isBottom();
```

初始化这 3 部分视图之后，接下来的第一个关键步骤就是视图测量与布局，也就是我们自定义 ViewGroup 中必备的两个步骤。上文我们已经说过，header view、内容视图、footer 是纵向布局的，因此，需要将它们从上到下布局。在布局之前还需要测量各个子视图的尺寸以及该下拉刷新组件自身的尺寸。代码如下：

```
    /*
     * 丈量视图的宽、高。宽度为用户设置的宽度，高度则为 header、 content view、 footer 这三个子控件
的高度之和
     */
    @Override
    protected void onMeasure(int widthMeasureSpec, int heightMeasureSpec) {
         // MeasureSpec 中的宽度值
        int width = MeasureSpec.getSize(widthMeasureSpec);
        // 子视图的个数
        int childCount = getChildCount();
        // 最终的高度
        int finalHeight = 0;

        for (int i = 0; i < childCount; i++) {
            View child = getChildAt(i);
```

```
            // 测量每个子视图的尺寸
            measureChild(child, widthMeasureSpec, heightMeasureSpec);
            // 所有子视图的高度和就是该下拉刷新组件的总高度
            finalHeight += child.getMeasuredHeight();
        }
        // 设置该下拉刷新组件的尺寸
        setMeasuredDimension(width, finalHeight);
    }

    /*
     * 布局函数，将 header、 content view、footer 这 3 个 View 从上到下布局。
     *布局完成后通过 Scroller 滚动到 header 的底部，即滚动距离为 header 的高度 +本视图的 paddingTop，
从而达到隐藏 header 的效果
     */
    @Override
    protected void onLayout(boolean changed, int l, int t, int r, int b) {
        int childCount = getChildCount();
        int left = getPaddingLeft();
        int top = getPaddingTop();
        for (int i = 0; i < childCount; i++) {
            View child = getChildAt(i);
            child.layout(left, top,
                    child.getMeasuredWidth(), child.getMeasuredHeight() + top);
            top += child.getMeasuredHeight();
        }

        // 计算初始化滑动的 y 轴距离
        mInitScrollY = mHeaderView.getMeasuredHeight() + getPaddingTop();
        // 滑动到 header view 高度的位置，从而达到隐藏 header view 的效果
        scrollTo(0, mInitScrollY);
    }
```

在 onMeasure 中我们测量了该组件自身的大小以及所有子视图的大小，并且将该控件的高度设置为所有子视图的高度之和，在这里也就是 header、content view、footer 的高度之和，这样在布局时我们才有足够的空间竖向放置子视图。

在 onLayout 时，会将 Header View、内容视图、Footer View 从上到下布局，即 Header View 实际上显示在该 ViewGroup 的最上面，如前文的图 2-17 所示。而在 onLayout 的最后，我们通过 Scroller 将该 ViewGroup 向上滚动了 Header View 的高度，使得 Header View 变得不可见，如上文的图 2-18 所示。当用户向下拉时，该组件判断内容视图滑到了顶部，此时又通过 Scroller 将该组件向下滚动，使得 Header View 慢慢显示出来。实现这些功能就需要我们处理该控件的触摸事件，通过内容视图滚动到了顶部或者底部来判断是否需要拦截触摸事件。相关代码如下：

```
    /*
     * 在适当的时候拦截触摸事件，这里指的适当的时候是当 mContentView 滑动到顶部，并且是下拉时拦截触摸
事件，否则不拦截，交给其 child、view 来处理
     */
    @Override
    public boolean onInterceptTouchEvent(MotionEvent ev) {
        // 获取触摸事件的类型
        final int action = MotionEventCompat.getActionMasked(ev);
        // 取消事件和抬起事件则直接返回 false
        if (action == MotionEvent.ACTION_CANCEL || action == MotionEvent.ACTION_UP) {
            return false;
        }

        switch (action) {
```

```
            case MotionEvent.ACTION_DOWN:
                mLastY = (int) ev.getRawY();
                break;

            case MotionEvent.ACTION_MOVE:
                mYOffset = (int) ev.getRawY() - mLastY;
                // 如果拉到了顶部, 并且是下拉,则拦截触摸事件
                // 从而转到 onTouchEvent 来处理下拉刷新事件
                if (isTop() && mYOffset > 0) {
                    return true;
                }
                break;

        }
        // 默认不拦截触摸事件,使得该控件的子视图能够得到处理机会
        return false;
    }
```

onInterceptTouchEvent 是 ViewGroup 中对触摸事件进行拦截的函数，当返回 true 时后续的触摸事件就会被该 ViewGroup 拦截，此时子视图将不会再获得触摸事件。相应地，返回 false 则表示不进行拦截。例如在上述 onInterceptTouchEvent 函数中，我们在 ACTION_DOWN 事件（手指第一次按下）时记录了 y 轴的坐标，当用户的手指在屏幕上滑动时就会产生 ACTION_MOVE 事件，此时我们获取 y 轴坐标，并且与最初 ACTION_DOWN 事件的 y 轴相减。如果 mYOffset 大于 0，那么表示用户的手指是从上到下滑动，如果此时内容视图已经是到了顶部，例如，ListView 的第一个可见元素就是第一项，那么则返回 true，也就是将后续的触摸事件拦截。此时，后续的 ACTION_MOVE、ACTION_UP 等事件就会有该组件进行处理，处理函数为 onTouchEvent 函数，代码如下：

```
    /*
     * 在这里处理触摸事件以达到下拉刷新或者上拉自动加载的问题
     */
    @Override
    public boolean onTouchEvent(MotionEvent event) {
        switch (event.getAction()) {
            // 滑动事件
            case MotionEvent.ACTION_MOVE:
                // 获取手指触摸的当前 y 坐标
                int currentY = (int) event.getRawY();
                // 当前坐标减去按下时的 y 坐标得到 y 轴上的偏移量
                mYOffset = currentY - mLastY;
                if (mCurrentStatus != STATUS_LOADING) {
                    // 在 y 轴方向上滚动该控件
                    changeScrollY(mYOffset);
                }
                // 旋转 Header 中的箭头图标
                rotateHeaderArrow();
                // 修改 Header 中的文本信息
                changeTips();
                // mLastY 设置为这次的 y 轴坐标
                mLastY = currentY;
                break;

            case MotionEvent.ACTION_UP:
                // 下拉刷新的具体操作
                doRefresh();
                break;
```

```
        default:
            break;
    }
    return true;        // 返回 true,消费该事件，不再传递
}
```

在 onTouchEvent 函数中，我们会判断触摸事件的类型，如果还是 ACTION_MOVE 事件，那么计算当前触摸事件的 y 坐标与 ACTION_DOWN 时的 y 坐标的差值，然后调用 changeScrollY 函数在 y 轴上滚动该控件。如果用户一直向下滑动手指，那么 mYOffset 值将不断增大，那么此时该控件将不断地往上滚动，Header View 的可见高度也就越来越大。我们看看 changeScrollY 函数的实现

```
/**
 * 修改 y 轴上的滚动值，从而实现 Header 被下拉的效果
 * @param distance 这次触摸事件的 y 轴与上一次的 y 轴的差值
 * @return
 */
private void changeScrollY(int distance) {
    // 最大值为 scrollY(header 隐藏)，最小值为 0 （ Header 完全显示)
    int curY = getScrollY();
    // 下拉
    if (distance > 0 && curY - distance >getPaddingTop()) {
      scrollBy(0, -distance);
    } else if (distance < 0 && curY - distance <= mInitScrollY) {
       // 上拉过程
       scrollBy(0, -distance);
    }

    curY = getScrollY();
    int slop = mInitScrollY / 2;
    if (curY > 0 && curY < slop) {
       mCurrentStatus = STATUS_RELEASE_TO_REFRESH;
    } else if (curY > 0 && curY > slop) {
       mCurrentStatus = STATUS_PULL_TO_REFRESH;
    }
}
```

从上述程序中可以看到，changeScrollY 函数实际上就是根据这一次与上一次 y 轴的差值来滚动当前控件，由于两次触摸事件的差值较小，因此，滚动起来相对比较流畅。当 distance 小于 0 时，则是向上滚动，此时 Header View 的可见范围越来越小，最后完全隐藏；当 distance 大于 0 时则是向下滚动，此时 Header View 的可见范围越来越大，这样一来也就实现了下拉时显示 Header View 的效果。当然在下拉过程中，我们也会修改 Header View 布局中的一些控件状态，例如箭头 ImageView、文本信息等。

Header View 显示之后，当我们的手指离开屏幕时，如果在 y 轴上的滚动高度大于 Header View 有效区域高度的二分之一，那么就会触发刷新操作，否则就会通过 Scroller 将 Header View 再次隐藏起来。相关代码为 ACTION_UP 触摸事件中调用的 doRefresh 函数：

```
// 执行下拉刷新
private void doRefresh() {
    changeHeaderViewStaus();
    // 执行刷新操作
    if (mCurrentStatus == STATUS_REFRESHING &&mOnRefreshListener != null) {
       mOnRefreshListener.onRefresh();
    }
```

```
    }

    /**
     * 手指抬起时,根据用户下拉的高度来判断是否是有效的下拉刷新操作
     如果下拉的距离超过 Header View 的 1/2
     *那么则认为是有效的下拉刷新操作，否则恢复原来的视图状态
     */
    private void changeHeaderViewStaus() {
        int curScrollY = getScrollY();
        // 超过 1/2 则认为是有效的下拉刷新，否则还原
        if (curScrollY < mInitScrollY / 2) {
            // 滚动到能够正常显示 Header 的位置
            mScroller.startScroll(getScrollX(), curScrollY,
                0, mHeaderView.getPaddingTop() - curScrollY);
            mCurrentStatus = STATUS_REFRESHING;
            mTipsTextView.setText(R.string.pull_to_refresh_refreshing_label);
            mArrowImageView.clearAnimation();
            mArrowImageView.setVisibility(View.GONE);
            mProgressBar.setVisibility(View.VISIBLE);
        } else {
            mScroller.startScroll(getScrollX(), curScrollY,
                0, mInitScrollY - curScrollY);
            mCurrentStatus = STATUS_IDLE;
        }
        invalidate();
    }
```

在 changeHeaderViewStaus 函数中，当判断为满足下拉刷新的条件时，就会设置当前组件的状态为 STATUS_REFRESHING 状态，并且设置正好显示 Header View 区域，最后调用 OnRefreshListener 实现用户设定的下拉刷新操作。刷新操作执行完成之后，用户需要调用 refreshComplete 函数告知当前控件刷新完毕，此时当前控件会将 Header View 隐藏。相关代码如下：

```
    /**
     * 刷新结束，恢复状态
     */
    public void refreshComplete() {
        mCurrentStatus = STATUS_IDLE;
        // 隐藏 Header View
        mScroller.startScroll(getScrollX(), getScrollY(),
        0, mInitScrollY - getScrollY());
        invalidate();
        updateHeaderTimeStamp();

        // 200 毫秒后处理 arrow 和 progressbar,免得太突兀
       this.postDelayed(new Runnable() {

            @Override
            public void run() {
                mArrowImageView.setVisibility(View.VISIBLE);
                mProgressBar.setVisibility(View.GONE);
            }
        }, 100);
    }
```

在 refreshComplete 中将重置控件的状态，并且将 Header View 滚动到屏幕之外。此时，整个下拉刷新操作就完成了。滚动到底部时加载更多比下拉刷新要简单一些，只需要判断是否滚动到底部，如果已经到底部那么直接触发加载更多，因此，当前控件需要监听内容视图的滚动事件：

```
    /*
     * 滚动监听，当滚动到最底部，且用户设置了加载更多的监听器时触发加载更多操作
     */
    @Override
    public void onScroll(AbsListView view, int firstVisibleItem, int visibleItemCount,
            int totalItemCount) {
        // 用户设置了加载更多监听器，且到了最底部，并且是上拉操作，那么执行加载更多
        if (mLoadListener != null && isBottom()
          && mScroller.getCurrY() <= mInitScrollY
          && mYOffset <= 0
          && mCurrentStatus == STATUS_IDLE) {
            // 显示 Footer View
            showFooterView();
           // 调用加载更多
           doLoadMore();
        }
    }

      // 显示 footer view
      private void showFooterView() {
          startScroll(mFooterView.getMeasuredHeight());
          mCurrentStatus = STATUS_LOADING;
     }

    // 执行下拉(自动)加载更多的操作
    private void doLoadMore() {
        if (mLoadListener != null) {
            mLoadListener.onLoadMore();
        }
    }
```

在 onScroll 中监听内容视图的滚动事件，当内容视图滚动到底部时显示 Footer View，并且调用 OnLoadListener 回调执行加载更多的操作。当操作执行完毕后用户需要调用 loadCompelte 函数告知当前控件加载完毕，下拉刷新组件此时隐藏 Footer View 并且设置为 STATUS_IDLE 状态。

这就是整个 RefreshLayoutBase 类的核心逻辑，下面我们看看具体实现类，例如内容视图是 ListView 的实现：

```
public class RefreshListView extends RefreshAdaterView<ListView> {
    // 构造函数省略
    // 设置内容视图为 ListView,并且设置 mContentView 的滚动监听器为当前对象
    @Override
    protected void setupContentView(Context context) {
        mContentView = new ListView(context);
        // 设置滚动监听器
        mContentView.setOnScrollListener(this);

    }

    @Override
    protected boolean isTop() {
         // 当第一个可见项是第一项时表示到了顶部
        return mContentView.getFirstVisiblePosition() == 0
             &&getScrollY() <= mHeaderView.getMeasuredHeight();
    }

    @Override
    protected boolean isBottom() {
         // 最后一个可见项是最后一项时表示滚动到了底部
```

```
        return mContentView != null && mContentView.getAdapter() != null
        && mContentView.getLastVisiblePosition() ==
                mContentView.getAdapter().getCount() - 1;
    }
}
```

RefreshListView 覆写了 RefreshLayoutBase 的 3 个函数，分别为设置内容视图、判断是否是滚动到顶部、判断是否是滚动到底部。需要注意的是，在 setContentView 函数中，我们将 mContentView（在这里也就是 ListView）的 onScrollListener 设置为 this，这是因为需要监听 ListView 的滚动状态，当滚动到最后一项时触发加载更多操作。因为 RefreshLayoutBase 实现了 onScrollListener 接口，而判断是否调用加载更多的代码被封装在了 RefreshLayoutBase 类中，因此，在这里直接调用 mContentView 对象的 setOnScrollListener(this)即可。使用示例代码如下：

```
final RefreshListView refreshLayout = new RefreshListView(this);
String[] dataStrings = new String[20];
for (int i = 0; i < dataStrings.length; i++) {
    dataStrings[i] = "item - " + i;
}
// 获取 ListView, 这里的 listview 就是 Content view
refreshLayout.setAdapter(new ArrayAdapter<String>(this,
        android.R.layout.simple_list_item_1, dataStrings));
// 设置下拉刷新监听器
refreshLayout.setOnRefreshListener(new OnRefreshListener() {

    @Override
    public void onRefresh() {
        Toast.makeText(getApplicationContext(), "refreshing",
        Toast.LENGTH_SHORT).show();

        refreshLayout.postDelayed(new Runnable() {

            @Override
            public void run() {
                refreshLayout.refreshComplete();
            }
        }, 1500);
    }
});

// 不设置的话到底部不会自动加载
refreshLayout.setOnLoadListener(new OnLoadListener() {

    @Override
    public void onLoadMore() {
        Toast.makeText(getApplicationContext(), "loading",
              Toast.LENGTH_SHORT).show();

        refreshLayout.postDelayed(new Runnable() {

            @Override
            public void run() {
                refreshLayout.loadCompelte();
            }
        }, 1500);
    }
});
```

效果如图 2-19、图 2-20 和图 2-21 所示。

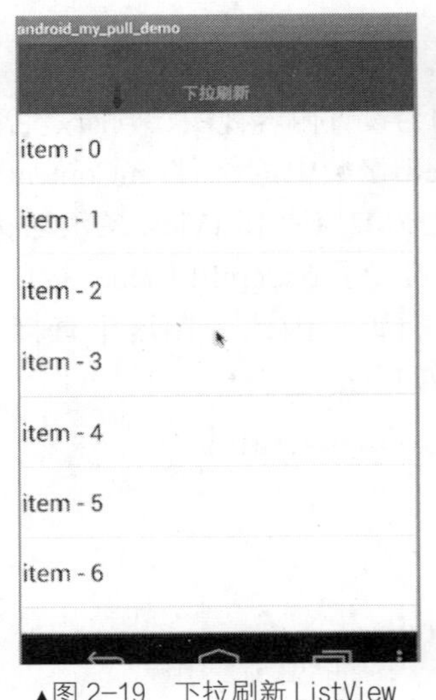


▲图 2-19　下拉刷新 ListView

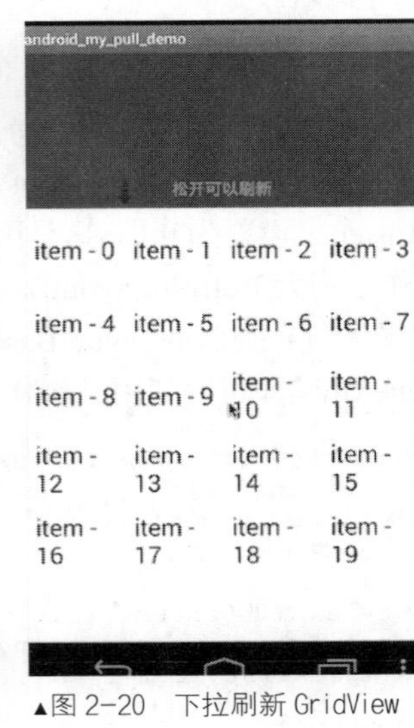


▲图 2-20　下拉刷新 GridView

▲图 2-21　下拉刷新 TextView

效果图中含有下拉刷新的 ListView、GridView、TextView，而扩展一个支持下拉刷新的控件也非常简单，只需要继承自 RefreshLayoutBase 类并且覆写 setContentView、isTop、isBottom 函数即可。通过这种形式，使得下拉刷新组件具有良好的可扩展性。完整代码参见：https://github.com/bboyfeiyu/android_my_pull_refresh_view/tree/master/src/com/uit/pullrefresh/scroller。

## 2.4 让应用更精彩——动画

为了使用户的交互更为流畅、自然，动画已经成为一款应用中不可缺少的部分。在 Android 中，动画的分类较多，有最早的帧动画、补间动画，从 Android 3.0 之后添加了属性动画，而在 Android 5.0 中又增加了 VectorDrawable，使得 Android 的动画多种多样，能够满足用户的各种需求。

动画实际上就是在指定的时间段内持续地修改某个属性的值，使得该值在指定取值范围之内平滑的过渡。如图 2-22 所示是一个执行时长为 40 毫秒、将 x 从 0 平滑过渡为 40 的动画。

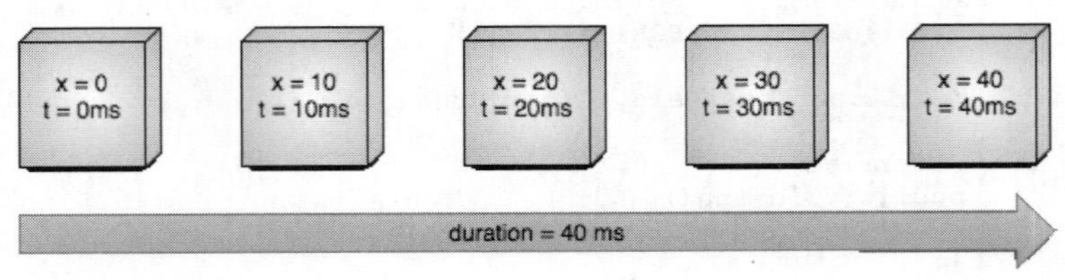


▲图 2-22　执行时间为 40 毫秒的动画

从图 2-22 可以看出，动画就是在某个时间点根据一定的计算方式计算出属性的取值，并且设置给目标对象。在动画的执行周期内持续执行这个过程，形成动画的效果。

### 2.4.1 帧动画

帧动画也就是我们说的 Frame 动画。Frame 动画是一系列图片按照一定的顺序展示的过程，和放电影的机制很相似，它的原理是在一定的时间段内切换多张有细微差异的图片从而达到动画的效果。

Frame 动画可以被定义在 xml 文件中，也可以完全编码实现。如果被定义在 xml 文件中，可以放置在/res 下的 anim 或 drawable 目录中，文件名可以作为资源 id 在代码中引用；如果完全由编码实现，需要使用到 AnimationDrawable 对象。需要注意的是，当我们在 xml 文件中定义帧动画时，<animation-list>元素必须要作为根元素，它可以包含一或多个<item>元素。android:onshot 如果定义为 true 的话，此动画只会执行一次，如果为 false 则一直循环。<item>元素代表一帧动画，android:drawable 指定此帧动画所对应的图片资源，android:druation 代表此帧持续的时间，单位为毫秒。

下面用一个简单的示例演示一下帧动画的使用。

下面为 res/drawable 中的 5 张类似的图片，图片的名字从 ic_heart_0～ic_heart_4，每张图片都有些差异，将这几张图片作为帧动画时就能够看到类似 gif 图片的进度条效果，如图 2-23 所示。

▲图 2-23 gif 图片的效果

我们定义一个名为 heart_anim.xml 的帧动画存放在 res/drawable 目录下，代码如下：

```
<?xml version="1.0" encoding="utf-8"?>
<animation-list xmlns:android="http://schemas.android.com/apk/res/android"
android:oneshot="true">

      <item
      android:duration="500"
      android:drawable="@drawable/ic_heart_0"/>

      <item
      android:duration="500"
      android:drawable="@drawable/ic_heart_1"/>

      <item
      android:duration="500"
      android:drawable="@drawable/ic_heart_2"/>

      <item
      android:duration="500"
      android:drawable="@drawable/ic_heart_3"/>

      <item
      android:duration="500"
```

```
        android:drawable="@drawable/ic_heart_4"/>

</animation-list>
```

定义好之后，我们还需要将动画设置给某个 View，例如，将该动画设置为某个 ImageView 的背景，代码如下：

```
<ImageView
    android:id="@+id/imageview_anim "
    android:layout_width="wrap_content"
    android:layout_height="wrap_content"
    android:background="@drawable/heart_anim "
    />
```

但是，此时动画并不会在 ImageView 显示时启动，我们还需要通过 Java 代码启动该动画。代码如下：

```
ImageView mImageView = (ImageView) findViewById(R.id.imageview_anima);
((AnimationDrawable) mImageView.getBackground()).start();
```

这样，帧动画就会启动了，ImageView 的背景就会在指定的时间间隔之内切换。

当然，也可以通过 Java 代码来构建帧动画，示例如下：

```
AnimationDrawable anim = new AnimationDrawable();
for (int i = 0; i <= 4; i++) {
     // 获取图片的资源 id
      int id = getResources().getIdentifier("ic_heart_" + i, "drawable",
      getPackageName());
     Drawable drawable = getResources().getDrawable(id);
     // 将 Drawable 添加到帧动画中
     anim.addFrame(drawable, 300);
}
anim.setOneShot(false);
// 将动画设置为 ImageView 的背景
mImageView.setBackgroundDrawable(anim);
anim.start();
```

通过 xml 还是 Java 代码来设置帧动画完全取决于个人意愿，当然，推荐的方式自然是 xml。因为它将动画的代码从复杂的 Java 代码逻辑中隔离，使得动画的定义更易于维护。

### 2.4.2　补间动画

tween 动画是操作某个控件让其展现出旋转、渐变、移动、缩放的一种转换过程，这称成为补间动画。同样的，我们可以以 xml 形式定义动画，也可以编码实现。

如果以 xml 形式定义一个动画，我们按照动画的定义语法完成 xml，并放置于/res/anim 目录下，文件名可以作为资源 id 被引用；如果由编码实现，需要使用到 Animation 对象。

下面是一个补间动画集合与补间动画的格式，也就是说该集合里面包含了多个自动化，在执行该动画集合时，它们将一起执行：

```
    <?xml version="1.0" encoding="utf-8"?>
<set xmlns:android="http://schemas.android.com/apk/res/android"
android:interpolator="@[package:]anim/interpolator_resource"
android:shareInterpolator=["true" | "false"] >
    <alpha
```

```
    android:fromAlpha="float"
    android:toAlpha="float" />
    <scale
    android:fromXScale="float"
    android:toXScale="float"
    android:fromYScale="float"
    android:toYScale="float"
    android:pivotX="float"
    android:pivotY="float" />
    <translate
    android:fromX="float"
    android:toX="float"
    android:fromY="float"
    android:toY="float" />
    <rotate
    android:fromDegrees="float"
    android:toDegrees="float"
    android:pivotX="float"
    android:pivotY="float" />
</set>
```

xml 文件中必须有一个根元素，可以是<alpha>、<scale>、<translate>、<rotate>中的任意一个，也可以是<set>来管理一个由前面几个元素组成的动画集合。

<set>是一个动画容器，管理多个动画的群组，与之相对应的 Java 对象是 AnimationSet。它有两个属性，android:interpolator 代表一个插值器资源，可以引用系统自带插值器资源，如表 2-4 所示。当然你也可以用自定义插值器资源，默认值是匀速插值器。android:shareInterpolator 代表<set>里面的多个动画是否要共享插值器，默认值为 true，即共享插值器，如果设置为 false，那么<set>的插值器就不再起作用，我们要在每个动画中加入插值器。

表 2-4　　插值器

| Interpolator 对象 | 资源 id | 功 能 作 用 |
|---|---|---|
| AccelerateDecelerateInterpolator | @android:anim/accelerate_decelerate_interpolator | 先加速再减速 |
| AccelerateInterpolator | @android:anim/accelerate_interpolator | 加速 |
| AnticipateInterpolator | @android:anim/anticipate_interpolator | 先回退一小步然后加速前进 |
| AnticipateOvershootInterpolator | @android:anim/anticipate_overshoot_interpolator | 在上一个基础上超出终点一小步再回到终点 |
| BounceInterpolator | @android:anim/bounce_interpolator | 最后阶段弹球效果 |
| CycleInterpolator | @android:anim/cycle_interpolator | 周期运动 |
| DecelerateInterpolator | @android:anim/decelerate_interpolator | 减速 |
| LinearInterpolator | @android:anim/linear_interpolator | 匀速 |
| OvershootInterpolator | @android:anim/overshoot_interpolator | 快速到达终点并超出一小步，最后回到终点 |

<alpha>是透明度的渐变动画，可以实现淡入、淡出的效果，与之对应的 Java 对象是 AlphaAnimation。android:fromAlpha 属性代表起始 alpha 值、浮点值，范围在 0.0 和 1.0 之间，分别代表透明和完全不透明，android:toAlpha 属性代表结尾 alpha 值、浮点值，范围也在 0.0 和 1.0 之间。

<scale>是缩放动画，可以实现动态调整控件尺寸的效果，与之对应的 Java 对象是 ScaleAnimation。android:fromXScale 属性代表起始的 X 方向上相对自身的缩放比例，浮点值，比如 1.0 代表自身无变化，0.5 代表起始时缩小一倍，2.0 代表放大一倍；android:toXScale 属性代表结尾的 X 方向上相对自身的缩放比例，浮点值；android:fromYScale 属性代表起始的 Y 方向上相对自身的缩放比例，浮点值；android:toYScale 属性代表结尾的 Y 方向上相对自身的缩放比例，浮点值；android:pivotX 属性代表缩放的中轴点 X 坐标，浮点值；android:pivotY 属性代表缩放的中轴点 Y 坐标，浮点值，对于这两个属性，如果我们想表示中轴点为图像的中心，可以把两个属性值定义成 0.5 或者 50%。

<translate>是位移动画，代表一个水平、垂直的位移。与之对应的 Java 对象是 TranslateAnimation。android:fromXDelta 属性代表起始 X 方向的位置，android:toXDelta 代表结尾 X 方向上的位置，android:fromYScale 属性代表起始 Y 方向上的位置，android:toYDelta 属性代表结尾 Y 方向上的位置，以上 4 个属性都支持 3 种表示方式：浮点数、num%、num%p。如果以浮点数字表示，代表相对自身原始位置的像素值；如果以 num%表示，代表相对于自己的百分比，比如 toXDelta 定义为 100%就表示在 X 方向上移动自己的 1 倍距离；如果以 num%p 表示，代表相对于父类组件的百分比。

<rotate>是旋转动画，与之对应的 Java 对象是 RotateAnimation。android:fromDegrees 属性代表起始角度，浮点值，单位：度；android:toDegrees 属性代表结尾角度，浮点值，单位：度；android:pivotX 属性代表旋转中心的 X 坐标值，android:pivotY 属性代表旋转中心的 Y 坐标值，这两个属性也有 3 种表示方式，数字方式代表相对于自身左边缘的像素值，num%方式代表相对于自身左边缘或顶边缘的百分比，num%p 方式代表相对于父容器的左边缘或顶边缘的百分比。

补间动画只能运用在 View 对象之上，并且功能相对来说较为局限。例如旋转动画只能够在 x、y 轴进行，而不能在 z 轴方向进行旋转。因此，补间动画通常用于执行一些比较简单的动画。由于比较简单，我们在此不过多赘述。

## 2.4.3　属性动画

在 Android 3.0 之后，Android 推出了新的动画包，也就是属性动画。属性动画机制不再是针对 View 来设计的，也不限定于只能实现移动、缩放、旋转和淡入、淡出这几种简单的动画操作，同时也不再只是一种视觉上的动画效果。它实际上是一种在一定时间段内不断修改某个对象的某个属性值的机制。所以我们仍然可以通过属性动画将一个 View 进行移动或者缩放，但同时也可以对 View 的其他属性进行动画操作。我们只需要告诉系统动画要操作的属性、动画时长、需要执行哪种类型的动画，以及动画的初始值和结束值，剩下的工作就可以全部交给系统去完成了。

### 2.4.3.1　属性动画的核心类——ValueAnimator

ValueAnimator 是整个属性动画机制当中最核心的一个类，它的作用就是在一定的时间段内不断地修改对象的某个属性值。前文我们已经说过，属性动画的基本原理就是通过不断地修改对象的属性值来实现。ValueAnimator 的内部使用一种时间循环的机制来计算值与值之间的动画过渡，我们只需要将属性的取值范围、运行时长提供给 ValueAnimator，那么它就会自动帮我们计算属性值在各个动画运行时段的取值，这些值会按照一定的计算方式来实现平滑过渡。除此之外，ValueAnimator 还负责管理动画的播放次数、播放模式，以及对动画设置监听器等，这使得它成为属性动画中最核心的类型。

ValueAnimator 不仅功能强大，它的 API 也设计得非常简单。通常我们都是通过 ofFloat、ofInt 等静态工厂函数构建 ValueAnimator。例如下面是我们将数值从 0.0 过渡到 1.0 的动画：

```
private void startValueAnimation() {
    ValueAnimator animator = ValueAnimator.ofFloat(0.0f, 1.0f);
    animator.setDuration(1000);
    animator.addUpdateListener(mAnimationListener);
    animator.start();
}
ValueAnimator.AnimatorUpdateListener mAnimationListener = new
                ValueAnimator.AnimatorUpdateListener() {

    @Override
    public void onAnimationUpdate(ValueAnimator animation) {
        float newValue = (Float) animation.getAnimatedValue();
        Log.e("", "### 新的属性值 : " + newValue);
    }
};
```

当然，我们也可以在 res/anim 目录下的 xml 文件中定义该动画，实现如下：

```
<?xml version="1.0" encoding="utf-8"?>
<animator xmlns:android="http://schemas.android.com/apk/res/android"
    android:valueFrom="0.0"
    android:valueTo="1.0"
    android:valueType="floatType" />
```

然后在 Java 代码中加载该动画：

```
ValueAnimator animator = (ValueAnimator) AnimatorInflater.loadAnimator(
getApplicationContext(),R.anim.value_animator);
```

启动动画之后，每次更新属性值时就会调用 onAnimationUpdate 函数，在这里可以获取新的属性值。当然，在这里我们并没有将这个值运用到具体的对象上。但它是非常灵活的实现，它只操作属性值本身，这个值不属于某个具体的对象，但它却能运用于任意对象之上。例如，通过 ValueAnimator 动画将某个 View 的透明度从 0.0 过渡到 1.0，那么可以对 onAnimationUpdate 做如下修改：

```
    @Override
public void onAnimationUpdate(ValueAnimator animation) {
    float newValue = (Float) animation.getAnimatedValue();
    Log.e("", "### 新的属性值 : " + newValue);
    // 将数值设置给具体的对象
    myView.setAlpha(newValue);
}
```

这样一来，我们就将 ValueAnimator 与具体的对象结合在一起，通过这种形式就能更自由地控制动画，完成各种各样的动画效果。

#### 2.4.3.2 对任意属性进行动画操作——Object Animator

ValueAnimator 功能强大、自由度高，但是，这也意味着开发人员需要做更多的工作来实现动画需求，这在效率致上的软件开发领域来说并不是一个很好的选择。我们开发中运用更多的应该是 ObjectAnimator，因为 ValueAnimator 只是对值进行了一个平滑的动画过渡，但实际开发中需要做的通常是对某个对象的某个属性值进行修改，也就是对某个对象执行动画，当然用得最多的就是 View 的动画，而 ObjectAnimator 就是可以直接对任意对象的任意属性进行动画操作的类。

ObjectAnimator 继承自 ValueAnimator，因此，的动画实现机制也与 ValueAnimator 一致，所以，前文才说 ValueAnimator 是属性动画中最核心的类。ObjectAnimator 最常用的形式也是通过 ofFloat、ofInt 等静态工厂形式构建 Animator 对象，例如下述代码就是在 2 秒之内将 myView 的 alpha 属性从 1.0 过渡到 0.3，再从 0.3 过渡到 0.7：

```
ObjectAnimator animator = ObjectAnimator.ofFloat(myView, "alpha", 1.0f, 0.3f, 0.7f);
animator.setDuration(2000);
animator.start();
```

ofXxx 这样的静态工厂函数通常至少含有 4 参数，例如，这里的 ofFloat 函数，参数 1 就是要操作的对象，参数 2 是要操作该对象的哪个属性，我们这里要操作的是 alpha 属性。剩下的参数就是可变参数，也就是说它可以是 0 到多个。很多情况我们都是传递 2 个值，即起始值和目标值。如果是多个数值，那么在动画过程中将会逐个过渡到各个值。

ObjectAnimator 极为强大，它能够操作任意对象中的任意属性，因此，它突破了补间动画只运用于 View 的限制，使得任意对象类型都可以使用属性动画。它的原理是在初始时设置目标对象、目标属性以及要经历的属性值，然后通过内部的计算方式计算出在各个时间段该属性的取值，在动画运行期间通过目标对象属性的 setter 函数更新该属性值，如果该属性没有 setter 函数，那么将会通过反射的形式更新目标属性值。在运行周期内不断地计算、更新新的属性值，从而达到对象的属性动画效果。

#### 2.4.3.3　实现丰富多彩的动画效果——AnimatorSet

独立的动画能够实现的视觉效果毕竟是相当有限的，例如，要实现一个 View 在平移过程中同时在 y 轴方向进行旋转，这种情况就需要使用 AnimatorSet 将多个动画组合在一起执行。AnimatorSet 类提供了一个 play()方法，如果我们向这个方法中传入一个 Animator 对象将会返回一个 AnimatorSet.Builder 的实例，AnimatorSet.Builder 中包括以下 5 个核心方法，如表 2-5 所示。

表 2-5　5 个核心方法

| 函　数 | 作　用 |
|---|---|
| after(Animator anim) | 在 anim 动画执行完之后再执行调用 after 函数的动画 |
| after(long delay) | 将调用 after 的动画延迟指定毫秒后执行 |
| before(Animator anim) | 在 anim 动画执行完之前再执行调用 after 函数的动画 |
| with(Animator anim) | 将现有动画和传入的动画同时执行 |
| playTogether(Animator… anims) | 将多个动画一起执行 |

有了这 5 个方法，我们就可以将各种各样的动画组合在一起执行，使得动画效果更加丰富多彩。

示例如下：

```
// 动画集，假设 anim1～anim3 已经初始化
AnimatorSet animSet = new AnimatorSet();
// 在 anim3 执行之后同时执行 anim1 和 anim2
animSet.play(anim1).with(anim2).after(anim3);
animSet.setDuration(2000);
animSet.start();
```

假设 anim1～anim3 是我们已经初始化好的动画，然后我们创建一个 AnimatorSet 对象，并将这 3 个动画通过 play、with、after 进行组合，最终使得 anim3 首先执行，在 anim3 执行完成之后同时执行 anim1 和 anim2。当然，我们也可以通过 playTogether 函数将 3 个动画一起执行，代码如下：

```
animatorSet.playTogether(anim1,anim2, anim3);    // 将 3 个动画一起执行
```

通过 AnimatorSet，我们可以将多个动画进行自由组合、排序，使得不同类型的动画最终可以一起实现复杂的效果，满足各种各样的交互应用。

#### 2.4.3.4 动画执行时间—— TypeEvaluator 与 TimeInterpolator

前文多次说到，动画的原理就是在一定时间内不断地修改某个值。那么在某个时间点这个属性的值如何确定呢？

答案就是通过 TypeEvaluator 计算得到。TypeEvaluator 的中文翻译为类型估值器，它的作用是根据当前动画已执行时间占总时间的百分比来计算新的属性值。TypeEvaluator 只有一个 evaluate 函数，该函数的职责就是计算出新的属性值。函数声明如下：

```
public abstract T evaluate (float fraction, T startValue, T endValue)
```

该函数的参数 1 为已执行时间占总时间的百分比，取值为 0.0 到 1.0。参数 2 为属性的起始值，参数 3 为属性的最终值。通常，属性的计算公式为：

```
T newValue = startValue + (T)( fraction * ( endValue - startValue ) ) ;
```

也就是已执行时间的百分比乘以两个取值范围的差值再加上起始值。例如某个动画的总时间为 1 秒，动画的功能是将 View 的 x 坐标从 0 移到 100 的位置，当已执行时间为 300 毫秒时，已执行时间的百分比则为 30%，对应时 float 值为 0.3，那么此时计算得到的属性值 x 则为 30。它的计算公式为：

```
    int newValue = 0  +  (int) ( 0.3 * ( 100 - 0 ) ) ;
```

因此一个完整的 Type 代码如下所示：

```
public class TranslateXEvaluator implements TypeEvaluator<Integer> {

    @Override
    public Integer evaluate(float fraction, Integer startValue, Integer endValue) {
         // 计算新的属性值
        int newValue = startValue + (int) (fraction * (endValue - startValue));
        Log.d("", "### fraction = " + fraction + ", start = " + startValue + ", end = "
        + endValue + ", new Value = " + newValue);
```

```
        return newValue;
    }
}
```

使用代码如下：

```
private void useCustomEvaluator() {
    ObjectAnimator animator = ObjectAnimator.ofObject(mView, "x",
            new TranslateXEvaluator(), 0, 200);
    animator.setDuration(500);
    animator.start();
}
```

动画运行之后可以看到输出了如下所示的 Log：

```
fraction = 0.0, start = 0, end = 200, new Value = 0
fraction = 0.50942427, start = 0, end = 200, new Value = 101
fraction = 0.8039651, start = 0, end = 200, new Value = 160
fraction = 0.8791809, start = 0, end = 200, new Value = 175
fraction = 0.9117664, start = 0, end = 200, new Value = 182
fraction = 0.9625386, start = 0, end = 200, new Value = 192
fraction = 0.9801469, start = 0, end = 200, new Value = 196
fraction = 0.99228215, start = 0, end = 200, new Value = 198
fraction = 0.9985795, start = 0, end = 200, new Value = 199
fraction = 1.0, start = 0, end = 200, new Value = 200
```

fraction 从 0 逐渐增加到 1.0，在这个过程中属性值也从 0 慢慢线性增加到 200。线性变化也就是说属性的变化范围基本上比较平均，在同一个时间间隔之内属性的变化范围基本没有大的变化。但是，问题是有的时候为了使动画更动感，我们需要动画产生一些非线性的效果，例如动画开始前比较慢，随着时间的推移动画越来越快，直到结束。要实现这种功能就需要 TimeInterpolator。

TimeInterpolator 中文译为时间插值器，它的作用是修改动画已执行时间与总时间的百分比，也就是修改 fraction 参数值。系统预置的有匀速的线性插值 LinearInterpolator、加速插值器 AccelerateInterpolator、减速插值器 DecelerateInterpolator 和加速减速插值器 AccelerateDecelerate Interpolator 等。它的作用是在获得已执行时间百分比之后，通过调用 TimeInterpolator 的 getInterpolation 函数来对该百分比做出修改，并且返回。

例如上述的加速插值器，它的实现原理是使 fraction 参数在动画前面部分变化范围小，越往后变化范围越大。还是以 1 秒内从 x 轴的坐标 0 变化到 200，如果使用加速动画，在同一个时间段内得到的效果大致如图 2-24 所示。

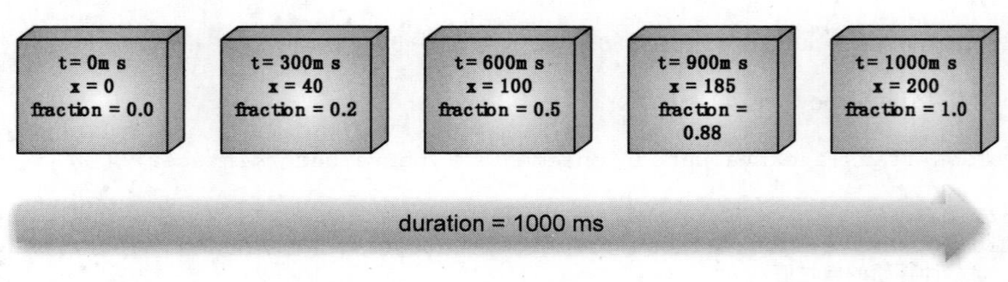


▲图 2-24 加速插值器

如图 2-27 所示，在 300 秒两个关键节点的 x、fraction 之间的差值不断递增，0 到 300 毫秒的 x

差值为 40、fraction 为 0.2，300 毫秒到 600 毫秒的 x 差值为 60、fraction 为 0.3，依次类推，fraction 变化频率不断增大，使得 x 的变化也逐渐增大，也就造成了动画加速的效果。

那么如何控制 fraction 来实现这种效果呢？

那就是 TimeInterpolator 的任务，在动画执行时，会调用 TimeInterpolator 的 getInterpolation 函数使得开发人员有机会参与到 fraction 的设定，这样开发人员就可以通过不同的 TimeInterpolator 实现各种各样与动画频率相关的效果。所谓插值器，也就是在动画执行中"插入一脚"，影响动画的执行。getInterpolation 函数的声明如下：

```
public float getInterpolation (float input)
```

参数就是 fraction 本身，返回值则是修改后的 fraction 值。例如线性插值器是匀速执行的，因此，它没有修改 fraction 值，LinearInterpolator 代码如下：

```
public class LinearInterpolator implements Interpolator, NativeInterpolatorFactory {
    // 代码省略

    public float getInterpolation(float input) {
        return input;
    }
}
```

下面就来实现一个加速插值器。它的原理就是对 getInterpolation 的 fraction 参数进行乘方，因为 fraction 是 float 型，且取值在 0.0～1.0，对于小数而言，因此值越小乘方之后的值就更小，当 fraction 慢慢变大时，乘方后的 fraction 值变化范围就越来越大，也就是说通过逐渐增大统一时段内的 fraction 值变化范围，即可改变动画的执行效果。实现代码如下：

```
public class CustomInterpolator implements TimeInterpolator {

    @Override
    public float getInterpolation(float input) {
        return input * input;
    }

}
```

代码很简单，在 getInterpolation 中将 input 参数相乘之后返回即可。对于上述的 x 变化动画，当执行时间 t 为 100 毫秒时，此时 fraction 为 0.1，经过乘方之后得到的值为 0.01，那么在 x 轴坐标上移动的距离为 1，此时在 100 毫秒内 x 的变化范围是 1；当 t 为 200、fraction 为 0.2 时，它与 t 为 100 毫秒的 x 差值为 3；当 t 为 300、fraction 为 0.3 时，它与 t 为 300 毫秒的 x 差值为 5。可见 x 的变化范围按照 1、3、5 的规律在慢慢变大。我们看看具体的执行效果，代码如下：

```
private void useCustomEvaluator() {
        ObjectAnimator animator = ObjectAnimator.ofObject(mColorImageView, "x",
                new TranslateXEvaluator(), 0, 200);
        // 使用自定义的插值器
        animator.setInterpolator(new CustomInterpolator());
        animator.setDuration(500);
        animator.start();
}
```

执行结果如下：

```
fraction = 0.0, start = 0, end = 200, new Value = 0
fraction = 0.010404, start = 0, end = 200, new Value = 2
// 省略
fraction = 0.25603598, start = 0, end = 200, new Value = 51
fraction = 0.29160002, start = 0, end = 200, new Value = 58
// 省略
fraction = 0.891136, start = 0, end = 200, new Value = 178
fraction = 0.95648396, start = 0, end = 200, new Value = 191
fraction = 1.0, start = 0, end = 200, new Value = 200
```

从上述程序中可以看到，正如我们分析的，fraction 的变化范围逐渐增大，x 轴的变化范围也随之增大。在同一时间段内，动画前期 x 的变化较小，使得动画看起来较慢，越往后 x 的差值越大，动画看起来就像是加速效果。通过插值器，我们就可以很方便地在执行速率上控制动画的执行了。

## 2.5 小结

本章学习了 Android 开发中最为重要的两个知识点，即自定义 View 与动画。通过自定义 View，可以创造出丰富多彩的 UI 元素，但是由于篇幅有限，一些很重要的知识点并没有覆盖，例如 Xfermode，在做一些特殊效果时灵活运用 Xfermode 将获得意想不到的效果。而对于 Canvas 以及 Paint 的细节也没有过多介绍。对于动画而言，我们了解了帧动画、补间动画、属性动画，而较新的 VectorDrawable 以及 SVG 等内容并没有覆盖，这些内容大家可以在学习完本章之后自行扩展。

# 第 3 章　保证 App 流畅的关键因素——多线程

每个 Android 应用在被启动时都会创建一个线程，这个线程称为主线程或者 UI 线程，Android 应用的所有操作默认都会运行在这个线程中。但是，为了保证 UI 的流畅性，通常都会将耗时的操作放到子线程中，例如 IO 操作、网络请求等。而在 Android 3.0 以及以后的版本中，Android 甚至禁止在主线程执行网络请求，否则会抛出异常，可见在 UI 线程中执行耗时操作是非常不推荐的行为。因此，多线程对于 Android 就变得至关重要，本章我们就一起来学习 Android 中的多线程。

## 3.1 Android 中的消息机制

在学习多线程之前，我们首先来了解一下 Android 应用中的消息机制，然后才能够更深刻地理解为什么使用多线程以及为什么多线程能够解决 UI 线程阻塞的问题。

### 3.1.1 处理消息的手段——Handler、Looper 与 MessageQueue

我们知道在 Android 应用启动时，会默认有一个主线程(UI 线程)，在这个线程中会关联一个消息队列，所有的操作都会被封装成消息然后交给主线程来处理。为了保证主线程不会主动退出，会将获取消息的操作放在一个死循环中，这样程序就相当于一直在执行死循环，因此不会退出。如图 3-1 所示。

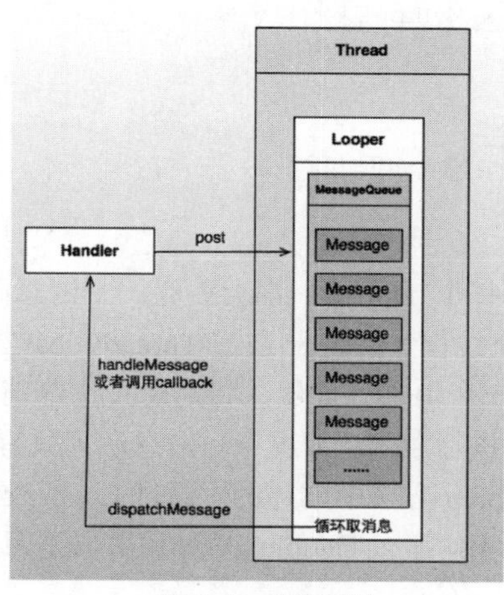


▲图 3-1　消息机制

UI 线程的消息循环是在 ActivityThread.main 方法中创建的，该函数为 Android 应用程序的入口。源代码如下：

```
public static void main(String[] args) {
    // 代码省略
    Process.setArgV0("<pre-initialized>");
    Looper.prepareMainLooper();// 1.创建消息循环 Looper

    ActivityThread thread = new ActivityThread();
    thread.attach(false);

    if (sMainThreadHandler == null) {
        sMainThreadHandler = thread.getHandler(); // UI 线程的 Handler
    }
    AsyncTask.init();
    // 代码省略
    Looper.loop();    // 2.执行消息循环
    throw new RuntimeException("Main thread loop uexpectedly exited");
}
```

执行 ActivityThread.main 方法后，应用程序就启动了，并且会一直从消息队列中取消息，然后处理消息，使得系统运转起来。那么系统是如何将消息投递到消息队列中的？又是如何从消息队列中获取消息并且处理消息的呢？答案就是 Handler。

在子线程中执行完耗时操作后，很多情况下需要更新 UI，但我们都知道，不能在子线程中更新 UI。此时最常用的手段就是通过 Handler 将一个消息 Post 到 UI 线程中，然后再在 Handler 的 handleMessage 方法中进行处理。但是有一个点要注意，那就是该 Handler 必须在主线程中创建！简单示例如下：

```
class MyHandler extends Handler {
    @Override
    public void handleMessage(Message msg) {
      // 更新 UI
    }
}

MyHandler mHandler = new MyHandler() ;
// 开启新的线程
new Thread(){
    public void run() {
        // 耗时操作
        mHandler.sendEmptyMessage(123) ;
    };
}.start();
```

为什么必须要这么做？其实每个 Handler 都会关联一个消息队列，消息队列被封装在 Looper 中，而每个 Looper 又会关联一个线程（Looper 通过 ThreadLocal 封装），最终就等于每个消息队列会关联一个线程。Handler 就是一个消息处理器，将消息投递给消息队列，然后再由对应的线程从消息队列中逐个取出消息，并且执行。默认情况下，消息队列只有一个，即主线程的消息队列，这个消息队列是在 ActivityThread.main 方法中创建的，通过 Lopper.prepareMainLooper()来创建，最后执行 Looper.loop()来启动消息循环。那么 Handler 是如何关联消息队列以及线程的呢？我们看看如下源代码：

```
public Handler() {
    // 代码省略
    mLooper = Looper.myLooper();   // 获取 Looper
    if (mLooper == null) {
        throw new RuntimeException(
            "Can't create handler inside thread that has not called Looper.prepare()");
    }
    mQueue = mLooper.mQueue;        // 获取消息队列
    mCallback = null;
}
```

从 Handler 默认的构造函数中可以看到，Handler 会在内部通过 Looper.getLooper()来获取 Looper 对象，并且与之关联，最重要的就是消息队列。那么 Looper.getLooper()又是如何工作的呢？我们继续往下看：

```
    public static Looper myLooper() {
        return sThreadLocal.get();
    }

    // 设置 UI 线程的 Looper
    public static void prepareMainLooper() {
        prepare();
        setMainLooper(myLooper());
        myLooper().mQueue.mQuitAllowed = false;
    }

    private synchronized static void setMainLooper(Looper looper) {
        mMainLooper = looper;
    }

    // 为当前线程设置一个 Looper
    public static void prepare() {
        if (sThreadLocal.get() != null) {
            throw new RuntimeException("Only one Looper may be created per thread");
        }
        sThreadLocal.set(new Looper());
    }
```

从上述程序中我们看到 myLooper()方法是通过 sThreadLocal.get()来获取的。那么 Looper 对象又是什么时候存储在 sThreadLocal 中的呢？眼尖的朋友可能看到了，上面贴出的代码中给出了一个熟悉的方法—prepareMainLooper()，在这个方法中调用了 prepare()方法，在这个 prepare 方法中创建了一个 Looper 对象，并且将该对象设置给了 sThreadLocal。这样，队列就与线程关联上了！这样一来，不同的线程就不能访问对方的消息队列。

再回到 Handler 中来，消息队列通过 Looper 与线程关联上，而 Handler 又与 Looper 关联，因此，Handler 最终就和线程、线程的消息队列关联上了。这就能解释上面提到的问题了，“为什么要更新 UI 的 Handler 必须要在主线程中创建？”。就是因为 Handler 要与主线程的消息队列关联上，这样 handleMessage 才会执行在 UI 线程，此时更新 UI 才是线程安全的！

创建了 Looper 后，如何执行消息循环呢？通过 Handler 来 Post 消息给消息队列（链表），那么消息是如何被处理的呢？答案就是在消息循环中，消息循环的建立就是通过 Looper.loop()方法。源代码如下：

```
/**
  * 执行消息循环
  */
  public static void loop() {
     Looper me = myLooper();
     if (me == null) {
        throw new
        RuntimeException("No Looper; Looper.prepare() wasn't called on this thread.");
     }
     MessageQueue queue = me.mQueue;    // 1.获取消息队列
     // 代码省略

     while (true) {                 // 2.死循环，即消息循环
        Message msg = queue.next();       // 3.获取消息 (might block )
        if (msg != null) {
           if (msg.target == null) {
              // No target is a magic identifier for the quit message.
              return;
           }
           // 代码省略
           msg.target.dispatchMessage(msg);    // 4.处理消息
           // 代码省略
           msg.recycle();                    // 回收消息
        }
     }
  }
```

从上述程序中可以看到，loop 方法中实质上就是建立一个死循环，然后通过从消息队列中逐个取出消息，最后处理消息的过程。对于 Looper 我们总结一下：通过 Looper.prepare()来创建 Looper 对象（消息队列封装在 Looper 对象中），并且保存在 sThreadLoal 中，然后通过 Looper.loop()来执行消息循环，这两步通常是成对出现的。

最后，我们看看消息处理机制，我们看到代码中第 4 步通过 msg.target.dispatchMessage(msg)来处理消息。其中 msg 是 Message 类型，我们看源代码：

```
public final class Message implements Parcelable {
   Handler target;          // target 处理
   Runnable callback;       // Runnable 类型的 callback
   Message next;          // 下一条消息，消息队列是链式存储的

   // 代码省略
}
```

从源代码中可以看到，target 是 Handler 类型。实际上就是转了一圈，通过 Handler 将消息投递给消息队列，消息队列又将消息分发给 Handler 来处理。我们继续看：

```
// 消息处理函数,子类覆写
   public void handleMessage(Message msg) {
   }

   private final void handleCallback(Message message) {
      message.callback.run();
   }

   // 分发消息
   public void dispatchMessage(Message msg) {
      if (msg.callback != null) {
         handleCallback(msg);
```

```
        } else {
            if (mCallback != null) {
                if (mCallback.handleMessage(msg)) {
                    return;
                }
            }
            handleMessage(msg);
        }
    }
```

从上述程序中可以看到，dispatchMessage 只是一个分发的方法，如果 Runnable 类型的 callback 为空，则执行 handlerMessage 来处理消息，该方法为空，我们会将更新 UI 的代码写在该函数中；如果 callback 不为空，则执行 handleCallback 来处理，该方法会调用 callback 的 run 方法。其实这是 Handler 分发的两种类型，比如我们 post(Runnable callback)则 callback 就不为空，当我们使用 Handler 来 sendMessage 时通常不会设置 callback，因此，也就执行 handlerMessage 这个分支。我们看看两种实现：

```
public final boolean post(Runnable r){
    return sendMessageDelayed(getPostMessage(r), 0);
}
private final Message getPostMessage(Runnable r) {
    Message m = Message.obtain();
    m.callback = r;
    return m;
}

public final boolean sendMessageDelayed(Message msg, long delayMillis){
    if (delayMillis < 0) {
        delayMillis = 0;
    }
    return sendMessageAtTime(msg, SystemClock.uptimeMillis() + delayMillis);
}

public boolean sendMessageAtTime(Message msg, long uptimeMillis){
    boolean sent = false;
    MessageQueue queue = mQueue;
    if (queue != null) {
        msg.target = this;                           // 设置消息的 target 为当前 Handler 对象
        sent = queue.enqueueMessage(msg, uptimeMillis);  // 将消息插入到消息队列
    } else {
        // 代码省略
    }
    return sent;
}
```

从上述程序中可以看到，在 post(Runnable r)时，会将 Runnable 包装成 Message 对象，并且将 Runnable 对象设置给 Message 对象的 callback 字段，最后会将该 Message 对象插入消息队列。sendMessage 也是类似实现：

```
public final boolean sendMessage(Message msg){
    return sendMessageDelayed(msg, 0);
}
```

不管是 post 一个 Runnbale 还是 Message，都会调用 sendMessageDelayed(msg, time)方法。Handler 最终将消息追加到 MessageQueue 中，而 Looper 不断地从 MessageQueue 中读取消息，并且调用

Handler 的 dispatchMessage 消息，这样消息就源源不断地被产生、添加到 MessageQueue、被 Handler 处理，Android 应用就运转起来了。

### 3.1.2 在子线程中创建 Handler 为何会抛出异常

首先我们看如下代码：

```
new Thread(){
    Handler handler = null;
    public void run() {
        handler = new Handler();
    };
  }.start();
```

上面的代码有问题吗？

如果你能够发现并且解释上述代码的问题，那么应该说你对 Handler、Looper、Thread 这几个概念已经有一定了解了，可以跳过这个小章节。如果你还不太清楚，那么我们一起往下学习。

前面说过，Looper 对象是 ThreadLocal 的，即每个线程都有自己的 Looper，这个 Looper 可以为空。但是，当你要在子线程中创建 Handler 对象时，如果 Looper 为空，那么就会抛出“Can't create handler inside thread that has not called Looper.prepare()”异常。为什么会这样呢？我们一起看源代码：

```
public Handler() {
    // 代码省略
    mLooper = Looper.myLooper();    // 获取 myLooper
    // 抛出异常
    if (mLooper == null) {
        throw new RuntimeException(
               "Can't create handler inside thread that has not called Looper.prepare()");
    }
    mQueue = mLooper.mQueue;
    mCallback = null;
}
```

从上述程序中我们可以看到，当 mLooper 对象为空时，抛出了该异常。这是因为该线程中的 Looper 对象还没有创建，因此，sThreadLocal.get()会返回 null。Handler 的原理就是要与 MessageQueue 建立关联，并且将消息投递给 MessageQueue，如果连 MessageQueue 都没有，那么 Handler 就没有存在的必要，而 MessageQueue 又被封装在 Looper 中，因此，创建 Handler 时 Looper 一定不能为空。解决方法如下：

```
new Thread(){
    Handler handler = null;
        public void run() {
            // 1.为当前线程创建 Looper,并且会绑定到 ThreadLocal 中
            Looper.prepare();
            handler = new Handler();
            // 2.启动消息循环
            Looper.loop();
        };
    }.start();
```

在代码中我们加了 2 处，第一是通过 Looper.prepare()来创建 Looper，第二是通过 Looper.loop()来启动消息循环。这样该线程就有了自己的 Looper，也就是有了自己的消息队列。如果只创建 Looper，而不启动消息循环，虽然不会抛出异常，但是你通过 handler 来 post 或者 sendMessage 也不会有效。因为虽然消息被追加到消息队列了，但是并没有启动消息循环，也就不会从消息队列中获取消息并且执行了！

## 3.2 Android 中的多线程

Android 中的多线程际上就是 Java SE 中的多线程，只是为了方便使用，Android 封装了一些类，如 AsyncTask、HandlerThread 等。本小节我们就来学习与多线程相关的基础知识。

### 3.2.1 多线程的实现——Thread 和 Runnable

对于 Android 的多线程来说，我们最早学习到的都是 Thread 和 Runnable，通常我们使用如下代码启动一个新的线程：

```
private void startNewThread() {
    new Thread(){
        @Override
        public void run() {
            // 耗时操作
        }
    } .start() ;
}
```

或者像这样：

```
private void startNewThread() {
    new Thread(new Runnable() {
        @Override
        public void run() {
            // 耗时操作
        }
    }).start();
}
```

这似乎没什么区别，实际上差别也不太大。示例 1 是覆写了 Thread 类中的 run 函数执行耗时操作，而示例 2 则是向 Thread 的构造函数中传递了一个 Runnable 对象，而在 Runnable 对象中执行了耗时操作。那么它们有什么区别呢?Thread 和 Runnable 又是什么关系？下面我们一一解开。

实际上 Thread 也是一个 Runnable，它实现了 Runnable 接口，在 Thread 类中有一个 Runnable 类型的 target 字段，代表要被执行在这个子线程中的任务。相关代码如下：

```
public class Thread implements Runnable {
    // 线程所属的 ThreadGroup
    volatile ThreadGroup group;
    // 要执行的目标任务
    Runnable target;

    public Thread() {
        create(null, null, null, 0);
```

```
    }

    public Thread(Runnable runnable) {
        create(null, runnable, null, 0);
    }

    /**
     * 初始化 Thread，并且将该 Thread 对象添加到 ThreadGroup 中
     */
    private void create(ThreadGroup group, Runnable runnable,
          String threadName, long stackSize) {

          Thread currentThread = Thread.currentThread();
          // group 参数为 Null，则获取当前线程的线程组
          if (group == null) {
          group = currentThread.getThreadGroup();
          }
         // 代码省略

         this.group = group;
         // 设置 target
         this.target = runnable;
         this.group.addThread(this);
    }

    /**
     * 启动一个新的线程，如果 target 不为空则执行 target 的 run 函数，
     * 否则执行当前对象的 run 方法。
     */
    public synchronized void start() {
        checkNotStarted();

        hasBeenStarted = true;
        // 调用 native 函数启动新的线程
        nativeCreate(this, stackSize, daemon);
    }
}
```

由此可知，实际上最终被线程执行的任务是 Runnable，而非 Thread。Thread 只是对 Runnable 的包装，并且通过一些状态对 Thread 进行管理与调度。Runnable 接口定义了可执行的任务，它只有一个无返回值的 run()函数。Runnable 的声明如下：

```
public interface Runnable {
    public void run();
}
```

当启动一个线程时，如果 Thread 的 target 不为空，则会在子线程中执行这个 target 的 run 函数，否则虚拟机就会执行该线程自身的 run 函数。

### 3.2.2　线程的 wait、sleep、join 和 yield

使用 Thread 相对来说比较简单，并没有什么成本。但是通常来说，我们使用线程基本上就是覆写 run 函数，然后调用线程对象的 start 函数启动线程。对于面试人员来说，这些并不是面试官会问到的问题，而线程的 wait、sleep、join、yield 这几个函数则是面试题中的常客。因此，本节我们就来简单介绍这几个函数以及它们的区别。首先我们看表 3-1。

表 3-1 函数的区别

| 函 数 名 | 作 用 |
| --- | --- |
| wait() | 当一个线程执行到 wait()方法时，它就进入到一个和该对象相关的等待池中，同时失去（释放）了对象的机锁，使得其他线程可以访问。用户可以使用 notify、notifyAlll 或者指定睡眠时间来唤醒当前等待池中的线程。<br>注意：wiat()、notify()、notifyAll()必须放在 synchronized block 中，否则会抛出异常 |
| sleep | 该函数是 Thread 的静态函数，作用是使调用线程进入睡眠状态。因为 sleep()是 Thread 类的 Static(静态)的方法，因此他不能改变对象的机锁。所以，当在一个 Synchronized 块中调用 Sleep()方法是，线程虽然休眠了，但是对象的机锁并没有被释放，其他线程无法访问这个对象（即使睡着也持有对象锁） |
| join | 等待目标线程执行完成之后再继续执行 |
| yield | 线程礼让。目标线程由运行状态转换为就绪状态，也就是让出执行权限，让其他线程得以优先执行，但其他线程能否优先执行是未知的 |

下面先来看看 wait 和 notify、notifyAll 的运用：

```
// 用于等待、唤醒的对象
private static Object sLockObject = new Object();

static void waitAndNotifyAll() {
      System.out.println("主线程运行");
      // 创建并启动子线程
      Thread thread = new WaitThread();
      thread.start();
      long startTime = System.currentTimeMillis();
      try {
          synchronized (sLockObject) {
              System.out.println("主线程等待");
              sLockObject.wait();
          }
    } catch (Exception e) {
    }
    long timsMs = (System.currentTimeMillis() - startTime) ;
    System.out.println("主线程继续 →等待耗时 : " + timeMs + " ms");
}

// 等待线程
static class WaitThread extends Thread {
      @Override
      public void run() {
          try {
              synchronized (sLockObject) {
                  Thread.sleep(3000);
                  sLockObject.notifyAll();
              }
          } catch (Exception e) {
          }
      }
}
```

在 waitAndNotifyAll()函数中，会启动一个 WaitThread 线程，在该线程中将会调用 sleep 函数睡眠 3 秒钟。线程启动之后在主线程调用 sLockObject 的 wait 函数，使主线程进入等待状态，此时将不会继续执行。等 WaitThread 在 run 函数沉睡了 3 秒后会调用 sLockObject 的 notifyAll 函数，此时就会重新唤醒正在等待中的主线程，因此会继续往下执行。

运行 waitAndNotifyAll()函数后输出结果为：

```
主线程运行
主线程等待
主线程继续 →等待耗时：3000 ms
```

wait、notify 机制通常用于等待机制的实现，当条件未满足时调用 wait 进入等待状态，一旦条件满足，调用 notify 或 notifyAll 唤醒等待的线程继续执行。

与 wait、sleep 的浅显易懂不同的是 join 的作用并不那么直观，也许就是这个原因，使得 join 函数并不是那么容易理解。join 函数的原始解释为“Blocks the current Thread (Thread.currentThread()) until the receiver finishes its execution and dies”。意思就是阻塞当前调用 join 函数时所在的线程，直到接收线程执行完毕之后再继续。这么说起来也不是太清晰，我们直接看一个示例：

```
static void joinDemo() {
    Worker worker1 = new Worker("work-1");
    Worker worker2 = new Worker("work-2");
    worker1.start();
    System.out.println("启动线程 1");
    try {
        // 调用 worker1 的 join 函数，主线程会阻塞直到 woker1 执行完成
        worker1.join();
        System.out.println("启动线程 2");
        // 再启动线程 2，并且调用线程 2 的 join 函数，主线程会阻塞直到 woker2 执行完成
        worker2.start();
        worker2.join();
    } catch (InterruptedException e) {
        e.printStackTrace();
    }

    System.out.println("主线程继续执行");
}

static class Worker extends Thread {

    public Worker(String name) {
        super(name);
    }

    @Override
    public void run() {
        try {
            Thread.sleep(2000);
        } catch (InterruptedException e) {
            e.printStackTrace();
        }
        System.out.println("work in " + getName());
    }
}
```

我们运行 joinDemo 函数，得到如下输出结果：

```
启动线程 1
work in work-1
启动线程 2
work in work-2
主线程继续执行
```

这是因为在 joinDemo 函数中，首先创建了两个子线程，然后启动了 worker1，下一步再调用 worker1 的 join 函数。此时，主线程进入阻塞状态，一直到 worker1 执行完毕之后才开始继续执行。因为 Worker 的 run 函数会睡眠 2 秒，因此，在主线程中每次调用 join 实际上都会阻塞 2 秒，直到 run 执行完毕再继续。所以，上述逻辑为启动线程 1、等待线程 1 执行完成、启动线程 2、等待线程 2 执行完成、继续执行主线程的代码。

yield 函数与 join 类似，单从名字上理解它的作用看并不是很直观。它的官方解释为“Causes the calling Thread to yield execution time to another Thread that is ready to run”，意为使调用该函数的线程让出执行时间给其他已就绪状态的线程。我们知道，线程的执行是有时间片的，每个线程轮流占用 CPU 固定的时间，执行周期到了之后就让出执行权给其他线程。而 yield 的功能就是主动让出线程的执行权给其他线程，其他线程能否得到优先执行就得看各个线程的状态了。我们看下面的示例：

```
static class YieldThread extends Thread {
    public YieldThread(String name) {
        super(name);
    }

    public synchronized void run() {
        for (int i = 0; i < MAX; i++) {
            System.out.printf("%s [%d] ----> %d\n", this.getName(), this.getPriority(), i);
            // 当 i 为 2 时，调用当前线程的 yield 函数
            if (i == 2) {
                Thread.yield();
            }
        }
    }
}

static void yieldDemo() {
    YieldThread t1 = new YieldThread("thread-1");
    YieldThread t2 = new YieldThread("thread-2");
    t1.start();
    t2.start();
}
```

在 yieldDemo 中我们创建了两个 YieldThread 线程，输出结果如下 ：

```
thread-1 ,优先级为 : 5 ----> 0
thread-1 ,优先级为 : 5 ----> 1
thread-1 ,优先级为 : 5 ----> 2
thread-2 ,优先级为 : 5 ----> 0
thread-2 ,优先级为 : 5 ----> 1
thread-2 ,优先级为 : 5 ----> 2
thread-1 ,优先级为 : 5 ----> 3
thread-1 ,优先级为 : 5 ----> 4
thread-2 ,优先级为 : 5 ----> 3
thread-2 ,优先级为 : 5 ----> 4
```

通常情况下 t1 首先执行，让 t1 的 run 函数执行到 i 等于 2 时让出当前线程的执行时间，因此，我们看到前 3 行是 thread-1 执行的；thread-1 让出执行时间后 thread-2 开始执行，因此，4～6 行是在 thread-2 中执行；此时 thread-2 中也执行到 i 等于 2 时，thread-2 又让出执行权，此时 thread-1 又开始执行；索引 i 分别为 3 和 4，此时 thread-1 执行完毕。thread-2 重新开始执行，索引 i 也为 3、4。因此，调用 yield 就是让出当前线程的执行权，这样一来就让其他线程得到优先执行。

### 3.2.3　与多线程相关的方法——Callable、Future 和 FutureTask

除了 Runnable 之外，Java 中还有 Callable、Future、FutureTask 这几个与多线程相关的概念，与 Runnable 不同的是这几个类型都只能运用到线程池中，而 Runnable 既能运用在 Thread 中，又能运用在线程池中。下面我们一一介绍。

Callable 与 Runnable 的功能大致相似，不同的是 Callable 是一个泛型接口，它有一个泛型参数 V，该接口中有一个返回值（类型为 V）的 call()函数，而 Runnable 的 run()函数不能将结果返回给客户程序。Callable 的声明如下：

```
public interface Callable<V> {
    // 返回 V 类型的结果
    V call() throws Exception;
}
```

Runnable 与 Callable 都像“脱缰的野马”，一旦解开缰绳就无法控制。对于应用开发来说，我们可能需要更易于管理的“战马”，Future 就是这类“战马”的标准，Future 为线程池制定了一个可管理的任务标准。它提供了对 Runnable 或者 Callable 任务的执行结果进行取消、查询是否完成、获取结果、设置结果操作，分别对应 cancel、isDone、get、set 函数。get 方法会阻塞，直到任务返回结果。Future 声明如下：

```
public interface Future<V> {
    boolean cancel(boolean mayInterruptIfRunning);
    // 该任务是否已经取消
    boolean isCancelled();

    // 判断是否已经完成
    boolean isDone();

    // 获取结果，如果任务未完成，则等待，直到完成，因此该函数会阻塞
    V get() throws InterruptedException, ExecutionException;

    // 获取结果，如果还未完成那么等待，直到 timeout 或者返回结果，该函数会阻塞
    V get(long timeout, TimeUnit unit)
        throws InterruptedException, ExecutionException, TimeoutException;
}
```

Future 只是定义了一些规范的接口，而 FutureTask 则是它的实现类。FutureTask 实现了 RunnableFuture<V>，而 RunnableFuture 实现了 Runnbale 又实现了 Futrue<V>这两个接口，因此，FutureTask 具备了它们的能力。FutureTask 代码如下：

```
public class FutureTask<V> implements RunnableFuture<V> {
    // 代码省略
}
```

再看看 RunnableFuture 类定义：

```
public interface RunnableFuture<V> extends Runnable, Future<V> {
    void run();
}
```

FutureTask 会像 Thread 包装 Runnable 那样对 Runnable 和 Callable<V>进行包装，Runnable 与

Callable 由构造函数注入。

```
public FutureTask(Callable<V> callable) {
        if (callable == null)
            throw new NullPointerException();
        this.callable = callable;
        this.state = NEW;       // ensure visibility of callable
    }

    public FutureTask(Runnable runnable, V result) {
        this.callable = Executors.callable(runnable, result);
        this.state = NEW;       // ensure visibility of callable
    }
```

从上述程序中可以看到，如果注入的是 Runnable 则会被 Executors.callable()函数转换为 Callable 类型，即 FutureTask 最终都是执行 Callable 类型的任务。该适配函数的实现如下：

```
public static <T> Callable<T> callable(Runnable task, T result) {
        if (task == null)
            throw new NullPointerException();
        return new RunnableAdapter<T>(task, result);
    }

    /**
     * Runnable 适配器，将 Runnable 转换为 Callable
     */
    static final class RunnableAdapter<T> implements Callable<T> {
        final Runnable task;
        final T result;
        RunnableAdapter(Runnable task, T result) {
            this.task = task;
            this.result = result;
        }
        public T call() {
            task.run();
            return result;
        }
    }
```

由于 FutureTask 实现了 Runnable，因此，它既可以通过 Thread 包装来直接执行，也可以提交给 ExecuteService 来执行。并且还可以直接通过 get()函数获取执行结果，该函数会阻塞，直到结果返回。因此，FutureTask 既是 Future、Runnable，又是包装了 Callable（如果是 Runnable 最终也会被转换为 Callable），它是这两者的合体。

下面通过一个 Java 类来简单演示 Runnable、Callable、FutureTask 的运用，代码如下：

```
public class FutureDemo {
    // 线程池
    static ExecutorService mExecutor = Executors.newSingleThreadExecutor();

    // main 函数
    public static void main(String[] args) {
        try {
            futureWithRunnable();
            futureWithCallable();
            futureTask();
```

```
        } catch (Exception e) {
        }
    }

    // 向线程池中提交 Runnable 对象
    private static void futureWithRunnable() throws InterruptedException,
        ExecutionException {
        // 提交 runnable，没有返回值， future 没有数据
        Future<?> result = mExecutor.submit(new Runnable() {

            @Override
            public void run() {
                fibc(20);
            }
        });

        System.out.println("future result from runnable : " + result.get());
    }

    // 提交 Callable 对象，有返回值
    private static void futureWithCallable() throws InterruptedException,
    ExecutionException {
        /**
         * 提交 Callable， 有返回值， future 中能够获取返回值
         */
        Future<Integer> result2 = mExecutor.submit(new Callable<Integer>() {
            @Override
            public Integer call() throws Exception {
                return fibc(20);
            }
        });

        System.out.println("future result from callable : "
                + result2.get());
    }

    private static void futureTask() throws InterruptedException, ExecutionException {
        // 提交 FutureTask 对象
        FutureTask<Integer> futureTask = new FutureTask<Integer>(
                new Callable<Integer>() {
                    @Override
                    public Integer call() throws Exception {
                        return fibc(20);
                    }
                });
        // 提交 futureTask
        mExecutor.submit(futureTask);
        System.out.println("future result from futureTask : "
                + futureTask.get());
    }

    // 效率底下的斐波那契数列，其是耗时的操作
    private static int fibc(int num) {
        if (num == 0) {
            return 0;
        }
        if (num == 1) {
            return 1;
        }
        return fibc(num - 1) + fibc(num - 2);
    }
}
```

输出结果：

```
future result from runnable : null
future result from callable : 6765
future result from futureTask : 6765
```

在 futureWithRunnable 函数中提交了一个 Runnable 对象，在 run()函数中直接计算，该函数无返回值，因此，通过 Future 对象的 get 函数得到的值为 null。Callable 实现的是 V call()方法，将 Callable 对象提交给线程池后会返回一个 Future 对象，通过该对象可以对该任务进行取消、获取结果等操作，在 futureWithCallable 中通过 Future 的 get 函数得到了计算结果 6765。而 FutureTask 则是一个 RunnableFuture<V>，因此，它既实现了 Runnbale 又实现了 Futrue<V>这两个接口，另外，它还可以包装 Runnable(实际上会转换为 Callable)和 Callable<V>，提交给 ExecuteService 来执行后，也可以通过返回的 Future 对象的 get 函数得到执行结果，在线程体没有执行完成时，主线程一直阻塞等待，执行完则直接返回结果。

### 3.2.4 构建服务器应用程序的有效方法——线程池

当我们需要频繁地创建多个线程进行耗时操作时，每次都通过 new Thread 实现并不是一种好的方式，每次 new Thread 新建和销毁对象性能较差，线程缺乏统一管理，可能无限制新建线程，相互之间竞争，可能占用过多系统资源导致死锁，并且缺乏定时执行、定期执行、线程中断等功能。好在 Java 提供了 4 种线程池，它能够有效地管理、调度线程，避免过多的资源消耗，它强大到几乎不需要开发人员自定义的程度。它的优点如下：

（1）重用存在的线程，减少对象创建、销毁的开销；

（2）可有效控制最大并发线程数，提高系统资源的使用率，同时避免过多资源竞争，避免堵塞；

（3）提供定时执行、定期执行、单线程、并发数控制等功能。

线程池原理简单地解释就是会创建多个线程并且进行管理，提交给线程的任务会被线程池指派给其中的线程进行执行，通过线程池的统一调度、管理使得多线程的使用更简单、高效。如图 3-2 所示。

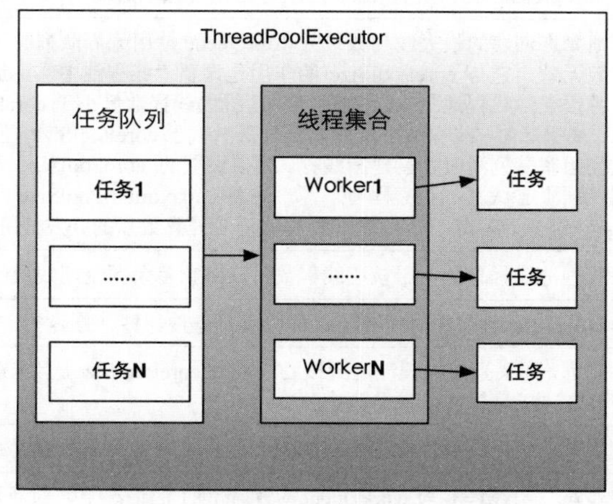


▲图 3-2 线程池

线程池都实现了 ExecutorService 接口，该接口定义了线程池需要实现的接口，如 submit、execute、shutdown 等。它的实现有 ThreadPoolExecutor 和 ScheduledThreadPoolExecutor，ThreadPoolExecutor 也就是我们运用最多的线程池实现，ScheduledThreadPoolExecutor 则用于周期性地执行任务。通常，我们都不会直接通过 new 的形式来创建线程池，由于创建参数过程相对复杂一些，因此，JDK 给我们提供了一个 Executors 工厂类来简化这个过程。下面分别来进行介绍 ThreadPoolExecutor 与 ScheduledThreadPoolExecutor 的使用。

#### 3.2.4.1　启动指定数量的线程——ThreadPoolExecutor

ThreadPoolExecutor 是线程池的实现之一，它的功能是启动指定数量的线程以及将任务添加到一个队列中，并且将任务分发给空闲的线程。ExecutorService 的生命周期包括 3 种状态：运行、关闭、终止。创建后便进入运行状态，当调用了 shutdown（）方法时，便进入关闭状态，此时意味着 ExecutorService 不再接受新的任务，但它还在执行已经提交了的任务。当所有已经提交了的任务执行完后，就变成终止状态。

ThreadPoolExecutor 构造函数如下：

```
public ThreadPoolExecutor(int corePoolSize,
                          int maximumPoolSize,
                          long keepAliveTime,
                          TimeUnit unit,
                          BlockingQueue<Runnable> workQueue,
                          ThreadFactory threadFactory,
                          RejectedExecutionHandler handler)
```

下面我们对这几个参数进行详细说明，如表 3-2 所示。

表 3-2　参数说明

| 参 数 名 | 作　用 |
|---|---|
| corePoolSize | 线程池中所保存的核心线程数。线程池启动后默认是空的，只有任务来临时才会创建线程以处理请求。prestartAllCoreThreads 方法可以在线程池启动后即启动所有核心线程以等待任务 |
| maximumPoolSize | 线程池允许创建的最大线程数。当 workQueue 使用无界队列时（如 LinkedBlockingQueue），则此参数无效。它与 corePoolSize 的作用是调整“线程池中实际运行的线程的数量”。例如，当新任务提交给线程池时,如果线程池中运行的线程数量小于 corePoolSize，则创建新线程来处理请求；如果此时，线程池中运行的线程数量大于 corePoolSize，但是却小于 maximumPoolSize，则仅当阻塞队列满时才创建新线程。如果设置的 corePoolSize 和 maximumPoolSize 相同，则创建了固定大小的线程池。如果将 maximumPoolSize 设置为基本的无界值（如 Integer.MAX_VALUE），则允许线程池适应任意数量的并发任务 |
| keepAliveTime | 当前线程池线程总数大于核心线程数时，终止多余的空闲线程的时间 |
| Unit | keepAliveTime 参数的时间单位，可选值有毫秒、秒、分等 |
| workQueue | 任务队列，如果当前线程池达到核心线程数 corePoolSize，且当前所有线程都处于活动状态时，则将新加入的任务放到此队列中 |
| threadFactory | 线程工厂，让用户可以定制线程的创建过程，通常不需要设置 |
| Handler | 拒绝策略，当线程池与 workQueue 队列都满了的情况下，对新加任务采取的处理策略 |

其中的 workQueue 有下列几个常用实现。

（1）ArrayBlockingQueue：基于数组结构的有界队列，此队列按 FIFO 原则对任务进行排序。如果队列满了还有任务进来，则调用拒绝策略。

（2）LinkedBlockingQueue：基于链表结构的无界队列，此队列按 FIFO 原则对任务进行排序。因为它是无界的，根本不会满，所以采用此队列后线程池将忽略拒绝策略（handler）参数；同时还将忽略最大线程数 maximumPoolSize 等参数。

（3）SynchronousQueue：直接将任务提交给线程而不是将它加入到队列，实际上此队列是空的。每个插入的操作必须等到另一个调用移除的操作；如果新任务来了线程池没有任何可用线程处理的话，则调用拒绝策略。其实要是把 maximumPoolSize 设置成无界（Integer.MAX_VALUE）的，加上 SynchronousQueue 队列，就等同于 Executors.newCachedThreadPool()。

（4）PriorityBlockingQueue：具有优先级的队列的有界队列，可以自定义优先级，默认是按自然排序，可能很多场合并不合适。

当线程池与 workQueue 队列都满了的情况下，对新加任务采取的处理策略也有几个默认实现，分别如下。

（1）AbortPolicy：拒绝任务，抛出 RejectedExecutionException 异常。线程池的默认策略。

（2）CallerRunsPolicy：拒绝新任务进入，如果该线程池还没有被关闭，那么将这个新任务执行在调用线程中。

（3）DiscardOldestPolicy：如果执行程序尚未关闭，则位于工作队列头部的任务将被删除，然后重试执行程序（如果再次失败，则重复此过程）。这样的结果是最后加入的任务反而有可能被执行到，先前加入的都被抛弃了。

（4）DiscardPolicy：加不进的任务都被抛弃了，同时没有异常抛出。

对于 Android 平台来说，由于资源有限，最常使用的就是通过 Executors.newFixedThreadPool(int size)函数来启动固定数量的线程池，代码如下：

```
public class ExecutorDemo {
    // 任务数量
    private static final int MAX = 10;

    public static void main(String[] args) {
        try {
            fixedThreadPool(3);
        } catch (Exception e) {
            e.printStackTrace();
        }
    }

    private static void fixedThreadPool(int size)
         throws CancellationException, ExecutionException,
            InterruptedException {
            // 创建固定数量的线程池
        ExecutorService executorService = Executors.newFixedThreadPool(size);
        for (int i = 0; i < MAX; i++) {
            // 提交任务
            Future<Integer> task = executorService.submit(new Callable<Integer>() {
                @Override
                public Integer call() throws Exception {
```

```
                    System.out.println("执行线程 : " + Thread.currentThread().getName());
                    return fibc(40);
                }
            });
            // 获取结果
            System.out.println("第 " + i + "次计算,结果 : " + task.get());
        }
    }
    // 效率底下的斐波那契数列, 耗时的操作
    private static int fibc(int num) {
        if (num == 0) {
            return 0;
        }
        if (num == 1) {
            return 1;
        }
        return fibc(num - 1) + fibc(num - 2);
    }

}
```

在上述代码中，我们通过 fixedThreadPool 函数启动了含有 3 个线程的线程池，调用的是 Executors 的 newFixedThreadPool 函数，我们看看该函数的实现：

```
public static ExecutorService newFixedThreadPool(int nThreads) {
    return new ThreadPoolExecutor(nThreads, nThreads,
                                  0L, TimeUnit.MILLISECONDS,
                                  new LinkedBlockingQueue<Runnable>());
}
```

在该函数中，会调用 ThreadPoolExecutor 的构造函数，设置它的 corePoolSize 和 maximumPoolSize 值都是 nThreads，并且设置 keepAliveTime 参数为 0 毫秒，最后设置无界任务队列。这样该线程池中就含有了固定个数的线程，并且它能够容纳无限个任务。

创建成功之后，向该线程池中通过 submit 函数提交了 10 个 Callable 任务，每个任务都是计算前 20 个的斐波那契数列。submit 函数会返回一个 Future 对象，通过该对象我们可以查询、去掉已经提交的任务。

运行上述示例，结果如下：

```
执行线程 : pool-1-thread-1
第 0 次计算,结果 : 6765
执行线程 : pool-1-thread-2
第 1 次计算,结果 : 6765
执行线程 : pool-1-thread-3
第 2 次计算,结果 : 6765
……
执行线程 : pool-1-thread-3
第 8 次计算,结果 : 6765
执行线程 : pool-1-thread-1
第 9 次计算,结果 : 6765
```

从上述程序中可以看到，有 3 个线程交替地执行线程池中的任务，线程名称为 pool-1-thread-x，这个 x 就是第几个线程。

有时可能需要任务尽可能快地被执行，这就需要线程池中的线程足够多。也就是说此时需要拿空间来换时间，线程越多占用的内存消耗就越大，但是，在正常情况下它的并发量也就越大，带来

的执行速度也越快。因此，我们可能需要一种场景，如果来了一个新的任务，并且没有空闲线程可用，此时必须马上创建一个线程来立即执行任务。我们可以通过 Executors 的 newCachedThreadPool 函数来实现。代码如下：

```
private static void newCachedThreadPool() throws CancellationException,
        ExecutionException, InterruptedException {
// 创建线程池
ExecutorService executorService = Executors.newCachedThreadPool();
for (int i = 0; i < MAX; i++) {
    executorService.submit(new Runnable() {
        @Override
        public void run() {
            System.out.println("执行线程 : " + Thread.currentThread().getName()
                    + ", 结果 : " + fibc(20));
        }
    });

    }
}
```

在通过 newCachedThreadPool 创建线程池之后，我们提交一个 Runnable 任务，结果如下：

```
执行线程 : pool-1-thread-1, 结果 : 6765
执行线程 : pool-1-thread-7, 结果 : 6765
执行线程 : pool-1-thread-6, 结果 : 6765
执行线程 : pool-1-thread-9, 结果 : 6765
执行线程 : pool-1-thread-5, 结果 : 6765
执行线程 : pool-1-thread-2, 结果 : 6765
执行线程 : pool-1-thread-4, 结果 : 6765
执行线程 : pool-1-thread-3, 结果 : 6765
执行线程 : pool-1-thread-10, 结果 : 6765
执行线程 : pool-1-thread-8, 结果 : 6765
```

从上述程序中可以看到，为了保证吞吐量，该线程池为每个任务都创建了 1 个线程，当然这是在没有线程空闲的情况下才会创建新的线程。例如，执行前 5 个任务时都创建了一个线程，此时总共有 5 个线程，执行到第 6 个时，由于第一个任务被执行完毕，此时线程 1 空闲了，那么第六个任务就会被执行在第一个线程中，而不是重新创建。

#### 3.2.4.2 定时执行一些任务——ScheduledThreadPoolExecutor

在某些情况下，我们可能需要定时地执行一些任务，此时可以通过 ScheduledThreadPoolExecutor 来实现。我们只需要通过 Executors 的 newScheduledThreadPool 函数即可很方便地创建定时执行任务的线程池。示例代码如下：

```
private static void scheduledThreadPool() throws CancellationException,
        ExecutionException, InterruptedException {
    // 创建定时执行的线程池
    ScheduledExecutorService executorService = Executors.newScheduledThreadPool(3);
    // 参数 2 为第一次延迟的时间，参数 3 为执行周期
    executorService.scheduleAtFixedRate(new Runnable() {

        @Override
        public void run() {
            System.out.println("Thread : " + Thread.currentThread().getName()
                    + ", 定时计算 : ");
```

```
            System.out.println("结果 : " + fibc(30));
        }
    }, 1, 2, TimeUnit.SECONDS);

    // 参数 2 为第一次延迟的时间，参数 3 为执行周期
    executorService.scheduleAtFixedRate(new Runnable() {

        @Override
        public void run() {
            System.out.println("Thread : " + Thread.currentThread().getName()
                  + ", 定时计算 2 : ");
            System.out.println("结果 : " + fibc(40));
        }
    }, 1, 2, TimeUnit.SECONDS);
}
```

输出结果如下：

```
Thread : pool-1-thread-2, 定时计算 :
Thread : pool-1-thread-1, 定时计算 2 :
结果 : 832040
结果 : 102334155
Thread : pool-1-thread-2, 定时计算 :
Thread : pool-1-thread-1, 定时计算 2 :
结果 : 832040
结果 : 102334155
```

该线程池中有 3 个线程，而我们指定了两个定时任务，因此，该线程池中有两个线程来定时完成任务。scheduleAtFixedRate 函数就是设置定时任务的方法，参数 1 是要执行的任务，参数 2 是第一次运行任务时的延迟时间，参数 3 是定时任务的周期，参数 4 是时间单元，这里设置为秒。

#### 3.2.4.3　线程池的使用准则

只要遵循几条简单的准则，线程池可以成为构建服务器应用程序的极其有效的方法。

（1）不要对那些同步等待其他任务结果的任务排队。这可能会导致死锁，在死锁中，所有线程都被一些任务所占用，这些任务依次等待排队任务的结果，而这些任务又无法执行，因为所有的线程处在忙碌状态。

（2）理解任务。要有效地调整线程池大小，你需要理解正在排队的任务以及它们正在做什么。它们是 CPU 限制的（CPU-bound）吗？它们是 I/O 限制的（I/O-bound）吗？你的答案将影响你如何调整应用程序。如果你有不同的任务类，这些类有着截然不同的特征，那么为不同任务类设置不同的工作队列可能会更有意义，这样可以相应地调整每个池。

（3）调整线程池的大小基本上就是避免两类错误：线程太少或线程太多。幸运的是，对于大多数应用程序来说，太多和太少之间的余地相当宽。

在运行于具有 N 个处理器机器上的计算受限制的应用程序中，在线程数目接近 N 时添加额外的线程可能会改善总处理能力，而在线程数目超过 N 时添加额外的线程将不起作用。事实上，太多的线程甚至会降低性能，因为它会导致额外的环境切换开销。

线程池的最佳大小取决于可用处理器的数目以及工作队列中的任务的性质。若在一个具有 N 个处理器的系统上只有一个工作队列，其中全部是计算性质的任务，在线程池具有 N 或 N+1 个线

程时一般会获得最大的 CPU 利用率。

对于那些可能需要等待 I/O 完成的任务（例如，从套接字读取 HTTP 请求的任务），需要让线程池的大小超过可用处理器的数目，因为并不是所有线程都一直在工作。

## 3.2.5 同步集合

同步集合在多线程开发中扮演中非常重要的角色，Android JDK 中为我们提供了一系列线程安全的集合，使得我们不必重复地制造“轮子”，避免多线程环境下由于线程安全导致的各种问题。本节我们就来了解一些常用但是缺被忽略的同步集合。

### 3.2.5.1 程序中的优化策略——CopyOnWriteArrayList

Copy-On-Write 是一种用于程序设计中的优化策略，其基本思路是，从多个线程共享同一个列表，当某个线程想要修改这个列表的元素时，会把列表中的元素 Copy 一份，然后进行修改，修改完成之后再将新的元素设置给这个列表，这是一种延时懒惰策略。这样做的好处是我们可以对 CopyOnWrite 容器进行并发的读，而不需要加锁，因为当前容器不会添加、移除任何元素。所以，CopyOnWrite 容器也是一种读写分离的思想，读和写不同的容器。从 Android JDK1.5 开始 Java 并发包里提供了两个使用 CopyOnWrite 机制实现的并发容器，它们是 CopyOnWriteArrayList 和 CopyOnWriteArraySet。CopyOnWrite 容器非常有用，可以在非常多的并发场景中使用到。

说了这么多，我们来阅读其核心源码了解一下它是如何实现的。以下代码是向 CopyOnWriteArrayList 中 add 方法的实现：

```
public boolean add(E e) {
    final ReentrantLock lock = this.lock;
    lock.lock();
    try {
        Object[] elements = getArray();
        int len = elements.length;
        Object[] newElements = Arrays.copyOf(elements, len + 1);
        newElements[len] = e;
        setArray(newElements);
        return true;
    } finally {
        lock.unlock();
    }
}
```

从上述程序中可以发现，在添加的时候进行了加锁操作，否则多线程写的时候会 Copy 出 N 个副本出来。复制一份之后将新的元素设置到元素数组的 len 位置，然后再把最新的元素数组设置给该列表。

读的时候不需要加锁，如果读的时候有多个线程正在向 CopyOnWriteArrayList 添加数据，读还是会读到旧的数据，因为写的时候不会锁住旧的元素数组。代码如下：

```
public E get(int index) {
    return get(getArray(), index);
}
```

通过这种写时拷贝的原理可以将读、写分离，使并发场景下对列表的操作效率得到提高，但它的问题是，在添加、移除元素时占用的内存空间翻了一倍，因此，这是以空间换时间，相似的列表还有 CopyOnWriteArraySet。

#### 3.2.5.2　提高并发效率——ConcurrentHashMap

我们知道，HashTable 是 HashMap 的线程安全实现，但 HashTable 容器使用 synchronized 来保证线程安全，但在线程竞争激烈的情况下，HashTable 的效率非常低下。因为，当一个线程访问 HashTable 的同步方法时，其他线程访问 HashTable 的同步方法可能会进入阻塞或轮询状态。如线程 1 使用 put 进行添加元素，线程 2 不但不能使用 put 方法添加元素，并且也不能使用 get 方法来获取元素，所以竞争越激烈效率越低。

HashTable 容器在竞争激烈的并发环境下表现出效率低下的原因是因为，所有访问 HashTable 的线程都必须竞争同一把锁，假如容器里有多把锁，每一把锁用于锁容器其中一部分数据，那么当多线程访问容器里不同数据段的数据时，线程间就不会存在锁竞争，从而可以有效地提高并发访问效率，这就是 ConcurrentHashMap 所使用的锁分段技术，首先将数据分成一段一段的存储，然后给每一段数据配一把锁，当一个线程占用锁访问其中一个段数据时，其他段的数据也能被其他线程访问。有些方法需要跨段，如 size()和 containsValue()，它们可能需要锁定整个表而不仅是某个段，这需要按顺序锁定所有段，操作完毕后，又按顺序释放所有段的锁。

通过分段加锁的方式使得 ConcurrentHashMap 的效率得到进一步地提升，更多的细节大家可以参考《Java 并发编程实战》。

#### 3.2.5.3　有效的方法——BlockingQueue

阻塞队列为用户提供了一些有用的特性，例如，当队列满了时，再次调用 put 函数添加元素，那么调用线程将会阻塞，直到队列不再是填满状态。这个特性很有用，它就是生产者一消费者一个实现，当我们需要这类的功能时直接使用 BlockingQueue 即可，避免了手动判断以及同步操作。

BlockingQueue 重要的方法如表 3-3 所示。

表 3-3　重要的方法

| 函　数　名 | 作　　用 |
|---|---|
| add(e) | 把元素 e 加到 BlockingQueue 里,如果 BlockingQueue 可以容纳,则返回 true,否则抛出异常 |
| offer(e) | 将元素 e 添加到 BlockingQueue 里,如果 BlockingQueue 可以容纳,则返回 true,否则返回 false |
| offer(e,time,unit) | 将元素 e 添加到 BlockingQueue 里,如果 BlockingQueue 可以容纳,则返回 true;否则在等待指定的时间之后继续尝试添加，如果失败则返回 false |
| put(e) | 把元素 e 加到 BlockingQueue 里,如果 BlockQueue 不能容纳,则调用此方法的线程被阻塞直到 BlockingQueue 里面有空间再继续添加 |
| take() | 取走 BlockingQueue 里排在队首的对象,若 BlockingQueue 为空,则进入等待状态直到 Blocking 有新的对象被加入为止 |
| poll(time,unit) | 取出并移除队列中的队首元素，如果设定的阻塞时间内还没有获得数据，那么返回 null |
| element() | 获取队首元素，如果队列为空，那么抛出 NoSuchElementException 异常 |

续表

| 函 数 名 | 作 用 |
| --- | --- |
| peek() | 获取队首元素，如果队列为空，那么返回 null |
| remove() | 获取并移除队首元素，如果队列为空，那么抛出 NoSuchElementException 异常 |

BlockingQueue 在 Android JDK 中有多个实现，其中 ArrayBlockingQueue 是数组实现的、线程安全的、有界的阻塞队列。ArrayBlockingQueue 内部通过“互斥锁”保护竞争资源，实现了多线程对竞争资源的互斥访问。而有界，则是指 ArrayBlockingQueue 对应的数组是有界限的。阻塞队列，是指多线程访问竞争资源时，当竞争资源已被某线程获取时，其他要获取该资源的线程需要阻塞等待。而且，ArrayBlockingQueue 是按 FIFO（先进先出）原则对元素进行排序，元素都是从尾部插入到队列，从头部开始返回。

LinkedBlockingQueue 是一个单向链表实现的阻塞队列。该队列按 FIFO（先进先出）排序元素，新元素插入到队列的尾部，并且队列获取操作会获得位于队列头部的元素。链接队列的吞吐量通常要高于基于数组的队列，但是，在大多数并发应用程序中，其可预知的性能要低。

LinkedBlockingDeque 是双向链表实现的双向并发阻塞队列。该阻塞队列同时支持 FIFO 和 FILO 两种操作方式，即可以从队列的头和尾同时操作（插入/删除），并且，该阻塞队列是支持线程安全。此外，LinkedBlockingDeque 还是可选容量的（防止过度膨胀），即可以指定队列的容量。如果不指定，默认容量大小等于 Integer.MAX_VALUE。

与 LinkedBlockingQueue 类似的还有 ConcurrentLinkedQueue，ConcurrentLinkedQueue 是一个基于链接节点的无界线程安全队列，它采用先进先出的规则对节点进行排序，当添加一个元素时，它会添加到队列的尾部；当获取一个元素时，它会返回队列头部的元素。

BlockingQueue 的子类还不止这些，但是比较常用的就是这么几个。更多的类型大家可以参考 Android API 文档。

## 3.2.6 同步锁

说到线程安全，那么必须通过各种锁机制来进行同步，防止某个对象或者值在多个线程中被修改导致的不一致问题。为了保证数据的一致性，我们就需要通过同步机制保证在同一时刻只有一个线程能够访问到该对象或者数据，对它进行修改完毕之后，再将最新数据同步到主存中，使得其他线程都能够得到这个最新数据。然后，保证线程安全这并不是一件简单的事情，本节我们就来了解一些基本的同步机制。

### 3.2.6.1 同步机制关键字——synchronized

对于 Java 来说，最常用的同步机制就是 synchronized 关键字，它是一种基于语言的粗略锁，能够作用于对象、函数、class。每个对象都只有一个锁，谁能够拿到这个锁谁就得到了访问权限。当 synchronized 作用于函数时，实际上锁的也是对象，锁定的对象就是该函数所在类的对象。而 synchronized 作用于 class 时则是锁的这个 Class 类，并非某个具体对象，具体举例如下：

```
public class SynchronizedDemo {
    public synchronized void syncMethd() {
        // 代码
    }

    public void syncThis() {
        synchronized (this) {
            // 代码
        }
    }

    public void syncClassMethod() {
        synchronized (synchronizedDemo.class) {
            // 代码
        }
    }

    public synchronized static void syncStaticMethod() {
        //代码
    }
}
```

上述几个例子分别演示了同步方法、同步块、同步 class 对象、同步静态方法，前两种锁的是对象，而后两种锁的是 class 对象。对于锁 class 对象来说，它的作用是防止多个线程同时访问添加了 synchronized 锁的代码块。而 synchronized 作用于引用对象是防止其他线程访问同一个对象中的 synchronized 代码块或者函数。

#### 3.2.6.2　显示锁—— ReentrantLock 与 Condition

在 Java 5.0 之前，协调共享对象的访问时，只有 synchronized 和 volatile。Java 6.0 增加了一种新的机制：ReentrantLock。显示锁 ReentrantLock 和内置锁 synchronized 相比，实现了相同的语义，但是具有更高的灵活性。

（1）获取和释放的灵活性。

（2）轮训锁和定时锁。

（3）公平性。

内置锁 synchronized 的获取和释放都在同一个代码块中，而显示锁则可以将锁的获得和释放分开。同时，显示锁可以提供轮训锁和定时锁，同时可以提供公平锁或者非公平锁。

ReentrantLock 的基本操作如表 3-4 所示。

表 3-4　**基本操作**

| 函　数 | 作　用 |
|---|---|
| lock() | 获取锁 |
| tryLock() | 尝试获取锁 |
| tryLock(longtimeout,TimeUnit unit) | 尝试获取锁，如果到了指定的时间还获取不到，那么超时 |
| unlock() | 释放锁 |
| newCondition() | 获取锁的 Condition |

使用 ReentrantLock 的一般组合是 lock、tryLock 与 unlock 成对出现，需要注意的是，千万不要忘记调用 unlock 来释放锁，否则可能会引发死锁等问题。ReentrantLock 的常用形式如下所示：

```
Lock lock = new ReentrantLock();

public void doSth() {
    lock.lock() ;
    try {
        // 执行某些操作
    } finally {
        lock.unlock();
    }
}
```

需要注意的是，lock 必须在 finally 块中释放，否则，如果受保护的代码抛出异常，锁就有可能永远得不到释放！这一点极为重要。如果忘记在 finally 块中释放锁，可能会在程序中留下一个定时炸弹，当有一天“炸弹爆炸”时，可能要花费很大力气才能找到问题源头。而使用同步，JVM 将确保锁会获得自动释放。这也是 Lock 没有完全替代掉 synchronized 的原因。

当 JVM 用 synchronized 管理锁定请求和释放时，JVM 在生成线程转储时能够包括锁定信息。这些对调试非常有价值，因为它们能标识死锁或者其他异常行为的来源。Lock 类只是普通的类，JVM 不知道具体哪个线程拥有 Lock 对象。

在 ReentrantLock 类中还有一个重要的函数 newCondition()，该函数用于获取 Lock 上的一个条件，也就是说 Condition 是和 Lock 绑定的。Condition 用于实现线程间的通信，它是为了解决 Object.wait()、notify()、notifyAll()难以使用的问题。

Condition 为线程提供了一个含义，以便在某个状态条件现在可能为 true 的另一个线程通知它之前，一直挂起该线程（即让其“等待”）。因为访问此共享状态信息发生在不同的线程中，所以，它必须受保护，因此，要将某种形式的锁与该条件相关联。等待提供一个条件的主要属性是：以原子方式释放相关的锁，并挂起当前线程，就像 Object 类的 wait()那样。

它的方法如表 3-5 所示。

表 3-5　　方法

| 函　数 | 作　用 |
|---|---|
| await() | 线程等待 |
| await(int time, TimeUnit unit) | 线程等待特定的时间，超过时间则为超时 |
| signal() | 随机唤醒某个等待线程 |
| signalAll() | 唤醒所有等待中的线程 |

下面通过 ReentrantLock 与 Condition 来实现一个简单的阻塞队列 MyArrayBlockingQueue。如果调用 take 函数时集合中没有数据，那么调用线程就阻塞；如果调用 put 函数时，集合数据已满，那么也会引起调用线程阻塞。但是，这两个阻塞的条件是不同的，分别为 notFull 和 notEmpty。MyArrayBlockingQueue 的实现代码如下：

```
public class MyArrayBlockingQueue<T> {
    // 数据数组
```

```
    private final T[] items;
    // 锁
    private final Lock lock = new ReentrantLock();
    // 队满的条件
    private Condition notFull = lock.newCondition();
    // 队空条件
    private Condition notEmpty = lock.newCondition();
    // 头部索引
    private int head;
    // 尾部索引
    private int tail;
    // 数据的个数
    private int count;

    public MyArrayBlockingQueue(int maxSize) {
        items = (T[]) new Object[maxSize];
    }

    public MyArrayBlockingQueue() {
        this(10);
    }

    public void put(T t) {
        lock.lock();
        try {
            while (count == getCapacity()) {
                System.out.println("数据已满，等待");
                notFull.await();
            }
            items[tail] = t;
            if (++tail == getCapacity()) {
                tail = 0;
            }
            ++count;
            notEmpty.signalAll();// 唤醒等待数据的线程
        } catch (InterruptedException e) {
            e.printStackTrace();
        } finally {
            lock.unlock();
        }
    }

    public T take() {
        lock.lock();
        try {
            while (count == 0) {
                System.out.println("还没有数据，请等待");
                notEmpty.await();
            }
            T ret = items[head];
            items[head] = null;
            if (++head == getCapacity()) {
                head = 0;
            }
            --count;
            notFull.signalAll(); // 唤醒添加数据的线程
            return ret;
        } catch (InterruptedException e) {
            e.printStackTrace();
        } finally {
            lock.unlock();
        }
```

```
        return null;
    }

    public int getCapacity() {
        return items.length;
    }

    public int size() {
        lock.lock();
        try {
            return count;
        } finally {
            lock.unlock();
        }
    }
}
```

使用示例代码如下：

```
public static void main(String[] args) {
    MyArrayBlockingQueue<Integer> aQueue
        = new MyArrayBlockingQueue<Integer>();
    aQueue.put(3);
    aQueue.put(24);
    for (int i = 0; i < 5; i++) {
        System.out.println(aQueue.take());
    }
}
```

输出结果：

```
3
24
还没有数据，请等待
```

我们模拟了一个有界的 MyArrayBlockingQueue 阻塞队列，当 MyArrayBlockingQueue 的元素为最大容量时，如果再往该队列中添加元素，我们会调用 notFull.await()函数使得调用线程阻塞，直到其他线程调用了 take()方法，也就是从该队列中取了元素之后才会唤醒该线程。因为，take()会在队列中取出一个元素，此时队列不再是已满状态，因此，可以调用 notFull.signalAll()唤醒等待线程，使得添加元素的操作可以继续。同理，notEmpty 是当元素数量为 0 时调用 take()函数进行等待，当队列中有了元素之后才会唤醒调用 take()函数的线程，使之能够取得元素。这样一来，通过 Lock 和 Condition 就可以灵活、方便地完成一个线程安全的阻塞队列。

#### 3.2.6.3 信号量 Semaphore

Semaphore 是一个计数信号量，它的本质是一个“共享锁”。信号量维护了一个信号量许可集，线程可以通过调用 acquire()来获取信号量的许可。当信号量中有可用的许可时，线程能获取该许可；否则线程必须等待，直到有可用的许可为止。线程可以通过 release()来释放它所持有的信号量许可。

Semaphore 实现的功能就类似食堂窗口。例如，食堂只有 3 个销售窗口，要吃饭的有 5 个人，那么同时只能有 3 个人买饭菜，每个人占用一个窗口，另外 2 人只能等待。当前 3 个人有人离开之后，后续的人才可以占用窗口进行购买。这里的窗口就是我们上面说的许可集，这里为 3。当一个人占用窗口时相当于他调用 acquire()获取了许可，当他离开时也就等于调用 release()释放了许可，这样后续的人才可以得到许可。我们看如下示例：

```
public class SemaphoreTest {
   static int time = 0;

   public static void main(String[] args) {
      final ExecutorService executorService = Executors.newFixedThreadPool(3);
      final Semaphore semaphore = new Semaphore(3);
      for (int i = 0; i < 5; i++) {
         executorService.submit(new Runnable() {

            @Override
            public void run() {
               try {
                  semaphore.acquire();
                  System.out.println(" 剩余许可 : "
                        + semaphore.availablePermits());
                  Thread.sleep(2000);
                  semaphore.release();
               } catch (InterruptedException e) {
                  e.printStackTrace();
               }
            }
         });
      }
   }
}
```

输出结果为：

```
剩余许可 : 2
剩余许可 : 0
剩余许可 : 1
剩余许可 : 2
剩余许可 : 1
```

上述结果中，前 3 行是立刻输出，后两行为等待 2 秒之后才输出。原因是，信号量的许可集只有 3 个，而消费线程却是 5 个。前 3 个线程获取了许可之后，信号量的许可就为 0。此时后面的线程再调用 acquire()就会阻塞，直到前 3 个线程执行完之后，释放了许可后两个线程才能够获取许可，并且继续执行。

#### 3.2.6.4　循环栅栏 CyclicBarrier

CyclicBarrier 是一个同步辅助类，允许一组线程互相等待，直到到达某个公共屏障点。因为该 barrier 在释放等待线程后可以重用，所以，称它为循环的 barrier。

这么一说肯定不好理解，还是看代码容易理解：

```
// 1 个或者多个线程相互等待
public class CyclicBarrierTest {
   private static final int SIZE = 5;
   private static CyclicBarrier  mCyclicBarrier;

   public static void main(String[] args) {
```

```
        mCyclicBarrier = new CyclicBarrier(SIZE, new Runnable() {
            public void run() {
                System.out.println(" --->满足条件,执行特定操作。参与者: " + cb.getParties());
            }
        });

        // 新建 5 个任务
        for (int i = 0; i < SIZE; i++) {
            new WorkerThread ().start();
        }
    }

    static class WorkerThread extends Thread {
        public void run() {
            try {
                System.out.println(Thread.currentThread().getName()
                        + " 等待 CyclicBarrier.");
                // 将 mCyclicBarrier 的参与者数量加 1
                mCyclicBarrier.await();
                // mCyclicBarrier 的参与者数量等于 5 时，才继续往后执行
                System.out.println(Thread.currentThread().getName() + " 继续执行.");
            } catch (BrokenBarrierException e) {
                e.printStackTrace();
            } catch (InterruptedException e) {
                e.printStackTrace();
            }
        }
    }
}
```

输出如下：

```
Thread-1 等待 CyclicBarrier.
Thread-5 等待 CyclicBarrier.
Thread-4 等待 CyclicBarrier.
Thread-3 等待 CyclicBarrier.
Thread-2 等待 CyclicBarrier.
 --->满足条件,执行特定操作。参与者: 5
Thread-2 继续执行.
Thread-3 继续执行.
Thread-4 继续执行.
Thread-5 继续执行.
Thread-1 继续执行.
```

从上述程序中我们看到，只有当 5 个线程都调用了 mCyclicBarrier.await()函数之后，后续的代码才会执行。在这里，例子中在 5 个函数都就位之后首先会执行一个 Runnable，也就是 CyclicBarrier 构造函数的第二个参数，该参数可以省略。执行该 Runnable 之后各线程才会开始执行。由此可知，CyclicBarrier 实际上相当于可以用于多个线程等待，直到某个条件被满足。对于该示例来说，这里的条件也就是有指定个数的线程调用了 mCyclicBarrier.await()函数。

#### 3.2.6.5 闭锁 CountDownLatch

CountDownLatch 也是一个同步辅助类，在完成一组正在其他线程中执行的操作之前，它允许一个或多个线程一直等待，直到条件被满足。

示例代码如下：

```
public class CountDownLatchTest {
    private static int LATCH_SIZE = 5;

    public static void main(String[] args) {
        try {
            CountDownLatch latch = new CountDownLatch(LATCH_SIZE);
            // 新建 5 个任务
            for (int i = 0; i < LATCH_SIZE; i++) {
                new WorkerThread(latch).start();
            }

            System.out.println("主线程等待.");
            // "主线程"等待线程池中 5 个任务的完成
            latch.await();
            System.out.println("主线程继续执行");
        } catch (InterruptedException e) {
            e.printStackTrace();
        }
    }

    static class WorkerThread extends Thread {
        CountDownLatch mLatch;

        public WorkerThread (CountDownLatch latch) {
            mLatch = latch;
        }

        public void run() {
            try {
                Thread.sleep(1000);
                System.out.println(Thread.currentThread().getName() + " 执行操作.");
                // 将 CountDownLatch 的数值减 1
                mLatch.countDown();
            } catch (InterruptedException e) {
                e.printStackTrace();
            }
        }
    }
}
```

输出结果：

```
主线程等待.
Thread-1 执行操作.
Thread-3 执行操作.
Thread-4 执行操作.
Thread-2 执行操作.
Thread-5 执行操作.
主线程继续执行
```

在 main 函数中创建了一个数量为 5 的 CountDownLatch 对象，任务创建、启动 5 个 WorkerThread 对象，然后调用 CountDownLatch 对象的 await 函数使主线程进入等待状态。5 个 WorkerThread 对象在执行完操作之后会调用 CountDownLatch 的 countDown()函数，当 5 个 WorkerThread 都调用了 countDown()之后主线程就会被唤醒。

CountDownLatch 和 CyclicBarrier 看起来很相似，但是，它们还是有一些不同点。

（1）CountDownLatch 的作用是允许 1 个或 N 个线程等待其他线程完成执行，而 CyclicBarrier

则是允许 N 个线程相互等待。

（2）CountDownLatch 的计数器无法被重置，CyclicBarrier 的计数器可以被重置后使用，因此，它被称为是循环的 barrier。

### 3.2.7 创建异步任务更简单—— AysncTask 的原理

如果通过 Thread 执行耗时操作，那么在操作完成之后，我们可能需要更新 UI，这时通常的做法就是通过 Handler 投递一个消息给 UI 线程，然后更新 UI。这种方式对于整个过程的控制比较精细，但也是有缺点的，例如，代码相对臃肿，在多个任务同时执行时，不易对线程进行精确控制。

为了简化操作，Android 1.5 提供了工具类 AsyncTask，它使创建异步任务变得更加简单，不再需要编写任务线程和 Handler 实例即可完成相同的工作。它更重量级，更易于使用。

先来看看 AsyncTask 的定义：

```
public abstract class AsyncTask<Params, Progress, Result> { }
```

3 种泛型类型分别表示参数类型、后台任务执行的进度类型、返回的结果类型。并不是所有类型我们都被需要，如果不需要某个参数，可以设置为 Void 类型。

一个异步任务的执行一般包括以下几个步骤。

（1）execute(Params... params)，执行一个异步任务，需要我们在代码中调用此方法，触发异步任务的执行。

（2）onPreExecute()，在 execute(Params... params)被调用后立即执行，执行在 UI 线程，一般用来在执行后台任务前对 UI 做一些标记。

（3）doInBackground(Params... params)，在 onPreExecute()完成后立即执行，用于执行较为耗时的操作，此方法将接收输入参数和返回计算结果。在执行过程中可以调用 publishProgress(Progress... values)来更新进度信息。

（4）onProgressUpdate(Progress... values)，执行在 UI 线程。在调用 publishProgress(Progress... values)时，此方法被执行，直接将进度信息更新到 UI 组件上。

（5）onPostExecute(Result result)，执行在 UI 线程。当后台操作结束时，此方法将会被调用，doInBackgroud 函数返回的计算结果将作为参数传递到此方法中，直接将结果显示到 UI 组件上。

在使用的时候，有几点需要格外注意。

（1）异步任务的实例必须在 UI 线程中创建。

（2）execute(Params... params)方法必须在 UI 线程中调用。

（3）不能在 doInBackground(Params... params)中更改 UI 组件的信息。

（4）一个任务实例只能执行一次，如果执行第二次将会抛出异常。

#### 3.2.7.1 AsyncTask 的实现基本原理

上面介绍了 AsyncTask 的基本使用，有些读者也许会有疑惑，AsyncTask 内部是怎么执行的呢，它执行的过程与我们使用 Handler 又有什么区别呢？下面就向大家详细介绍一下 AsyncTask 的执行原理。

我们先看 AsyncTask 里面的几个核心的方法：

```
// 这是一个 abstract 方法，因此必须覆写
 protected abstract Result doInBackground(Params... params);

 //执行在 doInBackground 之前，并且执行在 UI 线程
 protected void onPreExecute() {
 }

 /**
  *后台操作执行完后会调用的方法，在此更新 UI
  * @param result  doInBackground 返回的结果
  */
 protected void onPostExecute(Result result) {
 }

 // 在此更新进度
 protected void onProgressUpdate(Progress... values) {
 }

public final AsyncTask<Params, Progress, Result> execute(Params... params) {
  return executeOnExecutor(sDefaultExecutor, params);
}

/**
 * 执行任务，注意 execute 方法必须在 UI 线程中调用
 * @param exec 执行任务的线程池
 * @param params 参数
 * @return 该 AsyncTask.实例
 */
public final AsyncTask<Params, Progress, Result> executeOnExecutor(Executor exec,
           Params... params) {
     if (mStatus != Status.PENDING) {
           // 状态检测，只有在 PENDING 状态下才能正常运行，构造抛出异常
         switch (mStatus) {
           case RUNNING:
             throw new IllegalStateException("Cannot execute task:"
                 + " the task is already running.");
           case FINISHED:
             throw new IllegalStateException("Cannot execute task:"
                 + " the task has already been executed "
                 + "(a task can be executed only once)");
           }
        }

        mStatus = Status.RUNNING;
        // 正在执行任务前的准备处理
       onPreExecute();
        // UI 线程、传递过来的参数
       mWorker.mParams = params;
        // 交给线程池管理器进行调度，参数为 FutureTask 类型，构造 mFuture 时 mWorker 被传递了进去，
        //后边会继续分析
        exec.execute(mFuture);
        // 返回自身，使得调用者可以保持一个引用
        return this;
    }

    /**
     * 发布进度
     * @param values 进度值
     */
```

```
protected final void publishProgress(Progress... values) {
    sHandler.obtainMessage(MESSAGE_POST_PROGRESS,
            new AsyncTaskResult<Progress>(this, values)).sendToTarget();
}
```

（1）doInBackground(Params... params)是一个抽象方法，继承 AsyncTask 时必须覆写此方法。

（2）onPreExecute()、onProgressUpdate(Progress... values)、onPostExecute(Result result)、onCancelled() 这几个方法体都是空的，需要的时候可以选择性地覆写它们。

（3）publishProgress(Progress... values)是 final 修饰的，不能覆写，只能去调用，一般会在 doInBackground(Params... params)中调用此方法来更新进度条；

（4）另外，可以看到有一个 Status 的枚举类和 getStatus()方法，Status 枚举代表了 AsyncTask 的状态，Status 枚举类代码段如下：

```
    //初始状态
  private volatile Status mStatus = Status.PENDING;

  public enum Status {
    // 未执行状态
    PENDING,
    // 执行中
    RUNNING,
    // 执行完成
    FINISHED,
  }

// 返回当前状态
  public final Status getStatus() {
      return mStatus;
  }
```

从上述程序中可以看到，AsyncTask 的初始状态为 PENDING，代表待定状态，RUNNING 代表执行状态，FINISHED 代表结束状态，这几种状态在 AsyncTask 一次生命周期内的很多地方被使用，非常重要。在调用 execute 时会判断该任务的状态，如果是非 PENDING 状态则会抛出异常，这也解释了为什么一个 AsyncTask 实例只能运行一次，因为运行过后，AsyncTask 的状态就变为了 FINISHED 状态。此外，在 execute 函数中涉及到 3 个陌生的变量：sDefaultExecutor、mWorker、mFuture，我们也会看一下它们的“庐山真面目”：

关于 sDefaultExecutor，它是 ThreadPoolExecutor 的实例，用于管理提交到 AsyncTask 的任务。代码如下：

```
private static final int CORE_POOL_SIZE = 5;              // 核心线程数
private static final int MAXIMUM_POOL_SIZE = 128;              // 最大的线程数量
private static final int KEEP_ALIVE = 10;                 // 线程空闲时的存留时间

//线程队列
private static final BlockingQueue<Runnable> sWorkQueue =
        new LinkedBlockingQueue<Runnable>(10);
//线程工厂
private static final ThreadFactory sThreadFactory = new ThreadFactory() {
    private final AtomicInteger mCount = new AtomicInteger(1);
    //新建一个线程
        public Thread newThread(Runnable r) {
            return new Thread(r, "AsyncTask #" + mCount.getAndIncrement());
```

```
        }
    };

    //线程池
    private static final ThreadPoolExecutor THREAD_POOL_EXECUTOR= new ThreadPoolExecuto
r(CORE_POOL_SIZE,
        MAXIMUM_POOL_SIZE, KEEP_ALIVE, TimeUnit.SECONDS, sWorkQueue, sThreadFactory);
    public static final Executor SERIAL_EXECUTOR = new SerialExecutor();

    // 默认的任务调度是顺序执行
    private static volatile Executor sDefaultExecutor = SERIAL_EXECUTOR;
    // 顺序执行的 Executor
    private static class SerialExecutor implements Executor {
        final ArrayDeque<Runnable> mTasks = new ArrayDeque<Runnable>();
        Runnable mActive;

        public synchronized void execute(final Runnable r) {
            mTasks.offer(new Runnable() {
                public void run() {
                    try {
                        r.run();
                    } finally {
                        scheduleNext();
                    }
                }
            });
            if (mActive == null) {
                scheduleNext();
            }
        }

        protected synchronized void scheduleNext() {
            if ((mActive = mTasks.poll()) != null) {
                // 将任务交给 THREAD_POOL_EXECUTOR 执行
                THREAD_POOL_EXECUTOR.execute(mActive);
            }
        }
    }
```

上述代码中可以看到，sDefaultExecutor 只负责将异步任务分发给 THREAD_POOL_EXECUTOR 线程池，因此，真正执行任务的地方是 THREAD_POOL_EXECUTOR。而 mWorker 实际上是 AsyncTask 的一个抽象内部类的实现对象实例，它实现了 Callable<Result>接口中的 call()方法，代码如下：

```
private static abstract class WorkerRunnable<Params, Result>
        implements Callable<Result> {
        Params[] mParams;
}
```

而 mFuture 实际上是 FutureTask 的实例，关于 FutureTask 类我们在上文中已经介绍过，它是作为一个可管理的异步任务，使得这些异步任务可以被更精确地控制。

mWorker 和 mFuture 的初始化是在 AsyncTask 的构造函数中，代码如下 ：

```
private final WorkerRunnable<Params, Result> mWorker;
private final FutureTask<Result> mFuture;

public AsyncTask() {
    mWorker = new WorkerRunnable<Params, Result>() {
        public Result call() throws Exception {
```

```
            mTaskInvoked.set(true);
            Process.setThreadPriority(Process.THREAD_PRIORITY_BACKGROUND);
            // 执行 doInBackground，并且调用 postResult 将结果投递给 UI 线程
            return postResult(doInBackground(mParams));
        }
    };

    // 在 mFuture 实例中,将会调用 mWorker 做后台任务,完成后会调用 done 方法
    // 这里将 mWorker 作为参数传递给了 mFuture 对象
    mFuture = new FutureTask<Result>(mWorker) {
        @Override
        protected void done() {
            try {
                // 如果 postResult 没有被执行，那么执行 postResultIfNotInvoked
                postResultIfNotInvoked(get());
            } // 代码省略
        }
    };
}

private void postResultIfNotInvoked(Result result) {
    final boolean wasTaskInvoked = mTaskInvoked.get();
    if (!wasTaskInvoked) {
        postResult(result);
    }
}
private Result postResult(Result result) {
    @SuppressWarnings("unchecked")
    Message message = sHandler.obtainMessage(MESSAGE_POST_RESULT,
            new AsyncTaskResult<Result>(this, result));
    message.sendToTarget();
    return result;
}
```

我们看到上面的代码中，Worker 的 call 函数中调用了 doInBackground 函数，并且最后将结果通过 postResult 投递出去。如果期间发生了异常， postResult 将不会被调用，那么最终在 Future 的 done 函数中会检测是否执行成功，如果执行成功且未调用 postResult，那么调用 postResult 函数分发结果，否则忽略该执行结果。

创建 AsyncTask 对象之后，我们通常就会执行 AsyncTask 的 execute 函数，我们继续看 execute 的执行流程：

```
public final AsyncTask<Params, Progress, Result> executeOnExecutor(Executor exec,
Params... params) {
    // 代码省略
    // 正在执行任务前的准备处理
   onPreExecute();
    //从 UI 线程传递来的参数
    mWorker.mParams = params;
    // 交给线程池管理器进行调度，参数为 FutureTask 类型,构造 mFuture 时 mWorker 被传递
                          //了进去，后边会继续分析
    sExecutor.execute(mFuture);
    return this ;
}
```

因为要求 execute 函数执行在 UI 线程，因此 onPreExecute 函数首先会在 UI 线程，用户可以在该函数中执行一些操作。然后将参数设置给 mWorker，最后进入到 ThreadPoolExecutor 的 execute

函数，如下：

```
public void execute(Runnable command) {
    if (command == null)
        throw new NullPointerException();
    int c = ctl.get();
    if (workerCountOf(c) < corePoolSize) {
        if (addWorker(command, true))
            return;
        c = ctl.get();
    }
    if (isRunning(c) && workQueue.offer(command)) {
        int recheck = ctl.get();
        if (! isRunning(recheck) && remove(command))
            reject(command);
        else if (workerCountOf(recheck) == 0)
            addWorker(null, false);
    }
    else if (!addWorker(command, false))
        reject(command);
}
```

忽略各种对工作线程、任务数量的判断，可以看到这段代码的主要功能是将异步任务 mFuture 加入将要执行的队列中，我们关注的函数为 addWoker，继续跟踪代码到该函数，相关代码如下：

```
private boolean addWorker(Runnable firstTask, boolean core) {
    retry:
     // 代码省略
     // 这里又生成了一个 Worker 的对象，将异步任务传递给了 w
     Worker w = new Worker(firstTask);
     Thread t = w.thread;
    // 代码省略
    wokers.add( w );      // 将 w 添加到了 wokers 里，这是一个 HashSet 集合对象
    // 代码省略
    w.start();                      // 启动该异步任务，即启动了 mFuture 任务
    // 代码省略
    return true;
}
```

在 addWorker 中我们将 FutureTask 传递到 Worker 中，并且将该 Worker 对象添加到工作线程队列等待执行。由于 mFuture 是 FutureTask 类型，因此，继续跟踪到 FutureTask 的代码。可以看到该构造函数，即上文中构造 mFuture 时用的构造函数，参数我们传递的是 mWorker：

```
public FutureTask(Callable<V> callable) {
    if (callable == null)
        throw new NullPointerException();
    sync = new Sync(callable);
}
```

可以看到构造函数又将 mWorker 交给了 Sync 类型。当启动该 mFuture 时就会执行其中的 run 函数，如下：

```
public void run() {
    sync.innerRun();
}
```

从上述程序中可知，实际上调用的是 Sync 的 innerRun()函数，我们继续查看 Sync 类型：

```
    private volatile Thread runner;
造函数，传递进来的就是最先说的那个 mWorker
    Sync(Callable<V> callable) {
        this.callable = callable;
    }

    // 部分代码省略

      // innerRun 函数
      void innerRun() {
          if (!compareAndSetState(READY, RUNNING))
              return;

          runner = Thread.currentThread();
          if (getState() == RUNNING) { // recheck after setting thread
              V result;
              try {
                  // 可以发现调用的是 callable 的 call()函数，即 mWorker 的 call 函数
                  result = callable.call();
              } catch (Throwable ex) {
                  setException(ex);
                  return;
              }
              set(result);
          } else {
              releaseShared(0); // cancel
          }
      }
```

在 innerRun 函数中最终会调用 Worker 对象的 call 函数，而在 mWorker 的 call 函数中最终调用了 AsyncTask 的 doInBackground 函数，至此，线程真正启动了!获取到 call 函数的结果之后，最后调用了 set(result)，我们看看这段代码：

```
protected void set(V v) {
    sync.innerSet(v);
}
```

我们再看看 sync 中的 innerSet 方法：

```
void innerSet(V v) {
  for (;;) {
    int s = getState();
    if (s == RAN)
      return;
    if (s == CANCELLED) {
      releaseShared(0);
      return;
    }
    if (compareAndSetState(s, RAN)) {
      result = v;
      releaseShared(0);
      done();// 调用了 done 方法
      return;
    }
  }
}
```

在该函数中，判断任务的状态，如果该任务顺利执行，那么会执行 done 函数。我们前面说过，

在 AsyncTask 构造方法中创建的 mFuture 对象覆写了 done 方法，在这个方法中获取调用结果，最终通过 postResult 将结果投递给 UI 线程。

再来分析 AsyncTask 中的 sHandler。这个 sHandler 实例实际上是 AsyncTask 内部类 InternalHandler 的实例，而 InternalHandler 正是继承了 Handler，下面我们来分析一下它的代码：

```
private static final int MESSAGE_POST_RESULT = 0x1;            // 显示结果
private static final int MESSAGE_POST_PROGRESS = 0x2;          // 更新进度
private static final int MESSAGE_POST_CANCEL = 0x3;            // 取消任务

private static final InternalHandler sHandler = new InternalHandler();

private static class InternalHandler extends Handler {
     @SuppressWarnings({"unchecked", "RawUseOfParameterizedType"})
     @Override
     public void handleMessage(Message msg) {
       AsyncTaskResult result = (AsyncTaskResult) msg.obj;
       switch (msg.what) {
        case MESSAGE_POST_RESULT:
          // There is only one result
          // 调用 AsyncTask.finish 方法
          result.mTask.finish(result.mData[0]);
          break;
         case MESSAGE_POST_PROGRESS:
          // 调用 AsyncTask.onProgressUpdate 方法
          result.mTask.onProgressUpdate(result.mData);
           break;
         case MESSAGE_POST_CANCEL:
           // 调用 AsyncTask.onCancelled 方法
           result.mTask.onCancelled();
           break;
        }
    }
}
```

从上述程序中我们看到，在处理消息时，遇到“MESSAGE_POST_RESULT”时，它会调用 AsyncTask 中的 finish()方法，我们来看一下 finish()方法的定义：

```
private void finish(Result result) {
     if (isCancelled()) result = null;
     onPostExecute(result);             //调用 onPostExecute 显示结果
     mStatus = Status.FINISHED;  //改变状态为 FINISHED
}
```

原来 finish()方法是负责调用 onPostExecute(Result result)方法显示结果并改变任务状态的。另外，在 mFuture 对象的 done()方法里，构建一个消息时，这个消息包含了一个 AsyncTaskResult 类型的对象，然后在 sHandler 实例对象的 handleMessage(Message msg)方法里，使用下面这种方式取得消息中附带的对象：

```
AsyncTaskResult result = (AsyncTaskResult) msg.obj;
```

这个 AsyncTaskResult 究竟是什么呢？它又包含什么内容呢？其实它也是 AsyncTask 的一个内部类，是用来包装执行结果的一个类，让我们来看一下它的代码结构：

```
@SuppressWarnings({"RawUseOfParameterizedType"})
private static class AsyncTaskResult<Data> {
```

```
        final AsyncTask mTask;
        final Data[] mData;

        AsyncTaskResult(AsyncTask task, Data... data) {
            mTask = task;
            mData = data;
        }
}
```

可以看到这个 AsyncTaskResult 封装了一个 AsyncTask 的实例和某种类型的数据集。在 sHandler 的 handleMessage 函数中，如果是 MESSAGE_POST_RESULT 消息，那么会调用 AsyncTask 的 finish 函数，代码如下：

```
    private void finish(Result result) {
        if (isCancelled()) {
            onCancelled(result);
        } else {
            onPostExecute(result);
        }
        mStatus = Status.FINISHED;
    }
```

如果顺利执行，那么在 finish 函数中最终会调用 onPostExecute 函数。因为是通过 sHandler 投递的消息，因此，onPostExecute 函数执行在创建 sHandler 的线程中。又由于要求在 UI 线程中创建 AsyncTask 实例，并且在 UI 线程中调用 execute 函数，因此，sHandler 关联的就是 UI 线程，onPostExecute 函数就被执行在 UI 线程上了。

概括来说，当我们调用 execute（Params... params）方法后，execute 方法会调用 onPreExecute() 方法，然后由 ThreadPoolExecutor 实例 sExecutor 执行一个 FutureTask 任务，这个过程中 doInBackground（Params... params）将被调用，如果被开发者覆写的 doInBackground（Params... params）方法中调用了 publishProgress（Progress... values）方法，则通过 InternalHandler 实例 sHandler 发送一条 MESSAGE_POST_PROGRESS 消息，更新进度，sHandler 处理消息时 onProgressUpdate（Progress... values）方法将被调用；如果遇到异常，则发送一条 MESSAGE_POST_CANCEL 的消息，取消任务，sHandler 处理消息时 onCancelled()方法将被调用；如果执行成功，则发送一条 MESSAGE_POST_RESULT 的消息，sHandler 处理消息时会调用 onPostExecute(Result result)方法让用户得以在 UI 线程处理结果。

经过上面的介绍，相信读者都已经认识到 AsyncTask 的本质了，它对线程池加上 Handler 的封装，减少了开发者处理问题的复杂度，提高了开发效率，希望读者能多多体会一下。

#### 3.2.7.2 实现一个简单的 AsyncTask

下面我们就来简单实现一个 AsyncTask，类名为 SimpleAsyncTask。与 AsyncTask 类似，我们提供 3 个函数，分别为 onPreExecute、doInBackground、onPostExecute，不同的是我们这里只有一个代表 doInBackground 函数返回值类型的泛型参数。它们的行为也与 AsyncTask 一致，即 onPreExecute 函数在任务运行前执行，且运行在 UI 线程中。doInBackground 函数则负责在后台执行任务，并且将结果返回。onPostExecute 含有一个参数，这个参数就是 doInBackground 函数的返回值，onPostExecute 也执行在 UI 线程中。

SimpleAsyncTask 的代码如下：

```
public abstract class SimpleAsyncTask<Result> {
    // HandlerThread 内部封装了自己的 Handler 和 Thead，有单独的 Looper 和消息队列
    private static final HandlerThread HT = new HandlerThread("SimpleAsyncTask",
            android.os.Process.THREAD_PRIORITY_BACKGROUND);
    static {
        HT.start();
    }

    // 获取调用 execute 的线程的 Looper，构建 Handler
    final Handler mUIHandler = new Handler(Looper.getMainLooper());
    // 与异步线程队列关联的 Handler
    final Handler mAsyncHandler = new Handler(HT.getLooper());

    /**
     * @功能描述 : onPreExecute 任务执行之前的初始化操作等
     */
    protected void onPreExecute() { }

    /**
     * doInBackground 后台执行任务
     * @return 返回执行结果
     */
    protected abstract Result doInBackground();
    /**
     * doInBackground 返回结果传递给执行在 UI 线程的 onPostExecute
     * @param result 执行结果
     */
    protected void onPostExecute(Result result) { }

    /**
     * execute 方法，执行任务，调用 doInBackground，并且将结果投递给 UI 线程，使用户可以在
onPostExecute 处理结果
     * @return
     */
    public final SimpleAsyncTask<Result> execute() {
        onPreExecute();
        // 将任务投递到 HandlerThread 线程中执行
        mAsyncHandler.post(new Runnable() {
            @Override
            public void run() {
                // 后台执行任务,完成之后向 UI 线程 post 数据，用以更新 UI 等操作
                postResult(doInBackground());
            }
        });
        return this;
    }

    private void postResult(final Result result) {
        mUIHandler.post(new Runnable() {
            @Override
            public void run() {
                onPostExecute(result);
            }
        });
    }
}
```

在 SimpleAsyncTask 中我们创建了一个 HandlerThread，HandlerThread 是自带消息队列的 Thread

类型。当线程启动之后就会构建它的消息队列，因此，在创建了 HandlerThread 对象之后，直接在静态代码块启动了该线程。然后创建了两个 Handler，它们分别为关联 UI 线程消息队列的 mUIHandler 和关联了 HandlerThread 子线程的 mAsyncHandler。我们的 doInBackground 函数被一个 Runnable 包装并通过 mAsyncHandler 投递给了 HandlerThread 线程执行，当得到结果时又通过 mUIHandler 将结果投递一个 Runnable，而这个 Runnable 中又执行了 SimpleAsyncTask 的 onPostExecute 函数，因此，onPostExecute 就执行在 UI 线程了。

下面是我们使用 SimpleAsyncTask 的示例代码：

```
new SimpleAsyncTask<String>() {

        private void makeToast(String msg) {
           Toast.makeText(getApplicationContext(),
                 msg, Toast.LENGTH_SHORT).show();
        }

        @Override
        protected void onPreExecute() {
            makeToast("onPreExecute");
        }

        @Override
        protected String doInBackground() {
            try {
                Thread.sleep(3000);
            } catch (InterruptedException e) {
                e.printStackTrace();
            }
            return "Hello";
        }

        @Override
        protected void onPostExecute(String result) {
            makeToast("onPostExecute : " + result);
        }
     }.execute();
```

效果如图 3-3 所示。

▲图 3-3　SimpleAsyncTask 执行效果

## 3.3 小结

多线程编程在应用开发中随处可见，网络请求、IO 操作等耗时操作我们都需要异步执行。因此，掌握多线程编程是我们保证 App 流畅性的决定性手段。而熟悉 Android 中重要的异步类型对于我们深入理解多线程编程起到了非常重要的作用，例如 AsyncTask，使得我们在需要更轻量级、更简单的异步类时能够自行完成定制。

线程池是进行异步操作的重要方式，它在概念上十分简单，并且封装良好，基本能够满足我们的需求。自行实现一个行为正确的线程池并不是那么容易，你需要解决死锁、资源不足和 wait() 及 notify()等复杂问题。因此，并不建议自定义线程池，在充分了解 Executor 类族的基础上进行正确地运用才是最安全的做法。

# 第 4 章　HTTP 网络请求

随着移动互联网的发展，网络几乎已经成为每个应用的标配，小到应用内的数据统计，大到向服务器请求各类数据，都需要网络连接的支持。而对于 Android 开发来说，HTTP 是网络开发中最为重要、使用频率最高的手段。因此，深入了解 HTTP 是必备技能，只有了解它的基本原理才能够更好地运用。本章我们将学习 HTTP 的基本原理、报文格式、HTTP 服务器的简单模拟，以及最后实现一个 HTTP 网络请求框架，理论结合实际，深入学习 HTTP 网络请求应用。

## 4.1 HTTP 网络请求原理

HTTP 是一种应用层协议，它通过 TCP 实现了可靠的数据传输，能够保证数据的完整性、正确性，而 TCP 对于数据传输控制的优点也能够体现在 HTTP 上，使得 HTTP 的数据传输吞吐量、效率得到保证。

对于移动开发来说，网络应用基本上都是 C/S 架构，也就是客户端/服务器架构。客户端通过向服务器发起特定的请求，服务器返回结果，客户端解析结果，再将结果展示在 UI 上。客户端与服务器的交互如图 4-1 所示。

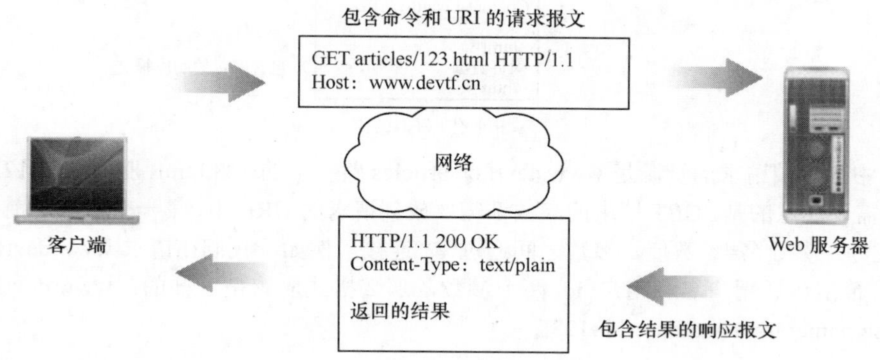


▲图 4-1　客户端与服务器的交互

详细的交互流程有如下几步：

（1）客户端执行网络请求，从 URL 中解析出服务器的主机名；

（2）将服务器的主机名转换成服务器的 IP 地址；

（3）将端口号从 URL 中解析出来；
（4）建立一条客户端与 Web 服务器的 TCP 连接；
（5）客户端通过输出流向服务器发送一条 HTTP 请求；
（6）服务器向客户端回送一条 HTTP 响应报文；
（7）客户端从输入流获取报文；
（8）客户端解析报文，关闭连接；
（9）客户端将结果显示在 UI 上。

### 4.1.1　HTTP 的请求方式

HTTP 协议提供了几种请求方式，每种请求方式都有不同的作用。被大家熟知的请求方式有如下 7 种 GET、POST、DELETE、PUT、HEAD、TRACE、OPTIONS。其中 PUT、DELETE、POST、GET 分别对应了资源的增、删、改、查 4 个功能，也是客户端中运用最多的 4 个请求。下面我们分别来看看这几个请求的作用。

#### 4.1.1.1　GET 请求

GET 是最常用的方法，它的作用是获取服务器中的某个资源。图 4-2 显示了一个例子，在这个例子中，客户端用 GET 方法发起了一次 HTTP 请求，然后服务端将对应的资源返回给客户端。

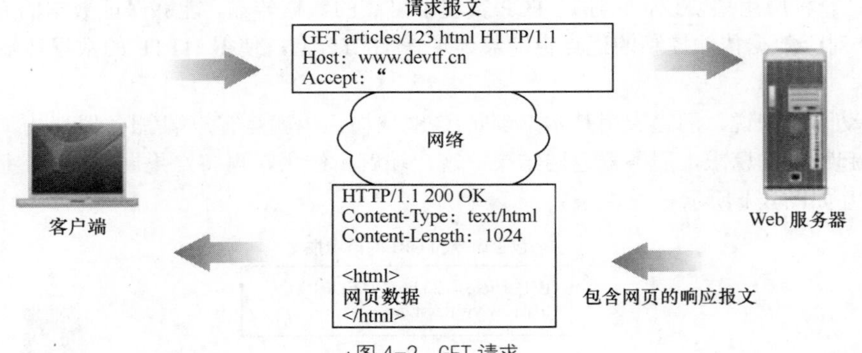


▲图 4-2　GET 请求

图 4-2 中客户端请求的资源是 www.devtf.cn/articles 路径下的 123.html，服务端将 123.html 返回给客户端。需要注意的是，GET 请求的参数都需要放到请求的 URL 中，第一个参数之前有一个“?”，参数的格式为：参数名=参数值，参数之间通过“&”连接。例如，我们在请求 www.devtf.cn/articles/123.html 时希望传递用户名和用户 id 两个参数，那么格式应该是这样的：www.devtf.cn/articles/123.html?username=myname&userid=123。

#### 4.1.1.2　POST 请求

POST 方法起初是用来向服务器传递数据的。实际上，POST 请求通常会用来提交 HTML 的表单。表单中填好的数据会被传输给服务器，然后由服务器对这些数据进行处理。图 4-3 显示了一个用 POST 请求的执行流程。

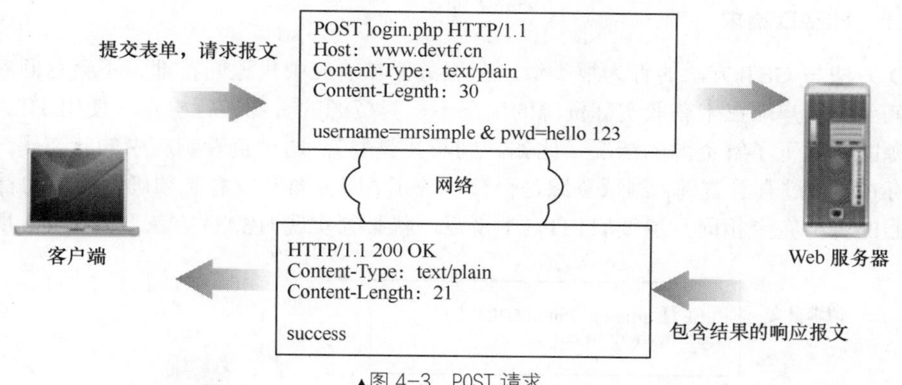


▲图 4-3 POST 请求

#### 4.1.1.3 PUT 请求

与 GET 从服务器读取资源相反，PUT 方法会向服务器写入资源。有些发布系统允许用户创建 Web 页面，并用 PUT 直接将其传输到 Web 服务器上，如图 4-4 所示。

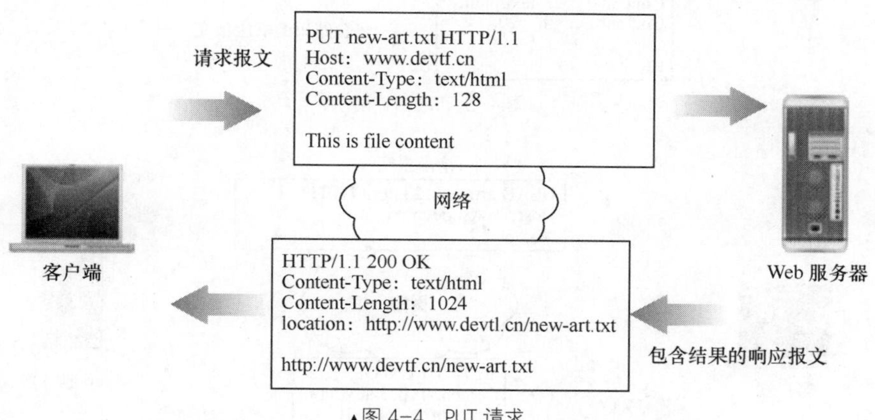


▲图 4-4 PUT 请求

PUT 方法的语义就是让服务器用请求的主体部分来创建一个由所请求的 URL 命名的新文档，如果那个 URL 已经存在的话，就用这个资源来替代它。例如，在图 4-4 的请求中会在 www.devtf.cn 的网站根目录下创建一个 new-art.txt 的文件，文件内容为“This is file content”。

#### 4.1.1.4 DELETE 请求

顾名思义，DELETE 方法所做的事情就是请服务器删除请求 URL 所指定的资源。但是，客户端应用程序无法保证删除操作一定会被执行。因为，HTTP 规范允许服务器在不通知客户端的情况下撤销请求。图 4-5 显示了一个 DELETE 方法实例。

DELETE 方式与 GET 请求一样，参数都需要放在请求的 URL 中。

### 4.1.1.5　HEAD 请求

HEAD 方法与 GET 方法的行为很类似，但服务器在响应中只返回首部。不会返回实体的主体部分。这就允许客户端在未获取实际资源的情况下，对资源的首部进行检查。使用 HEAD 可以在不获取资源的情况下了解资源的情况（比如，判断其类型）；通过查看响应中的状态码，看看某个对象是否存在；通过查看首部，测试资源是否被修改了。服务器开发者必须确保返回的首部与 GET 请求所返回的首部完全相同。遵循 HTTP/1.1 规范，就必须实现 HEAD 方法。如图 4-6 所示。

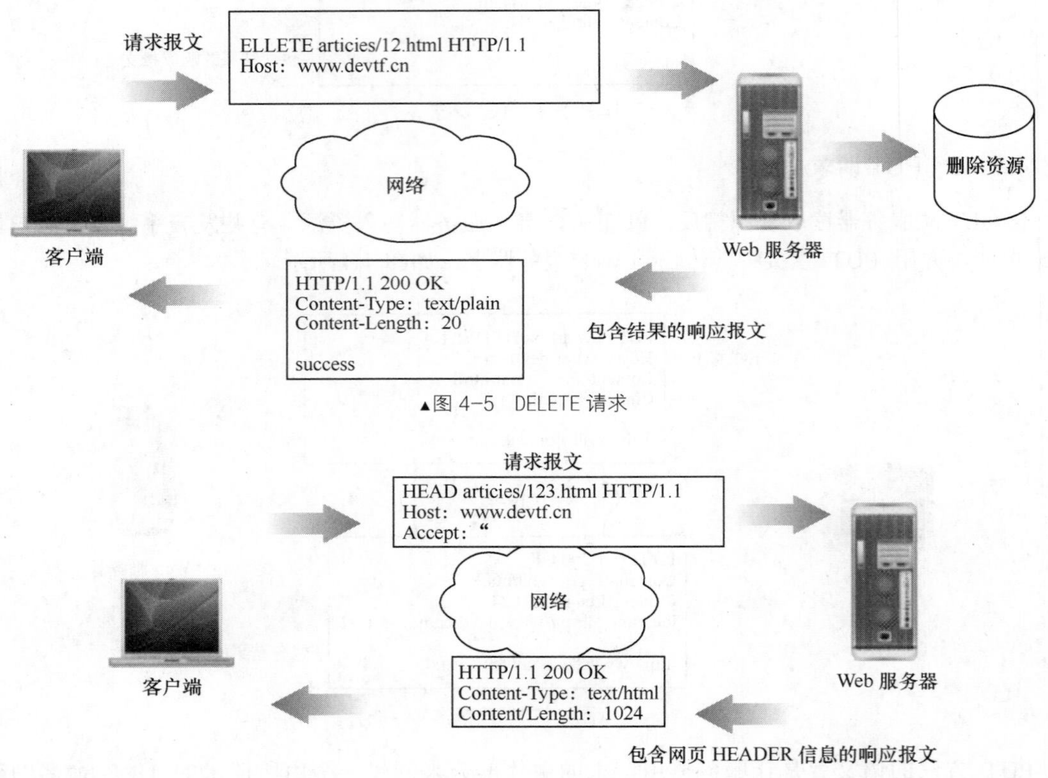


▲图 4-5　DELETE 请求

▲图 4-6　HEAD 请求

### 4.1.1.6　TRACE 请求

客户端发起一个请求时，这个请求可能要穿过防火墙、代理、网关或其他一些应用程序。每个中间节点都可能会修改原始的 HTTP 请求。TRACE 方法允许客户端在最终将请求发送给服务器时，看看它变成了什么样子。

TRACE 请求会在目的服务器端发起一个“环回”诊断。行程最后一站的服务器会弹回一条 TRACE 响应，并在响应主体中携带它收到的原始请求报文。这样客户端就可以查看在所有中间 HTTP 应用程序组成的请求/响应链上，原始报文是否以及如何被毁坏或修改过，如图 4-7 所示。

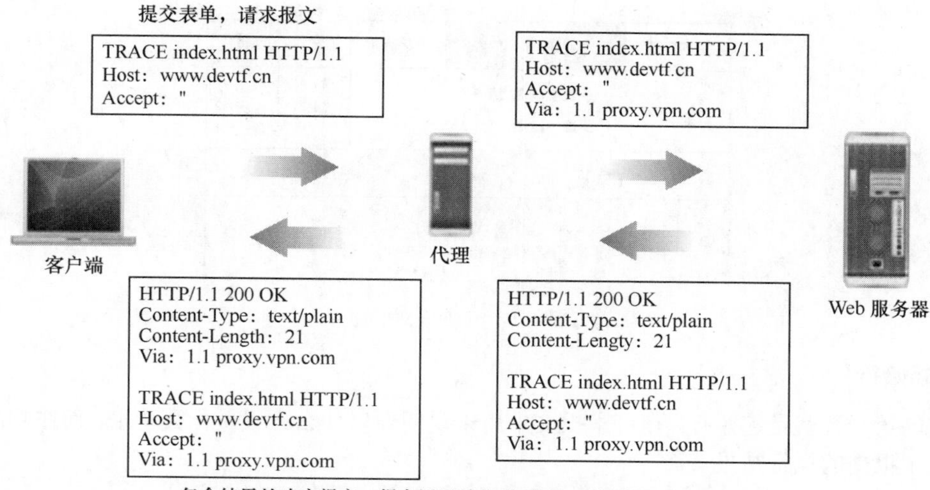


▲图 4-7 TRACE 请求

TRACE 方法主要用于诊断，也就是说，用于验证请求是否如愿穿过了请求/响应链。它也是一种很好的工具，可以用来查看代理和其他应用程序对用户请求所产生效果。

#### 4.1.1.7 OPTIONS 请求

OPTIONS 方法请求 Web 服务器告知其支持的各种功能。可以询问服务器通常支持哪些方法，或者对某些特殊资源支持哪些方法（有些服务器可能只支持对一些特殊类型的对象使用特定的操作）。这为客户端应用程序提供了一种手段，使其不用实际访问那些资源就能判定访问各种资源的最优方式。图 4-8 显示了一个使用 OPTIONS 方法的请求。

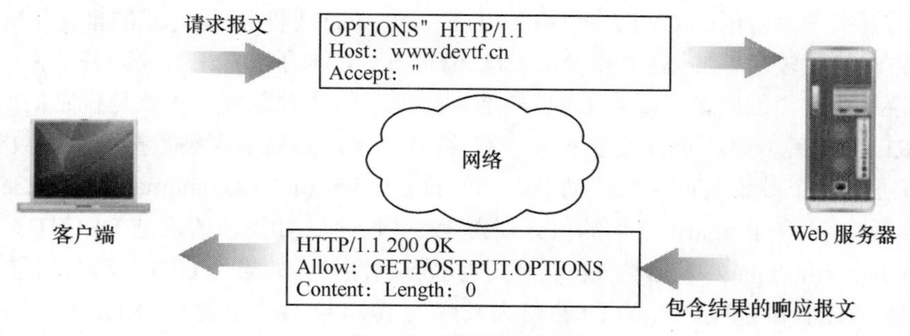


▲图 4-8 OPTIONS 请求

### 4.1.2 HTTP 报文格式解析

不同的请求方式，它们的请求格式可能是不一样的，请求格式就是我们所说的报文格式。但是，通常来说一个 HTTP 请求报文由请求行（request line）、请求头部（header）、空行和请求数据 4 个部分组成，图 4-9 给出了请求报文的一般格式。

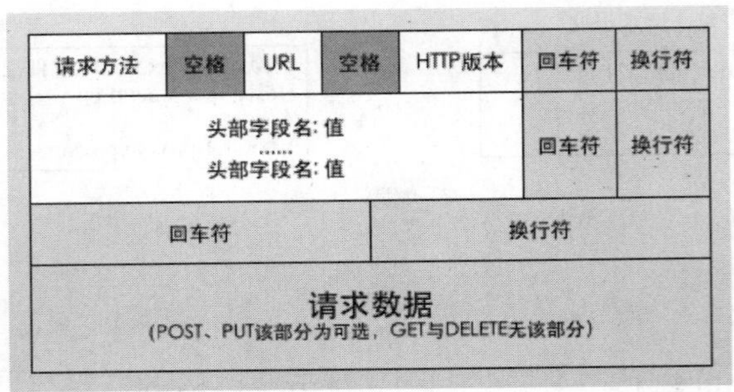


▲图 4-9　HTTP 报文格式

### 1. 起始行

报文的第一行就是起始行，在请求报文中用来说明要以什么方式做什么请求，而在响应报文中粗略说明了报文的执行结果。

### 2. 首部字段

起始行后面有零个或多个首部字段。每个首部字段都包含一个名字和一个值，为了便于解析，两者之间用冒号（如 Connection: keep-Alive）来分隔。首部以一个空行结束。添加一个首部字段和添加新行一样简单。

### 3. 主体

首部字段的空行之后就是可选的报文主体了，其中包含了所有类型的数据。请求主体中包括了要发送给 Web 服务器的数据；响应主体中装载了要返回给客户端的数据。起始行和首部都是结构化的文本形式，而主体则可以包含任意的二进制数据（如图片、视频、音轨、软件程序）。当然，主体中也可以包含文本。

下面我们就来学习常用的 GET、POST、PUT、DELETE 四种请求方式的报文格式。

我们首先学习比较简单的 GET 和 DELETE 请求方式，对于 DELETE 和 GET 来说，由于它们的功能是删除和获取，因此，只要将 URL 构造为要处理的资源即可。也就是说它们所有的参数附加在资源 URL 的最后，第一个参数前通过“?”符号连接，然后请求参数按照“参数名=参数值”的形式进行追加，每个参数之间用“&”连接。例如 http://www.myhost.com/image/?id=123&fotmat=png，该 URL 的参数有 id 和 format，它们的值分别为 123 和 png，如果该请求是 DELETE，那么将删除 http://www.myhost.com/image 下 id 为 123、格式为 png 的图片，如果是 GET，那么则是获取该图片。需要注意的是，GET 和 DELETE 的 URL 最大长度为 1024 字节，也就是 1KB。

在浏览器中输入 http://www.devtf.cn/?p=909，这是开发技术前线第十九期周报的 URL，得到的请求报文如下所示：

```
GET /?p=909 HTTP/1.1
Host: www.devtf.cn
Cache-Control: no-cache
```

根据上述的 HTTP 请求格式可知，第一行为请求行，代表请求方式是 GET，子路径为/?p=909，也是表示参数 p 的值为 909，HTTP 版本为 1.1。后两行是请求的 HEADER 区域，第一个请求头是主机地址，值 www.devtf.cn。另外还有一个 Cache-Control 的请求头，值为 no-cache。GET、DELETE 请求的所有参数都附加在 URL 链接中，因此，请求数据部分为空。

对于 PUT 和 POST 来说，它们的报文格式一般是表单形式，也就是说这两个请求方式的参数存储在报文的请求数据（报文主体）的位置上：

```
POST /api/feed/ HTTP/1.1
Accept-Encoding: gzip
Content-Length: 225873
Content-Type: multipart/form-data; boundary=OCqxMF6-JxtxoMDHmoG5W5eY9MGRsTBp
Host: www.myhost.com
Connection: Keep-Alive

--OCqxMF6-JxtxoMDHmoG5W5eY9MGRsTBp
Content-Disposition: form-data; name="username"
Content-Type: text/plain; charset=UTF-8
Content-Transfer-Encoding: 8bit

Mr.Simple
--OCqxMF6-JxtxoMDHmoG5W5eY9MGRsTBp
Content-Disposition: form-data; name="images";
filename="/storage/emulated/0/Camera/jdimage/1xh0e3yyfmpr2e35tdowbavrx.jpg"
Content-Type: application/octet-stream
Content-Transfer-Encoding: binary

这里是图片的二进制数据，数据太长，在此省略
--OCqxMF6-JxtxoMDHmoG5W5eY9MGRsTBp--
```

上述请求的含义为向 www.myhost.com/api/feed/这个地址发送一个 POST 请求。这个请求的数据格式（Content-Type）为 multipart/form-data，报文的 boundary 值为 OCqxMF6-JxtxoMDHmoG5W5eY9MGRsTBp。该报文有两个参数，一个参数是文本类型的 username 参数，值为 Mr.Simple，另一个是名为 images 的二进制参数，数据是一张图片的二进制数据，这里我们将图片的二进制数据省略了。

需要注意的是，一个参数是以两个横杠加上 boundary 开始的，然后是该参数的一些属性信息，例如参数名、格式等，然后加上一个空行，最后才是参数的值。例如上述的 username 参数，完整的格式为：

```
--OCqxMF6-JxtxoMDHmoG5W5eY9MGRsTBp                  // 两个横杠加上 boundary 值
Content-Disposition: form-data; name="username"     // 这 3 个是请求参数的 Header 属性
Content-Type: text/plain; charset=UTF-8
Content-Transfer-Encoding: 8bit
                                                    // 这里是一个不可省略的空行
Mr.Simple                                           // 这是参数值
```

POST 与 PUT 都必须遵循这种的格式，每个参数以两个横杠和 boundary 分隔，参数 header 与参数值之间有一个空行。另一个要注意的地方是，请求数据的最后是两个横杠 + boundary 值 + 两个横杠作为整个报文的结束符。当手动构建 POST 请求报文时，这些格式就尤为重要，如果格式不正确，那么服务端将无法正确解析你的请求。

#### 4.1.2.1 响应报文

HTTP 响应也由 3 个部分组成，分别是：状态行、消息报头、响应正文。如下所示，HTTP 响应的格式与请求的格式十分类似：

```
<状态行>
<响应报文 header>
<空行>
[响应报文内容]
```

正如你所见，在响应中唯一真正的区别在于第一行中用状态信息代替了请求信息。状态行（status line）通过提供一个状态码来说明所请求的资源情况。

状态行格式如下：

```
HTTP-Version Status-Code Reason-Phrase CRLF
```

其中，HTTP-Version 表示服务器 HTTP 协议的版本；Status-Code 表示服务器发回的响应状态代码；Reason-Phrase 表示状态代码的文本描述。状态代码由 3 位数字组成，第一个数字定义了响应的类别，且有 5 种可能取值，如表 4-1 所示。

表 4-1　　5 种取值

| 取值范围 | 含　义 |
|---|---|
| 100～199 | 指示信息—表示请求已接收，继续处理 |
| 200～299 | 请求成功。表示请求已被成功接收、理解、接收 |
| 300～399 | 重定向。要完成请求必须进行更进一步的操作 |
| 400～499 | 客户端错误。请求有语法错误或请求无法实现 |
| 500～599 | 服务器端错误。服务器未能实现合法的请求 |

常见状态代码、状态描述的说明如下。

（a）200 OK：客户端请求成功。

（b）400 Bad Request：客户端请求有语法错误，不能被服务器所理解。

（c）401 Unauthorized：请求未经授权，这个状态代码必须和 WWW-Authenticate 报头域一起使用。

（d）403 Forbidden：服务器收到请求，但是拒绝提供服务。

（e）404 Not Found：请求资源不存在，举个例子：输入了错误的 URL。

（f）500 Internal Server Error：服务器发生不可预期的错误。

（g）503 Server Unavailable：服务器当前不能处理客户端的请求，一段时间后可能恢复正常，举个例子：HTTP/1.1 200 OK（CRLF）。

例如，这是一个 GET 请求的 Response 返回示例：

```
HTTP/1.1 200 OK
Date: Sat, 31 Dec 2005 23:59:59 GMT
Content-Type: text/html;charset=
Content-Length: 122
```

```
<html>
  <head>
     <title>开发技术前线</title>
  </head>
  <body>
     <!—这里是 Body -->
  </body>
</html>
```

该请求返回码为 200，表示请求成功。返回的数据类型为 text/html，编码为 ISO-8859-1，内容长度为 122。在一个空行之后就是返回的数据，也就是一个 html 页面。客户端接收到这个返回结果之后，直接将结果展示到 WebView 上即可。如果返回的是 Json、XML 格式的数据，那么，我们通常需要解析这些数据，并且将根据结果进行其他相应的处理。

#### 4.1.2.2 常见的请求头部

请求头部由键值对组成，每行一对，关键字和值用英文冒号“:”分隔。HTTP 规范定义了几种首部字段，应用程序也可以随意发明自己所用的首部。HTTP 首部可以分为以下几类，如表 4-2 所示。

表 4-2 分类和作用

| 首部类型 | 作用 |
|---|---|
| 通用首部 | 既可以出现在请求报文中，也可以出现在响应报文中 |
| 请求首部 | 提供更多有关请求的信息 |
| 响应首部 | 提供更多有关响应的信息 |
| 实体首部 | 描述主体的长度和内容，或者资源自身 |
| 扩展首部 | HTTP 规范中没有定义的新首部 |

请求头部通知服务器关于客户端请求的信息，典型的请求头有。

- Content-Type：请求数据的格式。
- Content-Length：消息长度。
- Host：请求的主机名，允许多个域名同处一个 IP 地址，即虚拟主机。
- User-Agent：发出请求的浏览器类型，可以自行设置。
- Accept：客户端可识别的内容类型列表。
- Accept-Encoding：客户端可识别的数据编码。
- Connection：允许客户端和服务器指定与请求/响应连接有关的选项，例如，设置为 Keep-Alive 则表示保持连接。
- Transfer-Encoding：告知接收端为了保证报文的可靠传输，对报文采用了什么编码方式。

### 4.1.3 简单模拟 HTTP 服务器

HTTP 实际上是基于 TCP 的应用层协议，它在更高的层次封装了 TCP 的使用细节，使网络请求操作更为易用。TCP 连接是因特网上基于流的可靠连接，它为 HTTP 提供了一条可靠的比特传输管道。从 TCP 连接一端填入的字节会从另一端以原有的顺序、正确地传送出来，如图 4-10 所示。

▲图 4-10　网络交互

TCP 的数据是通过名为 IP 分组（或 IP 数据报）的小数据块来发送的。这样的话，如图 4-11 的 HTTP 协议所示，HTTP 就是“HTTP over TCP over IP”这个“协议栈”中的最顶层了。

HTTP 要传送一条报文时，会以流的形式将报文数据的内容通过一条打开的 TCP 连接按序传输。TCP 收到数据流之后，会将数据流分割成被称作段的小数据块，并将段封装在 IP 分组中，通过因特网进行传输。所有这些工作都是由 TCP/IP 软件来处理的，程序员什么都看不到。

下面我们就模拟一个简单的 Web 服务器来深度了解一下 HTTP 的报文格式以及 HTTP 协议与 TCP 协议之间的协作原理。

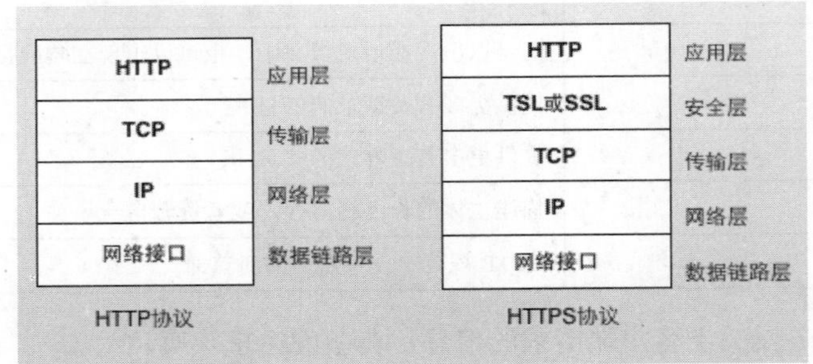


▲图 4-11　HTTP、HTTPS 协议

一个 HTTP 请求就是一个典型的 C/S 模式，服务端在监听某个端口，客户端向服务端的端口发起请求。服务端解析请求，并且向客户端返回结果。下面我们就先看看这个简单的 Web 服务端。代码如下：

```
// 简单的服务器实现
public class SimpleHttpServer extends Thread {
    public static final int HTTP_PORT = 8000;   // 监听端口
    ServerSocket mSocket = null;                 // 服务端 Socket

    public SimpleHttpServer() {
        try {
           // 构造服务端 Socket，监听 8000 端口
            mSocket = new ServerSocket(HTTP_PORT);
        } catch (IOException e) {
            e.printStackTrace();
        }
```

```
        if (mSocket == null) {
            throw new RuntimeException("服务器 Socket 初始化失败");
        }
    }

    @Override
    public void run() {
        try {
            while (true) {  // 无限循环，进入等待连接状态
                System.out.println("等待连接中");
                // 一旦接收到连接请求，构建一个线程来处理
                new DeliverThread(mSocket.accept()).start();
            }
        } catch (IOException e) {
            e.printStackTrace();
        }
    }
}
```

SimpleHttpServer 继承自 Thread 类，在构造函数中我们会创建一个监听 8000 端口的服务端 Socket，并且覆写 Thread 的 run 函数，在该函数中开启无限循环，在该循环中调用 ServerSocket 的 accept()函数等待客户端的连接，该函数会阻塞，直到有客户端进行连接，接收连接之后会构造一个线程来处理该请求。也就是说，SimpleHttpServer 本身是一个子线程，它在后台等待客户端的连接，一旦接收到连接又会创建一个线程处理该请求，避免阻塞 SimpleHttpServer 线程。

现在我们一步一步来分析连接处理线程-DeliverThread 的代码：

```
// 请求处理线程
public class DeliverThread extends Thread {
    Socket mClientSocket;
    // 输入流
    BufferedReader mInputStream;
    // 输出流
    PrintStream mOutputStream;
    // 请求方法 GET、POST 等
    String httpMethod;
    // 子路径
    String subPath;
    // 分隔符
    String boundary;
    //请求参数
    Map<String, String> mParams = new HashMap<String, String>();
    // 是否已经解析完 Header
    boolean isParseHeader = false;

    public DeliverThread(Socket socket) {
        mClientSocket = socket;
    }

    @Override
    public void run() {
        try {
            // 获取输入流
            mInputStream = new BufferedReader(new InputStreamReader(
                    mClientSocket.getInputStream()));
            // 获取输出流
            mOutputStream = new PrintStream(mClientSocket.getOutputStream());
            // 解析请求
            parseRequest();
```

```
            // 返回 Response
            handleResponse();
        } catch (IOException e) {
            e.printStackTrace();
        } finally {
            // 关闭流和 Socket
            IoUtils.closeQuitly(mInputStream);
            IoUtils.closeQuitly(mOutputStream);
            IoUtils.closeSocket(mClientSocket);
        }
    }
    // 代码省略
}
```

DeliverThread 也继承自 Thread，在 run 函数中主要封装了如下步骤：

（1）获取客户端 Socket 的输入、输出流用于读写数据；

（2）解析请求参数；

（3）处理、返回请求结果；

（4）关闭输入、输出流、客户端 Socket。

上文我们说过 TCP 的数据操作是基于流的，因此得到客户端 Socket 连接之后，我们首先获取到它的输入、输出流。其中我们可以从输入流中获取该请求的数据，而通过输出流就可以将结果返回给该客户端。得到流之后我们首先解析该请求，根据它请求的路径、header、参数等做出处理，最后将处理结果通过输出流返回给客户端。最终关闭流和 Socket。

在分析 HTTP 请求解析的代码之前，我们再来回顾一下 HTTP 请求的报文格式，如图 4-12 所示。

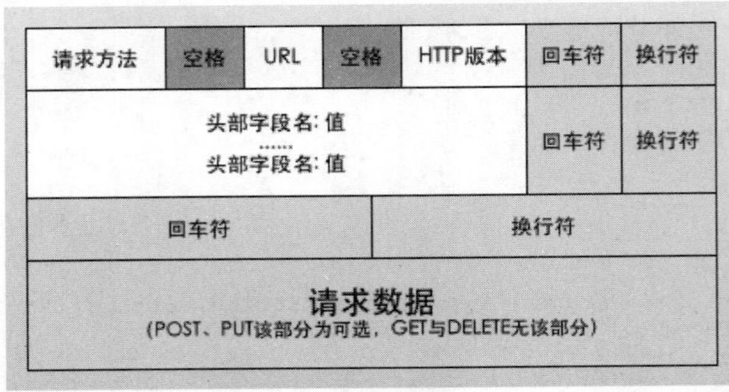


▲图 4-12　HTTP 报文格式

下面我们看一下解析请求的具体实现，即 parseRequest 函数：

```
private void parseRequest() {
    String line;
    try {
        int lineNum = 0;
        // 从输入流读取数据
        while ((line = mInputStream.readLine()) != null) {
            // 第一行为请求行
            if (lineNum == 0) {
                parseRequestLine(line);
```

```
            }
            // 判断是否是数据的结束行
            if (isEnd(line)) {
                break;
            }
            // 解析 header 参数
            if (lineNum != 0 && !isParseHeader) {
                parseHeaders(line);
            }
            // 解析请求参数
            if (isParseHeader) {
                parseRequestParams(line);
            }
            lineNum++;
        }
    } catch (IOException e) {
        e.printStackTrace();
    }
}
```

在 parseRequest 函数中，我们按照数据的分布进行解析。首先解析第一行的请求行数据，即当 lineNum 为 0 时调用 parseRequestLine 函数进行解析。该函数的实现如下：

```
// 解析请求行
private void parseRequestLine(String lineOne) {
    String[] tempStrings = lineOne.split(" ");
    httpMethod = tempStrings[0];
    subPath = tempStrings[1];
    System.out.println("请求方式 : " + tempStrings[0]);
    System.out.println("子路径 : " + tempStrings[1]);
    System.out.println("HTTP 版本 : " + tempStrings[2]);
}
```

在上文的格式分析中我们说过，请求行由 3 部分组成，即请求方式、请求子路径、协议版本，它们之间通过空格来进行分割。因此，在 parseRequestLine 中我们用空格分割请求行字符串，得到的结果就是这 3 个值。

请求行后面紧跟着请求 Header，因此，我们的下一步就是解析 Header 区域。对应的函数为 parseHeaders，代码如下：

```
// 解析 header,参数为每个 header 的字符串
private void parseHeaders(String headerLine) {
    // header 区域的结束符
    if (headerLine.equals("")) {
        isParseHeader = true;
        System.out.println("-----------> header 解析完成\n");
        return;
    } else if (headerLine.contains("boundary")) {
        boundary = parseSecondField(headerLine);
        System.out.println("分隔符 : " + boundary);
    } else {
        // 解析普通 header 参数
        parseHeaderParam(headerLine);
    }
}
```

每个 header 为一个独立行，格式为参数名：参数值，还有一种情况是参数名 1：参数值 1;参数

名 2=参数值 2。例如下面两个 header：

```
Content-Length: 1234
Content-Type: multipart/form-data; boundary=OCqxMF6-JxtxoMDHmoG5W5eY9MGRsTBp
```

第一个 header 参数名为 Content-Length，值为 1234。第二个 header 在同一行内有两个数据，分别为值为 multipart/form-data 的 Content-Type，以及值为 OCqxMF6-JxtxoMDHmoG5W5eY9MGRsTBp 的 boundary。header 与请求参数之间通过一个空行分隔，因此，我们检测到 header 数据为空时则认为是 header 参数的结束行。

当一个 header 行数据中含有 boundary 字段时，则调用 parseSecondField 函数解析，该函数实现如下：

```
// 解析 header 中的第二个参数
private String parseSecondField(String line) {
    String[] headerArray = line.split(";");
    parseHeaderParam(headerArray[0]);
    if (headerArray.length > 1) {
        return headerArray[1].split("=")[1];
    }
    return "";
}
```

因为 boundary 参数在 header 格式的第二个参数的位置上，因此，这里通过分号进行分割，获取数组第二个位置的数据，也就是 boundary=OCqxMF6-JxtxoMDHmoG5W5eY9MGRsTB，然后再进行解析。

普通的 header 则是参数名：参数值的格式，我们通过 parseHeaderParam 函数进行解析，代码如下：

```
// 解析单个 header
private void parseHeaderParam(String headerLine) {
    String[] keyvalue = headerLine.split(":");
    mHeaders.put(keyvalue[0].trim(), keyvalue[1].trim());
    System.out.println("header 参数名 : " + keyvalue[0].trim()
        + ", 参数值 : "+ keyvalue[1].trim());
}
```

解析完 header 之后我们就开始解析请求参数了。对于 POST 和 PUT 请求来说，它们的每个参数格式都是固定的，格式如下：

```
--boundary 值
header-1 : value-1
......
header-n: value-n
空行
参数值
```

由于在我们的例子中每个请求参数只有一个 header 字段，因此，我们的每个参数的格式简化为：

```
--boundary
Content-Disposition: form-data; name="参数名"
空行
参数值
```

根据上述格式，我们再来看解析函数：

```
// 解析请求参数
private void parseRequestParams(String paramLine) throws IOException {
    if (paramLine.equals("--" + boundary)) {
        // 读取 Content-Disposition 行
        String ContentDisposition = mInputStream.readLine();
        // 解析参数名
        String paramName = parseSecondField(ContentDisposition);
        // 读取参数 header 与参数值之间的空行
        mInputStream.readLine();
        // 读取参数值
        String paramValue = mInputStream.readLine();
        mParams.put(paramName, paramValue);
        System.out.println("参数名 : " + paramName + ", 参数值 : " + paramValue);
    }
}
```

至此，整个请求的各个部分均已解析完成。后面要做的就是根据用户的请求返回结果。在这里我们直接返回了一个固定的 Response。代码如下：

```
// 返回结果
private void handleResponse() {
    // 模拟处理耗时
    sleep();
    // 向输出流写数据
    mOutputStream.println("HTTP/1.1 200 OK");
    mOutputStream.println("Content-Type: application/json");
    mOutputStream.println();
    mOutputStream.println("{\"stCode\":\"success\"}");
}

private void sleep() {
    try {
        Thread.sleep(1000);
    } catch (InterruptedException e) {
        e.printStackTrace();
    }
}
```

在 handleResponse 函数中，通过 Socket 的输出流向客户端写入数据。写入的数据也遵循了响应报文的基本格式，格式如下：

```
响应行
header 区域
空行
响应数据
```

向客户端写完数据之后，我们就会关闭输入、输出流以及 Socket，至此，整个请求、响应流程完毕。

服务端逻辑分析完成之后我们再来看看客户端的实现。从上述的分析以及平时的开发经验我们知道，客户端要做的就是主动向服务器发起 HTTP 请求，它们之间的通信通道就是 TCP/IP，因此，也是基于 Socket 实现。下面我们就模拟一个 Http POST 请求，代码如下：

```
public class HttpPost {
    // 请求 URL
```

```
    public String url;
    // 请求参数
    private Map<String, String> mParamsMap = new HashMap<String, String>();
    // 客户端 Socket
    Socket mSocket;

    public HttpPost(String url) {
        this.url = url;
    }

    public void addParam(String key, String value) {
        mParamsMap.put(key, value);
    }

    public void execute() {
        try {
            // 创建 Socket 连接
            mSocket = new Socket(this.url, SimpleHttpServer.HTTP_PORT);
            PrintStream outputStream = new PrintStream(mSocket.getOutputStream());
            BufferedReader inputStream = new BufferedReader(new InputStreamReader(
                    mSocket.getInputStream()));
            final String boundary = "my_boundary_123";
            // 写入 header
            writeHeader(boundary, outputStream);
            // 写入参数
            writeParams(boundary, outputStream);
            // 等待返回数据
            waitResponse(inputStream);
        } catch (UnknownHostException e) {
            e.printStackTrace();
        } catch (IOException e) {
            e.printStackTrace();
        } finally {
            IoUtils.closeSocket(mSocket);
        }
    }
    // 代码省略
}
```

HttpPost 构造函数中传入请求的 URL 地址，然后用户可以调用 addParam 函数添加普通的文本参数，当用户设置好参数之后就可以通过 execute 函数执行该请求。在 execute 函数中客户端首先创建 Socket 连接，目标地址就是用户执行的 URL 以及端口。连接成功之后客户端就可以获取到输入、输出流，通过输出流客户端可以向服务端发送数据，通过输入流则可以获取服务端返回的数据。之后我们依次写入 header、请求参数，最后等待 Response 的返回。

在该示例中，我们将 header 固定做出如下设置，代码如下：

```
private void writeHeader(String boundary, PrintStream outputStream) {
    outputStream.println("POST /api/login/ HTTP/1.1");
    outputStream.println("content-length:123");
    outputStream.println("Host:" + this.url + ":" + SimpleHttpServer.HTTP_PORT);
    outputStream.println("Content-Type: multipart/form-data; boundary=" + boundary);
    outputStream.println("User-Agent:android");
    outputStream.println();
}
```

然后，我们将 mParamsMap 中的所有参数通过输出流传递给服务端，代码如下：

```
private void writeParams(String boundary, PrintStream outputStream) {
    Iterator<String> paramsKeySet = mParamsMap.keySet().iterator();
    while (paramsKeySet.hasNext()) {
        String paramName = paramsKeySet.next();
        outputStream.println("--" + boundary);
        outputStream.println("Content-Disposition: form-data; name=" + paramName);
        outputStream.println();
        outputStream.println(mParamsMap.get(paramName));
    }
    // 结束符
    outputStream.println("--" + boundary + "--");
}
```

每个参数都必须遵循特定的格式，在上文服务器解析参数时就是按照这里设定的格式进行。格式如下：

```
--boundary
Content-Disposition: form-data; name="参数名"
空行
参数值
```

当参数结束之后需要写一个结束行，格式为：两个斜杠加上 boundary 值再加上两个斜杠。此时请求数据就已经发送到服务端，此时我们等待服务器返回数据。得到返回的数据之后将结果输出到控制台。代码如下：

```
private void waitResponse(BufferedReader inputStream) throws IOException {
    System.out.println("请求结果：");
    String responseLine = inputStream.readLine();
    while (responseLine == null || !responseLine.contains("HTTP")) {
        responseLine = inputStream.readLine();
    }
    // 输出 Response
    while ((responseLine = inputStream.readLine()) != null) {
        System.out.println(responseLine);
    }
}
```

此时，客户端的流程也执行完毕。

下面，运行这个例子。首先需要启动服务器，代码如下：

```
public static void main(String[] args) {
    new SimpleHttpServer().start();
}
```

服务器启动之后就会在后台等待客户端发起连接，此时我们再启动客户端，设置参数之后执行一个 Http POST 请求：

```
public static void main(String[] args) {
    HttpPost httpPost = new HttpPost("127.0.0.1");
    // 设置两个参数
    httpPost.addParam("username", "mr.simple");
    httpPost.addParam("pwd", "my_pwd123");
    // 执行请求
    httpPost.execute();
}
```

执行结果如图 4-13 和图 4-14 所示。

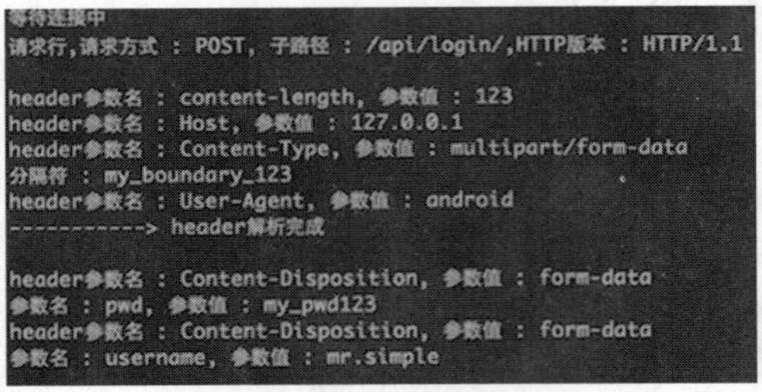

```
等待连接中
请求行,请求方式 : POST, 子路径 : /api/login/,HTTP版本 : HTTP/1.1

header参数名 : content-length, 参数值 : 123
header参数名 : Host, 参数值 : 127.0.0.1
header参数名 : Content-Type, 参数值 : multipart/form-data
分隔符 : my_boundary_123
header参数名 : User-Agent, 参数值 : android
-----------> header解析完成

header参数名 : Content-Disposition, 参数值 : form-data
参数名 : pwd, 参数值 : my_pwd123
header参数名 : Content-Disposition, 参数值 : form-data
参数名 : username, 参数值 : mr.simple
```

▲图 4-13　服务端接到请求

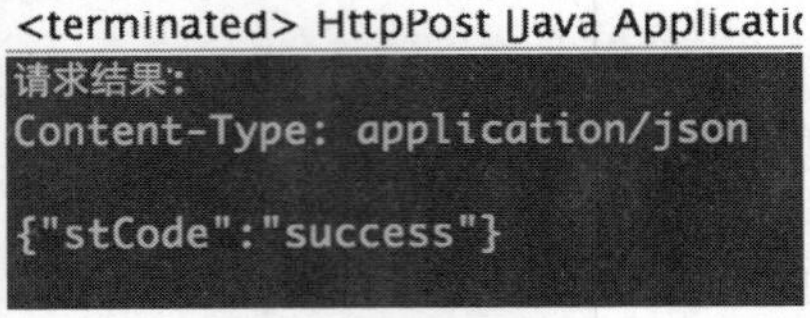

```
<terminated> HttpPost [Java Applicati
请求结果:
Content-Type: application/json

{"stCode":"success"}
```

▲图 4-14　请求结果

本节中我们用一个简单的示例模拟了 Web 服务器与客户端的交互过程。整个示例就是在 TCP 之上封装了一层 HTTP，用户通过 HTTP 相关的类进行操作，但是传输层依旧是通过 TCP 层。客户端与服务端之间开辟了一条双向的 Socket，通过输入、输出流向对方发送、获取数据，而双方都遵循了规定的 HTTP 协议，因此，数据的发送与解析都能够顺利进行。通过 HTTP 层屏蔽了直接使用 Socket 的复杂细节，使得整个通信过程更加简单、易用。

## 4.2 Android 中执行网络请求

Android 中提供了两种执行网络请求的方式，一种是使用 Apache 的 HttpClient，另一种则是 Java 的 HttpURLConnection。两种方式都提供了功能完善的 API，也都能够实现网络请求功能，只是在某些情况下我们要根据情况做出取舍。下面我们就来简单学习这两个类库的使用。

### 4.2.1　全面支持 HTTP 协议——HttpClient

在 Android 开发中，Android SDK 附带了 Apache 的 HttpClient，它是一个完善的客户端。它提供了对 HTTP 协议的全面支持，可以使用 HttpClient 的对象来执行 HTTP GET 和 HTTP POST 调用。HttpClient 的一般使用步骤如下：

（1）使用 DefaultHttpClient 类实例化 HttpClient 对象；

（2）创建 HttpGet 或 HttpPost 对象，将要请求的 URL 通过构造方法传入 HttpGet 或 HttpPost 对象；

（3）调用 execute 方法发送 HTTP GET 或 HTTP POST 请求，并返回 HttpResponse 对象；

（4）通过 HttpResponse 接口的 getEntity 方法返回响应信息，并进行相应的处理。

示例代码如下：

```
public void sendGetRequest(String url) throws IOException {
      // 创建 HttpClient 对象,设置默认的请求参数
      HttpClient httpclient = new DefaultHttpClient(defaultHttpParams());
      // 创建 HttpGet 对象
       HttpGet httpget = new HttpGet(url);
      // 添加 Header
      httpget.addHeader("Connection", "Keep-Alive");
```

```
        // 执行 Http 请求
         HttpResponse response= httpclient.execute(httpget);
         HttpEntity entity = response.getEntity();
         if (entity != null) {
             InputStream instream = entity.getContent();
             // 解析请求结果
             String result = convertStreamToString(instream);
             Log.e("", "### 请求结果 : " + result);
             instream.close();
        }
 }

// 默认的请求参数
private static HttpParams defaultHttpParams() {
        HttpParams mDefaultParams = new BasicHttpParams();
        HttpConnectionParams.setConnectionTimeout(mDefaultParams, 10000);
        HttpConnectionParams.setSoTimeout(mDefaultParams, 15000);
        HttpConnectionParams.setTcpNoDelay(mDefaultParams, true);
        // 关闭旧连接检查的配置为 false
        HttpConnectionParams.setStaleCheckingEnabled(mDefaultParams, false);
        // 协议参数
        HttpProtocolParams.setVersion(mDefaultParams, HttpVersion.HTTP_1_1);
        // 持续握手
        HttpProtocolParams.setUseExpectContinue(mDefaultParams, true);
        return mDefaultParams;
    }

    /**
     * 将请求结果转换为 String 类型
     * @param is 网络请求输入流
     * @return String 类型的请求结果
     * @throws IOException
     */
    private String convertStreamToString(InputStream is) throws IOException {
        BufferedReader reader = new BufferedReader(new InputStreamReader(is));
        StringBuilder sb = new StringBuilder();
        String line = null;
        try {
            while ((line = reader.readLine()) != null) {
                sb.append(line + "\n");
            }
        } catch (IOException e) {
            e.printStackTrace();
        }
        return sb.toString();
    }
```

使用 HTTP GET 调用有一个缺点就是，请求的参数作为 URL 一部分来传递，这样使得请求参数等信息都会被直接暴露在 URL 中。另外，以 GET 方式传递时 URL 的长度应该在 2048 个字符之内，因为一些版本的 HTTP 协议在 GET 请求的 URL 长度上有限制，而 HTTP 1.1 之后 URL 长度才没有限制。

Get 请求的信息暴露、长度问题都可以通过 POST 请求来解决。不过一般 POST 请求用于向服务器提交一个数据，而 GET 则是向服务器索取数据，虽然定义的使用场景不一样，但是却可以替换使用。使用 HttpClient 发送 POST 请求的代码如下：

```
public void sendPostRequest(String url) throws IOException {
        // 创建 HttpClient 与 HttpPost，设置默认的请求参数
```

```
        HttpClient client = new DefaultHttpClient(defaultHttpParams());
        HttpPost request = new HttpPost(url);
        // 添加 Header
        request.addHeader("Connection", "Keep-Alive");
        // 使用 NameValuePair 来保存要传递的 Post 参数
        List<NameValuePair> postParameters = new ArrayList<NameValuePair>();
        // 添加要传递的参数
        postParameters.add(new BasicNameValuePair("username", "myname"));
        postParameters.add(new BasicNameValuePair("pwd", "mypwd"));
        // 实例化 UrlEncodedFormEntity 对象
        UrlEncodedFormEntity formEntity = new UrlEncodedFormEntity(
               postParameters);
        // 使用 HttpPost 对象来设置 UrlEncodedFormEntity 的 Entity
        request.setEntity(formEntity);

        // 执行网络请求
        HttpResponse response = client.execute(request);
        HttpEntity respEntity = response.getEntity();
        if (respEntity != null) {
            InputStream instream = respEntity.getContent();
            // 获取结果
            String result = convertStreamToString(instream);
            Log.e("", "### 请求结果 : " + result);
            instream.close();
        }
    }
```

POST 请求参数通过键值对的形式存储在 List<BasicNameValuePair>中，然后将所有参数打包到 UrlEncodedFormEntity 实体对象中，最后通过 HttpClient 进行发送。

### 4.2.2　最佳选择——HttpURLConnection

HttpClient 已经能够满足我们的需求，那么为什么还要用 HttpURLConnection 呢？这是因为在 Android 2.2 版本之前，HttpClient 拥有较少的 Bug，而 HttpURLConnection 一直存在着一些令人讨厌的 Bug。比如说对一个可读的 InputStream 调用 close()方法时，就有可能会导致连接池失效。因此在 Android 2.2 版本以及之前使用 HttpClient 是较好的选择；而在 Android 2.3 版本及以后，HttpURLConnection 则是最佳的选择。因为它的 API 简单，体积较小，因而非常适用于 Android 项目。HttpURLConnection 的压缩和缓存机制可以有效地减少网络访问的流量，在提升速度和省电方面也起到了较大的作用，而在以后的工作当中 Android 团队也会将更多的时间放在优化 HttpURLConnection 上。另外，在 Android 6.0 中，HttpClient 库已经被移除，因此，HttpURLConnection 在以后将成为我们唯一的选择。

使用 HttpURLConnection 的示例代码如下：

```
private void sendRequest(String url) throws IOException {
       InputStream is = null;
       try {
          URL newUrl = new URL(url);
          HttpURLConnection conn = (HttpURLConnection) newUrl.openConnection();
          // 设置读取超时为 10 秒
          conn.setReadTimeout(10000);
          // 设置链接超时为 15 秒
          conn.setConnectTimeout(15000);
          // 设置请求方式,如果是 GET 请求那么值为"GET",post 请求则为"POST"
          conn.setRequestMethod("POST");
```

```
            // 接收输入流
            conn.setDoInput(true);
            // 启动输出流,当需要传递参数时需要开启
            conn.setDoOutput(true);
            // 添加 Header
            conn.setRequestProperty("Connection", "Keep-Alive");
            // 添加请求参数，注意：如果是 GET 请求，参数要写在 URL 中
            List<NameValuePair> paramsList = new ArrayList<NameValuePair>();
            paramsList.add(new BasicNameValuePair("username", "mr.simple"));
            paramsList.add(new BasicNameValuePair("pwd", "mypwd"));
            writeParams(conn.getOutputStream(), paramsList);

            // 发起请求
            conn.connect();
            is = conn.getInputStream();
            // 获取结果
            String result = convertStreamToString(is);
            Log.i("", "### 请求结果 : " + result);
        } finally {
            if (is != null) {
                is.close();
            }
        }
    }

    private void writeParams(OutputStream output, List<NameValuePair> paramsList)
            throws IOException {
        StringBuilder paramStr = new StringBuilder();
        for (NameValuePair pair : paramsList) {
            if (!TextUtils.isEmpty(paramStr)) {
                paramStr.append("&");
            }
            paramStr.append(URLEncoder.encode(pair.getName(), "UTF-8"));
            paramStr.append("=");
            paramStr.append(URLEncoder.encode(pair.getValue(), "UTF-8"));
        }
        BufferedWriter writer = new BufferedWriter(
                new OutputStreamWriter(output, "UTF-8"));
        // 将参数写入到输出流
        writer.write(paramStr.toString());
        writer.flush();
        writer.close();
    }
```

使用 HttpURLConnection 时需要注意，如果我们要添加参数，那么需要调用 HttpURLConnection 对象的 setDoOutput(true)函数开启输出功能。而 HttpClient 不同的是对于不同的网络请求，我们都使用 HttpURLConnection 即可，使用 setRequestMethod 函数即可设置请求方式，例如“GET”、“POST”、“HEAD”、“PUT”等。请求参数我们则需要手动写入到 HttpURLConnection 对象的输出流当中，普通的文本格式的多个参数我们可以以 GET 请求参数的格式写入到输出流当中，形如 param1=value1¶m2=value2。例如上述请求中含有两个参数，那么请求报文如下所示：

```
POST / HTTP/1.1
Connection: Keep-Alive
User-Agent: Dalvik/1.6.0 (Linux; U; Android 4.4.2; MX4 Build/KOT49H)
Host: www.devtf.cn
Accept-Encoding: gzip
Content-Type: application/x-www-form-urlencoded
```

```
Content-Length: 28

username=mr.simple&pwd=mypwd
```

上述报文的格式为状态行、header、一个空行，最后是参数字符串。需要注意的是，一旦你向输出流中写入了参数，那么请求方式则会变为 POST，即使你通过 setRequestMethod 函数将请求设置为“GET”。因为 GET 请求的参数是附在 URL 中的，因此，如果是 GET 请求，则不要在请求体中设置参数。

## 4.3 网络框架的设计与实现

在开发过程中，网络模块是我们最为基础的一部分。虽然目前已经有很多优秀的网络请求开源库，例如 OkHttp、Volley 等，但是，深入了解网络框架的基本实现原理依旧是不可缺少的。本节我们就来设计与实现一个简单的 HTTP 网络请求库，我们将它命名为 SimpleNet。该库借鉴了 Volley 的实现思路，但为了更易于理解我们裁剪掉了一些模块，下面我们一起进入网络框架的开发之旅吧。

### 4.3.1 SimpleNet 的基本架构

如图 4-15 所示，SimpleNet 的基本架构主要分为 4 个部分，最上面的部分为 Request，即代表了各种请求类型。例如返回的数据类型为 Json 对应为 JsonRequest，返回数据字符串为 StringRequest。如果需要上传文件，那么你需要使用 MultipartRequest，该请求只支持小文件的上传。

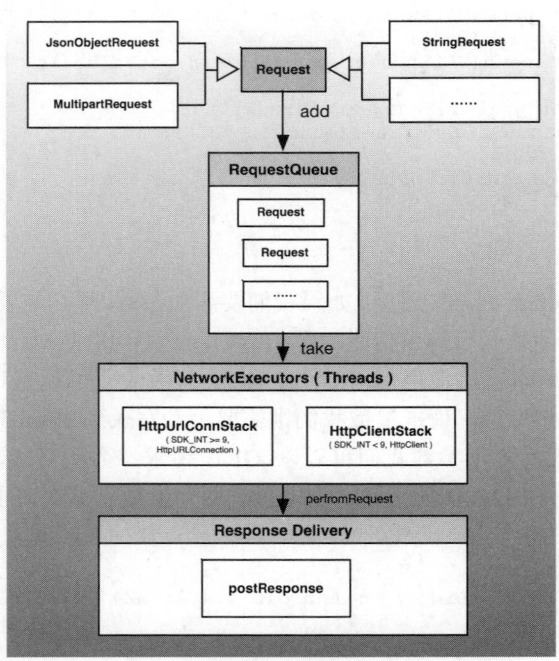


▲图 4-15　SimpleNet 的基本架构

第二部分为消息队列，消息队列维护了提交给网络框架的请求列表，并且根据相应的规则进行排序。默认情况下按照优先级和进入队列的顺序来执行，该队列使用的是线程安全的PriorityBlockingQueue<E>，因为我们的队列会被并发访问，因此需要保证队列访问的原子性。

第三部分是 NetworkExecutor，也就是网络的执行者。该 Executor 继承自 Thread，在 run 方法中循环访问请求队列，从请求队列中获取并执行 HTTP 请求，请求完成之后将结果投递给 UI 线程。

第四部分则是 Response 以及 Response 投递类，在第三部分的 Executor 中执行网络请求，Executor 是 Thread，但是我们并不能在该线程中更新 UI。因此我们需要提供一种方式能够将请求结果投递给 UI 线程，ResponseDelivery 就扮演了这个角色。我们使用 ResponseDelivery 来封装 Response 的投递，保证 Response 执行在 UI 线程。而 Response 会根据用户的不同需求将返回结果格式化为特定的类型，例如 String、Json 等。

在这四大部分中，每个部分职责都相对单一，这样便于日后的升级和维护。它们的关系类似用工厂、生产线、工人之间的关系，如图 4-16 所示。

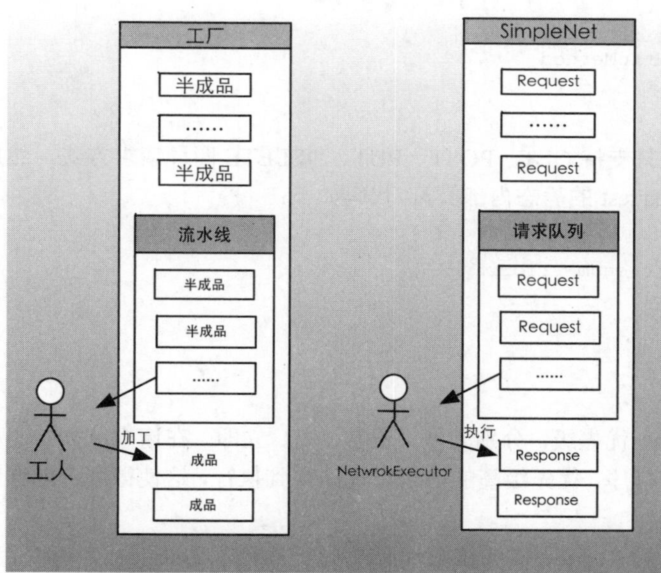


▲图 4-16　工厂与 SimpleNet

## 4.3.2　Request 类

既然是网络框架，那么我们先从网络请求类开始。前文已经说过，既然是框架，那么就需要可扩展性。因此注定了 Request 是抽象，而不是具体。而对于网络请求来说，用户得到的请求结果格式是不确定，比如有的服务器返回的是 Json，有的返回的是 XML，有的直接是字符串。但是，对于 Http Response 来说，它的返回数据类型都是 Stream，也就是我们得到的原始数据都是字节流。所以在 Request 基类中我们必须预留方法来解析 Response 返回的具体类型，虽然返回的类型不同，但是它们的处理逻辑是一样的，因此，可把 Request 作为泛型类，它的泛型类型就是它的返回数据类型，比如 Request<String>，那么它的返回数据类型就是 String 类型的。另外，还有请求的优先级、可取消等，我们这里先给出核心代码，然后再继续分析。

首先我们先定义网络请求的方式，例如 GET、POST 等，这里我们以一个枚举类型定义（Request 的静态内部类）。代码如下：

```
//HTTP 请求方法枚举,这里我们只有 GET、 POST、 PUT、 DELETE 四种
public static enum HttpMethod {
  GET("GET"),
  POST("POST"),
  PUT("PUT"),
  DELETE("DELETE");

  /** http request type */
  private String mHttpMethod = "";

  private HttpMethod(String method) {
      mHttpMethod = method;
  }

  @Override
  public String toString() {
   return mHttpMethod;
  }
}
```

在该示例中我们只支持 GET、POST、PUT、DELETE 四种请求方式。然后我们再添加一个请求的优先级枚举（Request 的静态内部类），代码如下：

```
// 优先级枚举
public static enum Priority {
    LOW,
    NORMAL,
    HIGN,
    IMMEDIATE
}
```

该枚举定义了 4 个优先级，分别为低、正常、高、立即。在请求队列中会根据加入队列的顺序和优先级对请求进行排序，优先级高的请求将优先得到执行，这使得用户能够对网络请求的及时性进行有效控制。

下面我们再来看看 Request 类的核心代码：

```
/**
 * 网络请求类， 注意 GET 和 DELETE 不能传递请求参数,因为其请求的性质所致,用户可以将参数构建到 URL 后传
递进来并到 Request 中
 * @param <T> T 为请求返回的数据类型
 */
public abstract class Request<T> implements Comparable<Request<T>> {
  // 默认的编码方式
  private static final String DEFAULT_PARAMS_ENCODING = "UTF-8";
  // 请求序列号
  protected int mSerialNum = 0;
  // 优先级默认设置为 Normal
  protected Priority mPriority = Priority.NORMAL;
  // 是否取消该请求
  protected boolean isCancel = false;
  /** 该请求是否应该缓存 */
```

```
private boolean mShouldCache = true;
// 请求 Listener
protected RequestListener<T> mRequestListener;
// 请求的 URL
private String mUrl = "";
// 请求的方法
HttpMethod mHttpMethod = HttpMethod.GET;
// 请求的 header
private Map<String, String> mHeaders = new HashMap<String, String>();
// 请求参数
private Map<String, String> mBodyParams = new HashMap<String, String>();

/**
 * @param method 请求方式
 * @param url 请求的目标 URL
 * @param listener 请求回调,将结果回调给用户
 */
public Request(HttpMethod method, String url, RequestListener<T> listener) {
    mHttpMethod = method;
    mUrl = url;
    mRequestListener = listener;
}

// 从原生的网络请求中解析结果,子类必须覆写
public abstract T parseResponse(Response response);

// 处理 Response,该方法需要运行在 UI 线程
public final void deliveryResponse(Response response) {
    // 解析得到请求结果
    T result = parseResponse(response);
    if (mRequestListener != null) {
        int stCode = response != null ? response.getStatusCode() : -1;
        String msg = response != null ? response.getMessage() : "unkown error";
        mRequestListener.onComplete(stCode, result, msg);
    }
}
// 代码省略

protected String getParamsEncoding() {
    return DEFAULT_PARAMS_ENCODING;
}

public String getBodyContentType() {
    return "application/x-www-form-urlencoded; charset=" + getParamsEncoding();
}

// 返回 POST 或者 PUT 请求时的 Body 参数字节数组
public byte[] getBody() {
    Map<String, String> params = getParams();
    if (params != null && params.size() > 0) {
        return encodeParameters(params, getParamsEncoding());
    }
    return null;
}

// 将参数转换为 URL 编码的参数串 ,格式为 key1=value1&key2=value2
private byte[] encodeParameters(Map<String, String> params, String paramsEncoding
) {
    StringBuilder encodedParams = new StringBuilder();
    try {
        for (Map.Entry<String, String> entry : params.entrySet()) {
```

```
                encodedParams.append(URLEncoder.encode(entry.getKey(), paramsEncoding));
                encodedParams.append('=');
                encodedParams.append(URLEncoder.encode(entry.getValue(),
                        paramsEncoding));
                encodedParams.append('&');
            }
            return encodedParams.toString().getBytes(paramsEncoding);
        } catch (UnsupportedEncodingException uee) {
            throw new RuntimeException("Encoding not supported: " + paramsEncoding, uee);
        }
    }

    // 用于对请求的排序处理,根据优先级和加入到队列的序号进行排序
    @Override
    public int compareTo(Request<T> another) {
        Priority myPriority = this.getPriority();
        Priority anotherPriority = another.getPriority();
        // 如果优先级相等,那么按照添加到队列的序列号顺序来执行
        return myPriority.equals(another) ? this.getSerialNumber() - another.getSerialNumber()
            : myPriority.ordinal() - anotherPriority.ordinal();
    }

    /**
     * 网络请求 Listener,会被执行在 UI 线程
     * @param <T> 请求的 response 类型
     */
    public static interface RequestListener<T> {
        // 请求完成的回调
        public void onComplete(int stCode, T response, String errMsg);
    }
}
```

上述代码 Request<T>为抽象类，T 则为该请求 Response 的数据格式。这个 T 是 Request 类中的一个比较重要的点。不同的人有不同的需求，即请求 Reponse 的数据格式并不都是一样的，我们必须考虑到请求返回类型的多样性，用泛型 T 来表示返回的数据格式类型。Request 子类覆写 parseResponse 函数实现将 Response 的数据格式转换为具体的形式，例如 Json、XML。最后调用请求 Listener 将请求结果执行在 UI 线程，这样整个请求就完成了。

每个 Request 都有一个序列号，该序列号由请求队列生成，标识该请求在队列中的序号，该序号和请求优先级决定了该请求在队列中的排序，即它在请求队列的执行顺序。每个请求有请求方式，例如“POST”、“GET”，这里我们用枚举来代替，具名类型比单纯的字符串更易于使用。每个 Request 都可以添加 Header、Body 参数（关于请求参数的格式可以参考 4 种常见的 POST 提交数据方式），并且可以取消。抽象类封装了通用的代码，只有可变的部分是抽象函数，这里只有 parseResponse 这个函数。

例如，我们返回的数据格式是 Json，那么我们构建一个子类叫做 JsonRequest，示例代码如下：

```
// 返回的数据类型为 Json 的请求, Json 对应的对象类型为 JSONObject
public class JsonRequest extends Request<JSONObject> {

    public JsonRequest(HttpMethod method, String url, RequestListener<JSONObject> liste
ner) {
        super(method, url, listener);
    }

    // 将 Response 的结果转换为 JSONObject
```

```
    @Override
    public JSONObject parseResponse(Response response) {
        String jsonString = new String(response.getRawData());
        try {
            return new JSONObject(jsonString);
        } catch (JSONException e) {
            e.printStackTrace();
        }
        return null;
    }
}
```

从上述程序中可以看到，实现一个请求类还是非常简单的，只需要覆写 parseResponse 函数来转换为具体数据格式即可。这样就保证了可扩展性，比如后面如果我想使用这个框架来做一个 ImageLoader，那么我可以创建一个 ImageRequest，该请求返回的类型就是 Bitmap，那么我们只需要覆写 parseResponse 函数，然后把 Response 的数据转换成 Bitmap 即可。

### 4.3.3 Response 类

每个 Request 都对应一个 Response，Response 类是 HTTP 响应报文的表示，它存储了请求的状态码、请求结果等内容。但这里的问题是，这个 Response 的数据格式我们是不知道的。我们写的是框架，不是应用。框架只是构建一个基本环境，并且附带一些比较常用的类，比如这里的 JsonRequest。但是重要的一点是可以让用户自由、简单地扩展以实现他的需求。对于 Response 类来说，我们最重要的一点就是要确定请求结果的数据格式类型。我们都知道，HTTP 实际上是基于 TCP 协议，而 TCP 协议又是基于 Socket，Socket 实际上操作的也就是输入、输出流，输出流是向服务器写数据，输入流是从服务器读取数据。因此，我们在 Response 类中应该使用 InputStream 存储结果或者使用更为易于使用的字节数组，这里我们使用字节数组来存储。我们来看 Response 类：

```
// 请求结果类,继承自 BasicHttpResponse,将结果存储在 rawData 中
public class Response extends BasicHttpResponse {
    // 原始的 Response 主体数据
    public byte[] rawData = new byte[0];

    public Response(StatusLine statusLine) {
        super(statusLine);
    }

    public Response(ProtocolVersion ver, int code, String reason) {
        super(ver, code, reason);
    }

    @Override
    public void setEntity(HttpEntity entity) {
        super.setEntity(entity);
        rawData = entityToBytes(getEntity());
    }

    public byte[] getRawData() {
        return rawData;
    }
```

```
        // 代码省略
       /** Reads the contents of HttpEntity into a byte[]. */
        private byte[] entityToBytes(HttpEntity entity) {
               try {
                    return EntityUtils.toByteArray(entity);
                } catch (IOException e) {
                   e.printStackTrace();
                }
                return new byte[0];
        }

}
```

这个类很简单，只是继承了 BasicHttpResponse，然后将输入流转换成字节数组。我们将结果存储为字节数组，这样用户可以很方便地将结果转换为 String、bitmap 等数据类型，如果直接存储的是 InputStream，那么在很多时候用户需要在外围将 InputStream 先转换为字节数组，然后再转换为最终的格式，例如 InputStream 转为 String 类型。这也是为什么我们这里选用 byte[]而不用 InputStream 的原因。

### 4.3.4 请求队列

网络请求队列实际上就是在内部封装了一个优先级队列，在构建队列时会启动指定个数的 NetworkExecutor（继承自 Thread）来从请求队列中获取、执行请求。请求队列会根据请求的优先级、序列号对所有 Request 进行排序，这样就保证了一些优先级高的请求得到尽快的处理，这也就是为什么 Request 类中实现了 Comparable 接口的原因。如果优先级一致的情况下，则会根据请求加入到队列的顺序来排序，这个序号由请求队列生成，这样就保证了优先级一样的情况下按照 FIFO 的策略执行：

```
// 请求队列, 使用优先队列,使得请求可以按照优先级进行处理
public final class RequestQueue {
     // 线程安全的请求队列
     private BlockingQueue<Request<?>> mRequestQueue = new
          PriorityBlockingQueue<Request<?>>();
     //  请求的序列化生成器
      private AtomicInteger mSerialNumGenerator = new AtomicInteger(0);
     // 默认的核心数 为 CPU 格式加 1
      public static int DEFAULT_CORE_NUMS = Runtime.getRuntime().availableProcessors()+1;
     // CPU 核心数 + 1 个分发线程数
      private int mDispatcherNums = DEFAULT_CORE_NUMS;
      // NetworkExecutor,执行网络请求的线程
      private NetworkExecutor[] mDispatchers = null;
     // Http 请求的真正执行者
     private HttpStack mHttpStack;

     protected RequestQueue(int coreNums, HttpStack httpStack) {
             mDispatcherNums = coreNums;

             mHttpStack = httpStack != null ? httpStack:HttpStackFactory.createHttpStack();
      }

     // 启动 NetworkExecutor
      private final void startNetworkExecutors() {
           mDispatchers = new NetworkExecutor[mDispatcherNums];
```

```
            for (int i = 0; i < mDispatcherNums; i++) {
                mDispatchers[i] = new NetworkExecutor(mRequestQueue, mHttpStack);
                mDispatchers[i].start();
            }
    }

    public void start() {
        stop();
        startNetworkExecutors();
    }

    /**
     * 停止 NetworkExecutor
     */
    public void stop() {
        if (mDispatchers != null && mDispatchers.length > 0) {
            for (int i = 0; i < mDispatchers.length; i++) {
                mDispatchers[i].quit();
            }
        }
    }

    // 添加请求到队列中
    public void addRequest(Request<?> request) {
        if (!mRequestQueue.contains(request)) {
            // 为请求设置序列号
            request.setSerialNumber(this.generateSerialNumber());
            mRequestQueue.add(request);
        } else {
            Log.d("", "### 请求队列中已经含有");
        }
    }
    // 代码省略

    // 为每个请求生成一个系列号
    private int generateSerialNumber() {
        return mSerialNumGenerator.incrementAndGet();
    }
}
```

在 RequestQueue 类中两个核心就是请求队列 mRequestQueue 以及 NetworkExecutor。mRequestQueue 负责管理请求，而 NetworkExecutor 负责在后台执行请求。但是，真正发起 HTTP 请求的并不是 NetworkExecutor，而是 HttpStack。HttpStack 这是一个接口，只有一个函数，该接口定义了执行网络请求的抽象。看来 RequestQueue 也只是一只“披着羊皮的狼”罢了，真正干活的并非是它。

### 4.3.5 NetworkExecutor 网络执行器

用户需要创建并且启动一个请求队列之后，指定个数的 NetworkExecutor（继承自 Thread）将会随之启动。这多个 NetworkExecutor 共享一个消息队列，在各个 NetworkExecutor 的 run 函数中循环地取请求队列中的请求，拿到一个请求之后通过 HttpStack 对象来真正地执行请求，最终将请求结果通过 ResponseDelivery 分发给 UI 线程。这样看来，NetworkExecutor 在 SimpleNet 中扮演着极为重要的角色，可以说是 SimpleNet 的“心脏”。它就像汽车中的发动机，人体中的心脏一样，带动着整个框架的运行。

NetworkExecutor 实质上是一个 Thread，在 run 方法中我们会执行一个循环，不断地从请求队列中取得请求，然后交给 HttpStack，由于比较简单我们直接把代码贴出来：

```
// 网络请求 Executor,继承自 Thread,从网络请求队列中循环读取请求并且执行
final class NetworkExecutor extends Thread {
     // 网络请求队列
      private BlockingQueue<Request<?>> mRequestQueue;
      // 网络请求栈
      private HttpStack mHttpStack;
     // 结果分发器,将结果投递到主线程
      private static ResponseDelivery mResponseDelivery = new ResponseDelivery();
     // 请求缓存
     private static Cache<String, Response> mReqCache = new LruMemCache();
      // 是否停止
      private boolean isStop = false;


      public NetworkExecutor(BlockingQueue<Request<?>> queue, HttpStack httpStack) {

           mRequestQueue = queue;
           mHttpStack = httpStack;
      }

    @Override
    public void run() {
        try {
           while (!isStop) {
                  final Request<?> request = mRequestQueue.take();
                  if (request.isCanceled()) {
                  Log.d("### ", "### 取消执行了");
                  continue;
             }
             Response response = null;
             if (isUseCache(request)) {
                  // 从缓存中取
                  response = mReqCache.get(request.getUrl());
              } else {
                  // 从网络上获取数据
                 response = mHttpStack.performRequest(request);
                 // 如果该请求需要缓存,那么请求成功则缓存到 mResponseCache 中
                 if (request.shouldCache() && isSuccess(response)) {
                     mReqCache.put(request.getUrl(), response);
                  }
               }
               // 分发请求结果
               mResponseDelivery.deliveryResponse(request, response);
             }
           } catch (InterruptedException e) {
               Log.i("", "### 请求分发器退出");
             }

     }

    private boolean isSuccess(Response response) {
       return response != null && response.getStatusCode() == 200;
    }

    private boolean isUseCache(Request<?> request) {
      return request.shouldCache() && mReqCache.get(request.getUrl()) != null;
```

```
    }

    public void quit() {
        isStop = true;
        interrupt();
    }
}
```

在启动请求队列时，我们会启动指定数量的NetworkExecutor ，在构造NetworkExecutor时会将请求队列以及HttpStack注入，这样NetworkExecutor就具有了两大元素，即请求队列和HttpStack。然后在run函数的循环中不断地从请求队列取出请求，并且交给HttpStack执行，其间还会判断该请求是否需要缓存、是否已经有缓存，如果使用缓存、并且已经含有缓存，那么则使用缓存的结果等。在run函数中执行HTTP请求，这样就将网络请求执行在子线程中。

### 4.3.6 执行网络请求的接口——HttpStack

HttpStack只是一个接口，只有一个performRequest函数，也就是执行请求：

```
// 执行网络请求的接口
public interface HttpStack {
       /**
        * 执行 HTTP 请求
       * @param request 待执行的请求
       * @return 返回 Response
       */
        public Response performRequest(Request<?> request);
}
```

HttpStack是网络请求的真正执行者，SimpleNet中有HttpClientStack和HttpUrlConnStack。两者内部实用的类库分别为Apache的HttpClient和Java的HttpURLConnection，上文我们已经说明了如何选择这两种实现。

在SimpleNet中，默认情况下会根据API版本来构建对应的HttpStack，当然用户也可以自己实现一个HttpStack，然后通过SimpleNet的工厂函数传递进来。

例如：

```
/**
 * @param coreNums 线程核心数
 * @param httpStack http 执行器
 */
protected RequestQueue(int coreNums, HttpStack httpStack) {
    mDispatcherNums = coreNums;
    mHttpStack = httpStack != null ? httpStack : HttpStackFactory.createHttpStack();
}
```

在构造请求队列时用户可能会传递HttpStack，如果httpStack为空，则由HttpStackFactory根据API版本生成对应的HttpStack。即API 9以下是HttpClientStack，API 9及其以上则为HttpUrlConnStack。

```
// 根据 API 版本选择 HttpClient 或者 HttpURLConnection
public final class HttpStackFactory {

    private static final int GINGERBREAD_SDK_NUM = 9;
```

```
        /**
         * 根据 SDK 版本号来创建不同的 HTTP 执行器,即 SDK 9 之前使用 HttpClient,之后则使用
HttlUrlConnection,
         * @return 具体的 HttpStack
         */
    public static HttpStack createHttpStack() {
            int runtimeSDKApi = Build.VERSION.SDK_INT;
             if (runtimeSDKApi >= GINGERBREAD_SDK_NUM) {
                 return new HttpUrlConnStack();
             }
             return new HttpClientStack();
    }
}
```

HttpClientStack 和 HttpUrlConnStack 分别就是封装了 HttpClient 和 HttpURLConnection 的 HTTP 请求，构建请求、设置 header、设置请求参数、解析 Response 等操作。针对于这一层，我们没有给出一个抽象类，原因是 HttpClient 和 HttpURLConnection 并不属于同一个类族，它们的行为虽然都很相似，但是其中涉及的一些类型却是不同的。这里我们给出 HttpUrlConnStack 的示例：

```
// 使用 HttpURLConnection 执行网络请求的 HttpStack
public class HttpUrlConnStack implements HttpStack {

    @Override
    public Response performRequest(Request<?> request) {
        HttpURLConnection urlConnection = null;
        try {
                // 构建 HttpURLConnection
                 urlConnection = createUrlConnection(request.getUrl());
                // 设置 headers
                setRequestHeaders(urlConnection, request);
                // 设置 Body 参数
                setRequestParams(urlConnection, request);
                 return fetchResponse(urlConnection);
        } catch (Exception e) {
                 e.printStackTrace();
        } finally {
                if (urlConnection != null) {
                    urlConnection.disconnect();
                 }
        }
        return null;
    }

    private HttpURLConnection createUrlConnection(String url) throws IOException {
            URL newURL = new URL(url);
            URLConnection urlConnection = newURL.openConnection();
             urlConnection.setConnectTimeout(mConfig.connTimeOut);
             urlConnection.setReadTimeout(mConfig.soTimeOut);
             urlConnection.setDoInput(true);
             urlConnection.setUseCaches(false);
            return (HttpURLConnection) urlConnection;
    }

    private void setRequestHeaders(HttpURLConnection connection, Request<?> request) {
            Set<String> headersKeys = request.getHeaders().keySet();
            for (String headerName : headersKeys) {
                connection.addRequestProperty(headerName,
```

```
                request.getHeaders().get(headerName));
        }
    }

    protected void setRequestParams(HttpURLConnection connection, Request<?> request)

            throws ProtocolException, IOException {
        HttpMethod method = request.getHttpMethod();
        connection.setRequestMethod(method.toString());
        // add params
        byte[] body = request.getBody();
        if (body != null) {
            // enable output
            connection.setDoOutput(true);
            // set content type
            connection
              .addRequestProperty(Request.HEADER_CONTENT_TYPE,
                  request.getBodyContentType());
            // write params data to connection
            DataOutputStream dataOutputStream = new DataOutputStream(
                        connection.getOutputStream());
            dataOutputStream.write(body);
            dataOutputStream.close();
        }
    }

    private Response fetchResponse(HttpURLConnection connection) throws IOException {

       // Initialize HttpResponse with data from the HttpURLConnection.
       ProtocolVersion protocolVersion = new ProtocolVersion("HTTP", 1, 1);
       int responseCode = connection.getResponseCode();
       if (responseCode == -1) {
           throw new IOException("Could not retrieve response code from HttpUrlC
           onnection.");
       }
       // 状态行数据
       StatusLine responseStatus = new BasicStatusLine(protocolVersion,
           connection.getResponseCode(), connection.getResponseMessage());
       // 构建 response
       Response response = new Response(responseStatus);
       // 设置 response 数据
       response.setEntity(entityFromURLConnwction(connection));
       addHeadersToResponse(response, connection);
       return response;
    }

    /**
     * 执行 HTTP 请求之后获取到其数据流,即返回请求结果的流
     * @param connection
     * @return
     */
    private HttpEntity entityFromURLConnwction(HttpURLConnection connection) {
       BasicHttpEntity entity = new BasicHttpEntity();
       InputStream inputStream = null;
       try {
           inputStream = connection.getInputStream();
       } catch (IOException e) {
           e.printStackTrace();
           inputStream = connection.getErrorStream();
       }
```

```
            // TODO : GZIP
             entity.setContent(inputStream);
            entity.setContentLength(connection.getContentLength());
            entity.setContentEncoding(connection.getContentEncoding());
            entity.setContentType(connection.getContentType());
             return entity;
    }

    private void addHeadersToResponse(BasicHttpResponse response, HttpURLConnection
connection) {
        for (Entry<String, List<String>> header : connection.getHeaderFields().entrySet()){
             if (header.getKey() != null) {
                  Header h = new BasicHeader(header.getKey(), header.getValue().get
(0));
                  response.addHeader(h);
             }
        }
    }

}
```

简单来说就是构建 HttpURLConnection，并且通过 HttpURLConnection 对象设置请求 Header、参数，然后发起请求，请求完成之后解析结果，并且返回 Response。

### 4.3.7　将请求的回调执行到 UI 线程——ResponseDelivery

在 HttpStack 的 performRequest 函数中，我们会返回一个 Response 对象，该对象包含了我们请求对应的 Response。我们在 NetworkExecutor 中执行 HTTP 请求的最后一步会将结果分发给 UI 线程，主要工作其实就是将请求的回调执行到 UI 线程，以便用户可以更新 UI 等操作。这一步工作我们通过 ResponseDelivery 实现，我们先看看 NetworkExecutor 类 run 函数的：

```
@Override
public void run() {
     try {
          while (!isStop) {
            final Request<?> request = mRequestQueue.take();
            if (request.isCanceled()) {
                 Log.d("### ", "### 取消执行了");
               continue;
            }
            Response response = null;
            if (isUseCache(request)) {
                 // 从缓存中获取
                   response = mReqCache.get(request.getUrl());
            } else {
                 // 从网络上获取数据
                 response = mHttpStack.performRequest(request);
                 // 如果该请求需要缓存,那么请求成功则缓存到mResponseCache中
                 if (request.shouldCache() && isSuccess(response)) {
                     mReqCache.put(request.getUrl(), response);
                 }
             }
             // 分发请求结果到UI线程
             mResponseDelivery.deliveryResponse(request, response);
          }
    } catch (InterruptedException e) {
      Log.i("", "### 请求分发器退出");
```

```
        }
    }
```

不管是从缓存中获取还是从网络上获取，我们得到的都是一个 Response 对象，最后我们通过 ResponseDelivery 对象将结果分发给 UI 线程。

ResponseDelivery 其实就是封装了关联了 UI 线程消息队列的 Handler，在 deliveryResponse 函数中将 request 的 deliveryResponse 执行在 UI 线程中。既然我们关联了 UI 线程的 Handler 对象，那么直接构建一个 Runnable，在该 Runnable 中执行 request 的 deliveryResponse 函数即可。在 Request 类的 deliveryResponse 中，又会调用 parseResponse 解析 Response 结果，返回的结果类型就是 Request<T>中的 T，这个 T 是在 Request 子类中指定，例如 JsonRequest，那么返回的 Response 的结果就是 JSONObject。这样我们就得到了服务器返回的 Json 数据，并且将这个 Json 结果通过回调的形式传递给了 UI 线程。最终用户可以在该回调中得到具体格式的数据并且更新 UI。

ResponseDelivery 代码如下：

```
// 请求结果投递类,将请求结果投递给 UI 线程
class ResponseDelivery implements Executor {
    // 关联主线程消息队列的 hander
    Handler mResponseHandler = new Handler(Looper.getMainLooper());

    /**
     * 处理请求结果,将其执行在 UI 线程
     *
     * @param request
     * @param response
     */
    public void deliveryResponse(final Request<?> request, final Response response) {

        Runnable respRunnable = new Runnable() {

            @Override
            public void run() {
              request.deliveryResponse(response);
            }
        };

        execute(respRunnable);
    }

    @Override
    public void execute(Runnable command) {
        mResponseHandler.post(command);
    }

}
```

这样，整个请求过程就完成了。

使用代码：

```
// 1.构建并启动请求队列
RequestQueue mQueue = SimpleNet.newRequestQueue();

/**
 * 发送 GET 请求,返回的是 String 类型的数据, 同理还有{@see JsonRequest}、{@see MultipartRequest}
 */
```

```
private void sendStringRequest() {
    // 2.构建请求
    StringRequest request = new StringRequest(HttpMethod.GET, "http://www.baidu.com",
        new RequestListener<String>() {

            @Override
            public void onComplete(int stCode, String response, String errMsg) {
                // 处理结果
            }
        });
    // 3. 将请求添加到请求队列中
    mQueue.addRequest(request);
}
```

首先我们需要创建并启动请求队列，在启动请求队列的过程中又会启动 NetworkExecutor，每个 NetworkExecutor 的 run 函数中会不断地从请求队列中获取、执行请求。因此第二步我们创建了一个 StringRequest，然后将该请求添加到队列中，此时该请求就会被某个 NetworkExecutor 执行，最后结果通过 RequestListener 回调到 UI 线程。

我们再次总结一下这个请求、分发过程：

不同用户的服务器返回的数据格式是不一致的，因此，我们定义了 Request<T>泛型基类，泛型 T 就是返回的数据格式类型。比如返回的数据格式为 Json，那对应的请求就是 JsonRequest，泛型 T 为 JSONObject。在 JsonRequest 中覆写 parseResponse 函数，将得到的 Response 中的原始数据转换成 JSONObject。然后将请求放到队列中，NetworkExecutor 将请求分发给 HttpStack 执行，执行完成之后得到 Response 对象，最终 ResponseDelivery 调用 Request 的 deliveryResponse 函数，在该函数中又调用了 Request 类的 parseResponse 函数得到具体的数据，并且执行了请求回调，而又由于这些操作都被 ResponseDelivery 投递到 UI 线程，因此用户可以在回调中更新 UI。

理解这个抽象过程将会让你对该网络框架有一个整体的把握，对于网络框架又会有一个更深的认识。因此，自行完成该框架并且进行思考，你将获得意想不到的收获。

### 4.3.8　手动实现文件上传

在开发当中，我们常常需要实现文件上传，比较常见的就是图片上传，比如修改个头像什么的。但是，这个功能在 Android 和 iOS 中都没有默认的实现类，对于 Android 我们可以使用 Apache 提供的 HttpClient.jar 来实现这个功能，其中依赖的类就是 Apache 的 httpmime.jar 中的 MultipartEntity 这个类。如要实现一个文件上传功能，但还得下载一个 jar 包，而这个 jar 包大小为几十 KB，这成本实在是有些高！今天我们就来自己实现文件上传功能，并且弄懂它们的原理。

#### 4.3.8.1　自定义实现 MultipartEntity

我们知道，HTTP 协议就是基于 TCP 的一套网络请求协议，根据该协议规定的格式传输数据，然后服务器返回结果。如果参数传递错了，服务器就会返回错误信息。前文我们说过，HTTP 的报文格式大致如下：

```
请求行
请求 header 属性

--分隔符
```

```
参数 header 属性
参数 1
--分隔符
参数 header 属性
参数 2
```

因此，只要我们根据报文格式来向服务器发送请求，并且服务器能够正确解析、处理，那么就能完成所需要的功能！对于实现文件上传来说，我们需要做的就是将文件数据按照 HTTP 报文的格式写入到 Socket 的输出流中，这样文件数据就作为 HTTP 报文中的一个参数。通常来说，当我们上传文件时报文的 Content-Type 都设置为 multipart/form-data 格式。

我们创建了一个 HttpEntity 子类 MultipartEntity 来存储请求的数据，下面我们就来看 MultipartEntity 的实现：

```
public class MultipartEntity implements HttpEntity {

   private final static char[] MULTIPART_CHARS = "-_1234567890abcdefghijklmnopqrstuvw
xyzABCDEFGHIJKLMNOPQRSTUVWXYZ"
          .toCharArray();
    // 回车符和换行符
    private final String NEW_LINE_STR = "\r\n";
    private final String CONTENT_TYPE = "Content-Type: ";
    private final String CONTENT_DISPOSITION = "Content-Disposition: ";
    // 文本参数和字符集
    private final String TYPE_TEXT_CHARSET = "text/plain; charset=UTF-8";

    // 字节流参数
    private final String TYPE_OCTET_STREAM = "application/octet-stream";
    //  字节数组参数
    private final byte[] BINARY_ENCODING = "Content-Transfer-Encoding: binary\r\n\r\n".getBytes();
    // 文本参数
    private final byte[] BIT_ENCODING = "Content-Transfer-Encoding: 8bit\r\n\r\n".getBytes();
    // 参数分隔符
    private String mBoundary = null;
    // 输出流 , 用于缓存参数数据
    ByteArrayOutputStream mOutputStream = new ByteArrayOutputStream();

    public MultipartEntity() {
       this.mBoundary = generateBoundary();
    }

    // 生成并返回参数的 boundary 分隔符
    private final String generateBoundary() {
       final StringBuffer buf = new StringBuffer();
       final Random rand = new Random();
        for (int i = 0; i < 30; i++) {
            buf.append(MULTIPART_CHARS[rand.nextInt(MULTIPART_CHARS.length)]);
        }
        return buf.toString();
    }

    // 参数开头的分隔符
    private void writeFirstBoundary() throws IOException {
      mOutputStream.write(("--" + mBoundary + "\r\n").getBytes());
    }

    // 添加文本参数
```

```
    public void addStringPart(final String paramName, final String value) {
        writeToOutputStream(paramName, value.getBytes(),
                TYPE_TEXT_CHARSET, BIT_ENCODING, "");
    }

    /**
     * 将数据写入到输出流中
     * @param key 参数名
     * @param rawData 原始的字节数据
     * @param type 类型
     * @param encodingBytes 编码类型
     * @param fileName 文件名
     */
    private void writeToOutputStream(String paramName, byte[] rawData, String type,
            byte[] encodingBytes,
            String fileName) {
            try {
                writeFirstBoundary();
                mOutputStream.write((CONTENT_TYPE + type + NEW_LINE_STR).getBytes());
                mOutputStream
                        .write(getContentDispositionBytes(paramName, fileName));
                mOutputStream.write(encodingBytes);
                mOutputStream.write(rawData);
                mOutputStream.write(NEW_LINE_STR.getBytes());
        } catch (final IOException e) {
                e.printStackTrace();
        }
    }

    /**
     * 添加字节数组参数, 例如 Bitmap 的字节流参数
     * @param key 参数名
     * @param rawData 字节数组数据
     */
    public void addByteArrayPart(String paramName, final byte[] rawData) {
        writeToOutputStream(paramName, rawData,
TYPE_OCTET_STREAM, BINARY_ENCODING, "no-file");
    }

    /**
     * 添加文件参数,可以实现文件上传功能
     * @param key 参数名
     * @param file 文件参数
     */
    public void addFilePart(final String key, final File file) {
        InputStream fin = null;
        try {
            fin = new FileInputStream(file);
            writeFirstBoundary();
            final String type = CONTENT_TYPE + TYPE_OCTET_STREAM + NEW_LINE_STR;
            mOutputStream.write(getContentDispositionBytes(key, file.getName()));
            mOutputStream.write(type.getBytes());
            mOutputStream.write(BINARY_ENCODING);

            final byte[] tmp = new byte[4096];
            int len = 0;
            while ((len = fin.read(tmp)) != -1) {
                mOutputStream.write(tmp, 0, len);
            }
            mOutputStream.flush();
        } catch (final IOException e) {
            e.printStackTrace();
        } finally {
```

```
            closeSilently(fin);
        }
    }

    private void closeSilently(Closeable closeable) {
        try {
            if (closeable != null) {
                closeable.close();
            }
        } catch (final IOException e) {
            e.printStackTrace();
        }
    }

    private byte[] getContentDispositionBytes(String paramName, String fileName) {
        StringBuilder stringBuilder = new StringBuilder();
        stringBuilder.append(CONTENT_DISPOSITION + "form-data; name=\"" + paramName + "\"");
        // 文本参数没有 filename 参数,设置为空即可
        if (!TextUtils.isEmpty(fileName)) {
            stringBuilder.append("; filename=\""
                    + fileName + "\"");
        }

        return stringBuilder.append(NEW_LINE_STR).toString().getBytes();
    }

    @Override
    public long getContentLength() {
        return mOutputStream.toByteArray().length;
    }

    @Override
    public Header getContentType() {
       return new BasicHeader("Content-Type",
            "multipart/form-data; boundary=" + mBoundary);
    }
     // 代码省略

    @Override
    public void writeTo(final OutputStream outstream) throws IOException {
        // 参数最末尾的结束符
        final String endString = "--" + mBoundary + "--\r\n";
        // 写入结束符
        mOutputStream.write(endString.getBytes());
        //  将缓存在 mOutputStream 中的数据全部写入到 outputStream 中
        outstream.write(mOutputStream.toByteArray());
    }

    @Override
    public Header getContentEncoding() {
        return null;
    }

    @Override
    public void consumeContent() throws IOException,
            UnsupportedOperationException {
        if (isStreaming()) {
            throw new UnsupportedOperationException(
                    "Streaming entity does not implement #consumeContent()");
        }
    }

    @Override
```

```
    public InputStream getContent() {
        return new ByteArrayInputStream(mOutputStream.toByteArray());
    }
}
```

MultipartEntity 继承自 HttpEntity，因此该类不仅可以用于 Apacha 的 HttpClient 类族，也可以用于其他 HTTP 请求类库。用户可以通过 addStringPart、addByteArrayPart、addFilePart 来向 MultipartEntity 添加参数，分别表示添加字符串参数、添加字节参数、添加文件参数。每个参数都按照 HTTP 规定的格式写入，格式如下：

```
--随机生成的 boundary 值
参数的 header 属性
空行
参数值
```

在 MultipartEntity 中有一个 ByteArrayOutputStream 对象，先将这些参数写到这个输出流中，当执行网络请求时，会执行 writeTo(final OutputStream outstream)函数，在该函数中再将 mOutputStream 中所有参数的字节流数据写入客户端与服务器建立的 TCP 连接的输出流中，这样就将客户端的参数传递给服务器了。当然，我们需要按照格式来向 ByteArrayOutputStream 对象中写数据。

例如，要向服务器发送一个文本、一张 bitmap 图片、一个文件，即这个请求有 3 个参数。代码如下：

```
MultipartEntity multipartEntity = new MultipartEntity();
// 文本参数
multipartEntity.addStringPart("type", "我的文本参数");
Bitmap bmp = BitmapFactory.decodeResource(getResources(), R.drawable.thumb);
// 字节数组参数
multipartEntity.addByteArrayPart("images", bitmapToBytes(bmp));
// 文件参数
multipartEntity.addFilePart("images", new File("storage/emulated/0/test.jpg"));

// POST 请求
HttpPost post = new HttpPost("url") ;
// 将 multipartEntity 设置给 POST
post.setEntity(multipartEntity);
// 使用 Http Client 来执行请求
HttpClient httpClient = new DefaultHttpClient() ;
httpClient.execute(post) ;
```

最终，MultipartEntity 的输出格式大致如下：

```
POST /api/feed/ HTTP/1.1
Content-Type: multipart/form-data; boundary=o3Fhj53z-oKToduAElfBaNU4pZhp4-
User-Agent: Dalvik/1.6.0 (Linux; U; Android 4.4.4; M040 Build/KTU84P)
Host: www.myhost.com
Connection: Keep-Alive
Accept-Encoding: gzip
Content-Length: 168518

--o3Fhj53z-oKToduAElfBaNU4pZhp4-
Content-Type: text/plain; charset=UTF-8
Content-Disposition: form-data; name="type"
Content-Transfer-Encoding: 8bit

This my type
--o3Fhj53z-oKToduAElfBaNU4pZhp4-
Content-Type: application/octet-stream
Content-Disposition: form-data; name="images"; filename="no-file"
```

```
Content-Transfer-Encoding: binary

这里是bitmap的字节数据
--o3Fhj53z-oKToduAElfBaNU4pZhp4-
Content-Type: application/octet-stream
Content-Disposition: form-data; name="file"; filename="storage/emulated/0/test.jpg"
Content-Transfer-Encoding: binary

这里是图片文件的字节数组数据
--o3Fhj53z-oKToduAElfBaNU4pZhp4---
```

看到以上结果很熟悉吧，这就是我们本章一直说的 POST、PUT 报文格式。不管是 Bitmap 还是文件，只是它的参数值变成了字节数组，以及 ContentType 参数变为了 application/octet-stream，Content-Transfer-Encoding 变为了 binary，其他的格式与普通文版参数几乎一致。

由此我们可以知道，HttpEntity 就是负责将参数构造成 HTTP 的报文格式，文本参数应是什么格式、文件应是什么格式和什么类型，这些格式都是固定的。构造完之后，在执行请求时会将该 HTTP 请求的输出流通过 writeTo（OutputStream）函数传递进来，然后将这些参数数据全部输出到 HTTP 输出流中即可。

一句话总结：通过 MultipartEntity 将参数格式化为 HTTP 报文格式缓存到一个流中，最后将这些数据全部写入到 HTTP 请求的输出流中。

#### 4.3.8.2 SimpleNet 中实现文件上传

上节我们已经实现了文件上传的一个最核心的类-MultipartEntity，现在我们就借助 MultipartEntity 类自定义一个 Request 实现文件上传功能，我们将该类命名为 MultipartRequest。下面看代码：

```
// Multipart 请求
public class MultipartRequest extends Request<String> {

    MultipartEntity mMultiPartEntity = new MultipartEntity();

    public MultipartRequest(String url, RequestListener<String> listener) {
        super(HttpMethod.POST, url, listener);
    }

    public MultipartEntity getMultiPartEntity() {
        return mMultiPartEntity;
    }

    @Override
    public String getBodyContentType() {
        return mMultiPartEntity.getContentType().getValue();
    }

    @Override
    public byte[] getBody() {
        ByteArrayOutputStream bos = new ByteArrayOutputStream();
        try {
            // 将 MultipartEntity 中的参数写入到 bos 中
            mMultiPartEntity.writeTo(bos);
        } catch (IOException e) {
            Log.e("", "IOException writing to ByteArrayOutputStream");
        }
        return bos.toByteArray();
    }
```

```
    @Override
    public String parseResponse(Response response) {
        if (response != null && response.getRawData() != null) {
            return new String(response.getRawData());
        }

        return "";
    }

}
```

MultipartRequest 继承自 Request<String>类，并且覆写了几个重要的方法，分别为 getBodyContentType、getBody、parseResponse，getBodyContentType 返回的是请求的 Content-Type 属性，在 MultipartEntity 中该属性为 multipart/form-data，因此该属性最终也是 multipart/form-data。而 getBody 则是获取请求 body 区域的字节数组，在该函数中我们将 MultipartEntity 中的数据写入到 bos 输出流中，最后将 bos 中的数据转换为字节数组返回给 HTTP 请求，这样一来 MultipartEntity 的数据就传递给了 HTTP 的输出流。需要注意的是，这也就是为什么 SimpleNet、Volley 不能上传大文件的原因，因为在这一步需要将参数数据全部转换为字节数组，如果文件过大那么就会产生 OOM。最后的 parseResponse 则是将返回的数据解析为 String 类型。

使用示例代码：

```
// 1.构建并启动请求队列
RequestQueue mQueue = SimpleNet.newRequestQueue();
/**
 * 发送 MultipartRequest,可以传字符串参数、文件、Bitmap 等参数,这种请求为 POST 类型
 */
protected void sendMultiRequest() {
    // 2.创建请求
    MultipartRequest multipartRequest = new MultipartRequest("你的 url",
            new RequestListener<String>() {
                @Override
                public void onComplete(int stCode, String response, String errMsg) {
                    // 该方法执行在 UI 线程
                }
            });

    // 3.添加各种参数
    // 添加 header
    multipartRequest.addHeader("header-name", "value");

    // 通过 multipartRequest 的 MultipartEntity 来设置参数
    MultipartEntity multi = multipartRequest.getMultiPartEntity();
    // 文本参数
    multi.addStringPart("location", "模拟的地理位置");
    multi.addStringPart("type", "0");

    Bitmap bitmap = BitmapFactory.decodeResource(getResources(),
    R.drawable.ic_launcher);
    // 直接上传 Bitmap
    multi.addByteArrayPart("images", bitmapToBytes(bitmap));
    // 上传文件
    multi.addFilePart("imgfile", new File("storage/emulated/0/test.jpg"));

    // 4.将请求添加到队列中
    mQueue.addRequest(multipartRequest);
}
```

我们首先构建了一个 MultiPartRequest 类，在 MultiPartRequest 中含有 MultiPartEntity 字段，然后我们通过 MultiPartEntity 设置各请求参数，比如文本参数、bitmap 图片、图片文件等，最后将该请求添加到请求队列中。SimpleNet 执行该请求时，会获取到该请求中所有参数的字节数组，并且将这些数据写入到 Http 的输出流中，也就是更底层的 TCP 的 Socket 输出流，最终将数据传递给服务器。

图 4-17 是使用 SimpleNet 的 MultiPartRequest 发送 POST 请求到我的应用的效果。

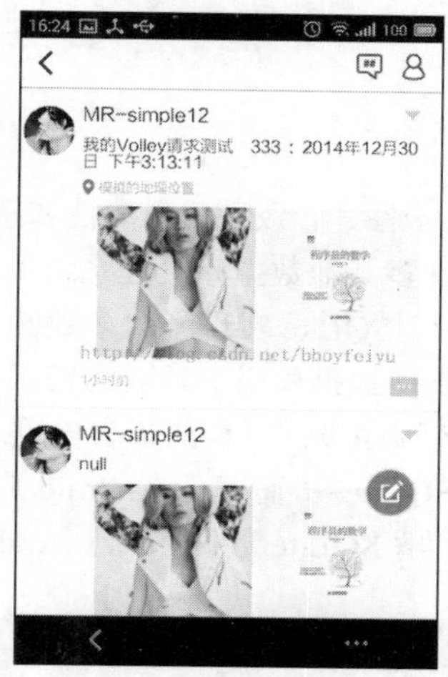


▲图 4-17　请求结果

从上文的分析中我们可知，不管是普通文本参数还是文件参数，无非都是构造固定的 HTTP 报文格式，变化的只是参数的 Content-Type、Content-Transfer-Encoding 以及参数值格式。最终将这些参数输入到 HTTP 请求的 Socket 输出流中，然后通过更底层的网络协议将数据传输到目标主机上。

我们知道 SimpleNet 与 Volley 一样无法传输大文件，那么如何设计才能够实现大文件传输？核心就在于如何将数据写入到输出流中，具体如何实现就交给大家作为练习吧！

## 4.4 小结

网络请求已经成为一个应用的最基本部分，因此，熟悉 HTTP 请求对于我们运用网络技术至关重要。在我们的应用中，基本上都是基于 HTTP 通信，我们不仅要学会使用开发环境提供的 API，更要熟悉它的基本原理，这样在我们需要扩展功能时就能够自行实现，而不是束手无策。本章我们从 HTTP 原理出发，学习了 HTTP 请求、Response 报文的格式以及各个错误码的含义，最后我们模拟了一个简单的 HTTP 服务器了解一个 HTTP 请求的基本流程，然后学习了 Android 中的网络请求 API 以及一个基本网络框架的设计与实现，从底层原理到高层网络框架实现都给出了具体的示例，使读者能够对 HTTP 网络技术有一个整体的把握。然而自己写一个网络库来用并不是一个明智的选择，市场上已经有很多稳定、好用的网络框架，例如 Volley、OkHttp，选择这些经过验证的网络库会让你的开发更加高效、稳定。

# 第5章　独特高效的数据存储——SQLite数据库

SQLite是一个遵守ACID（即原子性、一致性、隔离性和持久性）的关系数据库管理系统，它包含在一个很小的C程序库中。与许多其他数据库管理系统不同，SQLite不是一个C/S结构的数据库引擎，而是被集成在用户程序中。SQLite实现了大多数SQL标准，它使用动态的、弱类型的SQL语法。SQLite可能是最广泛部署的数据库引擎，因为它正在被一些流行的浏览器、操作系统、嵌入式系统所使用。同时，它有许多程序设计语言的语言内置绑定，像Android、iOS等移动操作系统中的数据库实现也正是使用的SQLite3。而对于Android应用开发来说，数据库模块恰好是最难以维护的地方之一，因此，深入了解SQLite数据库对于Android应用开发也是非常必要的。

## 5.1 SQLite3的基本介绍

不像常见的客户端/服务器结构数据库管理系统，SQLite引擎不是一个应用程序与之通信的独立进程。SQLite库链接到程序中，并成为应用的一部分。这个库也可被动态链接。应用程序经由编程语言内的直接API调用来使用SQLite的功能，这在减少数据库访问延迟上有积极作用，因为，在一个单一进程中的函数调用比跨进程通信更有效率。SQLite将整个数据库，包括定义、表、索引以及数据本身，作为一个单独的、可跨平台使用的文件存储在主机中。它采用了在写入数据时将整个数据库文件加锁的简单设计。尽管写操作只能串行进行，但SQLite的读操作可以多任务同时进行。

程序库实现了多数的SQL-92标准，包括事务，以及实现原子性、一致性、隔离性和持久性，但它缺失了某些特性。例如，它仅部分支持触发器。尽管它支持大多数的复杂查询，但它的ALTER TABLE功能有所限制，只能添加和重命名列，不能修改或删除列。因此，当需要修改、删除表的列名时，只能通过重新创建表的方式迂回进行。SQLite不进行类型检查，你可以把字符串插入到整数列中。某些用户发现这是使数据库更加有用的创新，特别是与无类型的脚本语言一起使用的时候；然而其他用户认为这是主要的缺点。但是SQLite的优点很明显，使得它能够在大型数据库纷繁的年代异军突起，成为很多系统、应用的首选。它的主要优点有如下几点：

（1）零配置，无需安装和配置；

（2）储存在单一磁盘文件中的一个完整的数据库；

（3）数据库文件可以在不同字节顺序的机器间自由共享；

（4）支持数据库大小至2TB；

（5）足够小，全部源代码大致 3 万行 C 代码，250KB；

（6）比目前流行的大多数数据库对数据的操作要快；

（7）开源。

SQLite 数据库采用模块化设计，由 8 个独立的模块构成，这些独立模块又构成了 3 个主要的子系统，模块将复杂的数据库操作过程分解为细小的工作进行处理。如图 5-1 所示。

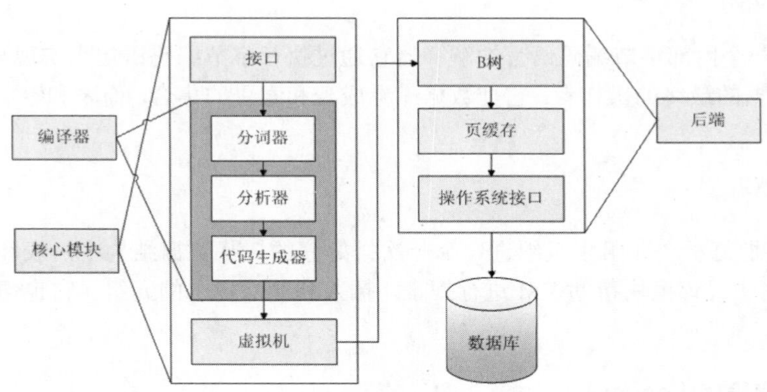


▲图 5-1 SQLite 基本结构

这些模块被分割为两个部分，分别为前端解析系统和后端引擎。前端解析系统负责将处理前端预处理应用程序传递过来的 SQL 语句和 SQLite 命令。对获取的编码分析、优化，并转换为后端能够执行的 SQLite 内部字节编码。

## 5.1.1 SQLite 前端解析系统

前端解析系统又可分为 3 个模块，分别为词法分析器、语法分析器、代码生成器。

### 1. 词法分析器（Tokenizer）

当执行一个包含 SQL 语句的字符串时，接口程序要把这个字符串传递给 Tokenizer。Tokenizer 的任务是把原有字符串分割成一个个标识符（token），并把这些标识符传递给解析器。

### 2. 语法分析器(Parser)

语法分析器的工作是在指定的上下文中赋予标识符具体的含义。SQLite 的语法分析器使用 Lemon LALR(1)分析程序生成器来产生，Lemon 做的工作与 YACC/BISON 相同，但它使用不同的输入句法，这种句法更不易出错。Lemon 还产生可重入的并且线程安全的语法分析器。Lemon 定义了非终结析构器的概念，当遇到语法错误时它不会泄露内存。

### 3. 代码生成器(Code Generator)

语法分析器在把标识符组装成完整的 SQL 语句后，就调用代码生成器产生虚拟机代码，以执行 SQL 语句请求的工作。

### 5.1.2　SQLite 后端引擎

后端是用来解释字节编码程序的引擎，该引擎做的才是真正的数据库处理工作。后端部分主要由 3 个模块组成。

#### 1. 虚拟机(VM)

VM 模块是一个内部字节编码语言的解释器它通过执行字节编码语句来实现 SQL 语句的工作。它是数据库中数据的最终的操作者。它把数据库看成表和索引的集合，而表和索引则是一系列的元组或者记录。

#### 2. B/B+树

B/B+树模块把每一个元组集组织进一个一次排好序的树状数据结构中，表和索引被分别置于单独的 B+和 B 树中。该模块帮助 VM 进行搜索，插入和删除树中的元组。它也帮助 VM 创建新的树和删除旧的树

#### 3. 页面调度程序（pager）

页面调度程序模块在原始文件的上层实现了一个面向页面的数据库文件抽象。它管理 B/B+树使用的内存内缓存（数据库页的），另外，它也管理文件的锁定，并用日志来实现事物的 ACID 属性。

职责分明、架构清晰、体积小、速度快、功能齐全，使得 SQLite 成为轻量级数据库的霸主。而像 Android、iOS 这样的移动系统中默认也都内置了 SQLite 数据库，因此，掌握 SQLite 对于移动开发人员来说都是一个必备的技能。

## 5.2 SQLite 中的 SQL 语句

对于普通工程师来说，我们与 SQLite 打交道的方式一般是通过 SQL 语句。SQLite 基本符合 SQL-92 标准，因此，SQLite 中的 SQL 语句与其他 SQL 语句并没有明显的区别。但是有一些功能在 SQLite 中并没有实现，在下面的学习过程中我们将会提到这些注意点。下面我们就开始进入 SQL 的学习之旅。

### 5.2.1　创建数据库

数据库的创建事实上并非通过 SQL 语句来创建，创建数据库可以通过如下命令实现：sqlite3 新的数据库名。例如，想创建一个名为 school.db 的数据库，那么在命令行下输入“sqlite3 school.db;”即可，此时就会进入到该数据库的操作命令页面中。

### 5.2.2　创建表

数据库创建成功后，下一步要做的就是在数据库中创建表。表是数据在数据库中的一个独立单

元，代表了某些实体数据类型，表由行和列组成。每一行代表一项数据，每一列则代表一个数据。表与表之间可以进行关联，形成一定的关系网，这样就可以将数据拆分到不同的表中，减少单表体积并且提升操作速度。

创建表的 SQL 语法为：

```
create [temp|temporary] table 表名 (字段 1 数据类型约束，......，字段 n 数据类型约束)；
```

注意，每一条 SQL 语句都以分号结尾，因此，不能少了末尾的“;”。表创建语法中，如果在 table 前面加上 temp 或者 temporary，那么表示这是一个临时表，临时表会在这次连接会话结束时自动销毁。table 后是表名，然后将各个字段声明在一个括号中。SQL 语句中的每个字段就代表了该表中的每一列，用户可以为每一列指定数据类型、添加约束。SQLite 中的数据类型只有 5 种，如表 5-1 所示。

表 5-1 数据类型

| 数 据 类 型 | 说 明 |
|---|---|
| Null | 数据值为空 |
| INTEGER | 整型 |
| REAL | 浮点型数据 |
| TEXT | 字符类型，使用数据库编码（UTF-8、UTF-16BE 或者 UTF-16LE）存放 |
| BLOB | 只是一个数据块，完全按照输入存放 |

从表 5-1 可以看出存储类比数据类型更一般化。比如 INTEGER 存储类，包括 6 种不同长度的不同整形数据类型，这在磁盘上造成了差异。但是，只要 INTEGER 值被从磁盘读出进入到内存进行处理，它们被转换成最一般的数据类型（8 字节的有符号整型）。

SQLite3 数据库中的任何列，除了整形主键列，可以用于存储任何一个存储列的值。SQL 语句中的所有值，不管它们是嵌入在 SQL 文本中或者是作为参数绑定到一个预编译的 SQL 语句，它们的存储类型都是未定的。在下面描述的情况中，数据库引擎会在查询执行过程中在数值（numeric）存储类型（INTEGER 和 REAL）和 TEXT 之间转换值。

需要注意的是，SQLite 没有单独的布尔存储类型，你可以使用 INTEGER 作为存储类型，0 为 false、1 为 true。SQLite 也没有代表日期和时间的数据类型，你可以将日期或者时间转换为字符串或者整型，然后通过 TEXT 或者 INTEGER 类型存储在数据库中。

### 1. 类型近似

为了使 SQLite 和其他数据库间的兼容性最大化，SQLite 支持列上“类型近似”的观点，列的类型近似指的是存储在列上数据的推荐类型。这里必须记住一点，这个类型是被推荐，而不是必须的。任何列仍然能存储任意类型的数据。只是一些列，给予选择的话，将会相比于其他的一些类型优先选择一些存储类型，这个列优先选择的存储类型被称为它的“近似”。

每个 SQLite3 数据库中的列都被赋予 5 种内置类型近似中的一种。例如，具有 TEXT 近似的列可以用 NULL、TEXT 或者 BLOB 类型存储数据。如果数值数据被插入到具有 TEXT 近似的列，在存储前被转换为文本形式。

一个与 NUMERIC 近似的列可以使用表 5-1 中的所有 5 种类型来存储数据。当文本数据被存放到 NUMERIC 近似的列中，这个文本的存储类被转换到 INTEGER 或 REAL（根据优先级顺序），如果这个转换是无损的话。对于文本的存储类被转换到 INTEGER 或 REAL（根据优先级顺序），如果数据的前 15 位被保留的话，SQLite 就认为这个转换是无损的、可反转的。如果 TEXT 到 INTEGER 或 REAL 的转换不可避免地会造成损失，那么数据将使用 TEXT 存储类存储。不会企图去转换 NULL 或 BLOB 值。

表 5-2　　　　数据类型转换

| 数 据 类 型 | Affinity 类型 |
| --- | --- |
| INT<br>INTEGER<br>TINYINT<br>SMALLINT<br>MEDIUMINT<br>BIGINT<br>UNSIGNED BIG INT<br>INT2<br>INT8 | INTEGER |
| CHARACTER(20)<br>VARCHAR(255)<br>VARYING CHARACTER(255)<br>NCHAR(55)<br>NATIVE CHARACTER(70)<br>NVARCHAR(100)<br>TEXT<br>CLOB | TEXT |
| BLOB<br>no datatype specified | NONE |
| REAL<br>DOUBLE<br>DOUBLE PRECISION<br>FLOAT | REAL |
| NUMERIC<br>DECIMAL(10,5)<br>BOOLEAN<br>DATE<br>DATETIME | NUMERIC |

从表 5-2 中我们可知，当创建表时某个列的数据类型与内置的 5 种类型相似时，会被转换为与之相似的内置类型。在了解了列的数据类型之后，我们再来看看每个列的约束，约束是对每个列的限制条件，例如不能为空、必须是唯一等。具体请看表 5-3。

表 5-3　　常用的约束条件

| 约束条件 | 作用 |
| --- | --- |
| NOT NULL | 非空 |
| UNIQUE | 唯一 |
| PRIMARY KEY | 主键 |
| FOREIGN KEY | 外键，在 SQLite 3.6.19 之前不支持外键，Android 2.2 使用的 SQLite 版本为 3.6.22，因此，Android 2.2 及其之后都支持外键 |
| CHECK | 条件检查 |
| DEFAULT | 字段的默认值 |

了解完字段相关的数据类型与约束之后，让我们来创建一个具体的表。我们在 school.db 数据库中创建一个班级表，名为 classes。该表中含有 3 个字段，分别为自增的主键 id、专业、年份。创建的 SQL 语句为：

```
CREATE TABLE 'classes' (
    'id' INTEGER PRIMARY KEY AUTOINCREMENT,
    'major' TEXT NOT NULL,
    'year' INTEGER NOT NULL
);
```

上述 SQL 语句中，表名以及字段名都用‘’裹，我们也可以去掉这两个“，”。我们再以另一种形式创建一个 students 的表，该表中包含学生 id 号、姓名、电话以及班级 id。SQL 语句如下：

```
create table students (id integer primary key autoincrement,
    name vachar(20) check(length(name) > 3),
    tel_no varchar(11) not null unique,
    cls_id integer not null,
    FOREIGN KEY(cls_id) REFERENCES classes(id)
) ;
```

在上述 SQL 语句中，同样将 id 设置为自增的主键，name 字段设置为长度在 3 到 20 之间的字符。电话号码 tel_no 设置为 not null，使得这字段为必填项。针对 tel_no 的另一约束是 unique 约束，该约束则表明在 students 表中一个电话号码必须是唯一的，多个记录中使用同一个 tel_no 将被拒绝。如果在一个表中需要将多个字段组合起来使之成为唯一，那么可以在 SQL 语句最后使用 unique 声明，如果想确保在 student 表中 name 与 tel_no 组合的唯一性，那么可以将 SQL 语句修改为如下：

```
create table students (id integer primary key autoincrement,
    name vachar(20) check(length(name) > 3),
    tel_no varchar(11) not null,
    cls_id integer not null,
    unique(name,tel_no),
    FOREIGN KEY(cls_id) REFERENCES classes(id)
) ;
```

最后一个特别明显的地方是我们为 students 的 cls_id 设置了一个外键，关联的是 classes 表的 id 字段。关于外键我们将会在后续的章节中讲到。

### 2. 主键约束

在 SQLite 中，一个表中必须有一个主键。默认情况下，SQLite 表中都含有一个内置的主键，它是一个 64 位的整型字段，称为 rowid。SQLite 为主键提供自动增长的特性，因此，rowid 的值也是按照顺序自动增长。用户可以使用 primary key 将一个表中的字段定义为主键，如果该字段为整型，那么还可以添加上 autoincreament 使之自动增长，例如上述 students 表中的 id 字段。

### 3. 外键约束

SQLite 支持关系理论中的关系完整性概念，关系完整性概念也称为外键。外键能够确保表中的关键值必须从另一个表中引用，且该数据必须在另一个表中存在，否则会操作失败或者引发其他的连锁反应，这些连锁反应用户可以进行定制。其中外键引用的表称为父表，如 classes 表；含有外键字段的表称为子表。

SQLite 在 3.6.19 版本中开始支持外键约束，但是，为了兼容以前的程序，默认并没有启用该功能，如果要启用该功能需要执行‘ PRAGMA foreign_keys = ON’命令。而在 Android 中 2.1 以前的版本使用的 SQLite 版本是 3.5.9，在 2.2 版本中使用的是 3.6.22，就目前而言应用的最低版基本上都高于 2.2，因此，可以认为 Android 系统中的 SQLite 都支持外键。如果你的程序中需要使用外键约束，可以在 SQLOpenHelper 类中的 onOpen 函数中启用该功能，代码如下：

```
@Override public void onOpen(SQLiteDatabase db) {
        super.onOpen(db);
        if(!db.isReadOnly()) {
             // 启动外键
             db.execSQL("PRAGMA foreign_keys=ON;");
        }
}
```

定义外键约束的格式如下：

```
FOREIGN KEY(子表中的列) REFERENCES 父表(父表中的字段)
[ON {DELETE|UPDATE} action
[NOT] DEFERRABLE INITIALLY {DEFERRED|IMMEDIATE} ]
```

外键约束分为 3 部分，其中黑色部分为必选，灰色部分为可选参数。第二行表示父表的记录删除或更新时子表中对应的操作，默认为 no action；第三行表示父表的记录被删除或更新时，子表对应操作的执行时机，该语句控制的是立即强制执行还是等到整个事务结束，默认为立即执行。

```
NOT DEFERRABLE INITIALLY DEFERRED         -- 立即执行的约束
NOT DEFERRABLE INITIALLY IMMEDIATE      --立即执行的约束
NOT DEFERRABLE                         --立即执行的约束
DEFERRABLE INITIALLY IMMEDIATE            --立即执行的约束
DEFERRABLE                             --立即执行的约束
DEFERRABLE INITIALLY DEFERRED              -- 延迟执行
```

下面是创建 students 表的 SQL 语句：

```
create table students (id integer primary key autoincrement,
     name vachar(20) check(length(name) > 3),
     tel_no varchar(11) not null,
     cls_id integer not null,
```

```
    unique(name,tel_no),
    FOREIGN KEY(cls_id) REFERENCES classes(id)
);
```

最后一句就是为 cls_id 设置了一个外键，这个外键关联的就是 classes 表中的 id。如果在插入 student 数据时指定的 cls_id 在 classes 表中不存在，那么操作将会失败。也就是说 classes 表中必须有该 cls_id 的记录时插入 students 数据才可以成功。

外键的 ON DELETE 和 ON UPDATE 从句，可以用来配置当从父表中删除某些行时发生的 ON DELETE 操作，或者修改存在的行的父键的值时发生的 ON UPDATE 操作。

单个外键约束可以为 ON DELETE 和 ON UPDATE 配置不同的行为，外键在很多时候类似于触发器（trigger）。ON DELETE 和 ON UPDATE 的行为含有如表 5-4 所示几种。

表 5-4

| 行　为 | 作　用 |
|---|---|
| NO ACTION | 如果没有明确指定行为,那么默认就是 NO ACTION，表示当父键被修改或者删除时，没有特别的行为发生 |
| RESTRICT | 存在一个或者多个子键外键引用了相应的父键时， 应用程序禁止删除(ON DELETE RESTRICT)或者修改(ON UPDATE RESTRICT) 父键。RESTRICT 与普通的外键约束的区别是， 当字段更新时, RESTRICT 行为立即发生 |
| SET NULL | 父键被删除(ON DELETE SET NULL) 或者修改 (ON UPDATE SET NULL)将字段设置为 null |
| SET DEFAULT | 父键被删除(ON DELETE SET NULL) 或者修改 (ON UPDATE SET NULL)将字段设置为默认值 |
| CASCADE | 将实施在父键上的删除或者更新操作,传播给与之关联的子键。例如，如果设置 students 表的外键 ON DELETE 行为为 CASCADE，那么当 classes 表中删除了 id 为 2 的记录之后，students 中的 cls_id 为 2 的记录就会被自动删除。如果是更新操作，那么两个表中关联的数据一并被更新 |

例如，我们要创建一个 students 表，当 classes 中的数据被删除或者更新时，students 表中对应 cls_id 的记录就发生相应的改变，即被自动删除或者更新值。SQL 语句如下：

```
create table students (id integer primary key autoincrement,
    // 字段省略
    FOREIGN KEY(cls_id) REFERENCES classes(id)
    ON DELETE CASCADE
    ON UPDATE CASCADE
);
```

### 5.2.3　插入数据

在创建表之后，我们通常下一步要做的就是插入数据。SQL 语句插入数据的关键字为 insert，完整的格式为：

```
insert into 表名 (字段列表) values(与字段列表中对应的字段值) ;
```

表名代表了要操作的目标数据库表，表名后面的括号中指定了要插入的字段，字段之间用逗号分隔，这些字段在表中必须是存在的。Values 的括号中跟着字段列表中的值，也用逗号分隔开。例如，在 classes 表中插入一条数据，SQL 如下：

```
insert into classes values(1,'software',2010);
```

当 values 中的取值包含了表中的所有字段值时字段列表可以省略，上述 SQL 就是插入了 id 为 1、专业名为 software、年份为 2010 的记录。如果 values 括号中的字段值并没有包含所有的字段，那么需要在表名后添加字段列表，如下所示：

```
insert into classes(major,year) values('markting',2008);
```

上述的 SQL 表示插入一条专业名为 markting、年份为 2008 的数据，其中班级 id 由数据库自动生成，它的值为上一条记录的 id 数值加 1，因为 id 含有 primary key autoincreament 约束。

在某些情况下一条一条插入数据显得过于笨拙，我们能够通过一些方式将数据批量地插入数据库中呢？答案是肯定的。insert 语句支持批量插入数据，形式为：

```
insert into 表名数据集。
```

例如，新建一个 stu 表，并且将 students 表中的数据导入都 stu 表中。创建 stu 表的 SQL 语句为：

```
CREATE TABLE 'stu' (
   'id' integer PRIMARY KEY ,
   'name' vachar(20),
   'tel_no' varchar(11) NOT NULL,
   'cls_id' integer NOT NULL
);
```

创建 stu 之后，我们将 students 中的数据批量插入到 stu 中，实现如下：

```
insert into stu select * from students ;
```

通过执行这条语句之后，students 中的数据就被导入 stu 表中了。

我们可以发现 stu 中的字段和 students 中的字段是一样的，那么，如果字段不一样的情况下我们如何操作呢？假设我们将 students 表中的 name、tel_no、cls_id 导入 stu 中，而 id 则由 stu 自动生成，SQL 如下：

```
insert into stu (name,tel_no,cls_id) select name,tel_no,cls_id from students ;
```

其实也就是指定了插入的字段列表，然后与 select 语句的输出字段对应起来，这样就可以插入指定字段到 stu 表中。

实际上还有一种更简单的方法实现 students 数据导入 stu 表的功能。我们可以在创建 stu 表时直接将 students 表的数据作为数据，这样一来就省略了建表的步骤，如下所示：

```
create table stu as select * from students ;
```

语法与普通的建表语句类似，只是在表名后面添加了一个 as 关键字，后面跟着数据输入。就这一条语句就可以将 students 表中的数据导入到 stu 中。此时我们看看通过上述形式创建的 stu 表的 SQL 语句，如下所示：

```
CREATE TABLE 'stu' (
   'id' INT,
   'name' TEXT,
   'tel_no' TEXT,
```

```
    'cls_id' INT
);
```

从上述程序中可以看到，stu 表中字段只是简单声明了数据类型，students 表中的字段约束并没有导入到 stu 中。这也是需要我们注意的地方，通过这种形式创建的表不会导入原始表的字段约束，因此，这种形式并不是很常用。它比较常用的场景是做表升级，首先通过这种形式，从原始表的数据中创建一个临时表，第二步再删除原始表，然后重新创建一个新表，再将数据从临时表导入到新创建的表中，这样完成了表结构的升级。后续讲 Android 中的数据库升级时将会介绍具体的示例。

Insert 语句常用的形式就是这些，为了后续的示例，我们先将旧数据删除，然后在 classes 表中插入如下几条数据：

| Id | Major | Year |
|---|---|---|
| 1 | "markting" | 2008 |
| 2 | "software" | 2010 |
| 3 | "english" | 2009 |

再将下面的数据插入 Students 表中：

| Id | Name | Tel_no | Cls_id |
|---|---|---|---|
| 1 | "Lucas" | "1234" | 1 |
| 2 | "mr.simple" | "5678" | 2 |
| 3 | "sophie" | "2222" | 3 |
| 4 | "lily" | "33333" | 3 |
| 5 | "tiiime" | "444444" | 2 |
| 6 | "chaossss" | "12345" | 2 |
| 7 | "Jake" | "1111111" | 2 |

### 5.2.4 select 语句

数据库的功能是存储数据，存储数据则是为了再次使用。在使用数据库时，我们通常需要根据特定的条件来筛选数据，这项任务就落到了 select 语句的肩上。Select 语句的作用是根据一定的条件、规则向数据库检索数据，它提供混合、比较、过滤数据的关系操作，它的强大特性使得它成为 SQL 语句中最复杂的一个。

Select 语句通常分为 3 部分，如表 5-5 所示。

表 5-5　　语句组成

| 类　型 | 功　能 |
|---|---|
| 基本操作 | Restrciction（限制）<br>Projection（投影）<br>Cartesian Product （笛卡儿积）<br>Union（联合）<br>Difference（差）<br>Rename (重命名) |
| 附加操作 | Intersection（交叉）<br>Natural Join（自然连接）<br>Assign（赋值） |
| 扩展操作 | Generalized Projection（广义投影）<br>Left Outer Join（左外连接）<br>Right Outer Join（右外连接）<br>Full Outer Join（全外连接） |

基本操作定义了基础的关系操作，附加操作提供了频繁执行操作的快速方式，这些操作都有基本操作组成。例如，交叉操作可以由如下操作实现，取两个集合的联合，通过区分操作删除两个结果，进一步联合有彼此差异的两个初始集合。扩展操作是对基本操作和附加操作的扩展，例如，广义投影操作在基本的映射操作上添加算数表达、聚集和分组功能。SQLite 中的 select 语句支持除了右外链接、全外连接之外的所有操作。

所有的这些操作都定义在表中，它们将一个或者多个关系作为输入，然后产生一个输出。一个操作的输出又可以作为另一个操作的输入，这种嵌套关系使得 select 语句可以变得非常复杂。例如：

```
select name from ( select name, tel_no from (select * from students ) ) ;
```

上述 SQL 语句从内到外依次执行，首先执行 select * from students 语句得到 students 下的所有记录，这条语句的输出又作为第二层 select 语句的输入，也就是 select name、tel_no from 语句，这条语句从 select * from students 中得到数据。最后才是 select name from，它的输入则是上一层的输出。当然这条复杂的语句只是为了演示，它的效果与 select name from students 一致。

Select 语句的通用格式如下：

```
select [distinct] columns from tables
   where predictate
   group by columns
   having predictate
   order by columns
   limit count, offset;
```

灰色部分都是查询条件或者字段，黑色部分都是 SQL 关键字，from、where、gtoup by 等都是一个单例的字句，每个字句由关键字和参数构成。理解 select 语句的最好方式就是将 select 语句当作处理关系的管道，根据指定的条件、规则来一层一层地过滤数据，最终得到一个输出。Select 语句从 from 语句开始根据 where 条件得到一个或者多个表中的符合要求的数据，然后传递给其他字句进行过滤，最终得到结果。

最常用的 select 语句通常由 select、from、where 三个字句组成，也就是从一个或者多个表中获取满足条件的数据。例如 select * from students where cls_id = 2，即从 students 表中找到所有 cls_id 为 2 的记录。Select 后面的参数代表用户要获取的字段，直接跟上表中的字段名即可，例如 select name from students，如果 from 后面跟着多个表，那么会将多个表中的数据合成为一个输出结果，select 后面的列名前面加上表名会使得 SQL 语句更为清晰，例如"select classes.major, students.name from classes, students where classes.id=2;"，会将 classes.id 为 2 的数据集输出，展示的字段为 classes 的 major 与 students 的 name。

### 1. 字段与表的别名

在多表查询时我们的查询条件会相对复杂，表之间可能会产生相同的字段名，那么可以通过字段别名的方式修改字段的显示名称；多表查询时由于表名较长也会使得 select 语句过于复杂，使用别名来替代表名通常是我们简化 SQL 语句的手段。例如 select 语句如下：

```
select classes.major, students.name from classes, students where classes.id=2 and
classes.year > 2008;
```

查询条件较多、跨表查询使得 SQL 语句相对来说较为复杂，可以通过别名来简化 SQL。字段与表的别名可以通过如下格式进行设置：

```
origin_name [[as] [new_name]]
```

其中 as 是可以省略的部分。例如将上述 SQL 语句用别名简化一下：

```
select cls.major as cmj, students.name from classes as cls, students where cls.id=2 and
cls.year > 2008;
```

其中将 classes 表名设置为 cls，并且将 classes 表中的 major 显示为 cmj 字段。这样就简化了 SQL 的长度，也使得 SQL 更易于阅读。

### 2. where 条件过滤

在通过 select 获取数据时，我们往往会通过 where 语句设定查询条件。select 与 where 的组合与我们的人类语言很相似，例如，在老师要找 2010 届软件工程专业名字为 tiiime 的学生，那么转换为 SQL 语句就是：

```
select * from students,classes where students.name='tiiime'
and classes.major='software' and year=2010;
```

即通过 where 语句设置要的目标对象的条件。

Where 语句的常用操作符有如表 5-6 所示的几个。

表 5-6 常用操作符

| 操作符 | 功能 |
| --- | --- |
| + | 相加 |
| - | 相减 |

续表

| 操 作 符 | 功　能 |
|---|---|
| * | 相乘 |
| / | 相除 |
| = | 等于 |
| != | 不等于 |
| <= | 小于等于 |
| >= | 大于等于 |

常用的逻辑操作符用 and、or、not，分别代表与、或、非，用于组合多个条件，使得目标数据更为精确。Where 语句还有一个较为重要的关系操作符叫做 like，它的作用是模糊匹配。Like 与等于有点类似，只是它是模糊匹配，而等于是精确匹配。例如，要找到 student 表中名字以 t 开头的所有学生，那么对应的 SQL 为：

```
select * from students where name like "t%";
```

输出的结果就是所有用户名以字母 t 开头的记录。

### 3. Group by 分组

聚合中有一个重要的功能就是分组。分组是将得到的结果集按照一定的规则划分为多个组。例如：

```
select count(*) ,cls_id from students group by cls_id;
```

则是将 students 中的数据按照 cls_id 分组，因为 classes 中只有 3 条数据，id 分别为 1、2、3，因此，按照 cls_id 分组会得到 3 个组，输出结果为：

| Count(*) | Cls_id |
|---|---|
| 1 | 1 |
| 4 | 2 |
| 2 | 3 |

这是因为在 students 表中 cls_id 为 1 的只有一条数据，cls_id 为 2 的则有 4 条数据，cls_id 为 3 的有 2 条数据。

分组中有一个类似于 select 中的 where 字句的条件字句，它能够为分组设置一些条件，如果不符合条件，那么分组就会被过滤掉。例如，将上述分组查询的 SQL 条件设置为 cls_id 大于 2，SQL 语句为：

```
select count(*) ,cls_id from students group by cls_id having cls_id> 2;
```

得到的结果为：

| Count(*) | Cls_id |
|---|---|
| 2 | 3 |

### 4. 排序

select 结果集的排序使用的是 order by 字句，排序有升序和降序两种，分别对应 asc 与 desc，默认为升序排序。order by 后面若紧跟一个或多个字段，其间用逗号分隔，数据库就是根据这些指定的字段进行排序。例如，检索 students 中的数据，并且按照班级 id 降序排序，对应的 SQL 语句为：

```
select * from students order by cls_id desc;
```

如果想按照多个字段排序，那么可以用逗号分隔。例如：

```
select * from students order by cls_id desc,name asc;
```

表示按照 cls_id 的降序与 name 的升序排序。

### 5. 数量限定

在检索到数据之后，可能会对数据再做一些操作。例如，数据量过大，只需要返回特定数量的记录；又或者我们需要将得到的数据按照一定的规则排序。其中数量限定我们需要使用 limit 语句，它的形式为：

```
limit 返回的数量 offset 偏移量
```

例如，students 表中有 4 个学生的数据，如表 5-7 所示。而我们希望从索引为 3 的记录开始索引，并且只返回其中 1 条数据。

表 5-7　　students 表中的数据

| Id | Name | Tel_no | Cls_id |
|---|---|---|---|
| 1 | "Lucas" | "1234" | 1 |
| 2 | "mr.simple" | "5678" | 2 |
| 3 | "sophie" | "2222" | 3 |
| 4 | "lily" | "33333" | 3 |

对应的 SQL 语句为：

```
select * from students limit 1 offset 2;
limit
```

得到的结果就是 id 为 3 的数据，offset 2 设定了从 id 为 3 的位置开始检索，limit 1 则显示了检索的数量。与上述 SQL 语句等效的有：

```
select * from students limit 2,1;
```

其中省略了 offset 关键字，而将 offset 的值放在了 limit 后，后面跟着一个逗号与 limit 值，这是 limit 语句的简化写法。

limit 与 offset 通常用于分页检索数据，即数量较大时，首先加载一部分数据，当用户下拉时，再修改 offset 数量，从而检索到其他数据。

### 6. distinct 去重

distinct 用于去除 select 语句中重复的行，它紧跟在 select 关键字之后。在 select 中返回的数据可能存在重复的情况，在某些情况下你可能并不需要重复的数据，使用 distinct 可以保证返回的数据都是唯一的。使用如下：

```
select distinct * from students;
```

输出结果为 students 中的所有数据，因为 students 中不存在重复的数据。当想查询 students 中的所有 cls_id 字段，

```
select cls_id from students;
```

返回的数据为 students 中的 7 条数据，其中 cls_id 为 1、2、3 的分别有 1、4、2 条，如果我们加上 distinct 关键字，那么结果将会去除重复的结果，SQL 语句如下 ：

```
select distinct cls_id from students;
```

此时返回的结果为 3 条，分别为 1、2、3。

### 7. 聚合函数

数据库中一般都自带了一些功能函数，用于对字段、结果集做一些处理。SQLite 中也包含了这些的函数，常用的如表 5-8 所示。

表 5-8　常用函数

| 函 数 名 | 作　用 |
|---|---|
| Count() | 计算数据集的数量 |
| Avg() | 计算数据集中某个字段的平均值 |
| Min() | 计算数据集中的最小值 |
| Max() | 计算数据集中的最大值 |
| Length() | 计算某个字段的长度 |
| Upper() | 将字符串类型的字段值转换为大写 |
| Lower | 将字符串类型的字段值转换为小写 |
| Abs() | 计算数值的绝对值 |

例如查询 students 表中的学生数量，可以使用如下 SQL 语句：

```
select count(*) from students;
```

count()函数将计算返回的结果集的数量，最终输出一个整数。

再如，我们要了解 students 中的用户名的平均长度是多少，可以使用如下 SQL 语句：

```
select avg(length(name)) from students;
```

首先会获取各个数据集的长度，然后计算这些数据的平均值。

SQLite 中的功能函数使用都比较简单，在此我们不再过多赘述。

### 8. 多表连接

数据关系通常需要跨越多个表，因此，多表查询变得尤为重要。例如，students 中的 cls_id 字段代表班级 id，通过这个 id 到 classes 表中可以查询到这个班级的专业、年份字段。由于这些信息不是在一个表中，因此，就得进行多表查询。下面以 students 的 cls_id 字段与 classes 表的 id 相等为条件进行查询，SQL 语句如下：

```
select * from students, classes where students.cls_id = classes.id;
```

得到的结果如表 5-9 所示。

表 5-9　　结果

| Id | Name | Tel_no | Cls_id | Id | Major | year |
|---|---|---|---|---|---|---|
| "1" | "Lucas" | "1234" | "1" | "1" | "markting" | "2008" |
| "2" | "mr.simple" | "5678" | "2" | "2" | "software" | "2010" |
| "3" | "sophie" | "2222" | "3" | "3" | "english" | "2009" |
| "4" | "lily" | "33333" | "3" | "3" | "english" | "2009" |
| "5" | "tiiime" | "444444" | "2" | "2" | "software" | "2010" |
| "6" | "chaossss" | "12345" | "2" | "2" | "software" | "2010" |
| "7" | "Jake" | "1111111" | "2" | "2" | "software" | "2010" |

从表 5-9 中可以看到，students 表中的所有数据都出来了，并且 cls_id 与 classes 的 id 字段相等。Students 表中的每一行都需要查找 classes 表中的所有行，以查找符合条件的数据，最终构建出符合条件的结果集。

### 9. 内连接

内连接使用关系代数交叉操作，根据指定的条件筛选出两个表的子集。因此，使用内连接进行查询时，只有两个表中都有符合条件的数据时该条数据才会被检索到。例如，SQL 语句如下：

```
select * from students inner join classes on students.cls_id = classes.id;
```

上述 SQL 语句从 students 表和 classes 表中取子集，它们的条件就是 students 的 cls_id 与 classes 的 id 相等。这条 SQL 的结果与多表连接中的效果一致，得到的结果也为表 5-9 所示。它们只是在语法上有些差距，内连接添加了 inner join 关键字，并且用 on 关键字取代了 where 语句。

#### 10. 左外连接

左外连接与内连接的语法相似，只是将 inner join 换成了 left outer join。它与 inner join 的区别是如果条件不匹配，那么它的结果集中会返回左表中的数据，右表中的数据将由字段类型的空值填充。

例如，在 students 表中添加一条数据，该数据的 cls_id 为 5，而 classes 表中只有 id 为 1、2、3 的 3 条记录。此时，以左外连接查询，SQL 如下：

```
select * from students left outer join classes on students.cls_id = classes.id;
```

得到的结果如表 5-10 所示。

表 5-10　　结果

| | | | | | | |
|---|---|---|---|---|---|---|
| "1" | *"Lucas"* | "1234" | "1" | "1" | "markting" | "2008" |
| "2" | *"mr.simple"* | "5678" | "2" | "2" | "software" | "2010" |
| "3" | *"sophie"* | "2222" | "3" | "3" | "english" | "2009" |
| "4" | *"lily"* | "33333" | "3" | "3" | "english" | "2009" |
| "5" | *"tiiime"* | "444444" | "2" | "2" | "software" | "2010" |
| "6" | *"chaossss"* | "12345" | "2" | "2" | "software" | "2010" |
| "7" | *"Jake"* | "1111111" | "2" | "2" | "software" | "2010" |
| "8" | *"Smith "* | "321444" | "5" | "" | "" | "" |

注意看最后一行，它的 cls_id 为 5，这条记录在 classes 表中没有记录，但是，左外连接查询依然返回，并且将 classes 表的数据空值填充。

除了左外连接之外，实际上标准的 SQL 还有右外连接、全外连接。右外连接的特点是左表有不匹配的则会被用空值填充，全外连接则是有任何一方存在不匹配数据则用空值填充。但是对于 SQLite 来说，它只支持内连接和左外连接。

### 5.2.5　update 语句

update 语句用于更新表中的数据，它的格式为：

```
update table set update_list where predicate;
```

update_list 是要修改的字段以及值，其实就是一个字段赋值语句，形式为：字段名=新值，每个字段赋值语句通过逗号分隔开。Where 语句与 select 语句一致，例如，需要将 name 为 Jake 的学生电话号码改为 4321、cls_id 修改为 3，对应的 SQL 为：

```
update students set tel_no=4321,cls_id=3 where name='Jake';
```

这样就完成了更新操作。需要注意的是，更新操作也可能失败，例如，当我们要修改作为 primary key 的 id 字段且修改的新值在表中已经存在时，那么则会更新失败。SQL 如下：

```
update students set tel_no=4321,id=8 where name='Jake';
```

得到的结果为：

```
UNIQUE constraint failed: students.id: update students set tel_no=4321,id=8 where
name='Jake';
```

错误信息中指出了 id 作为 unique 字段的关键信息，unique 约束导致该更新失败。

### 5.2.6 delete 语句

删除数据与 select 语句很相似，但是比 select 语句要简单得多，关键的地方就在于 delete 与 where 语句中。delete 指出了该语句的功能，where 则限制了要删除的数据必须满足的条件。Delete 语句的通用格式如下：

```
delete from table where predicate;
```

如果没有设定 where 条件，那么表中的所有数据都会被清空。例如，“delete from students;”将会清空 students 中的数据。指定了 where 条件则只会删除满足条件的数据，例如，“delete from students where cls_id = 2;”则会删除 cls_id 为 2 的数据。

### 5.2.7 修改表

随着项目的演化，最初建立的表可能会面临修改的情况。例如需要往表中添加一个字段、某个字段在新版的软件中已经不再需要等，这种情况下通常就需要修改表结构了。修改表的 SQL 语句为 alter 命令，SQLite 中的 alter 命令并没有实现标准 SQL 中的所有功能，它只有修改表名和添加字段两个功能，删除字段等功能只能通过重新创建新表来实现。alter 的语法为：

```
alter table tableName { rename to newName | add column 新的字段 }
```

上述的语法表示 alter table 之后是要操作先表名，然后在 rename to 和 add column 命令之间二选一。Rename to 是将表名重命名，add column 是添加字段。例如，要将 studens 表重命名为 stu_table，那么对应的 SQL 语句为：

```
alter table students rename to stu_table;
```

如果我们要在 students 表中添加一个代表年龄的 age 字段，那么如下 SQL 语句可以实现：

```
alter table students add column age integer default 0;
```

重命名和添加字段都很简单。那么添加 age 字段之后，如果发现这个字段有些多余，想删除这个字段，这个过程就比较麻烦了，需要创建一个新表，然后将 studens 表中的数据导入到新表，最后删除 students 表，然后再将新表命名为 students 表。例如，下面就是实现删除 studnets 表中 age 字段的几条 SQL 语句：

```
CREATE TABLE 'stu_temp' (
   'id' integer PRIMARY KEY AUTOINCREMENT,
   'name' vachar(20) CHECK(length ( name ) > 3),
```

```
    'tel_no' varchar(11) NOT NULL,
    'cls_id' integer NOT NULL
);
insert into stu_temp select id,name,tel_no,cls_id from students;
drop table students;
alter table stu_temp rename to students;
```

上述 4 条 SQL 语句分别为创建一个 stu_temp 新表、将 students 中的数据导入到 stu_temp 中、删除 students 表、将 stu_temp 命名为 students。这样 students 中的 age 字段就被删除了。

### 5.2.8　创建索引

索引是用于加速查询的结构。默认情况下，当我们按照指定的条件查询表中的数据时会扫描所有的行来找到匹配的数据。如果我们的表比较大，且这个查询被使用的频率比较高，就可以为这个查询条件指定的列创建索引。

索引就像是一本书前面的目录，它能够为指定的列创建一个索引表，每个索引指向特定的记录，这样就能加快数据库的查询速度。

例如，我们经常使用 name 来查询 students 中的学生信息，SQL 如下：

```
select * from students where name='Jake';
```

那么，我们可以为 name 创建索引，创建索引的语法为：

```
create index [unique] index_name on table_name (column_list)
```

index_name 代表索引名，table_name 表示要在哪个表上创建索引。如果指定了 unique 关键字，那么该索引中的所有字段值必须是唯一。下面为 students 中的 name 创建索引：

```
create index stu_name_index on students (name collate nocase) ;
```

索引名为 stu_name_index，字段为 name，collate nocase 代表排序规则与大小写无关。

使用索引能够加速查询，但是，它也会增加数据库的体积，并且会减慢 insert、update、delete 操作。因此，选择索引时最好权衡这些优缺点。

创建索引比较简单，但是，我们并不是直接操作于索引之上，我们操作的还是表。当我们操作表时，SQLite 会根据条件来选择是否使用索引。当查询条件是与索引的字段判等时，数据库则使用索引来加速，如果有多个索引字段，那么出现第一个不是判等的逻辑之后，后续的字段就不会使用索引。下面举个具体的例子来理解一下。

假设我们 test 表中有 a、b、c、d 四个字段，在 a、b、c 上创建索引：

```
Create index test_index on test (a,b,c)
```

然后使用如下 SQL 进行查询：

```
select * from test where a=1 and c=3;
```

那么只有 a 会使用索引，c 则不会，因为它们中间的 b 索引断了。再看一种情况：

```
select * from test where a=1 and b>1 and c=3;
```

此时也只有 a、b 会使用索引，因为 b 的条件为大于，所以，后续的字段将不使用索引。当 b 为等于时，那么 a、b、c 三个字段才都会使用索引。

### 5.2.9 创建视图

视图是动态生成的虚拟表，它不会被存储到数据库文件中。它常用将某些查询结果简化为一个视图，以便下次运用时简化 SQL 语句。创建视图的语法为：

```
create view view_name  as select-stmt;
```

view_name 即视图名称，select-stmt 就是该视图代表的 select 语句。也就是说 select-stmt 得到的结果集最终会动态存储在 view_name 的虚拟表当中，我们使用这个虚拟表时就相当于执行了这条 select-stmt。例如，需要经常使用如下 SQL 语句：

```
select * from students,classes where students.cls_id=classes.id and cls_id>2 ;
```

得到的结果为：

| Id | Name | Tel_no | Cls_id | Id | Major | Year |
|---|---|---|---|---|---|---|
| 3 | "sophie" | "2222" | 3 | 3 | "english" | 2009 |
| 4 | "lily" | "33333" | 3 | 3 | "english" | 2009 |
| 7 | "Jake" | "4321" | 3 | 3 | "english" | 2009 |

那么可以为这条查询创建一个视图，对应的 SQL 如下：

```
create view student_view as select * from students,classes where
students.cls_id=classes.id and cls_id>2 ;
```

然后通过这个视图来查询数据，对应的 SQL 为：

```
    select * from student_view;
```

得到的数据与上面表中一致。使用视图能够方便查询条件复杂的 SQL 语句，因为它是动态生成的虚拟表，因此，在视图上执行除了 select 之外的语句是无效的。

### 5.2.10 创建触发器

触发器的作用是当特定的表发生特定的操作时进行预定义的操作。创建触发器的通用命令为：

```
Create [temp|temporary] trigger name [before|after] [insert|select|delete|update of
columns] on table
begin
action;
end;
```

名称、表名、行为是触发器的 3 大要素，发生特定行为时要执行的操作定义在最后，也就是 action 所在的位置。用户可以通过 before、after 定义 action 执行在特定的事件之前或者之后。下面举个例子，当删除学生时向 delete_log 表中添加一条记录。首先创建 delete_log 表，SQL 如下：

```
CREATE TABLE delete_log(
   stu_id INT NOT NULL,
   stu_name TEXT NOT NULL,
   time TEXT
);
```

然后创建触发器，如下：

```
CREATE TRIGGER delete_trig AFTER delete
ON students
BEGIN
INSERT INTO delete_log(stu_id, stu_name,time) VALUES (old.id,old.name ,datetime('now'));
END;
```

意思是当从 students 表中删除数据时，会将被删除的学生的 id、名字添加到 delete_log 表中，学生 id、名字分别用 old.id、old.name 表示，我们还额外添加了一个删除时间。

当我们在 students 表上执行了 delete 时就会向 delete_log 中插入一条数据。

我们再看一个示例，当向 students 表中插入一条数据时，向 new_log 表中插入一条记录。首先我们将 delete_log 重命名为 new_log：

```
alter table delete_log rename to new_log;
```

然后创建插入时的触发器，SQL 如下：

```
CREATE TRIGGER new_trig AFTER insert
ON students
BEGIN
INSERT INTO new_log(stu_id, stu_name,time) VALUES (new.id,new.name ,datetime('now'));
END;
```

需要注意的是，插入时新记录使用 new，而删除时则使用 old。我们通过 new.id、new.name 获取新插入的学生的 id 与姓名。然后插入到 new_log 表中。

### 5.2.11　drop 命令

drop 命令用于删除物理存储介质。例如删除表、视图、索引、触发器等。命令格式为：

```
drop [table|view|index|trigger] name ;
```

例如删除 students 表则为“drop table students;”，删除 stu_view 视图则为“drop view stu_view;”。命令比较简单，我们就不过多赘述。

**数据库事务**

事务是一个数据库操作的执行单元。它定义了一条或多条 SQL 语句，这些语句要么被全部执行、要么不全部不执行，它保证了多条 SQL 语句的原子性。事务有 begin、commit、rollback 3 个命令，begin 表示开始一个事务、commit 表示整个事务操作成功、rollback 表示回滚到 begin 之前。格式为：

```
begin ;
// SQL 语句
[commit|rollback];
```

请看如下示例：

```
begin;
delete from students where cls_id = 2;
rollback;
```

在上述 SQL 中，我们在事务当中删除了 cls_id 为 2 的数据，然后又进行了回滚，因此，不会执行 delete 语句。当我们将 rollback 语句替换为 commit 时，那么 delete 语句将会执行。

事务提供了一种保证多条 SQL 语句能够被执行或者不执行，很大程度上保证了数据库操作的安全性。而在 Android 中使用事务，也会提升 SQL 的执行效率。

## 5.3 Android 中的数据库开发

Android 自带的数据库系统就是 SQLite，而由于 SQLite 是 C 和 C++实现，因此 Android 在 Framework 层封装了一层 Java 接口，使得开发人员能够更方便地操作数据库。主要的类型为 SQLiteOpenHelper、SQLiteDatabase 以及 Cursor，不管如何封装，本质上都是构建 SQL 语句并且提交到 SQLite 中执行，最终得到自己想要的结果，下面我们就一起来学习这些内容。

### 5.3.1 数据库基本类型与接口

在 Android 中如果要使用数据库功能，我们通常会用 SQLiteOpenHelper 类，该类封装了 SQLite 数据库的创建与升级等工作，为我们的数据库管理提供了一个入口。我们可以很方便地通过这类实现数据库、表的创建与升级，通过该类也可以获取到实际操作数据库的 SQLiteDatabase 对象。

通常我们会继承 SQLiteOpenHelper 类，然后实现它的 onCreate、onUpgrade 函数，这两个函数分别在创建数据库、数据库升级时调用。因此，可以在 onCreate 函数中通过 SQL 语句创建表，而在 onUpgdare 时升级数据库。代码大致如下：

```
public class SQLiteDbHelper extends SQLiteOpenHelper {
    public static final String DB_NAME = "database.db";
    public static final int DB_VERSION = 1;

    public SQLiteDbHelper(Context context) {
        // 构造函数中指定数据库名与版本号
        super(context, DB_NAME, null, DB_VERSION);
    }

    @Override
    public void onCreate(SQLiteDatabase db) {
        // 在这里通过 db.execSQL 函数执行 SQL 语句创建所需要的表
    }

    @Override
    public void onUpgrade(SQLiteDatabase db, int oldVersion, int newVersion) {
        // 数据库版本号变更会调用 onUpgrade 函数，在这根据版本号进行升级数据库
        switch (oldVersion) {
            case 1:
                // do sth
                break;
```

```
            default:
                break;
        }
    }
}
```

由上述程序可知，真正操作数据库的类型并不是 SQLiteOpenHelper，而是 SQLiteDatabase。该对象是 SQLite 数据库的管理类，提供了对 SQLite 数据库操作的接口，例如数据库的增、删、改、查、事务、执行原生 SQL 等。SQLiteDatabase 才是数据库操作的核心类，我们看看它的核心接口。

### 1. 插入数据

通过 SQLiteDatabase 插入数据的接口为 insertWithOnConflict，它的声明如下：

```
insertWithOnConflict(String table, String nullColumnHack,
        ContentValues initialValues, int conflictAlgorithm)
```

其中参数 1 表示要操作的表名，参数 2 当参数 3 为空时将表中的字段置为 null，参数 3 为表中各字段的键值对（键的名字与表中的字段名要一致），参数 4 为当插入数据发生冲突时如何解决。参数 4 的可选值有 6 种，这些策略也是声明在 SQLiteDatabase 类中。

- CONFLICT_ROLLBACK：当执行 SQL 语句违反限制条件时，会停止当前执行的 SQL 语句，并将数据恢复到操作前的状态。
- CONFLICT_ABORT:当执行 SQL 语句违反限制条件时，会停止当前执行的 SQL 语句，并将数据恢复到操作前的状态，不过，当前事务下先前执行 SQL 语句造成的数据变动并不会受到影响。
- CONFLICT_FAIL：当执行 SQL 语句违反限制条件时，会停止当前执行的 SQL 语句，不过，先前执行的 SQL 语句造成的数据变化将不会受到影响，而后面的 SQL 将不会被执行。
- CONFLICT_IGNORE：当插入或者修改内容时违反了限制条件，那么这次数据将不会生效，但是后续的 SQL 语句会被继续执行。
- CONFLICT_NONE：当操作违反限制条件时，忽略该错误，继续执行后续的 SQL 语句。
- CONFLICT_REPLACE：当插入或者修改数据时违反了唯一性的限制原则，新的数据会替换掉旧的数据。

### 2. 删除数据

```
delete (String table, String whereClause, String[] whereArgs)
```

delete 函数的参数 1 为表名，参数 2 为 where 条件，参数 3 为 where 条件语句中的字段值。我们知道，删除数据时的 SQL 格式为“delete from tableName where column1=value1,column2=value2;”，其中参数 2 就是定义 column 限制条件的字符串，而参数 3 则是定义参数的值。但是，格式与 SQL 语句中有点不太一样，假设我们要删除 students 表中的名字为 Jake、班级为 2 的学生，那么我们的原生 SQL 对应为“delete from students where name=‘Jake’ and cls_id=2;”，通过 delete 函数的实现为：

```
db.delete("students","name=? and cls_id=?",new String[]{"Jake", "2"}) ;
```

其中 whereClause 中的占位符“?”会被替换为 whereArgs 中的值，最终拼接为与原生 SQL 一样的语句。

### 3. 修改数据

```
updateWithOnConflict (String table, ContentValues values, String whereClause, String[]
whereArgs, int conflictAlgorithm)
```

参数 1 是数据库表名，参数 2 为要更新的数据的键值对（键的名字与表中的字段名要一致），参数 3 为 where 语句，参数 4 为 where 语句中的参数值，参数 4 是发生冲突时的处理策略。其中参数 3、参数 4 与删除数据中的原理一致。我们不做过多赘述。

### 4. 查询数据

```
Cursor query (String table, String[] columns, String selection, String[] selectionArgs,
String groupBy, String having, String orderBy, String limit)
```

查询数据的 select 语句在 SQL 中最为复杂，而在 Android 中对应的查询接口 query 函数也是 SQLiteDatabase 中最为复杂的。各字段如表 5-11 所示。

表 5-11 各字段

| 参 数 名 | 作 用 |
|---|---|
| Table | 要操作的表名 |
| Columns | 要获取的字段数组 |
| Selection | 条件语句，也就是 Where 部分 |
| SelectionArgs | Where 语句中的字段值 |
| GroupBy | 与 SQL 中的 group by 语句一样 |
| Having | Group by 中的 having 语句 |
| OrderBy | SQL 语句中的排序语句 |
| Limit | 限制返回的数据数量与偏移量 |

### 5. Cursor

当执行查询语句时，返回的数据类型为 Cursor。它是一个提供了随机读写访问数据库查询结果集的接口，Cursor 并不是线程安全的，因此，当在多线程中访问 Cursor 对象时要手动进行同步，避免出现线程安全问题。

在开发中，常用的 Cursor 函数如表 5-12 所示。

表 5-12 常用的函数

| 函 数 名 | 作 用 |
|---|---|
| getString(int index) | 通过字段的索引获取一个 String 类型的字段,通过 index 获取其他类型的数据与 getString 类似，只是函数名不一样，如 getInt(int index)则为获取整型的字段 |

续表

| 函 数 名 | 作 用 |
|---|---|
| getColumnIndex(String columnName) | 通过字段名查询该字段在数据库中的索引，通过索引获取字段值效率较高，因此，通常通过字段名获取索引，然后再通过索引获取字段值 |
| getCount() | 在该 Cursor 中有多少条数据 |
| MoveToFirst() | 将光标移到第一个数据的位置上 |
| MoveToLast() | 将光标移到最后一个数据的位置上 |
| MoveToNext() | 将光标移到下一个数据的位置上 |
| IsClosed() | 判断光标是否已经关闭 |
| IsLast() | 光标是否在最后一个数据的位置上，对应的还有 isFirst 函数判断是否在第一个数据上 |
| Close() | 关闭光标。在使用完 Cursor 之后一定要记得调用该函数 |

Cursor 中定义了一个光标位置，该光标默认指向第一个数据。用户可以通过 getString、getInt、getDouble 等函数获取到各个字段的值，然后通过 moveToNext 函数不断地移动光标获取下一个数据，不断地重复这个过程就可以获取到所有数据。如图 5-2 所示。

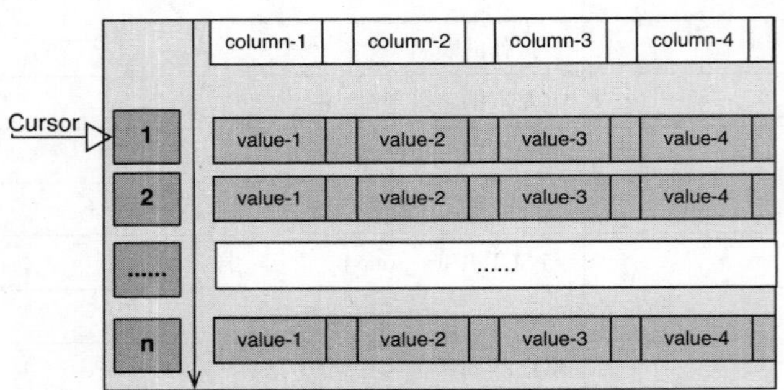


▲图 5-2 Cursor 的大致结构

一个典型的查询语句大致如下：

```
private void queryStudents() {
    SQLiteDbHelper helper = new SQLiteDbHelper(getApplicationContext());
    SQLiteDatabase database = helper.getWritableDatabase();
    // 相当于 select * from students
    Cursor cursor = database.query("students", null, null, null, null, null,
            null, null);
     // 不断移动光标获取值
    while (cursor.moveToNext()) {
        // 直接通过索引获取字段名
        int stuId = cursor.getInt(0);
        // 先获取 tel_no 字段的索引，然后再通过索引获取字段值
        String stuName = cursor.getString(cursor.getColumnIndex("name"));
        Log.e("", "### id : " + stuId + ", name = " + stuName);
    }
    // 关闭光标
```

```
cursor.close();
  }
```

### 6. Android 中的数据库事务

使用事务的两大好处是原子提交和更优性能。原子提交意味着同一事务内的所有修改要么都完成要么都不做，如果某个修改失败，会自动回滚使得所有修改不生效。SQLite 默认会为每个插入、更新操作创建一个事务，并且在每次插入、更新后立即提交。如果连续插入 1000 次数据，那么，实际的执行过程是重复 1000 次：创建事务→执行语句→提交。如果使用数据库的事务，那么，这个过程就会优化为：创建事务→执行 1000 条语句→提交，这样创建事务和提交这个过程只做一次，通过这种一次性事务可以使性能大幅提升。尤其当数据库位于 SD 卡时，时间上能节省两个数量级左右。

Android 中使用数据库事务的代码一般如下所示：

```
 // db 为 SQLiteDatabase 类型
 db.beginTransaction();
try {
    // 这里执行数据库操作
    // 如果执行成功功则调用 setTransactionSuccessful 函数
    db.setTransactionSuccessful();
} finally {
    db.endTransaction();
}
```

注意，不要忘记调用 endTransaction 函数结束本次数据库事务。

## 5.3.2 Android 数据库使用示例

上一节我们简单介绍了 SQLiteOpenHelper、SQLiteDatabase 与 Cursor 类型，并且介绍了一些常用的接口。本节就通过一个简单的示例来介绍 Android 中的数据库编程，还是以 students 表为例来学习 Android 中数据库的增、删、改、查操作。

首先我们需要创建一个继承自 SQLiteOpenHelper 的子类来管理数据库的创建、升级的工具类，代码如下：

```
public class SQLiteDbHelper extends SQLiteOpenHelper {
    public static final String DB_NAME = "database.db";    // 数据库名
    public static final int DB_VERSION = 1;                // 数据库版本
    public static final String TABLE_STUDENT = "students"; // students 表名
    // 创建 student 表的 SQL 语句
    private static final String STUDENT_CREATE_TABLE_SQL = "CREATE TABLE "
            + TABLE_STUDENT + " ("
            + "id  integer PRIMARY KEY AUTOINCREMENT, "
            + "name  vachar(20) not null,"
            + "tel_no   varchar(11) NOT NULL,"
            + "cls_id    integer NOT NULL"
            + ");";

    public SQLiteDbHelper(Context context) {
        // 传递数据库名和版本号给父类
        super(context, DB_NAME, null, DB_VERSION);
    }
```

```
    @Override
    public void onCreate(SQLiteDatabase db) {
        // 创建 students 表
        db.execSQL(STUDENT_CREATE_TABLE_SQL);
    }

    @Override
    public void onUpgrade(SQLiteDatabase db, int oldVersion, int newVersion) {
    }
}
```

SQLiteDbHelper 类中的代码很简单，只是在构造函数中将数据库名与数据库版本号传递给父类 SQLiteOpenHelper，然后在 onCreate 函数中创建了 students 表。onCreate 函数会在第一次创建数据库时被调用，因此，在这里执行创建 students 数据库的 SQL 语句。

需要注意的是，创建数据库的 SQL 语句中字段的顺序就是我们使用 Cursor 类通过索引获取字段值时的索引位置。例如，students 表中第一个字段为 id，那么 id 的索引位置就为 0，相应的，name 的索引就为 1。通过 Cursor 的 getInt(0)就可以获取 id 的值，通过 getString(1)就可以获取到 name 字段的值。

下面就来学习一下 Android 中数据库编程的一些基本操作。首先，新建一个 Student 类代表学生信息的实体类，代码如下：

```
public class Student {
    public long id;
    public String name;
    public String tel_no;
    public int cls_id;
}
```

然后我们需要获取数据库的操作对象，可以从 SQLiteDbHelper 的 getWriteDatabase 函数获取，代码如下：

```
mDatabase = new SQLiteDbHelper(getApplicationContext()).getWritableDatabase();
```

我们向数据库中插入 5 条数据，代码如下：

```
public void insertStudents() {
    for (int i = 0; i < 5; i++) {
        // 模拟数据，并转换为 ContentValues
        ContentValues values = student2ContentValues(mockStudent(i));
        // 插入数据
        mDatabase.insert(SQLiteDbHelper.TABLE_STUDENT,
                null, values);
    }
}

private Student mockStudent(int i) {
    Student student = new Student();
    student.id = i;
    student.name = "user - " + i;
    student.tel_no = String.valueOf(new Random().nextInt(200000));
    student.cls_id = new Random().nextInt(5);
    return student;
```

```
    }

    private ContentValues student2ContentValues(Student student) {
        ContentValues contentValues = new ContentValues();
        contentValues.put("id", student.id);
        contentValues.put("name", student.name);
        contentValues.put("tel_no", student.tel_no);
        contentValues.put("cls_id", student.cls_id);
        return contentValues;
    }
```

首先我们构建几个 Student 对象，然后将每个 student 对象的值存储到 ContentValues 中，注意 ContentValues 存储的键必须要与数据库中的字段名一致，它的值就是字段的值。然后再调用 SQLiteDatabase 的 insert 函数将数据插入 students 表中。将应用执行在模拟器上，当执行完 insertStudents 函数之后，我们看看该应用生成的数据库。进入到 Eclipse 的 DDMS 页面，选择“File Exeplorer”，然后选择“data/data/你的应用包名/databases”目录，如图 5-3 所示。

从图 5-3 中可以看到，在应用包名的目录下生成了一个 database.db 文件，这个名字就是我们在 SQLiteDbHelper 中设定的数据库名称。将该数据库导出到计算机上，用 sqlitebrowser 查看里面的数据。如图 5-4 所示。

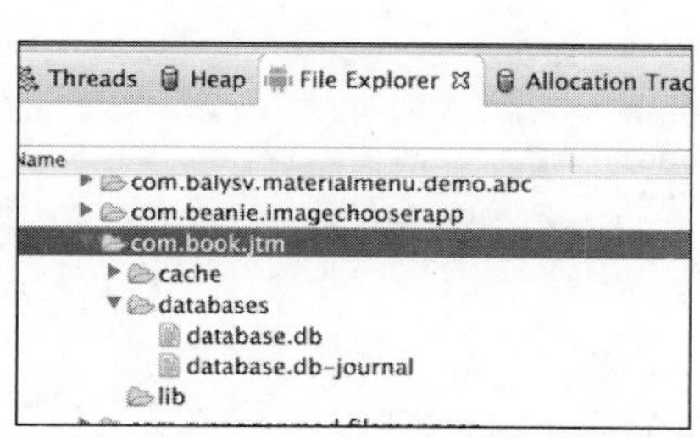


▲图 5-3　生成的 database.db 数据库文件

Database Structure　Browse Data

Table: students

| | id | name | tel_no | cls_id |
|---|---|---|---|---|
| 1 | 0 | user - 0 | 130720 | 1 |
| 2 | 1 | user - 1 | 137367 | 3 |
| 3 | 2 | user - 2 | 138692 | 3 |
| 4 | 3 | user - 3 | 192638 | 4 |
| 5 | 4 | user - 4 | 1259 | 0 |

▲图 5-4　students 中的 5 条数据

从图 5-4 中可以看到，在 students 表中插入了 5 条数据。

下面再看看数据查询操作，也就是 query 接口。我们的查询条件为 cls_id 等于 3、id 大于等于 1，看看代码中的实现：

```
public void queryStudents() {
    Cursor cursor = mDatabase.query(SQLiteDbHelper.TABLE_STUDENT,
         null, "cls_id=? and id>=1", new String[]{"3"}, null, null,
              null, null);
    while (cursor.moveToNext()) {
        // 直接通过索引获取字段名
        int stuId = cursor.getInt(0);
        // 先获取 tel_no 字段的索引，然后再通过索引获取字段值
        String stuName = cursor.getString(cursor.getColumnIndex("name"));
        Log.e("", "### id : " + stuId + ", name = " + stuName);
    }
    // 关闭光标
    cursor.close();
}
```

需要注意的是，query 的参数 3 与参数 4，参数 3 为 where 条件语句，参数 4 为 where 语句中指定的字段值。其中我们看到 cls_id 等于“?”，这个问号是一个占位符，参数 4 中的“3”就是它的值。如果参数 3 中有多个“？”，那么参数 4 中就要有对应这么多的数的字符串值，并且顺序要一一对应。我们知道，cls_id 的类型为整型，但是，参数 4 中给出的值却是字符串，我们不必担心这个，SQLite 会在底层进行类型转换，将参数 4 中的值转为表中字段对应的类型。最终上述函数对应的 SQL 语句为“select * from students where cls_id=3 and id>=1;”，得到的结果为：

```
08-23 04:55:43.540: E/(18133): ### id : 1, name = user - 1
08-23 04:55:43.540: E/(18133): ### id : 2, name = user - 2
```

从图 5-4 中我们可以看出，id 为 1、2 的 cls_id 都是 3，也就满足了我们指定的条件。

下面看看 query 中的其他参数，直接看一个示例：

```
Cursor cursor = mDatabase.query(SQLiteDbHelper.TABLE_STUDENT,
      new String[]{"id,name"}, "id>=?", new String[]{"1"},
       null, null,"id desc", "3");
```

上述语句中返回的数据有两个字段，分别为 id、name，查询条件为 id 大于等于 1，group by 和 having 为 null，然后按照 id 降序排列，返回的数据最多为 3 个。它相当于如下原生的 SQL 语句：

```
select * from students where id>=1 order by id desc limit 3;
```

得到的结果如下所示：

```
08-23 05:21:46.668: E/(1267): ### id : 4, name = user - 4
08-23 05:21:46.668: E/(1267): ### id : 3, name = user - 3
08-23 05:21:46.668: E/(1267): ### id : 2, name = user - 2
```

可以看到返回的数据为 3 条，并且按照 id 的降序排序。

我们再看 group by 的例子：

```
Cursor cursor = mDatabase.query(SQLiteDbHelper.TABLE_STUDENT,
   new String[] {"count(*),cls_id"
   }, null, null, "cls_id", null, null, null);
```

上述代码输出的列为 count(*)与 cls_id 字段，count(*)代表返回的数据的个数，后续的参数除了 group by 之外其他的都为 null，group by 的值为“cls_id”，也就是我们会按照 cls_id 分组。上述代码对应的 SQL 语句为：

```
select count(*),cls_id from students group by cls_id ;
```

根据我们前文插入的 5 条数据，cls_id 为 3 的数据有 2 条，其他的数据都是 1 条，因此，返回的数据应该是 4 项。输出结果为：

```
08-23 05:28:20.120: E/(5061): ### count : 1, cls_id = 0
08-23 05:28:20.120: E/(5061): ### count : 1, cls_id = 1
08-23 05:28:20.120: E/(5061): ### count : 2, cls_id = 3
08-23 05:28:20.120: E/(5061): ### count : 1, cls_id = 4
```

从输出的 Log 中我们看到，输出结果符合我们的预期。

删除与更新操作的使用很类似，对于删除操作来说，重要的就是删除条件的设置，它的参数与查询中的 where 参数一样；对于更新操作来说，它的参数只比删除多了一个 ContentValues，也就是要更新的字段键值对。这些操作我们都可以参考插入或者查询中的参数设置，我们就不过多赘述。

### 5.3.3 数据库升级

随着系统的升级，我们的数据也可能会发生变化，产生的问题是数据库也要随着一起变化。Android 中的数据库根据数据库版本号来判断数据库是否进行了升级，例如，上述的 SQLiteDbHelper 中的数据库版本号就是 1。此时，随着需求的变化，我们需要在 students 表中增加一个年龄字段 age，那么我们就必须修改数据库版本号，使得 Android 系统会调用 SQLiteDbHelper 的 onUpgrate 函数，然后我们在该函数中对版本号进行判断，再根据版本号执行对应的升级数据库的 SQL 语句。

例如，在 students 中添加一个 age 字段，那么 SQLiteDbHelper 的修改如下：

```
public class SQLiteDbHelper extends SQLiteOpenHelper {

    public static final String DB_NAME = "database.db";
    public static final int DB_VERSION = 2;

    public static final String TABLE_STUDENT = "students";
    // 代码省略

    @Override
    public void onUpgrade(SQLiteDatabase db, int oldVersion, int newVersion) {
        switch (oldVersion) {
            case 1:
                upgradeFromVersion1(db);
                break;
        }
    }

    private void upgradeFromVersion1(SQLiteDatabase db) {
        db.execSQL("alter table " + TABLE_STUDENT + " add column age integer");
    }

}
```

注意，我们的 DB_VERSION 从 1 修改为 2 了。此时运行应用就会调用 onUpgrade 函数，该函数会将上一版本号和现在的版本号传递进来，此时我们根据版本号执行相应的 SQL 语句修改数据库表结构即可。

在该例子中我们判断如果旧版本号是 1，那么执行 upgradeFromVersion1 函数进行升级，在该函数中我们执行了“alter table students add column age integer”语句，也就是通过 alter 语句往 students 表中添加了 age 字段。我们已经介绍过 alter 语句，就不再过多赘述。

添加字段和重命名表对于 SQLite 来说并不复杂，但是，如果想从现有的表结构中删除字段，那么工作就要复杂得多了。具体如何操作，大家可以参考 5.3 节的删除表中字段的 SQL 语句。

### 5.3.4 Android 中数据库的异步操作

与 Mysql、Oracle db 等重量级数据库不同，SQLite 是一个内嵌式的数据库，数据库服务器就寄宿在应用程序中，无需网络配置和管理，数据库服务器端和客户端运行在同一进程内，减少了网络访问的消耗，简化了数据库管理、保证了执行效率。但是，SQLite 在并发、数据库大小等方面存在局限性，并且它的锁机制为粗粒度的表级锁，所以不能、也没必要通过多个线程操作数据库。如果你通过多个线程操作数据库，那么将会引发异常。为了保证 UI 的流畅性，且又不会因为数据库锁引发异常，可以将数据库操作放在一个独立的线程中执行，最后将结果通过 handler 返回给 UI 线程。

我们新建一个 DbCommand 类来实现这一功能，代码如下：

```
public abstract class DbCommand<T> {
    // 数据库执行引擎，只有一个线程的线程池
    private static ExecutorService sDbEngine = Executors.newSingleThreadExecutor() ;
    // 主线程消息队列的 Handler
    private final static Handler sUIHandler = new Handler(Looper.getMainLooper());

    // 执行数据库操作
    public final void execute() {
        sDbEngine.execute(new Runnable() {

            @Override
            public void run() {
                try {
                    postResult(doInBackground());
                } catch (Exception e) {
                    e.printStackTrace();
                }
            }
        });
    }

    // 将结果投递到 UI 线程
    private void postResult(final T result) {
        sUIHandler.post(new Runnable() {

            @Override
            public void run() {
                onPostExecute(result);
            }
        });
    }

    // 在后台执行数据库操作
    protected abstract T doInBackground();

    // 将结果投递到 UI 线程
    protected void onPostExecute(T result) {
    }
}
```

DbCommand 类中有一个线程池，该线程池中只有一个线程，这保证了数据库操作不会执行在多个线程中，避免了由于数据库锁引发的问题。用户可以在 doInBackground 函数中执行耗时的数据库操作，如果执行的是 select 这样的有返回值的语句，那么泛型参数 T 就是返回的数据类型。得到结果之后，我们会通过关联了 UI 线程消息队列的 Handler 将结果投递给 UI 线程，并且执行 onPostExecute 函数。因此，在 UI 线程中操作数据库结果，那么我们可以覆写 onPostExecute 函数，该函数的参数就是 doInBackground 函数的返回值。

使用 DbCommand 类执行异步数据库操作示例代码如下：

```
    new DbCommand<List<Student>>() {
        @Override
        protected List<Student>doInBackground() {
            Log.e("", "### 执行数据库的线程 " + Thread.currentThread().getName());
            return queryAllStudents();
        }

        @Override
        protected void onPostExecute(List<Student> result) {
            Log.e("", "### -->获取数据库操作结果的线程 "
                    + Thread.currentThread().getName());
            for (Student student : result) {
                Log.d("", "### 学生信息 : " + student);
            }
        }
     }.execute();

// 查询 students 表中的所有数据
public List<Student>queryAllStudents() {
    // 查询数据
    Cursor cursor = mDatabase.rawQuery("select * from students", null);
    // 构建结果集
    List<Student> allStudents = new ArrayList<Student>(cursor.getCount());
    while (cursor.moveToNext()) {
        Student student = new Student();
        // 直接通过索引获取字段名
        student.id = cursor.getInt(0);
        // 先获取 tel_no 字段的索引，然后再通过索引获取字段值
        student.name = cursor.getString(cursor.getColumnIndex("name"));
        student.tel_no = cursor.getString(2);
        student.cls_id = cursor.getInt(3);
        // 将查询到的数据添加到结果列表中
        allStudents.add(student);
    }
    // 关闭光标
    cursor.close();
    return allStudents;
}
```

从上述程序中可以看到，要将数据库操作执行在独立的异步线程中时，我们只需要创建一个 DbCommand 对象，然后在 doInBackground 函数中调用你的数据库操作，并且调用 execute 函数将数据库操作提交到线程池中。为了便于理解，特地将 DbCommand 的实现方式、函数设计与 AsyncTask 一致。

上述函数调用的输出结果如下：

```
### 执行数据库的线程 pool-1-thread-1
### -->获取数据库操作结果的线程 main
### 学生信息 : Student [id=0, name=user - 0, tel_no=130720, cls_id=1]
### 学生信息 : Student [id=1, name=user - 1, tel_no=137367, cls_id=3]
### 学生信息 : Student [id=2, name=user - 2, tel_no=138692, cls_id=3]
### 学生信息 : Student [id=3, name=user - 3, tel_no=192638, cls_id=4]
### 学生信息 : Student [id=4, name=user - 4, tel_no=1259, cls_id=0]
```

如果操作是无返回值的，那么可以使用 NoRetDbCommand，它就是继承了 DbCommand<Void>，这样在使用无返回值的 DbCommand 时不必每次都写泛型参数。NoRetDbCommand 代码如下：

```
public abstract class NoRetDbCommand extends DbCommand<Void> {
}
```

使用 NoRetDbCommand 的示例代码为：

```
    // 无返回值的数据库操作
    new NoRetDbCommand() {

        @Override
        protected Void doInBackground() {
            // 执行数据库操作
            return null;
        }
}.execute();
```

我们通过一个类似 AsyncTask 的 DbCommand 类简化了异步执行数据库操作的实现，DbCommand 内部通过一个单线程的线程池执行数据库相关的调用，能够保证数据库的线程安全问题。同时又简化了代码，UI 线程也变得更加流畅。

## 5.4 数据库框架 ActiveAndroid 的使用与基本原理

上面的例子中我们通过在 SQLiteDbHelper 中创建数据库，并且获取到 SQLiteDatabase 对象，然后手动调用 SQLiteDatabase 的 insert、query 等函数实现相应的功能。当数据类型较少时我们的表也很少，针对数据写的查询、插入代码重复率也比较低。但是，当系统不断升级，我们的数据库表越来越多，要操作多个实体。例如，每当我们要将数据插入数据库时，都需要将数据存储到 ContentValues 中，并且你需要知道这个实体类对应的表中的各个字段；当查询时，又需要从 Cursor 中将数据解析为对应的实体类。当我们的表越来越多，这样的重复代码也就越来越多。此时，必须找到一种统一处理数据库操作的方式。

ActiveAndroid 就是 Android 平台上优秀的数据库框架，该框架的接口模仿了 ActiveRecord，提供了简单、易用的数据库接口，并且它支持 ORM。下面学习 ActiveAndroid 的使用，然后再来分析一下它的基本原理。

### 5.4.1 使用 ActiveAndroid

首先需要引用 ActiveAndroid 库，集成文档请查看项目主页上的 readme，地址为 http://github.com/pardom/ActiveAndroid。然后需要在 AndroidManifest.xml 配置数据库名和版本号，示例如下：

```
<manifest ...>
    <application android:name=".CustomApplication" ...>

        ...

        <meta-data android:name="AA_DB_NAME" android:value="database_aa.db" />
        <meta-data android:name="AA_DB_VERSION" android:value="1" />
    </application>
</manifest>
```

在这里数据库名为 database_aa.db、版本号为 1，应用的 Application 为应用包下的

CustomApplication 类，我们在 CustomApplication 的 onCreate 函数中初始化 ActiveAndroid，代码如下：

```
public class CustomApplication extends Application {

    @Override
    public void onCreate() {
        super.onCreate();
        // 初始化 ActiveAndroid
        ActiveAndroid.initialize(this);
    }

    @Override
    public void onTerminate() {
        super.onTerminate();
        // 清理 ActiveAndroid
        ActiveAndroid.dispose();
    }
}
```

初始化后就可以操作 ActiveAndroid 了。

使用 ActiveAndroid 创建表非常简单，一个表基本上就是一个实体类，该实体类必须继承 Model 类。你可以使用@Table 注解定义表名，如果没有该注解，那么类名就是你的表名。@Column 用于定义列名，在@Column 注解中可以为列定义各种约束。需要注意的是，你的实体类必须要定义一个无参的构造函数，ActiveAndroid 会用该构造函数创建实例。

下面以 students 表为例来学习 ActiveAndroid 的基本使用。

我们把 Student 类修改如下：

```
@Table(name = "students")
public class Student extends Model {

    @Column(name = "sid", unique = true)
    public long id;
    @Column
    public String name;
    @Column
    public String tel_no;
    @Column
    public int cls_id;

    @Override
    public String toString() {
        return "Student [id=" + id + ", name=" + name + ", tel_no=" + tel_no + ", cls_id="
        + cls_id + "]";
    }

}
```

在 Student 类中，我们用@Table 注解将表名设置为 students，并且用@Column 标识表中的字段。其中，将 id 的字段名修改为 sid，因为 ActiveAndroid 中有一个内置的 id 字段（Model 类中的私有字段 mId），该字段就是每条记录的唯一 id 号，因此，不能将 Student 的 id 字段取名为 id。此时，通过@Table 与@Column 我们的 students 表就会在运行时创建。

运行程序之后就会看到生成的 database_aa.db 数据库文件，如图 5-5 所示。

创建数据库以及表对于 ActiveAndroid 来说非常简单，增、删、改、查操作也是非常方便。下面我们看看使用 ActiveAndroid 如何向数据库插入数据，代码如下：

```
public void insertStudentsWithActive() {
    for (int i = 0; i < 5; i++) {
        // 直接调用实体类的 save 函数存储数据到数据库
        mockStudent(i).save();
    }
}

private Student mockStudent(int i) {
    Student student = new Student();
    student.id = i;
    student.name = "user - " + i;
    student.tel_no = String.valueOf(new Random().nextInt(200000));
    student.cls_id = new Random().nextInt(5);
    return student;
}
```

在 insertStudentsWithActive 函数中，我们创建 5 个 Student 对象，并且调用 Student 对象的 save 函数，然后插入操作就完成了。我们看看此时 students 表中的数据，如图 5-6 所示。

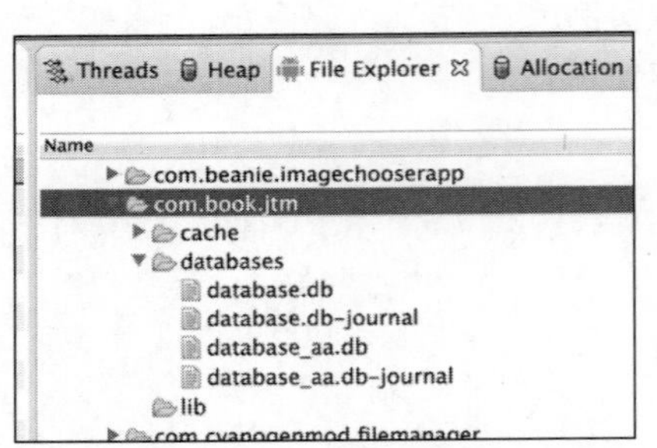


▲图 5-5　用 ActiveAndroid 生成的数据库 database_aa.db

Database Structure　Browse Data　Edit Pragmas

Table: students

| | id | cls_id | sid | name | tel_no |
|---|---|---|---|---|---|
| 1 | 1 | 3 | 0 | user - 0 | 197656 |
| 2 | 2 | 4 | 1 | user - 1 | 15134 |
| 3 | 3 | 0 | 2 | user - 2 | 164066 |
| 4 | 4 | 3 | 3 | user - 3 | 111537 |
| 5 | 5 | 2 | 4 | user - 4 | 148863 |

▲图 5-6　students 中的数据

从图 5-6 中可以看到，在 students 表中多了一个 id 字段，这个字段是 ActiveAndroid 自动生成的，而我们自己的学生 id 则为 sid 字段。students 表中有 5 条数据，也就是通过 insertStudentsWithActive 函数存储的数据。

save 函数从 Model 类中继承而来，它的作用就是将实体类中的数据存储到表中，如果数据库中已经含有了该数据，并且对象的 mId 字段不为空（数据需要从 ActiveAndroid 中加载时 mId 字段才不为空），那么则是更新操作。下面将 sid 为 1 的学生姓名修改为 Mr.Simple，代码如下：

```
public void updateStudent() {
    new Update(Student.class).set("name=?", "Mr.Simple").where("sid=?", 1).execute();
}
```

通过 Update 对象操作 Student 类型对应的表，也就是 studnets。然后将 name 设置为 Mr.Simple，这里又出现了"?"，这个"?"最终会被替换为 Mr.Simple。如果是多个条件语句，那么形式大致是：

```
set("字段 1=?  and  字段 2=?", "字段 1 的值", "字段 2 的值")。
```

后面的 where 语句也是这种形式，这里我们的 where 设置为 sid=1。执行后我们看到 sid 为 1 的学生姓名修改为 Mr.Simple 了，如图 5-7 所示。

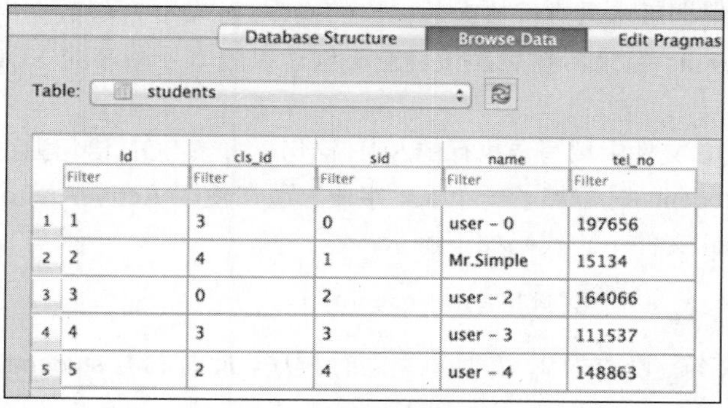

Database Structure | Browse Data | Edit Pragmas

Table: students

| | Id | cls_id | sid | name | tel_no |
|---|---|---|---|---|---|
| 1 | 1 | 3 | 0 | user - 0 | 197656 |
| 2 | 2 | 4 | 1 | Mr.Simple | 15134 |
| 3 | 3 | 0 | 2 | user - 2 | 164066 |
| 4 | 4 | 3 | 3 | user - 3 | 111537 |
| 5 | 5 | 2 | 4 | user - 4 | 148863 |

▲图 5-7　更新学生名成功

除了 save 函数之外，常用的还有 delete 函数，该函数对应的操作是将该实体类从数据库中删除。但是与 save 函数的更新操作类似，delete 函数也需要实体对象的 mId 不为空才能生效。因此，很多情况下都是通过 new Delete 的形式删除数据，例如，要删除 sid 为 2 的学生数据，代码如下：

```
new Delete().from(Student.class).where("sid=?", 2).execute();
```

增、删、改我们都学习了，那么最重要的就是查询了。查询操作使用 new Select，与 select 语句一样，它是 ActiveAndroid 中最复杂的句子。但是你熟悉了 SQL 语句以及 Android 中设置查询条件的格式之后，select 语句也就变得很容易了。例如，要查询 sid 大于 1、cls_d 等于 3 的数据，那么对应的代码为：

```
private void queryStudentWithActive() {
    List<Student> result = new Select().from(Student.class).where("sid>? and cls_id=3", "1")
         .execute();
    for (Student student : result) {
       Log.i("", "### 学生信息: " + student);
    }
}
```

输出结果为：

```
### 学生信息: Student [id=3, name=user - 3, tel_no=111537, cls_id=3]
```

Select 语句能够做的操作还有很多，例如 leftJoin、innerJoin 以及 where 语句后的 group by、order by、limit 等。如下所示：

```
new Select().from(Student.class).innerJoin(Other.class).on("").
    where("sid=?", "1").groupBy("").orderBy("").limit("").offset("").execute();
```

上述示例中将一些参数省略了，大家可以自行练习使用。熟练运用 Select 类型对于我们学习 ActiveAndroid 非常有用，也是我们在各关系表之间穿梭的必备武器。

### 5.4.2 数据库升级

ActiveAndroid 的数据升级比较方便，不需要修改代码实现数据库升级，这也意味着不需要在代码中判断版本。然后根据版本号进行修改数据库的操作。如果要升级数据库，需要在工程的 assets 目录下创建一个 migrations 目录，然后在该目录下创建以版本号命名的 SQL 文件，如图所示 5-8 所示。

需要注意的是，SQL 文件中填写要执行的 SQL 语句，每条 SQL 语句独占一行并且以分号结束。例如，上述手动升级 students 时添加了一个 age 字段，现在使用 ActiveAndroid，则需要将 age 字段的 SQL 语句添加到 2.sql 文件中。代码如下所示：

```
ALTER TABLE students  ADD COLUMN age integer ;
```

然后将数据库的版本号修改为 2，并且重新运行程序，此时看看 students 表中的变化，如图 5-9 所示。

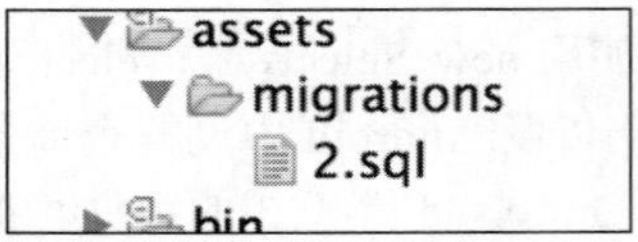

```
▼ assets
  ▼ migrations
      2.sql
▶ bin
```

▲图 5-8 数据库升级文件

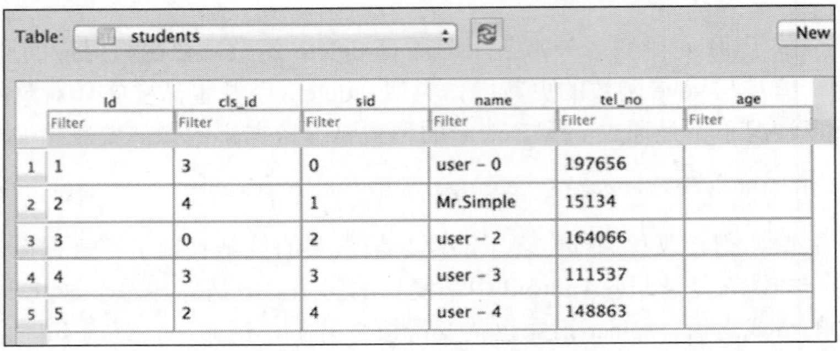

Table: students

| | Id | cls_id | sid | name | tel_no | age |
|---|---|---|---|---|---|---|
| 1 | 1 | 3 | 0 | user - 0 | 197656 | |
| 2 | 2 | 4 | 1 | Mr.Simple | 15134 | |
| 3 | 3 | 0 | 2 | user - 2 | 164066 | |
| 4 | 4 | 3 | 3 | user - 3 | 111537 | |
| 5 | 5 | 2 | 4 | user - 4 | 148863 | |

▲图 5-9 students 升级成功

注意，如果 SQL 文件中含有跨越多行的 SQL 语句，例如：

```
-- 注意,每条 SQL 语句必须独占一行,否则会出错.
CREATE TABLE classes (
 Id  INTEGER PRIMARY KEY AUTOINCREMENT,
 major     TEXT,
 year      INTEGER not null
);
```

那么 ActiveAndroid 将会解析失败，此时你必须在初始化 ActiveAndroid 时将它的 SqlParser 设置为 Configuration.SQL_PARSER_DELIMITED，如下所示：

```
private void initDB(Context context) {
    Configuration.Builder builder = new Configuration.Builder(context);
    // 其他设置，数据库名、版本号也可以在这里设置
    // 设置 SQL 解析器,可以解析跨越多行的 SQL 语句
    builder.setSqlParser(Configuration.SQL_PARSER_DELIMITED);
    // 以新的配置初始化 ActiveAndroid
    ActiveAndroid.initialize(builder.create());
}
```

ActiveAndroid 通过这种升级方式避免了开发人员修改代码实现数据库升级，而是通过增量的

形式升级数据库，达到了对扩展开放、对修改关闭的效果。

### 5.4.3 基本原理

在使用 ActiveAndroid 的过程中，几乎没有出现过 SQLite 的代码，取而带之的是 ActiveAndroid 自定义的 Model 类和注解@Table、@Column，那么它们背后的真相到底是怎样的呢？

对于数据库而言，首先需要设置数据库名和版本号，通常是通过 AndroidManifest.xml 配置，可以在初始化 ActiveAndroid 时从 AndroidManifest.xml 获取即可。然后创建一个 SQLiteOpenHelper 子类，并且在这个类中创建数据库，这样数据库就被建立了。

对于表和表中的列的操作我们是通过注解。我们知道注解实际上是源码中带有额外信息的载体。我们在实体类上添加注解，就相当于在类型、字段上添加了一些额外的信息，而这些信息我们在运行时或者编译期就可以从 Class 信息中读取到。例如，我们指定一个类所对应的表名、一个字段在表中对应的列名，那么我们在运行时就可以得到这些信息，得到这些信息之后就可以通过这些信息创建各个表以及表中的列，这样数据库表就被创建了。

首先我们看 ActiveAndroid.initialize(this)的核心实现：

```
public static void initialize(Context context) {
    initialize(new Configuration.Builder(context).create());
}

在 Configuration 中，我们看到创建的代码是这样的：

private static final String AA_DB_NAME = "AA_DB_NAME";
private static final String AA_DB_VERSION = "AA_DB_VERSION";
private final static String AA_MODELS = "AA_MODELS";
private final static String AA_SERIALIZERS = "AA_SERIALIZERS";
private final static String AA_SQL_PARSER = "AA_SQL_PARSER";

public static class Builder {
      // 代码省略
      public Configuration create() {
           Configuration configuration = new Configuration(mContext);
           configuration.mCacheSize = mCacheSize;

           // 获取数据库名，如果通过代码设置了，则使用代码设置的名字
           // 否则从 AndroidManifest.xml 中去读
           if (mDatabaseName != null) {
                configuration.mDatabaseName = mDatabaseName;
           } else {
                configuration.mDatabaseName = getMetaDataDatabaseNameOrDefault();
           }

           // 数据库版本，策略与数据库名一致
           if (mDatabaseVersion != null) {
              configuration.mDatabaseVersion = mDatabaseVersion;
           } else {
              configuration.mDatabaseVersion = getMetaDataDatabaseVersionOrDefault();
           }

           // Get SQL parser from meta-data
           if (mSqlParser != null) {
              configuration.mSqlParser = mSqlParser;
           } else {
```

```
            configuration.mSqlParser = getMetaDataSqlParserOrDefault();
        }

        // 设置实体类列表，也就是继承自 Model 的类型列表，需要用这些类型建表
        if (mModelClasses != null) {
            configuration.mModelClasses = mModelClasses;
        } else {
            final String modelList = ReflectionUtils.getMetaData(mContext, AA_MODELS);
            if (modelList != null) {
                configuration.mModelClasses = loadModelList(modelList.split(","));
            }
        }
        // 其他初始化代码
        return configuration;
    }
}
```

有没有觉得上面的字段很熟悉，没错，这就是我们在 AndroidManifest 中定义的字段，在 Configuration 这个类中，它的责任是负责解析出这些字段。

接着，我们回到初始化函数中，这个函数最后来到了下面这个函数：

```
public static void initialize(Configuration configuration, boolean loggingEnabled) {
        setLoggingEnabled(loggingEnabled);
        // 初始化 Cache，这里完成了很多重要的工作
        Cache.initialize(configuration);
}
```

这里又调用了 Cache 的初始化方法，这里就是数据库真正被建立的过程了，在这个函数中，主要做了几件事：

（1）初始化 ModelInfo 类，这个类中保存有 App 中的表信息；

（2）初始化 DatabaseHelper 类，这个类是继承自 SQLiteOpenHelper，用户操作数据库。

代码如下所示：

```
public static synchronized void initialize(Configuration configuration) {
        if (sIsInitialized) {
            Log.v("ActiveAndroid already initialized.");
            return;
        }

        sContext = configuration.getContext();
        // 初始化 Model 信息，在这里找到所有的数据库表
        sModelInfo = new ModelInfo(configuration);
        // 初始化 DatabaseHelper，在这里执行创建数据库、表以及判断升级数据库
        sDatabaseHelper = new DatabaseHelper(configuration);

        sEntities = new LruCache<String, Model>(configuration.getCacheSize());
        openDatabase();
        sIsInitialized = true;
    }
```

在 ModelInfo 中，初始化的代码如下

```
public ModelInfo(Configuration configuration) {
        if (!loadModelFromMetaData(configuration)) {
            try {
                // 扫描应用下所有继承自 Model 的类型
```

```
                scanForModel(configuration.getContext());
            }
            catch (IOException e) {
                Log.e("Couldn't open source path.", e);
            }
        }
    }
```

上述程序中表达的意思是，如果 Model 信息的类不能够从 AndroidManifest 中取到，那么就扫描整个目录，利用反射将所有的 Model 的子类都解析处理，把表名和表内容保存起来：

```
private void scanForModel(Context context) throws IOException {
            String packageName = context.getPackageName();
            // 获取当前应用的 Dex 文件目录
            String sourcePath = context.getApplicationInfo().sourceDir;
            List<String> paths = new ArrayList<String>();
            // 获取 DEX 文件中的类路径，并且添加到 path 中
            if (sourcePath != null && !(new File(sourcePath).isDirectory())) {
                DexFile dexfile = new DexFile(sourcePath);
                Enumeration<String> entries = dexfile.entries();

                while (entries.hasMoreElements()) {
                    paths.add(entries.nextElement());
                }
            }
            // 代码省略
            // 迭代所有类的路径以扫描 Model 的子类
            for (String path : paths) {
                File file = new File(path);
                scanForModelClasses(file, packageName, context.getClassLoader());
            }
    }
```

scanForModel 扫描当前 App 的 Dex 文件，并且获取其中的所有类文件，然后将这些类文件的路径添加到 paths 列表中，最后迭代 paths，然后调用 scanForModelClasses 来解析 Model 子类。实现如下：

```
private void scanForModelClasses(File path, String packageName, ClassLoader
classLoader) {
                // 代码省略
                // 提取类文件中的类名 className
                try {
                    // 根据类名反射 Class 对象
                    Class<?> discoveredClass =
                        Class.forName(className, false, classLoader);
                    // 判断该类是否是 Model 的子类，如果是则存到 mTableInfos 中
                    if (ReflectionUtils.isModel(discoveredClass)) {
                        @SuppressWarnings("unchecked")
                        Class<? extends Model> modelClass =
                                (Class<? extends Model>) discoveredClass;
                        mTableInfos.put(modelClass, new TableInfo(modelClass));
                    }
                    // 代码省略
            } // 代码省略
        }
}
```

在 scanForModelClasses 函数中会解析类文件的类名，然后通过反射获取到该类的 Class 对象，

并且判断该类是否是 Model 的子类，如果是则加入到 mTableInfos 中，该 mTableInfos 存储了所有 Model 子类的信息，这些信息就用于创建表。

这个扫描过程是比较耗时的，因此，ActiveAndroid 提供了另一种方式来设置表相关的信息。即用户可以在 AndroidManifest.xml 中配置要处理的 Model 类，代码如下所示：

```
<meta-data
    android:name="AA_MODELS"
    android:value="com.book.jtm.Student, com.book.jtm.Teacher" />
```

在 AA_MODELS 中设置了两个实体类，分别为 Student 和 Teacher。这样就避免了在运行时扫描、识别 Model 子类。总之，经历过这一步之后，我们的数据库表就已经确定下来了。

下面是创建 DatabaseHelper 对象，在 DatabaseHelper 中我们看到熟悉的 onCreate()，在第一次创建数据库时会调用这个函数。我们看看它的实现：

```
@Override
    public void onCreate(SQLiteDatabase db) {
        // 启动外键
        executePragmas(db);
        // 创建数据库表
        executeCreate(db);
        // 迁移数据库，升级数据库的操作
        executeMigrations(db, -1, db.getVersion());
        // 创建索引
        executeCreateIndex(db);
    }
```

关键代码在 executeCreate(db)中，我们看到，里面将解析出来的 ModelInfo 转化成了可以执行的 SQL 语句，创建了表：

```
private void executeCreate(SQLiteDatabase db) {
db.beginTransaction();
    try {
        // 从 ModelInfos 中获取表信息列表
        for (TableInfo tableInfo : Cache.getTableInfos()) {
                // 执行创建表的 SQL 语句
                db.execSQL(SQLiteUtils.createTableDefinition(tableInfo));
         }
        db.setTransactionSuccessful();
    }
    finally {
            db.endTransaction();
    }
}
```

在 executeCreate 函数中我们会获取 Cache 中得到的所有表信息，然后通过 SQLiteUtils 的 createTableDefinition 函数将每个 TableInfo 转换为创建表的 SQL 语句，它的实现如下：

```
public static String createTableDefinition(TableInfo tableInfo) {
      final ArrayList<String> definitions = new ArrayList<String>();
      // 通过反射和注解获取到 Model 子类中的字段信息
      for (Field field : tableInfo.getFields()) {
            String definition = createColumnDefinition(tableInfo, field);
            if (!TextUtils.isEmpty(definition)) {
                  definitions.add(definition);
```

```
            }
        }

        definitions.addAll(createUniqueDefinition(tableInfo));
        // 将 TableInfo 转换为创建表的 SQL 语句
        return String.format("CREATE TABLE IF NOT EXISTS %s (%s);",
            tableInfo.getTableName(), TextUtils.join(", ", definitions));
}
```

至此数据库中表的创建也完成了。

ActiveAndroid 是如何将数据库操作类转化为真正的数据库语句？

在 ActiveAndroid 中，数据库操作的类被放在 query 包中，里面的类都继承了 Sqlable 接口，里面只有一个函数，它的功能是将类转化为各自 SQL 语句：

```
public interface Sqlable {
    public String toSql();
}
```

比较特殊的是里面的 From 类，它包含了最后的数据动作，实际的数据库动作都是发生在这个类里面的两个函数中，最后执行 execute 时，会将数据库操作类的内容先转化为 SQL 语句，之后执行数据库操作：

```
//执行多个操作
public <T extends Model> List<T>execute() {
    if (mQueryBase instanceof Select) {
        //如果是查询类，执行查询操作
        return SQLiteUtils.rawQuery(mType, toSql(), getArguments());
    } else {
        //其他动作，直接执行 SQL 语句
        SQLiteUtils.execSql(toSql(), getArguments());
    Cache.getContext().getContentResolver().notifyChange(
      ContentProvider.createUri(mType, null), null);
        return null;
    }
}

//执行单个操作
public <T extends Model> T executeSingle() {
    if (mQueryBase instanceof Select) {
         limit(1);
         return (T) SQLiteUtils.rawQuerySingle(mType, toSql(), getArguments());
    } else {
         limit(1);
         SQLiteUtils.rawQuerySingle(mType, toSql(), getArguments()).delete();
         return null;
    }
}

//将数据库操作类转化为数据库语句
@Override
public String toSql() {
    final StringBuilder sql = new StringBuilder();
    sql.append(mQueryBase.toSql());
    addFrom(sql);
    addJoins(sql);
    addWhere(sql);
    addGroupBy(sql);
```

```
    addHaving(sql);
    addOrderBy(sql);
    addLimit(sql);
    addOffset(sql);
    return sqlString(sql);
}
```

例如，new Select().from(Student.class).where("sid=?","3").execute()会被转换为"select * from students where sid=3;"这条 SQL 语句，因此，ActiveAndroid 只是在更高的层次上对 SQL 进行了封装，使得我们操作更加简单。

当我们执行 select 语句查询到数据之后，ActiveAndroid 会将结果转换为具体的 Model 子类，并且存储到 List 中一块返回。我们看 From 类中的 execute 在执行 select 语句时会调用 SQliteUtils 类的 rawQuery 函数，实现如下：

```
public static <T extends Model> List<T>rawQuery(Class<? extends Model> type, String sql,
String[] selectionArgs) {
        Cursor cursor = Cache.openDatabase().rawQuery(sql, selectionArgs);
        List<T> entities = processCursor(type, cursor);
        cursor.close();
        return entities;
    }
```

在 rawQuery 函数中先调用 SQLiteDatabase 的 rawQuery 查询数据，然后得到 Cursor。第二步再从 Cursor 中取出数据，这一步是关键，调用的函数为 processCursor，实现代码如下：

```
@SuppressWarnings("unchecked")
public static <T extends Model> List<T>processCursor(Class<? extends Model> type, Cursor
cursor) {
      // 1.通过 Model 的 Class 类型获取表信息
      TableInfo tableInfo = Cache.getTableInfo(type);
      String idName = tableInfo.getIdName();
      // 查询结果集
      final List<T> entities = new ArrayList<T>();
      try {
            // 2.获取 Model 子类的无参构造函数
            Constructor<?> entityConstructor = type.getConstructor();
            // 解析数据
            if (cursor.moveToFirst()) {
               // 3.获取光标中的所有列名
               List<String> columnsOrdered =
               new ArrayList<String>(Arrays.asList(cursor.getColumnNames()));
               do {
                     Model entity = Cache.getEntity(type,
                     cursor.getLong(columnsOrdered.indexOf(idName)));
                     if (entity == null) {
                           // 4.通过构造函数创建 Model 子类对象
                          entity = (T) entityConstructor.newInstance();
                      }
                      // 5.从光标中加载数据
                      entity.loadFromCursor(cursor);
                      // 6.将对象添加到结果集中
                      entities.add((T) entity);
               }
              while (cursor.moveToNext());
         }

      }
```

```
    // 省略代码
    return entities;
}
```

processCursor 函数的逻辑比较清晰，就是根据 Model 的具体类型获得 TableInfo，然后迭代光标，每次循环迭代则会通过反射构造函数创建一个新的 Model 子类对象，并且通过该 Model 类型的 loadFromCursor 函数解析 Cursor 中的数据。最后将数据添加到 entities 中，直到读取完成。

现在的重点到了 Model 类中的 loadFromCursor 函数，该函数是将光标中的数据映射到 Model 的各个字段中。它的实现大致如下：

```
public final void loadFromCursor(Cursor cursor) {
    List<String> columnsOrdered =
        new ArrayList<String>(Arrays.asList(cursor.getColumnNames()));
    // 迭代该 Model 类对应的表中的所有字段
    for (Field field : mTableInfo.getFields()) {
        // 字段名
        final String fieldName = mTableInfo.getColumnName(field);
        // 字段的类型
        Class<?> fieldType = field.getType();
        // 表中的字段在 Cursor 中的索引位置
        final int columnIndex = columnsOrdered.indexOf(fieldName);
        // 没有找到该字段，直接查找下一个字段
        if (columnIndex < 0) {
            continue;
        }
        field.setAccessible(true);
        try {
            // 代码省略

            Object value = null;
            if (columnIsNull) {
                field = null;
            }
            // 根据字段类型从 Cursor 中读取字段值
            else if (fieldType.equals(Byte.class) || fieldType.equals(byte.class)) {
                value = cursor.getInt(columnIndex);
            }
            // 代码省略
            else if (fieldType.equals(Boolean.class) || fieldType.equals
           (boolean.class)) {
                value = cursor.getInt(columnIndex) != 0;
            }
            else if (fieldType.equals(String.class)) {
                value = cursor.getString(columnIndex);
            }
            // 代码省略

            // 最后将字段值设置给该字段
            if (value != null) {
                field.set(this, value);
            }
        }
       // 省略代码
    }
}
```

在 loadFromCursor 函数中，ActiveAndroid 首先会从该 mTableInfo 中获取到对应的表中的所有

字段，再通 Cursor 中获取所有字段名。然后挨个迭代从 mTableInfo 中获取到所有字段，并且查询每个字段在 Cursor 中的索引值，根据该字段的类型调用 Cursor 对应的 getXxx（int index）方法获取字段的值。例如，如果该字段是 Int 类型，那么通过 getInt（int index）获取该字段的整数值。最终将该字段设置为当前 Model 对象对应的字段，挨个迭代、替换新的字段值，直到读取了所有字段的值。此时 Model 类中就得到了从数据库中获取的值。

插入操作与 select 操作是一个逆向的过程，插入则是将 Model 类型中的字段值转换为具体的 SQL 语句，然后通过 SQLiteDatabase 提交给数据库，这样就将 Model 中的字段保存到它所对应的表中了。

综上所述，ActiveAndroid 实际上的核心技术就是通过注解与反射将 Model 类型中的字段与 SQL 语句建立一个双向关系，然后在查询时将数据从 Cursor 映射到 Model 的字段中，而在插入时则将 Model 中的字段值转换为 SQL 语句，最后提交到数据库中执行。然而通过运行时注解与反射的形式实现数据库引擎并不是效率最高的实现，另一种更高效的实现是通过编译时注解，在编译时生成辅助类，通过这些辅助类完成数据库、表的创建以及 Model 与 SQL 之间的映射，这样避免了在运行时使用注解与反射，提供数据库操作的执行效率。目前，利用编译时注解的数据库开源库有 GreenDAO 以及 DBFlow，相关的实现机制大家可以作为扩展知识进行学习。

## 5.5 小结

本章我们从 SQL 语言开始学习，掌握了 SQLite 中的各类 SQL 语句，从数据库语言层面对 SQLite 进行了全面的学习。然后又通过 SQLite 在 Android 中的运用学习了 SQLOpenHelper、SQLiteDatabase 等类型的基本使用，并且讨论了数据库升级机制，使得我们对于 Android 数据库编程有一定的了解，同时又提出了如何设计与使用数据库模块的问题。最后深入学习了 ActiveAndroid 的使用以及核心原理，同时也学习到更良好的数据库模块的设计，使我们对于数据库编程有更为深刻的认识。

# 第6章 让程序更优秀的技术——性能优化

无论你的应用多么酷、多么有用，如果它运行慢，或者非常消耗内存，那么没人会乐意使用它。因此，性能变得尤为重要。当你忙碌于构建精美的用户界面时，可能容易忘掉一些与性能相关的事情，这也是为什么 Google Play 会进行应用审核的原因之一。

本章你会看到每个 Android 工程师需要了解的一些性能问题。你将学会使用 Android SDK 提供的工具来测试这些性能问题是否存在于你的应用中。如果在应用中发现了一个性能问题，你肯定会想修复它。我们还会看一看如何使用 Android SDK 工具来获取更多关于那些没有覆盖到的性能问题的相关信息。一旦有了这些信息，将会对如何提升应用性能有一个更深刻的理解，并且能够构建出让用户满意的 App。

## 6.1 布局优化

布局是我们在开发应用时必不可少的工作，通常情况下，布局并不会成为工作中的难点。但是，当你的应用变得越来越复杂，页面越来越多时，布局上的优化工作就成了性能优化的第一步。因为在布局上的优化并不像其他优化方式那么复杂，通过 Android Sdk 提供的 HierarchyViewer 可以很直接地看到冗余的层级，去除这些多余的层级将使我们的 UI 变得更流畅。本小节我们就来学习一些常用的布局优化方式。

### 6.1.1 include 布局

当页面逐渐变多的时候，可能会存在多个页面含有同一个布局的情况，也就是说多个页面公用了一些 UI 组件，例如，自定义的标题栏。每个页面的顶部我们都会使用同一个标题栏，使各个页面的标题效果基本保持一致，因此，这个标题栏就成了各页面的共同组件。如果我们在每个页面中都重复定义这个标题布局，那么当要修改标题的样式时我们就必须到每个页面进行修改，造成大量的重复工作，而且容易引发问题。面对这种使用场景，Android 提供了 include 标签，让我们能够将子布局引入到一个布局文件中，这样一来公用布局就可以独立为一个布局 xml，其他页面直接通过 include 引用这个布局 xml 即可。

假设我们自定义了一个标题栏，每个 Activity 的顶部都必须使用这个标题栏。我们先将这个标题栏独立到 common_title.xml 布局中，如下：

```
<RelativeLayout xmlns:android="http://schemas.android.com/apk/res/android"
xmlns:tools="http://schemas.android.com/tools"
    android:layout_width="match_parent"
    android:layout_height="40dp"
    android:background="#cccccc" >

    <ImageButton
        android:id="@+id/title_back_btn"
        android:layout_width="wrap_content"
        android:layout_height="wrap_content"
        android:layout_centerVertical="true"
        android:layout_marginLeft="10dp"
        android:background="@drawable/back" />

    <TextView
        android:id="@+id/title_textview"
        android:layout_width="wrap_content"
        android:layout_height="wrap_content"
        android:layout_centerInParent="true"
        android:gravity="center"
        android:singleLine="true"
        android:text="我的标题"
        android:textSize="16sp" />

</RelativeLayout>
```

该标题栏由一个 ImageButton 和一个文本控件组成，ImageButton 表示返回键，文本控件显示页面信息，如图 6-1 所示。

<  我的标题

▲图 6-1　通用的标题栏

下面我们就将该标题栏引入到一个 Activity 的 xml 中，我们的 xml 名为 layout_activity.xml，代码如下：

```
<FrameLayout xmlns:android="http://schemas.android.com/apk/res/android"
xmlns:tools="http://schemas.android.com/tools"
    android:layout_width="match_parent"
    android:layout_height="match_parent" >

    <include
        android:id="@+id/top_title"
        layout="@layout/common_title" />

    <ImageView
        android:layout_width="wrap_content"
        android:layout_height="wrap_content"
        android:layout_gravity="center"
        android:src="@drawable/smile" />

</FrameLayout>
```

通过 include 标签引入了 common_title 这个布局（注意 include 中指定布局 xml 是使用 layout 属性，而不是 android:layout 属性），然后在标题栏的下方定义了一个 ImageView。得到的结果如

图 6-2 所示。

这样一来，我们就复用了 common_title.xml 中的标题栏效果，即使有 10 个页面，只需要在每个页面中将 common_title.xml 布局 include 到布局中即可，而不必在每个页面中重复定义标题栏布局。这大大降低了我们维护 xml 的成本，也提升了我们的代码复用率。

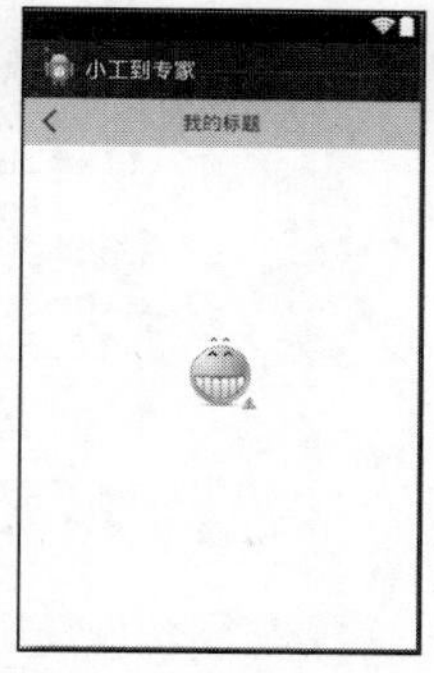

▲图 6-2 include 效果

include 标签实现的原理很简单，就是在解析 xml 布局时，如果检测到 include 标签，那么直接把该布局下的根视图添加到 include 所在的父视图中。对于布局 xml 的解析最终都会调用到 LayoutInflater 的 inflate 方法，该方法最终又会调用 rInflate 方法，我们看看这个方法：

```
void rInflate(XmlPullParser parser, View parent, final AttributeSet
attrs, boolean finishInflate) throws XmlPullParserException, IOException {

        final int depth = parser.getDepth();
        int type;
         // 迭代 xml 中的所有元素，逐个解析
        while (((type = parser.next()) != XmlPullParser.END_TAG ||
                parser.getDepth() > depth) && type != XmlPullParser.END_DOCUMENT) {

            if (type != XmlPullParser.START_TAG) {
                continue;
            }

            final String name = parser.getName();

            if (TAG_REQUEST_FOCUS.equals(name)) {
                parseRequestFocus(parser, parent);
            } else if (TAG_INCLUDE.equals(name)) {// 如果 xml 中的节点是 include 节点
                                                 // 则调用 parseInclude 方法
                if (parser.getDepth() == 0) {
                    throw new InflateException("<include /> cannot be the root element");
                }
                // 调用 parseInclude 解析 include 标签
                parseInclude(parser, parent, attrs);
            } else if (TAG_MERGE.equals(name)) {
                throw new InflateException("<merge /> must be the root element");
        }
        // 省略其他分支
    }

    if (finishInflate) parent.onFinishInflate();
}
```

这个方法其实就是遍历 xml 中的所有元素，然后逐个进行解析。例如，解析到一个<TextView>标签，那么就根据用户设置的一些 layout_width、layout_height、id 等属性来构造一个 TextView 对象，然后添加到父控件（ViewGroup 类型）中。<include>标签也是一样的，我们看到遇到 include 标签时，会调用 parseInclude 函数，这就是对<include>标签的解析，我们看看下面的程序：

```
private void parseInclude(XmlPullParser parser, View parent, AttributeSet attrs)
            throws XmlPullParserException, IOException {
    int type;
    if (parent instanceof ViewGroup) {
```

```
        final int layout = attrs.getAttributeResourceValue(null, "layout", 0);
    // include 标签中没有设置 layout 属性，会抛出异常。
    // 没有指定布局 xml，那么 include 就无意义了
      if (layout == 0) {
            final String value = attrs.getAttributeValue(null, "layout");
       // 省略抛出异常部分代码
       } else {
           final XmlResourceParser childParser =
                   getContext().getResources().getLayout(layout);

            try {
             // 获取属性集，即在 include 标签中设置的属性
              final AttributeSet childAttrs = Xml.asAttributeSet(childParser);
              // 如果不是起始或者结束标识,那么解析下一个元素
              while ((type = parser.next()) != XmlPullParser.START_TAG &&
                  type != XmlPullParser.END_DOCUMENT) {
                  // Empty
              }
             // 代码省略

               // 1.解析 include 中的第一个元素
               final String childName = childParser.getName();
               // 如果第一个元素是 merge 标签，那么调用 rInflate 函数解析
               if (TAG_MERGE.equals(childName)) {
                   // Inflate all children.
                   rInflate(childParser, parent, childAttrs, false);
               } else {
                // 2.例子中的情况会走到这一步,首先根据 include 的属性集
                // 创建被 include 进来的 xml 布局的根 view
                  // 这里的根 view 对应为 my_title_layout.xml 中的 RelativeLayout
                 final View view = createViewFromTag(parent, childName, childAttrs);
                // include 标签的 parent view
                  final ViewGroup group = (ViewGroup) parent;

                  ViewGroup.LayoutParams params = null;
                  try {// 3.获取布局属性
                      params = group.generateLayoutParams(attrs);
                  } catch (RuntimeException e) {
                      params = group.generateLayoutParams(childAttrs);
                  } finally {
                      if (params != null) {// 被 inlcude 进来的根 view 设置布局参数
                          view.setLayoutParams(params);
                      }
                  }

                  // 4.Inflate all children. 解析所有子控件
                  rInflate(childParser, view, childAttrs, true);

                  // Attempt to override the included layout's android:id with the
                  // one set on the <include /> tag itself.
                  TypedArray a = mContext.obtainStyledAttributes(attrs,
                      com.android.internal.R.styleable.View, 0, 0);
                  int id = a.getResourceId(com.android.internal.R.styleable.View_id,
                          View.NO_ID);
                  // While we're at it, let's try to override android:visibility.
                  int visibility = a.getInt(
                          com.android.internal.R.styleable.View_visibility, -1);
                  a.recycle();
                   // 5.如果 include 中设置了 id,则会将 include 中设置的 id
                   // 设置给 common_title.xml 中的根 view,因此，实际上
                   // common_title.xml 中的 RelativeLayout 的 id 会变成
                   // include 标签中的 id
```

```
                if (id != View.NO_ID) {
                    view.setId(id);
                }

                 //  省略设置可见性的代码

               // 6.最后将 common_title.xml 中的根 view 添加到它的上一层父控件中
                group.addView(view);
              }
            } finally {
              childParser.close();
            }
          }
      } else {
          throw new InflateException("<include /> can only be used inside of a ViewGroup");
      }
       // 代码省略
  }
```

整个过程就是根据不同的标签解析不同的元素，首先会解析 include 元素，然后再解析被 include 进来的布局的 root view 元素。在我们的例子中，对应的 root view 就是 RelativeLayout，然后再解析 root view 下面的所有元素，这个过程是上面注释的 2～4 的过程，然后是设置布局参数。我们看到，注释 5 处的会判断 include 标签的 id，如果不是 View.NO_ID 的话会把该 id 设置给被引入的布局根元素的id，即此时在我们的例子中common_title.xml的根元素RelativeLayout的id被设置成了include 标签中的 top_title，即 RelativeLayout 的 id 被动态修改了。最终被 include 进来的布局的根视图会被添加到它的 parent view 中，也就实现了 include 功能。

### 6.1.2 merge 标签

在布局中我们经常需要处理嵌套问题，有一种情况是子布局的根视图与它的父视图是同一类型，如图 6-3 所示。

从图 6-3 中可以看到，child_view 与 parent_view 都是 FrameLayout 类型，如果 child_view 布局下的两个控件直接使用 parent_view 来布局是不是更好呢?这样就可以去除 child_view 这个层级。merge 标签就是运用于这种情况的，它的作用是合并 UI 布局，使用该标签能降低 UI 布局的嵌套层次。它的使用场景是存在多层使用同一种布局类的嵌套视图，这种情况下用 merge 标签作为子视图的顶级视图来解决掉多余的层级。

我们知道，将布局 xml 中的内容通过 setContentView 函数设置给 Activity 时，实际上是设置给了 Activity 布局中的 id 为 content 的 FrameLayout 视图，我们设置的 xml 布局只是 Activity 中的其中一部分，Android 系统会在 Framework 层封装这个逻辑。也就是说，Activity 内容视图的顶层布局是 FrameLayout，在 include 例子中，layout_activity.xml 的顶级视图也是 FrameLayout。因此，layout_activity.xm 的顶级视图就与 id 为 content 的 FrameLayout 产生了冗余的视图，我们通过 HierarchyViewer 工具来查看，在命令行执行 hierarchyviewer 命令，然后会启动该工具，如图 6-4 所示。

在 demo 中进入到 LayoutActivity 页面，然后在 HierarchyViewer 中选中 demo 应用，选择“Load View Hierarchy”，此时就会进入到查看 View 层级的页面，如图 6-5 所示。

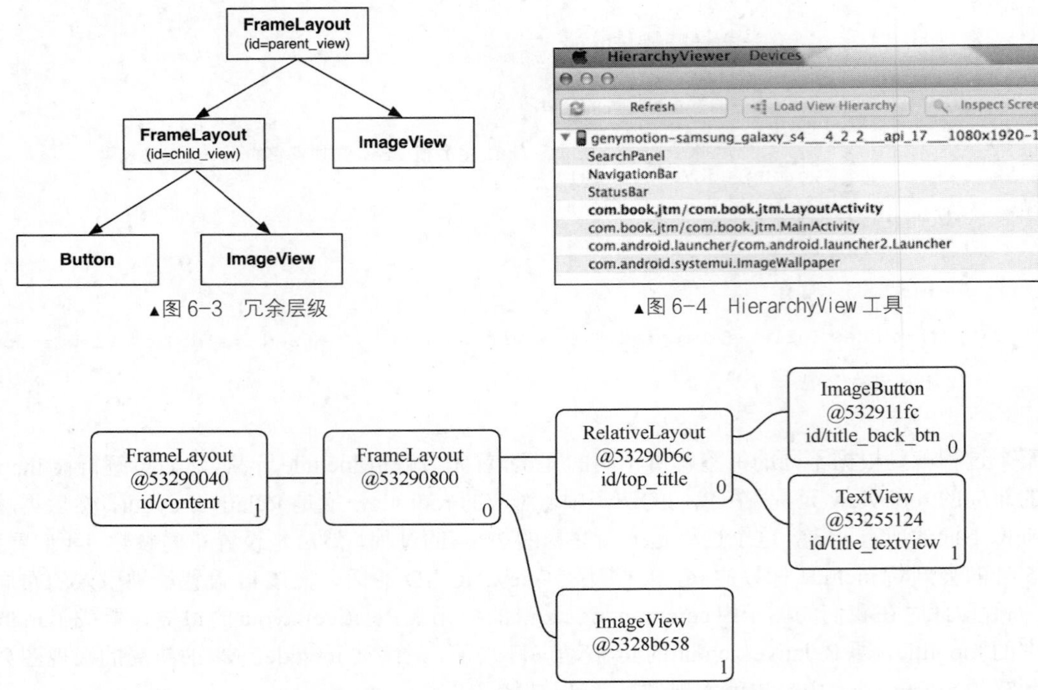


▲图 6-3　冗余层级

▲图 6-4　HierarchyView 工具

▲图 6-5　layout_activity.xml 的部分视图层级

从图 6-5 中可以看出，最左边的 id 为 content 的视图是 FrameLayout，而它的右边的 FrameLayout 就是我们 layout_activity.xml 布局中的根视图 FrameLayout。这就满足了我们使用 merge 标签的条件，即出现了使用同一布局类的多层嵌套。因此，可以将 layout_activity.xml 中的根视图替换为 merge 标签，代码如下：

```
<merge xmlns:android="http://schemas.android.com/apk/res/android"
    xmlns:tools="http://schemas.android.com/tools"
    android:layout_width="match_parent"
    android:layout_height="match_parent" >

    <include layout="@layout/common_title" />

    <ImageView
        android:layout_width="wrap_content"
        android:layout_height="wrap_content"
        android:layout_gravity="center"
        android:src="@drawable/smile" />

</merge>
```

其他代码不变，只修改根视图为 merge 即可。我们再用 hierarchyviewer 来看看现在的布局情况，如图 6-6 所示。

在图 6-6 中，可以看到 content 之后没有了 FrameLayout 层级，而是直接管理了它的子视图，这样多余的层级就被消除了。

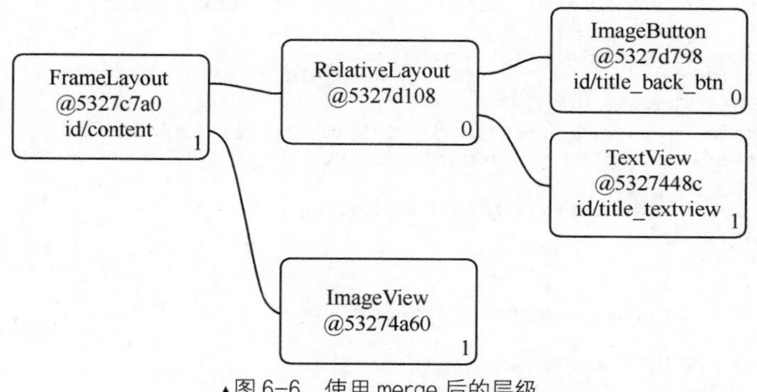


▲图 6-6 使用 merge 后的层级

与 include 一样，merge 的解析也在 LayoutInflater 的 inflate()函数中。相关代码如下：

```
public View inflate(XmlPullParser parser, ViewGroup root, boolean attachToRoot) {
    synchronized (mConstructorArgs) {
        final AttributeSet attrs = Xml.asAttributeSet(parser);
        Context lastContext = (Context)mConstructorArgs[0];
        mConstructorArgs[0] = mContext;
        View result = root;
        try {
            // Look for the root node.
            int type;
            while ((type = parser.next()) != XmlPullParser.START_TAG &&
                    type != XmlPullParser.END_DOCUMENT) {
                // Empty
            }

            final String name = parser.getName();

            // m 如果是 erge 标签，那么调用 rInflate 进行解析
            if (TAG_MERGE.equals(name)) {
                if (root == null || !attachToRoot) {
                    throw new InflateException("<merge /> can be used only with a valid "
                            + "ViewGroup root and attachToRoot=true");
                }
                // 解析 merge 标签
                rInflate(parser, root, attrs, false);
            } else {
              // 代码省略
            }
        } catch (XmlPullParserException e) {
            // 代码省略
        }
        return result;
    }
}
```

从上述程序中可以看到，在 inflate 函数中会循环解析 xml 中的 tag，如果解析到 merge 标签则会调用 rinflate 函数。我们看看该函数中与 merge 相关的实现：

```
rInflate(XmlPullParser parser, View parent, final AttributeSet attrs,
        boolean finishInflate) throws XmlPullParserException, IOException {

    final int depth = parser.getDepth();
    int type;
      // 1.循环迭代各个 xml 中的标签
    while (((type = parser.next()) != XmlPullParser.END_TAG ||
            parser.getDepth() > depth) && type != XmlPullParser.END_DOCUMENT) {

        if (type != XmlPullParser.START_TAG) {
            continue;
        }

        final String name = parser.getName();

        if (TAG_REQUEST_FOCUS.equals(name)) {
            parseRequestFocus(parser, parent);
        } else if (TAG_INCLUDE.equals(name)) {
                // 代码省略
             parseInclude(parser, parent, attrs);
        }
          // 省略其他 if-else
         else { // 我们的 merge 标签会进入这里
         // 2.根据 tag 创建视图
             final View view = createViewFromTag(parent, name, attrs);
            // 将 merge 标签的 parent 转换为 ViewGroup
            final ViewGroup viewGroup = (ViewGroup) parent;
            // 获取布局参数
            final ViewGroup.LayoutParams params =
                        viewGroup.generateLayoutParams(attrs);
            // 3.递归解析每个子元素
            rInflate(parser, view, attrs, true);
            // 4.将子元素直接添加到 merge 标签的 parent view 中
            viewGroup.addView(view, params);
        }
    }
    if (finishInflate) parent.onFinishInflate();
}
```

在 rinflate 函数中，如果是 merge 标签，我们会进入到最后的一个 else 分支。而此时在 while 循环中迭代查找的就是 merge 标签下的子视图，因为 merge 标签在 inflate 函数中已经被解析掉了。因此，此时在 rinflate 中只解析 merge 的子视图，在最后一个 else 分支中，LayoutInflater 首先通过 tag 创建各个子视图，然后设置视图参数、递归解析子视图下的子视图，最后，merge 标签各个子视图添加到 merge 标签的 parent 视图中，这样一来，就成功地甩掉了 merge 标签。

## 6.1.3　ViewStub 视图

ViewStub 是一个不可见的和能在运行期间延迟加载目标视图的、宽高都为 0 的 View。当对一个 ViewStub 调用 inflate()方法或设置它可见时，系统会加载在 ViewStub 标签中指定的布局，然后将这个布局的根视图添加到 ViewStub 的父视图中。也就是说，在对 ViewStub 调用 inflate()方法或设置 visible 之前，它是不占用布局空间和系统资源的，它只是一个为目标视图占了一个位置而已。当我们只需要在某些情况下才加载一些耗资源的布局时，ViewStub 就成了我们实现这个功能的重要手段。

例如，在一个页面中，有一个显示九宫格图片的 GridView 视图，但是，我们需要根据从网络上返回的数据来判断是否加载该 GridView 视图。也就是说对于是否要加载该视图是在运行时才可知的，如果默认加载 GridView 视图，那么就会造成资源浪费，系统加载成本也较高。例如，该九宫格 GridView 是类似新浪微博的消息流中的一个 Item 中的一部分，那么，在没有图片的情况下依然加载这个 GridView，这将会很大程度影响消息流的流畅度。因此，这种情况下可以使用 ViewStub 标签来实现延迟加载。

下面演示一下如何使用 ViewStub 标签，直接在一个 Activity 中使用 ViewStub 来动态加载 GridView。的 layout_activity_stub.xml 布局如下：

```
<RelativeLayout xmlns:android="http://schemas.android.com/apk/res/android"
xmlns:tools="http://schemas.android.com/tools"
android:layout_width="match_parent"
android:layout_height="match_parent" >

<include
       android:id="@+id/top_title"
       layout="@layout/common_title" />

<Button
       android:id="@+id/show_btn"
       android:layout_width="match_parent"
       android:layout_height="wrap_content"
       android:layout_below="@id/top_title"
       android:layout_marginTop="10dp"
       android:text="显示图片 GridView" />

<ViewStub
       android:id="@+id/comment_stub"
       android:layout_width="match_parent"
       android:layout_height="wrap_content"
       android:layout_below="@id/show_btn"
       android:layout="@layout/layout_image_gv" />

</RelativeLayout>
```

从上述程序中可以看到，我们在布局的最后使用了 ViewStub 来加载 layout_image_gv.xml 布局。layout_image_gv.xml 的代码如下：

```
<RelativeLayout xmlns:android="http://schemas.android.com/apk/res/android"
xmlns:tools="http://schemas.android.com/tools"
android:layout_width="match_parent"
android:background="#aaaaaa"
android:layout_height="match_parent" >

<TextView
       android:id="@+id/image_desc"
       android:layout_width="match_parent"
       android:layout_height="wrap_content"
       android:gravity="center"
       android:text="这里是一个显示九宫格图片的 GridView"
       android:textSize="16sp" />

<GridView
       android:id="@+id/image_gc"
       android:layout_width="match_parent"
```

```
        android:layout_height="match_parent"
        android:layout_below="@id/image_desc"
        android:numColumns="3" />

</RelativeLayout>
```

该布局中有一个 TextView 和 GridView，默认情况下不会加载该视图，而只会通过 ViewStub 来占位，当用户点击“显示图片 GridView”之后，调用 ViewStub 的 inflate()或者 setVisibility（View.VISIBLE）才会加载 layout_image_gv.xml 布局。相关的代码如下：

```
public class StubLayoutActivity extends Activity {
    // ViewStub
    ViewStub gvStub;

    @Override
    protected void onCreate(Bundle savedInstanceState) {
        super.onCreate(savedInstanceState);
        setContentView(R.layout.layout_activity_stub);
        // 获取 ViewStub 视图
        gvStub = (ViewStub) findViewById(R.id.comment_stub);
        // 点击按钮时加载 ViewStub 中的视图
        findViewById(R.id.show_btn).setOnClickListener(new OnClickListener() {

            @Override
            public void onClick(View v) {
                // 加载目标视图,不能多次调用,否则引发异常
                gvStub.inflate();
                //gvStub.setVisibility(View.VISIBLE);
            }
        });
    }
}
```

运行程序，效果如图 6-7 和图 6-8 所示。

▲图 6-7　未加载

▲图 6-8　加载 layout_image_gv.xml

从图 6-7 和图 6-8 中可以看到，当我们点击“显示图片 GridView 之后”layout_image_gv.xml 布局才显示出来，因为，GridView 中没有数据，因此，只显示了根视图的深灰色背景与 TextView 文本。我们再通过 HierarchyViewer 查看它们的视图变化，如图 6-9 和图 6-10 所示。

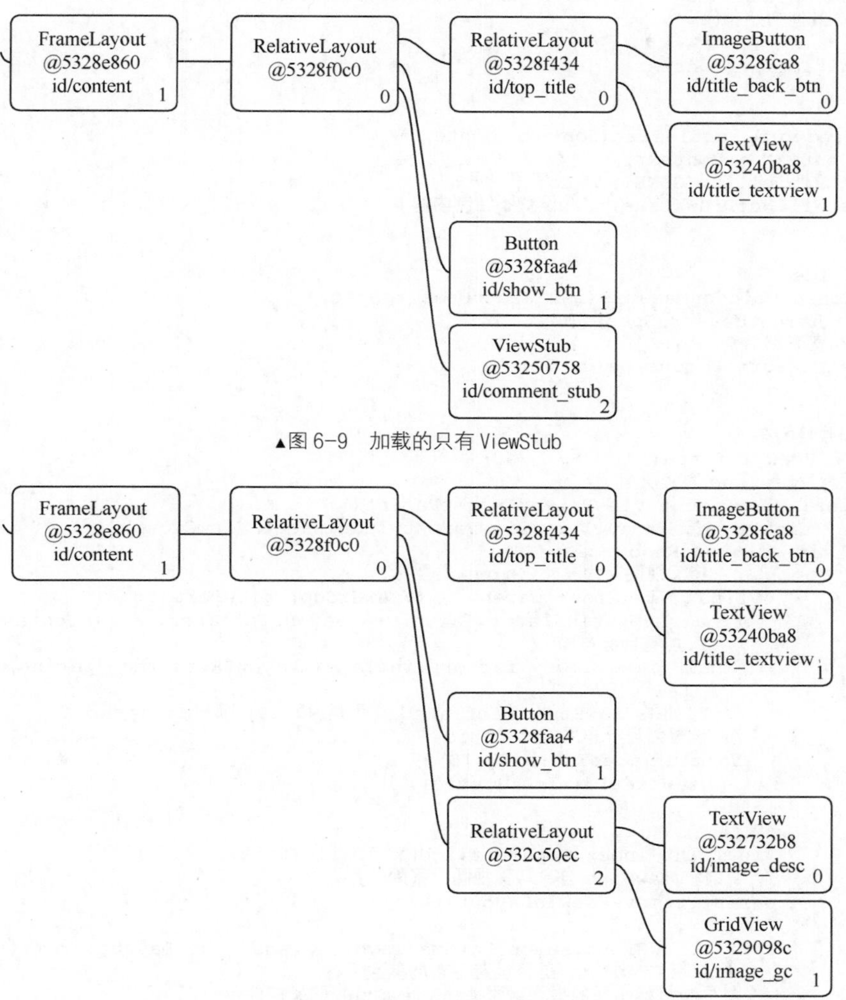


▲图 6-9　加载的只有 ViewStub

▲图 6-10　点击按钮之后加载了 layout_image_gv.xml 布局

从图 6-10 中可以看到，在未点击显示按钮时，只有 ViewStub 代替 layout_image_gv.xml 布局显示在布局中；当我们点击显示按钮之后，ViewStub 从视图树中消失了，取而代之的是 layout_image_gv.xml 中的内容。

我们直接看 ViewStub 的源码来分析它的实现原理：

```
@SuppressWarnings({"UnusedDeclaration"})
public ViewStub(Context context, AttributeSet attrs, int defStyle) {
    TypedArray a = context.obtainStyledAttributes(attrs,
```

```
        com.android.internal.R.styleable.ViewStub,
            defStyle, 0);
    // 获取 inflatedId 属性
    mInflatedId = a.getResourceId(R.styleable.ViewStub_inflatedId, NO_ID);
    // 获取目标布局
    mLayoutResource = a.getResourceId(R.styleable.ViewStub_layout, 0);
    // 其他初始化代码

    initialize(context);
}

private void initialize(Context context) {
    mContext = context;
    setVisibility(GONE);// 设置不可见?
    setWillNotDraw(true);// 设置不绘制内容
}

@Override
protected void onMeasure(int widthMeasureSpec,
    int heightMeasureSpec) {
    // 宽高都为 0
    setMeasuredDimension(0, 0);
}

// 加载目标布局
public View inflate() {
// 获取 ViewStub 的父视图
    final ViewParent viewParent = getParent();
    if (viewParent != null && viewParent instanceof ViewGroup) {
        if (mLayoutResource != 0) {
            // 将父视图转为 ViewGroup 类型
            final ViewGroup parent = (ViewGroup) viewParent;
            final LayoutInflater factory = LayoutInflater.from(mContext);
            // 1.加载目标布局
            final View view = factory.inflate(mLayoutResource, parent,
                false);
            // 2.如果 ViewStub 的 inflatedId 不是 NO_ID，则把 inflatedId
            // 设置为目标布局根元素的 id
            if (mInflatedId != NO_ID) {
                view.setId(mInflatedId);
            }

            final int index = parent.indexOfChild(this);
            // 3.将 ViewStub 自身从父视图中移除
            parent.removeViewInLayout(this);

            final ViewGroup.LayoutParams layoutParams = getLayoutParams();
            // 4.判断 ViewStub 是否设置了布局参数
            // 然后将目标布局的根元素添加到 ViewStub 的父控件中
            if (layoutParams != null) {
                parent.addView(view, index, layoutParams);
            } else {
                parent.addView(view, index);
            }
                // 代码省略
            return view;
        } else {
            throw new
            IllegalArgumentException("ViewStub must have a valid layoutResource");
        }
    } else {
        throw
```

```
            new IllegalStateException("ViewStub must have a non-null ViewGroup viewParent");
        }
    }
```

从上述程序中可以看到，在 ViewStub 中的初始化代码中，我们获取到了指定的目标布局资源 id，以及 inflateid 等参数，并且将 ViewStub 设置为不绘制内容，而在 ViewStub 的测量函数中则将它的宽高都设置为 0，这些操作使得该视图在它的父控件中只是占个“坑”，而不做具体的事。当用户手动调用 ViewStub 的 inflate 或者 setVisibility 函数（实际上也是调用 inflate 函数）时，那么会将 ViewStub 自身从父控件中移除，并且加载目标布局，然后将目标布局添加到 ViewStub 的父控件中，这样就完成了视图的动态替换，也就是我们说的延迟加载功能。

### 6.1.4 减少视图树层级

每一个视图在显示时都会经历测量、布局、绘制的过程，如果我们的布局中嵌套的视图层次过多，那么就会造成额外测量、布局等工作，使得 UI 变得卡顿，验证影响用户的使用体验。

Include、merge、ViewStub 是使用特定技术来提升 UI 的可复用性、效率，而在开发过程中，造成 UI 渲染缓慢的原因很可能是运用了错误的布局方式，使得视图树的层级较多，最终降低了 UI 的渲染速度。

例如，在一个简单的消息流页面，每个项都是如图 6-11 所示。

▲图 6-11 消息流页面

每一项数据都由用户头像、用户名、文本消息组成，分别对应一个 ImageView 和两个 TextView。我们使用的布局 xml 如下：

```
<LinearLayout xmlns:android="http://schemas.android.com/
apk/res/android"
    android:layout_width="match_parent"
    android:layout_height="wrap_content"
    android:background="#f0f0f0"
    android:padding="3dp"
    android:orientation="vertical" >

<LinearLayout
        android:layout_width="match_parent"
        android:layout_height="wrap_content"
        android:orientation="horizontal" >

<ImageView
            android:id="@+id/profile_img"
            android:layout_width="48dp"
            android:layout_height="48dp"
            android:src="@drawable/smile" />

<TextView
            android:id="@+id/name_textview"
            android:layout_width="wrap_content"
            android:layout_height="wrap_content"
            android:layout_gravity="center"
            android:gravity="center"
            android:singleLine="true"
            android:text="用户名"
            android:textSize="16sp" />
</LinearLayout>
```

```
<TextView
        android:id="@+id/msg_textview"
        android:layout_width="wrap_content"
        android:layout_height="wrap_content"
        android:layout_marginLeft="10dp"
        android:layout_marginTop="3dp"
        android:text="这里是文本信息"
        android:textSize="13sp" />

</LinearLayout>
```

最外层是一个竖向的 LinearLayout，从上到下分别为一个横向的 LinearLayout、一个显示消息内容的 TextView，横向的 LinearLayout 中将用户头像和用户名组织起来，这样就完成了如图 6-12 的效果。

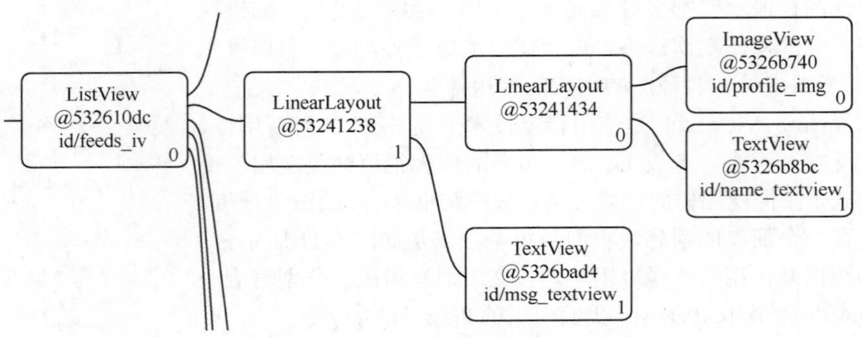


▲图 6-12　使用 LinearLayout 的布局

我们看到 ListView 的每项根视图为 LinearLayout，它的子视图有一个 LinearLayout 和文本控件，而子视图 LinearLayout 又含有两个子视图，每个 ListView 的 Item View 就有 3 层。

然而，如果我们使用 RelativeLayout 来布局这个 Item View，它的工作就简单多了，我们看看使用 RelativeLayout 的实现：

```
<RelativeLayout xmlns:android="http://schemas.android.com/apk/res/android"
    android:layout_width="match_parent"
    android:layout_height="wrap_content"
    android:background="#f0f0f0"
    android:padding="3dp" >

<ImageView
        android:id="@+id/profile_img"
        android:layout_width="48dp"
        android:layout_height="48dp"
        android:src="@drawable/smile" />

<TextView
        android:id="@+id/name_textview"
        android:layout_width="wrap_content"
        android:layout_height="wrap_content"
        android:layout_toRightOf="@id/profile_img"
        android:gravity="center"
        android:layout_marginTop="5dp"
```

```
        android:singleLine="true"
        android:text="用户名"
        android:textSize="16sp" />

    <TextView
        android:id="@+id/msg_textview"
        android:layout_width="wrap_content"
        android:layout_height="wrap_content"
        android:layout_below="@id/profile_img"
        android:layout_marginLeft="10dp"
        android:layout_marginTop="3dp"
        android:text="这里是文本信息"
        android:textSize="13sp" />

</RelativeLayout>
```

在使用 RelativeLayout 布局的实现中，RelativeLayout 下只有一层，使得 RelativeLayout 的布局更为扁平，去除了多余的层次，能够提升视图的渲染效率。我们看看现在的效果，如图 6-13 所示。

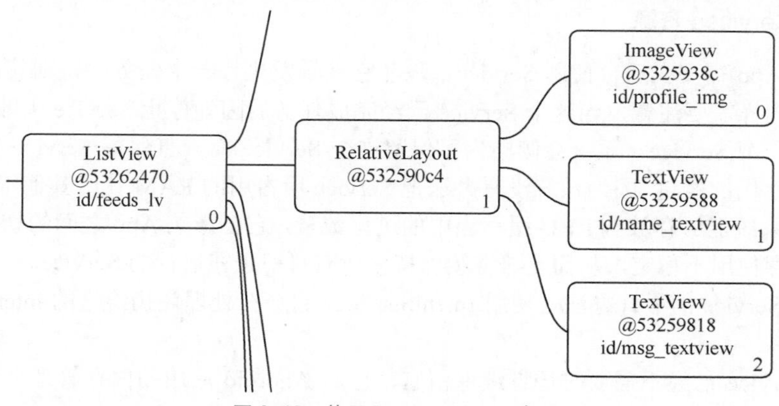


▲图 6-13　使用 RelativeLayout 布局

简单来说，在 Android UI 布局过程中，需要遵守的原则包括如下几点：

（1）尽量多使用 RelativeLayout，不要使用绝对布局 AbsoluteLayout；

（2）在 ListView 等列表组件中尽量避免使用 LinearLayout 的 layout_weight 属性；

（3）将可复用的组件抽取出来并通过< include />标签使用；

（4）使用< ViewStub />标签来加载一些不常用的布局；

（5）使用< merge />标签减少布局的嵌套层次。

由于 Android 的碎片化程度很高，市面上存在的屏幕尺寸也是各式各样，使用 RelativeLayout 能使我们构建的布局适应性更强，构建出来的 UI 布局对多屏幕的适配效果就好，通过指定 UI 控件间的相对位置，使在不同屏幕上布局的表现能基本保持一致。当然，也不是所有情况下都得使用相对布局，根据具体情况来选择和其他布局方式的搭配来实现最优布局。

## 6.2 内存优化

Random Access Memory（RAM）在任何软件开发环境中都是一个很宝贵的资源。这一点在物理内存通常很有限的移动操作系统上，显得尤为突出。尽管 Android 的 Dalvik 虚拟机扮演了常规的垃圾回收的角色，但这并不意味着你可以忽视 App 的内存分配与释放的时机与地点。

为了 GC 能够从 App 中及时回收内存，我们需要注意避免内存泄露并且在适当的时机来释放引用对象。对于大多数 App 来说，Dalvik 的 GC 会自动把离开活动线程的对象进行回收。

本节会介绍一些内存管理的知识，以及在开发 Android 应用时如何主动减少内存的使用。

### 如何管理内存

你应该在开发过程的每一个阶段都考虑到 RAM 的有限性，甚至包括在开发开始之前的设计阶段就应该开始考虑 RAM 的限制。我们可以有许多种设计与实现方式，它们有着不同的效率，即使这些方式只是相同技术的不断组合与演变。为了使得你的应用效率更高，你应该在设计与实现代码时，遵循下面的技术要点。

#### 1. 珍惜 Services 资源

如果你的 App 需要在后台使用 Service，除非它被触发执行一个任务，否则其他时候都应该是非运行状态。同样需要注意，当这个 Service 已经完成任务后因为停止 Service 失败而引起的泄漏。

当你启动一个 Service，系统会倾向为了保留这个 Service 而一直保留 Service 所在的进程。这使得进程的运行代价很高，因为系统没有办法把 Service 所占用的 RAM 让给其他组件或者被 paged out。这减少了系统能够存放到 LRU 缓存当中的进程数量，它会影响 App 之间的切换效率。它甚至会导致系统内存使用不稳定，从而无法继续保持住所有目前正在运行的 Service。

限制你的 Service 的最好办法是使用 IntentService，它会在处理完扔给它的 intent 任务之后尽快结束自己。

当一个 Service 已经不需要时还继续保留它，这对 Android 应用的内存管理来说是最糟糕的错误之一。因此，千万不要贪婪地使得一个 Service 持续保留。不仅仅是因为它会使得你的 App 因 RAM 的限制而性能糟糕，而且用户会发现这些有着常驻后台行为的应用并且卸载它。

#### 2. 当 UI 隐藏时释放内存

当用户切换到其他应用并且你的应用 UI 不再可见时，应该释放 UI 上所占用的所有资源。在这个时候释放 UI 资源可以显著地增加系统缓存进程的能力，它会对用户体验有着很直接的影响。

为了能够接收到用户离开你的 UI 时的通知，需要实现 Activtiy 类里面的 onTrimMemory()回调方法。应该使用这个方法来监听到 TRIM_MEMORY_UI_HIDDEN 级别的回调，此时意味着你的 UI 已经隐藏，你应该释放那些仅仅被你的 UI 使用的资源。

请注意：你的应用仅仅会在所有 UI 组件被隐藏时接收到 onTrimMemory()的回调并带有参数 TRIM_MEMORY_UI_HIDDEN。这与 onStop()的回调是不同的，onStop 会在 Activity 的实例隐藏时执行，例如，当用户从你的 App 的某个 Activity 跳转到另外一个 Activity 时 onStop 会被执行。因此，应该实现 onStop 回调，并且在此回调里面释放 Activity 的资源，例如，网络连接、unregister 广播接收者。除非接收到 onTrimMemory（TRIM_MEMORY_UI_HIDDEN））的回调，否者不应该释放你的 UI 资源。这确保了用户从其他 Activity 切换回来时，你的 UI 资源仍然可用，并且可以迅速恢复 Activity。

### 3. 当内存紧张时释放部分内存

在你的 App 生命周期的任何阶段，onTrimMemory 回调方法同样可以告诉你整个设备的内存资源已经开始紧张。你应该根据 onTrimMemory 方法中的内存级别来进一步决定释放哪些资源。

- TRIM_MEMORY_RUNNING_MODERATE:你的 App 正在运行并且不会被列为可杀死的。但是，设备此时正运行于低内存状态下，系统开始触发杀死 LRU Cache 中的 Process 的机制。
- TRIM_MEMORY_RUNNING_LOW：你的 App 正在运行且没有被列为可杀死的。但是，设备正运行于更低内存的状态下，你应该释放不用的资源用来提升系统性能（但是这也会直接影响到你的 App 的性能）。
- TRIM_MEMORY_RUNNING_CRITICAL：你的 App 仍在运行，但是，系统已经把 LRU Cache 中的大多数进程都已经杀死，因此，应该立即释放所有非必须的资源。如果系统不能回收到足够的 RAM 数量，系统将会清除所有的 LRU 缓存中的进程，并且开始杀死那些之前被认为不应该杀死的进程，例如，那个包含了一个运行态 Service 的进程。

同样，当你的 App 进程正在被 cached 时，可能会接收到从 onTrimMemory()中返回的下面的值之一。

- TRIM_MEMORY_BACKGROUND: 系统正运行于低内存状态并且你的进程正处于 LRU 缓存名单中最不容易杀掉的位置。尽管你的 App 进程并不是处于被杀掉的高危险状态，系统可能已经开始杀掉 LRU 缓存中的其他进程了。你应该释放那些容易恢复的资源，以便于你的进程可以保留下来，这样当用户回退到你的 App 时才能够迅速恢复。
- TRIM_MEMORY_MODERATE：系统正运行于低内存状态并且你的进程已经接近 LRU 名单的中部位置。如果系统开始变得更加内存紧张，你的进程是有可能被杀死的。
- TRIM_MEMORY_COMPLETE: 系统正运行与低内存的状态并且你的进程正处于 LRU 名单中最容易被杀掉的位置。你应该释放任何不影响你的 App 恢复状态的资源。

因为 onTrimMemory()的回调是在 API 14 才被加进来的，对于老的版本，你可以使用 onLowMemory 回调来进行兼容。onLowMemory 相当与 TRIM_MEMORY_COMPLETE。

- Note：当系统开始清除 LRU 缓存中的进程时，尽管它首先按照 LRU 的顺序来操作，但是，它同样会考虑进程的内存使用量。因此，消耗越少的进程则越容易被留下来。

### 4. 检查你应该使用多少内存

正如前面提到的，每一个 Android 设备都会有不同的 RAM 总大小与可用空间，因此，不同设备为 App 提供了不同大小的 heap 限制。可以通过调用 getMemoryClass()来获取你的 App 的可用 heap 大小。如果你的 App 尝试申请更多的内存，会出现 OutOfMemory 的错误。

在一些特殊的情景下，可以通过在 manifest 的 application 标签下添加 largeHeap=true 的属性来声明一个更大的 heap 空间。如果你这样做，可以通过 getLargeMemoryClass()来获取到一个更大的 heap size。

然而，能够获取更大 heap 的设计本意是为了一小部分会消耗大量 RAM 的应用（如一个大图片的编辑应用）。不要轻易地因为你需要使用大量的内存而去请求一个大的 heap size。只有当你清楚地知道哪里会使用大量的内存并且为什么这些内存必须被保留，才去使用 large heap。 因此请尽量少使用 large heap。使用额外的内存会影响系统整体的用户体验，并且会使得 GC 的每次运行时间更长。在任务切换时，系统的性能会变得大打折扣。

另外，large heap 并不一定能够获取到更大的 heap。在某些有严格限制的机器上，large heap 的大小和通常的 heap size 是一样的。因此，即使你申请了 large heap，还是应该通过执行 getMemoryClass() 来检查实际获取到的 heap 大小。

### 5. 避免 bitmaps 的浪费

当你加载一个 bitmap 时，仅仅需要保留适配当前屏幕设备分辨率的数据即可，如果原图高于你的设备分辨率，需要做缩小的动作。请记住，增加 bitmap 的尺寸会对内存呈现出 2 次方的增加，因为 X 与 Y 都在增加。

在 Android 2.3.x（API level 10）及其以下版本，bitmap 对象的 pixel data 是存放在 native 内存中的，它不便于调试。然而，从 Android 3.0（API level 11）开始，bitmap pixel data 是分配在你的 App 的 Dalvik heap 中，这提升了 GC 的工作效率并且更加容易 Debug。因此，如果你的 App 使用 bitmap 并在旧的机器上引发了一些内存问题，切换到 Android 3.0 以上的机器上进行 Debug。

如果你的应用中需要使用图片加载的功能，建议使用成熟的 ImageLoader 框架，如 Glide、Picasso、Fresco 等，这样能够避免加载图片时的很多问题。

### 6. 使用优化的数据容器

利用 Android Framework 里面优化过的容器类，例如 SparseArray,、SparseBooleanArray、与 LongSparseArray。通常的 HashMap 的实现方式更加消耗内存，因为它需要一个额外的实例对象来记录 Mapping 操作。另外，SparseArray 更加高效在于它们避免了对 key 与 value 的 autobox 自动装箱，并且避免了装箱后的解箱。

### 7. 请注意内存开销

对你所使用的语言与库的成本与开销有所了解，从开始到结束，在设计你的 App 时谨记这些信息。通常，表面上看起来无关痛痒的事情也许实际上会导致大量的内存开销。例如，Enums 的内存消耗通常是 static constants 的 2 倍。应该尽量避免在 Android 上使用 enums。在 Java 中的每一个类（包括匿名内部类）都会使用大概 500 bytes。每一个类的实例产生的花销是 12-16 bytes。往 HashMap 添加一个 entry 需要一个额外占用的 32 bytes 的 entry 对象。

### 8. 请注意代码“抽象”

通常，开发者使用抽象作为“好的编程实践”，因为抽象能够提升代码的灵活性与可维护性。然而，抽象会导致一个显著的开销：通常它们需要同等量的代码用于可执行。那些代码会被 map 到内存中。因此，如果你的抽象没有显著地提升效率，应该尽量避免它们。

### 9. 为序列化的数据使用 nano protobufs

Protocol buffers 是由 Google 为序列化结构数据而设计的，一种语言无关，平台无关，具有良好扩展性的协议。类似 xml，却比 xml 更加轻量、快速、简单。如果需要为你的数据实现协议化，应该在客户端的代码中总是使用 nano protobufs。通常的协议化操作会生成大量繁琐的代码，这容易给你的 App 带来许多问题：增加 RAM 的使用量，显著增加 APK 的大小，更慢的执行速度，更容易达到 DEX 的字符限制。

### 10. 避免使用依赖注入框架

使用类似 Guice 或者 RoboGuice 等 framework injection 包是很有效的，因为它们能够简化你的代码。RoboGuice 2 通过依赖注入改变代码风格，让 Android 开发时的体验更好。你在调用 getIntent().getExtras() 时经常忘记检查 null 吗？RoboGuice 2 可以帮你做。你认为将 findViewById() 的返回值强制转换成 TextView 是不必要的工作吗？RoboGuice2 会帮你。RoboGuice 把这些需要猜测性的工作移到 Android 开发以外去了。注入你的 View、Resource、System Service，或者其他对象，RoboGuice 2 会负责这些细节。

然而，那些框架会通过扫描你的代码执行许多初始化的操作，这会导致你的代码需要大量的 RAM 来 map 代码。但是，mapped pages 会长时间的被保留在 RAM 中。

### 11. 谨慎使用外部库

很多 library 的代码都不是为移动开发环境而编写的，因此，运用到移动开发时会导致影响 App 效率。即使是针对 Android 而设计的 library，也可能是很危险的，因为每一个 library 所做的事情都是不一样的。例如，其中一个 lib 使用的是 nano protobufs，而另外一个使用的是 micro protobufs。那么，在你的 App 里面就有 2 种 protobuf 的实现方式。这样的冲突同样可能发生在输出日志、加载图片、缓存等模块里面。

同样不要陷入为了 1 个或者 2 个功能而导入整个 library 的陷阱。如果没有一个合适的库与需求相吻合，应该考虑自己去实现，而不是导入一个大而全的解决方案。

### 12. 优化整体性能

谷歌官方中列出了许多优化整个 App 性能的文章：Best Practices for Performance. 这篇文章就是其中之一。有些文章是讲解如何优化 App 的 CPU 使用效率，有些是如何优化 App 的内存使用效率。

你还应该阅读 optimizing your UI 来为 layout 进行优化。同样还应该关注 lint 工具所提出的建议，进行优化。

### 13. 使用 ProGuard 来剔除不需要的代码

ProGuard 能够通过移除不需要的代码，重命名类、域与方法等方或对代码进行压缩，优化与混淆。使用 ProGuard 可以使你的代码更加紧凑，这样能够使用更少 mapped 代码所需要的 RAM。

#### 14. 对最终的 APK 使用 zipalign

在编写完所有代码，并通过编译系统生成 APK 之后，你需要使用 zipalign 对 APK 进行重新校准。如果你不做这个步骤，会导致你的 APK 需要更多的 RAM，因为一些类似图片资源的东西不能被 mapped。注意：Google Play 不接受没有经过 zipalign 的 APK。

#### 15. 使用多进程

如果合适的话，有一个更高级的技术可以帮助你的 App 管理内存使用：通过把你的 App 组件切分成多个组件，运行在不同的进程中。这个技术必须谨慎使用，大多数 App 都不应该运行在多个进程中。因为，如果使用不当，它会显著增加内存的使用，而不是减少。当你的 App 需要在后台运行与前台一样的大量的任务的时候，可以考虑使用这个技术。

一个典型的例子是创建一个可长时间后台播放的 Music Player。如果整个 App 运行在一个进程中，当后台播放时，前台的那些 UI 资源也没有办法得到释放。类似这样的 App 可以切分成 2 个进程：一个用来操作 UI，另外一个用来后台的 Service.

你可以通过在 manifest 文件中声明“android:process”属性来实现某个组件运行在另外一个进程的操作：

```
<service android:name=".PlaybackService"  android:process=":background" />
```

通过这些方式能够使你的 App 内存占用得到一定的改善，然而，任何时候都不要轻视内存问题。只有在每个阶段都做好内存管理，才能使你的 App 更健壮、更高效。

## 6.3 内存泄漏

Android 是一个自动管理内存的开发环境，不要让这句话蒙蔽了，因为内存泄漏依旧是可能发生的。这是因为垃圾回收器只会移除那些不可达的对象。在数以万计的代码中，如果由于你的失误使得一个本应该被销毁的对象被错误地持有，那么该对象就不会被释放掉。

这些不可达的对象，聚集在你的堆内存中，占用 App 的内存空间。如果继续泄漏对象，那么可用的内存空间将会越来越小，GC 操作就会频繁触发。GC 操作通常不会明显地影响你的 App 性能，但是，内存控件较小时大量的 GC 操作会使你的 App 变慢，此时就会降低 UI 的流畅度。然而，移动设备的内存空间相对来说较小，因此，内存泄漏会快速地升级为内存溢出，最终导致应用 Crash。

### 6.3.1 使用 Memory Monitor

内存泄漏难以被检测出来。可能只有当用户开始抱怨你的应用时你才能发觉内存泄漏问题。幸运地是，Android SDK 提供了一些有用的工具来让你找到这些问题。

Memory Monitor 是一个能够实时获取应用内存使用情况的工具。需要注意的是，这个工具只能作用于正在运行的应用，因此，确保要测试的应用已经安装到你的设备中，并且你的设备已经连接到计算机上。

Memory Monitor 已经内置在 Android Studio 中，因此，可以点击 Android Studio 底部的“Memory”这个 tab 来切换到内存监视页面。当切换到该页面时，Memory Monitor 就开始记录内存使用情况，如图 6-14 所示。

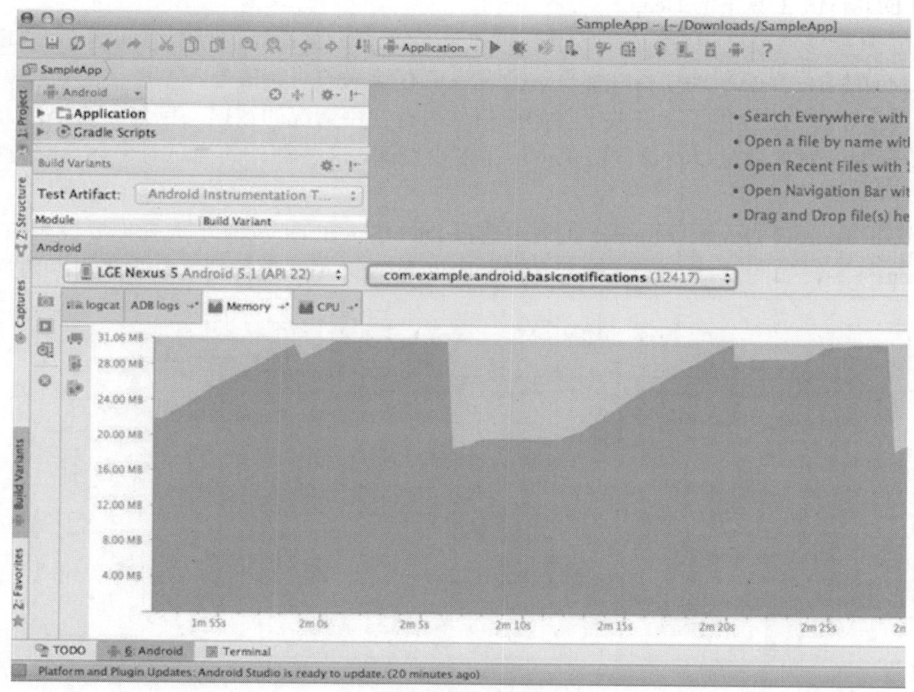

▲图 6–14　内存使用情况

如果 Memory Monitor 没有开始记录，那么确保你的设备是在已经被选中的状态。

如果 Memory Monitor 提示 No debuggable applications，那么可以打开 Android Studio 的“Tools”菜单，选择“Android”，然后确保选中了 Enable adb integration。这个功能还不是很稳定，所以，有时候需要手动切换它的状态。你也可以断开设备与计算机的连接，然后再重连，这样可能就可以了。

一旦 Memory Monitor 检测到正在运行的应用，它就会显示这个应用的内存使用情况。已使用的内存会被表示为深蓝色，未分配的内存则会变为浅蓝色。

花一些时间与你的设备交互，并且关注你的内存使用情况。最终已分配的内存会增长，直到没有内存可用。此时，系统就会释放触发 GC 内存，当你看到已分配的内存明显下降时就代表 GC 操作被触发了。

GC 通常情况下会将无用的内存释放掉，但是，当你看到 App 在短时间内快速增长或者 GC 变得非常频繁，此时就需要倍加小心了，这就是发生内存泄漏的信号！

如果你通过 Memory Monitor 来追踪一个可疑的内存泄漏问题，可能会看到 Android 系统会为你的 App 增大可用内存。

最终，你可能会看到你的 App 消耗了非常多的内存，以至于系统无法再给你的应用更多的可用内存。如果你看到这种场景，那么说明你在内存使用上犯了很严重的错误。

另一个能够帮助你收集更新关于内存泄漏信息和其他内存相关问题的工具是 Android Device Monitor 的 DDMMS 工具下的 Heap。

Heap 工具能够通过显示系统为你分配了多少内存来帮助你诊断内存泄漏问题。正如上面提到的，如果已分配的内存不断地增长，那么这是发生内存泄漏的明显信号。

但是，这个工具还提供了许多关于你的应用堆内存使用情况的数据，包含你的 App 内分配的各种对象、分配的对象数量以及这些对象占用了多少空间。这些额外的信息对于你追踪内存泄漏极为有用。

你可以在 Android Device Monitor 工具中选择 DDMS，在 Devices 中选择你要检测的 App。然后选择 Heap 标签，如图 6-15 所示。然后花一些时间与你的 App 进行交互以收集内存信息。

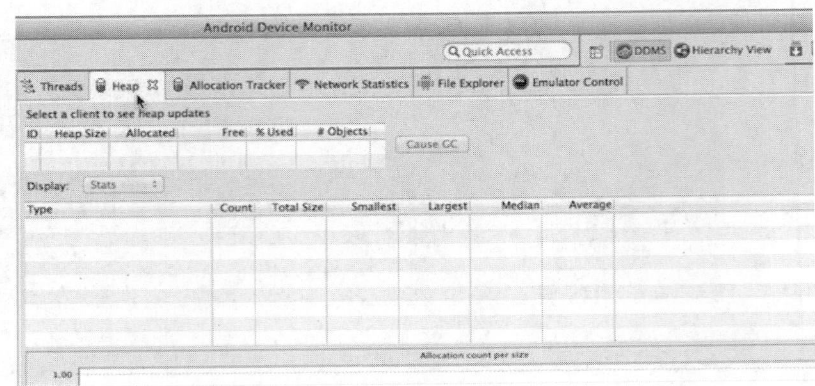


▲图 6-15 选择 DDMS

Heap 输出信息会在 GC 事件之后，因为你可以手动点击 Cause GC 来触发 GC，使得 Heap 内存数据尽快地显示出来。一旦 GC 事件被触发了，Heap 标签下就会更新 App 的堆内存使用信息，这些信息会在每次 GC 时更新。

### 6.3.2 内存泄漏检测利器——LeakCanary

原来在 Android 中查找内存泄漏问题并不是一件容易的事情，开发人员通常需要分析 MAT 产生的复杂的数据，然后一步一步定位到问题所在。这往往需要熟悉 MAT，并且有一定的工作经验，对于接触 Android 不久的工程师来说还是有一定的难度。

在 2015 年 5 月，业界良心 Square 开源了一个名叫 LeakCanary 的库，它的作用就是自动追踪内存泄漏问题。原来使用 MAT 来分析内存泄漏的方法概括起来核心步骤是。

（1）发生 OOM 或做一些可能存在内存泄漏的操作后，导出 HPROF 文件。

（2）利用 MAT 结合代码分析，来发现一些引用异常，比如哪些对象本来应该被回收的，却还在系统堆中，那么它就是内存泄漏。

LeakCanary 就是能自动完成这些内存追踪、检测、输出结果的工具，它甚至在发生 OOM 之前，就把内存泄漏报告给你，避免了你手动分析内存数据的工作。在测试你的 App 时，如果发生了内存泄漏，状态栏上会有通知告诉你，logcat 上也会有相应的 log 通知你。

下面我们以一个具体的示例看看 LeakCanary 的效果。我们创建一个新的 Android Studio 项目，在 build.gradle 的 dependencies 中添加 LeakCanary 的引用，如下所示：

```
dependencies {
    // 省略其他代码

    debugCompile 'com.squareup.leakcanary:leakcanary-android:1.3'
    releaseCompile 'com.squareup.leakcanary:leakcanary-android-no-op:1.3'
}
```

然后创建一个 Application 子类，代码如下:

```
public class ExampleApplication extends Application {

    private static RefWatcher mRefWatcher;

    @Override
    public void onCreate() {
        super.onCreate();
        mRefWatcher = LeakCanary.install(this);
    }

    public static RefWatcher getRefWatcher() {
        return mRefWatcher;
    }
}
```

注意，我们在 ExampleApplication 的 onCreate 函数中调用了 LeakCanary.install 函数，该函数返回了一个 RefWatcher，它用于监控、追踪应用中的对象引用。然后在 AndroidManifest.xml 中将该 ExampleApplication 设置为应用的 Application，代码如下：

```
<application
        android:allowBackup="true"
        android:name=".ExampleApplication"        // 注意这里
        android:icon="@drawable/ic_launcher"
        android:label="@string/app_name"
        android:theme="@style/AppTheme">
    // 省略其他注册
</application>
```

此时 LeakCanary 就集成完毕了，下面我们来模拟一次内存泄漏。我们的应用中含有两个 Activity，分别是 MainActivity 和 LeakActivity。用户从 MainActivity 中进入到 LeakActivity 中，而在 LeakActivity 中 ActivityMgr 会将 LeakActivity 添加到一个 Activity 容器中，由于 ActivityMgr 是一个静态单例，因此，LeakActivity 就无法被释放。

MainActivity 的代码如下：

```
    public class MainActivity extends ActionBarActivity {

    @Override
    protected void onCreate(Bundle savedInstanceState) {
        super.onCreate(savedInstanceState);
        setContentView(R.layout.activity_main);
         // 点击按钮进入到 LeakActivity 页面
```

```
        findViewById(R.id.btn_go_to_test).setOnClickListener(new View.OnClickListener() {
            @Override
            public void onClick(View v) {
                Intent intent = new Intent(MainActivity.this, LeakActivity.class);
                startActivity(intent);
            }
        });
    }

}
```

在 LeakActivity 的 onCreate 函数中，调用 ActivityMgr 单例对象的 addActivity 函数将 LeakActivity 对象添加到 Activity 列表中。代码如下：

```
public class LeakActivity extends Activity {

    @Override
    protected void onCreate(Bundle savedInstanceState) {
        super.onCreate(savedInstanceState);
        setContentView(R.layout.activity_test);
        // 只有了 LeakActivity 的引用
        ActivityMgr.getInstance().addActivity(this);
    }
}
```

ActivityMgr 是一个单例类，里面有一个 List<Activity>对象用于存储 Activity。由于 ActivityMgr 只有一个静态的单例对象，因此，被添加到 Activity 列表中的 Activity 将不会被释放，从而引发内存泄漏。ActivityMgr 代码如下：

```
public class ActivityMgr {
    private static ActivityMgr sInstance = new ActivityMgr() ;
    List<Activity> activities = new ArrayList<Activity>() ;

    private ActivityMgr() {
    }

    public static ActivityMgr getInstance() {
        return sInstance;
    }

    public void addActivity(Activity activity) {
        activities.add(activity) ;
    }

    public void removeActiivty(Activity activity) {
        activities.remove(activity) ;
    }
}
```

运行应用，并且从 MainActivity 跳转到 LeakActivity，然后我们再返回 MainActivity，等待几秒钟之后会看到通知栏上弹出了一个通知，点击该通知后会进入到一个显示了内存泄漏信息的页面，如图 6-16 和图 6-17 所示。

图 6-17 明确指出了哪个对象被泄漏以及哪个对象持有了被泄漏的对象导致内存无法被释放。在该示例中，出现内存泄漏的对象就是 LeakActivity 对象，持有它的对象是 ActivityMgr 中的 activities 列表。

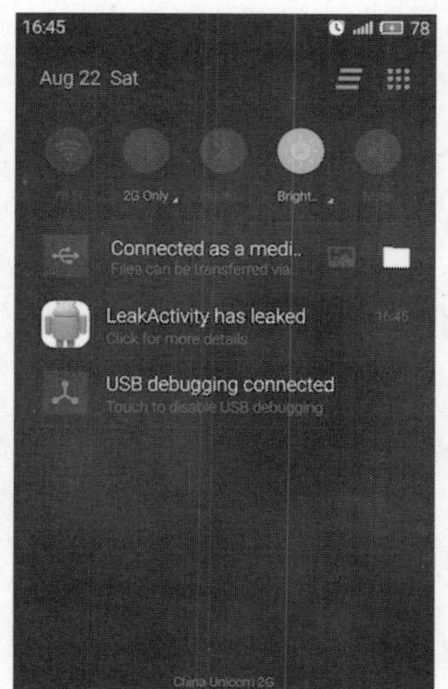

▲图 6-16 泄漏通知

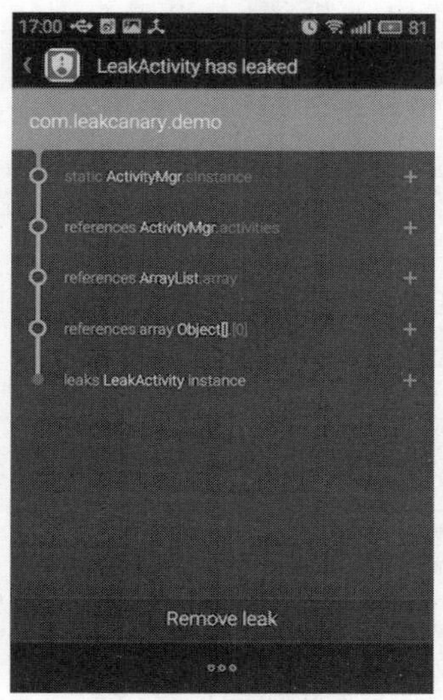


▲图 6-17 泄漏详情

我们不需要任何的数据分析，只需要集成 LeakCanary 就可以很方便地找出内存泄漏问题，比 MAT 等工具要方便很多！

除了在 UI 上给出内存泄漏提示之外，LeakCanary 也会在 log 上输出相关的信息，如下所示：

```
 * com.leakcanary.demo.LeakActivity has leaked:
* GC ROOT static com.leakcanary.demo.ActivityMgr.sInstance
 * references com.leakcanary.demo.ActivityMgr.activities
 * references java.util.ArrayList.array
 * references array java.lang.Object[].[0]
* leaks com.leakcanary.demo.LeakActivity instance
 * Reference Key: 2a0a7f14-b5bf-4038-9d33-962e0f835501
 * Device: Meizu Meizu MX4 meizu_mx4
 * Android Version: 4.4.2 API: 19
 * Durations: watch=5047ms, gc=453ms, heap dump=680ms, analysis=5043ms
```

通过这种形式实现 Activity 内存泄漏检测的原理是在 API 14（Android 4.0）时增加了 ActivityLifecycleCallbacks，通过这个 callback 就可以监控 Activity 的生命周期。默认情况下 LeakCanary 会监控所有 Activityd 生命周期，并且在 Activity 的 onDestory 函数之后将该 Activity 添加到内存泄漏监控队列，也就是在 RefWatcher.watch()中创建一个 KeyedWeakReference 到被监控的对象。接下来，在后台线程中检测这个引用是否被清除，如果没有将会触发 GC。如果引用仍然没有清除，将 heap 内存 dump 到一个.hprof 文件并存放到手机系统里。HeapAnalyzerService 在另外一个独立的进程中启动，使用 HeapAnalyzer 解析 heap 内存通过 HAHA 这个项目 HeapAnalyzer 计算出到 GC ROOTs 的最短强引用路径来决定是否发生 Leak，然后建立导致泄漏的引用链。结果被回传到应用程序进程的 DisplayLeakService 中，然后输出 log 并且显示一个泄漏的消息通知。

如果是 Android 4.0 以下没有 ActivityLifecycleCallbacks，那么用户可以手动添加 Activity 监控，即在 Activity 的 onDestory 函数中调用 RefWatcher 的 watch 函数，例如：

```
    public class LeakActivity extends Activity {
    // 代码省略

    @Override
    protected void onDestroy() {
        super.onDestroy();
        ExampleApplication.getRefWatcher().watch(this);
    }
}
```

当然，通过 RefWatcher 可以监控任何对象，而不只是 Activity。有了这样的“利器”，出现内存泄漏问题的概率被大大地降低。

# 6.4 性能优化

## 6.4.1　过度绘制

### 步骤 1：问题描述

应用的用户界面是连接用户的纽带，但是，创建漂亮的界面只是挑战的其中一面，还需要确保用户界面流畅地运行。

一个常见的问题就是用户界面卡顿，出现这种情况的原因可能是 Overdraw。Overdraw 是屏幕上的某个像素在同一帧的时间内被绘制了多次。

例如，有一个具有蓝色的背景 TextView，Android 不仅会绘制对用户可见的蓝色区域，而是会绘制整个蓝色的背景以及上面的文本。这意味着一些像素会被两次绘制，这就是过度绘制。

一些如上述例子所说的过度绘制示例是不可避免的。然而，过多的过度绘制会引发明显的性能问题，因此，必须将过度绘制的可能性降到最小。

检测应用中的过度绘制相对来说比较简单。大量的过度绘制会引出其他用户界面相关问题，例如，视图层级过于复杂等。基于这些原因，当你测试你的 App 的性能问题时，从过度绘制开始是一个明智的选择。

### 步骤 2：检测过度绘制

好消息是你的 Android 设备上已经内置了检测过度绘制的工具。

因此，需要做的第一步就是安装你要测试的 App 到你的设备中。然后打开设置页面，选择开发选项（Developer Options）→调试 GPU 过度绘制（Debug GPU Overdraw），然后选择“显示过度绘制区域（Show overdraw area）”。如图 6-18 所示。

这个工具使用色块来代表不同数量的过度绘制。剩下的事情就是启动你要测试的应用，然后观察它的过度绘制情况，如图 6-19 所示。

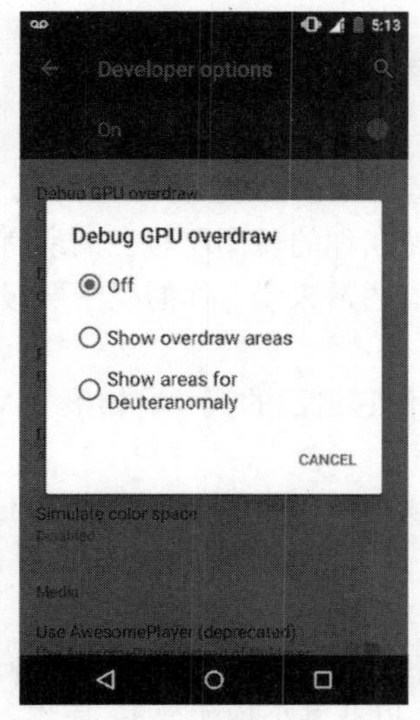


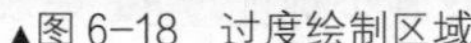
▲图 6-18　过度绘制区域

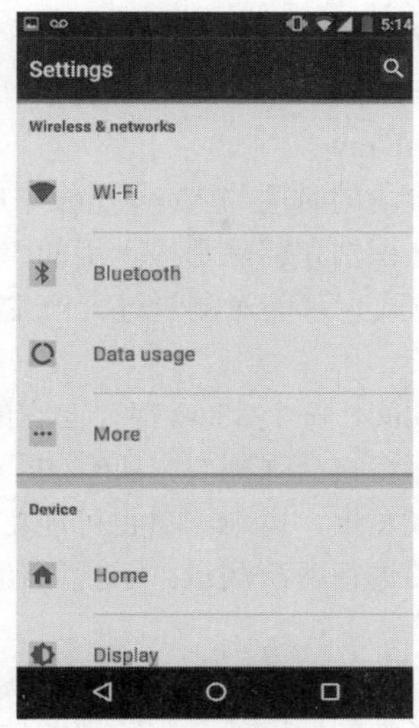


▲图 6-19　过度绘制情况

- 没颜色：没有过度绘制，也就是说一个像素只被绘制了一次。
- 蓝色：过度绘制了一次，也就是一个像素点被绘制了两次。
- 绿色：过度绘制了 2 次，也就是一个像素点被绘制了 3 次，通常，你需要集中精力优化过度绘制次数大于等于 2 次的情况。
- 浅红色：过度绘制 3 次。这取决于你的应用，小范围的 3 次过度绘制可能是不可避免的，但是，如果你看到了中等或者大量的红色区域，那么就需要查找出现这个问题的原因了。
- 深红色：过度绘制 4 次，像素点被绘制了 5 次，甚至更多次。出现这种问题你绝对要找到原因，并且解决它，如图 6-20 所示。

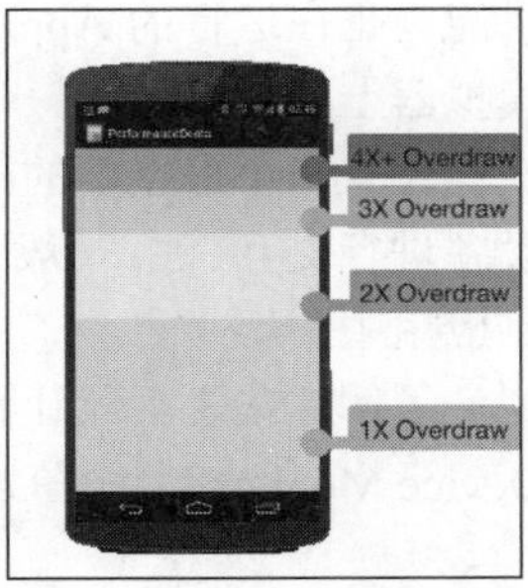

4X+ Overdraw
3X Overdraw
2X Overdraw
1X Overdraw

▲图 6-20　过度绘制

**步骤 3：最小化过度绘制**

一旦你发现了某个区域有严重的过度绘制，最简单的方法就是打开应用的 xml 文件找到过度重叠的区域，特别是那些不可见的 drawable 对象和被绘制在其他控件上的背景，以此来降低这些地方的过度绘制。也应该查找那些背景为白色，并且它的父视图背景也设置为白色的区域，所有这些都会引起严重的过度绘制。

Android 系统能自动降低一些简单的过度绘制，但是，对于复杂的自定义 View 并没有什么价值，因为 Android 不会知道你如何绘制你的内容。

如果在 App 中使用了复杂的自定义 View，可以使用 clipRect 函数为你的视图定义可绘制区域的边界。更多相关信息可以参考 Official Android Documentation。

## 6.4.2 Android 图形渲染

另一个常见的性能问题就是应用的视图层级。为了渲染每个视图，Android 都会经历这 3 个阶段：

（1）测量（onMeasure）；

（2）布局（onLayout）；

（3）绘制（onDraw）。

花在这 3 个阶段的时间与 View 层级中的 View 数量成正比，这就意味着降低 App 渲染时间的最简单的方法就是识别和移除那些无用的 UI 元素。即使在你的视图层级上的所有 View 都是必须的，不同的布局方式也可能对测量过程产生重要的影响。通常来说，你的视图层级越深，花在测量视图的时间就越长。

在视图渲染期间，每个 View 都要向它的父 View 提供它自己的尺寸。如果父 View 发现了任意一个尺寸问题，那么它会强制要求所有的子视图重新测量。

即使没有错误发生，重新测量也可能出现。例如，为了正确地进行布局，RelativeLayout 通常会对它们的子视图进行两次测量。子视图使用了 layout_weight 属性的 LinearLayout 也会对它的子视图进行两次测量。

这些都取决于你的布局方式，测量和重新测量的代价非常昂贵，它会严重影响渲染速度。确保你的用户界面流畅性的关键就是移除那些非必须的 View 以及减少你的 View 层级。Hierarchy Viewer 就是一个能够将 View 层级可视化的工具，这个工具能够帮助你发现冗余的 View 以及嵌套的布局。

### 步骤 1：使用 Hierarchy Viewer

在我们进一步了解 Hierarchy Viewer 之前，你需要知道它的一些规则。首先 Hierarchy Viewer 只能与正在运行的 App 进行交互，而不是你的源代码。这就是说需要将 App 安装到你的设备或者模拟器上。

还有一个最重要的问题，就是默认情况下 Hierarchy Viewer 只能与运行开发版 Android 系统的设备进行交互（注：一般来说，使用模拟器即可）。如果你没有开发设备，那需要添加 ViewServer class 到应用中。

了解这些之后就让我们打开 Android Studio，并且选择“tools” → “Android” → “Android Device Monitor”，如图 6-21 所示。

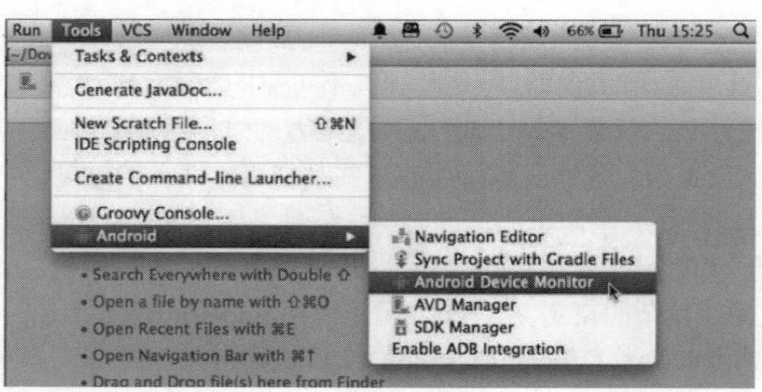


▲图 6-21　打开 Android Studio

然后点击 Hierarchy View 按钮，如图 6-22 所示。

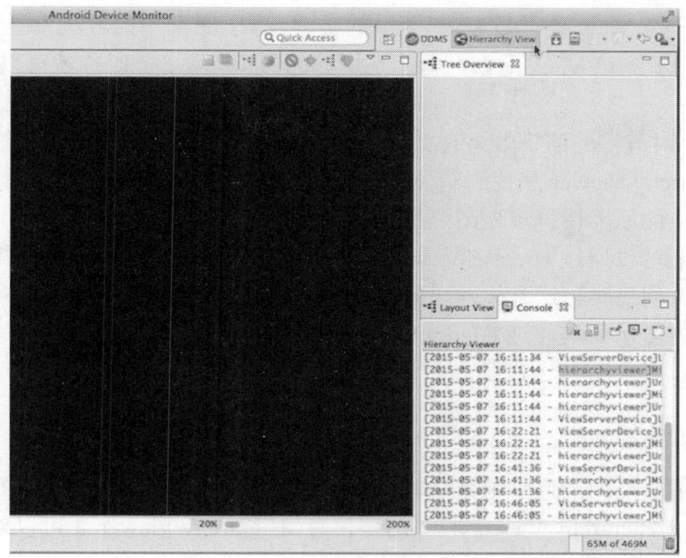


▲图 6-22　点击 Hierarchy View 按钮

屏幕左边的 Windows 标签下列出了所有 Android 设备和模拟器。选择你的设备后，会看到你设备上运行的所有进程。选中要检测的进程，然后会看到 3 个自动更新的视图层级区域。

这 3 个窗口提供了视图层级的 3 个不同可视化展示。

- **Tree View：**视图层级窗口，每个节点代表了一个 View。
- **Tree Overview：**整个视图层级的缩略布局。
- **Layout View：**当前视图层级的轮廓。

Hierarchy View 中有 3 个窗口。如果在一个窗口中选择了一个 View，那么它会在另外两个中高亮显示。你能同时使用这 3 个窗口查找 View 层级中的冗余视图，如图 6-23 所示。

▲图 6-23　冗余视图

如果你不确定一个 View 是否是 UI 界面中的必须元素，最简单的方法就是到 Tree View 窗口中点击这个节点。将会看到该 View 是如何显示在屏幕的预览界面，此时你就可以确切地知道该 View 是否是必须的。

即使一个 View 对最终的渲染效果有贡献也并不意味着它不会引起严重的性能问题。你已经看到了如何通过 Hierarchy Viewer 来找到明显的嵌套布局，但是，如果这引起的性能问题并不那么明显呢？或者还有其他的原因使得该视图渲染得非常慢？

好消息就是你还可以通过 Hierarchy Viewer 来剖析每个 View 在不同的渲染阶段的耗时。当性能问题的原因不那么明显时，这是你发现问题的另一途径。

下一节将为读者展示如何通过 Hierarchy Viewer 来剖析每个 View 的渲染时间来找到潜伏在问题内的性能问题。

### 步骤 2：节点的性能分析

定位你的用户界面瓶颈的最简单方法就是收集每个 View 分别完成测量、布局、绘制的时间。

你不仅可以通过 Hierarchy Viewer 收集这些信息，Hierarchy Viewer 还可以通俗易懂地向你展示这些数据，因此，可以通过这种形式来找到性能问题。

Hierarchy Viewer 默认并不会显示渲染时间。需要到 Tree View 窗口添加这个信息，然后选择你想要测试的根节点。下一步，在 Hierarchy Viewer 上点击由绿、红、紫的 3 个圆形色块组成的按钮，如图 6-24 所示。

▲图 6-24　圆形色块

3 个圆点色块就会显示在每个节点上，从左到右，这些圆点分别代表：

- 用于测量的时间；
- 用于布局的时间；
- 用于绘制的时间。

每个圆点都有颜色（见图 6-25）：

- **绿色**代表该 View 的渲染速度至少要快于一半以上的其他参与测试的节点。例如，一个在布局位置上的绿色的圆点代表它的布局速度要快于 50%以上的其他节点；
- **黄色**代表该 View 慢于 50%以上的其他节点；

- 红色代表该 View 的渲染速度比其他所有参与测试的节点都慢。

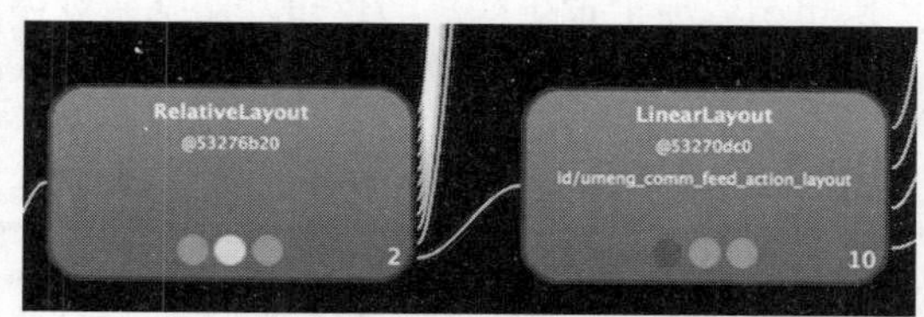


▲图 6-25 圆点颜色

当收集了这些数据之后，你不仅知道哪些 View 需要优化，还会确切地知道是在渲染的哪个阶段导致的问题。

哪些黄色、红色的地方就是需要开始优化的地方，这些性能指标与该视图层级下的其他剖析节点也有关系。换句话说，你肯定会有一些视图渲染得比其他的慢。

在开始改良你的 View 相关的代码之前，自问一句该 View 渲染得比其他视图慢是否有一个合理的原因，如果答案是否定的，那么就开始你的 View 优化之旅吧。

### 6.4.3 数据采集和分析工具——TraceView

TraceView 是 Android 平台特有的数据采集和分析工具，它主要用于分析 Android 中应用程序的 hotspot，也就是通过每个函数的时间消耗查找出性能瓶颈。TraceView 本身只是一个数据分析工具，而数据的采集则需要使用 Android 中的 Debug 类或者利用 DDMS 工具。

如果使用 Debug 类，那么开发人员需要在要分析的代码前调用 Debug 类的 startMethodTracing 函数，并在要分析的代码结束的位置调用 stopMethodTracing 函数。这两个函数运行过程中将采集运行时间内该应用所有 Java 线程的函数执行情况，并将采集数据保存到/mnt/sdcard/ 下的一个文件中，该文件名可以通过 startMethodTracing 函数的参数指定。例如，要检测一个 Activity 中的所有函数的执行情况，那么代码大致如下：

```
public class TestActivity extends Activity {

    @Override
    protected void onCreate(Bundle savedInstanceState) {
        super.onCreate(savedInstanceState);
        // 开启检测, new_activity.trace 会存在 SD 卡中
        Debug.startMethodTracing("new_activity.trace");
    }

    @Override
    protected void onStop() {
        super.onStop();
        // 停止追踪
        Debug.stopMethodTracing();
    }

}
```

然后将 Trace 文件复制到 PC 中，最后用 traceview 或者 Eclipse 直接打开该文件即可。

另一种方式是借助 Android SDK 中的 DDMS 工具，DDMS 可采集系统中某个正在运行的进

程的函数调用信息。对开发者而言，此方法适用于没有目标应用源代码的情况。点击如图 6-26 的红色（运行中看到）STOP 按钮左边那个带小红点的按钮开始收集数据，然后开始操作你要测试的应用，当你觉得数据收集足够时，再次点击那个按钮即可，此时 TraceView 会自动打开该 trace 文件。

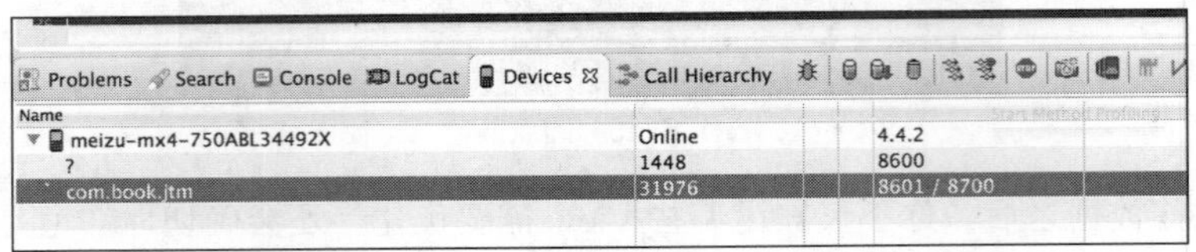


图 6-26　启动 Trace 的 Devices 界面

打开 Trace 文件后进入到 Trace 分析界面，如图 6-27 所示。

▲图 6-27　TraceView 界面

TraceView 界面分为上下两个面板，依次为 Timeline Panel（时间线面板）和 Profile Panel（函数分析面板）。图 6-25 中的上半部分为时间线面板，该面板又可细分为左右两个面板，左边面板显示的是测试数据中所采集的线程信息。右边面板为时间线，时间线上是每个线程测试时间段内所涉及的函数调用信息。这些信息包括函数名、函数执行时间等。

图 6-27 中的下半部分为函数分析面板，Profile Panel 是 TraceView 的核心界面，它的数据、参数非常多。它主要展示了某个线程中各个函数调用的情况，包括 CPU 使用时间、调用次数、函数真实执行时间等信息。这些信息正是查找性能瓶颈的关键依据。所以，了解函数分析面板中各个参数的意义是使用 TraceView 的关键。如表 6-1 所示。

表 6-1　各个参数含义

| 参 数 名 | 含　义 |
|---|---|
| Name | 函数名，一般我们关注自己应用中的函数即可 |
| Incl Cpu Time % | 某函数占用的 CPU 执行时间（包含该函数调用的其他函数的执行时间）占总执行时间的百分比 |
| Incl Cpu Time | 某函数占用的 CPU 执行时间（包含该函数调用的其他函数的执行时间） |
| Excl Cpu Time % | 某函数占用的 CPU 执行时间（不含该函数调用的其他函数的执行时间）占总执行时间的百分比 |
| Excl Cpu Time | 某函数占用的 CPU 执行时间（不含该函数调用的其他函数的执行时间） |

续表

| 参 数 名 | 含 义 |
| --- | --- |
| Incl Real Time | 某函数的真实执行时间，包含该函数调用中调用的其他函数的执行时间，单位为毫秒，包含了CPU 的等待、切换时间，因此要比 Incl Cpu Time 要大 |
| Excl Real Time | 某个函数的真实执行时间，不含该函数调用的其他函数的执行时间，单位为毫秒 |
| Call+Recur Calls/Total | 某函数被调用的次数、递归调用次数、总调用次数 |
| Cpu Time/Call | 某函数的 CPU 执行时间与调用次数的比，相当于该函数的平均执行时间 |
| Real Time/Call | 某函数的 CPU 执行时间与调用次数的比，相当于该函数的平均执行时间，这个时间中包含了内部调用的其他函数的执行时间 |

TraceView 的参数较多，参数之间也比较类似。其中 Incl（全称为 Inclusive）代表包含某函数中调用的子函数的执行时间，而 Excl（全称为 Exclusive），代表不包含子函数的执行时间。这个概念有些抽象，我们看一个具体的例子。

假设我们收集的数据总共执行时间为 100 毫秒，request 函数的执行时间为 10 毫秒，在 request 函数中还调用了 getParams、execute 两个函数，它们的执行时间分别为 2、4 毫秒。代码如下：

```
// request 耗时 10 毫秒
public void request() {
    // 其他代码省略

    // 输出信息
    Log.d("", " do request");

    String params = getParams() ;    // getParams 耗时 4 毫秒
    String resop = execute();               // execute 耗时 5 毫秒
}
```

由于 request 的耗时为 10 毫秒，假设 request 被调用了 1 次，而我们收集数据的执行时间为 100 毫秒，那么 request 的 Incl Real Time %就是 10%，Incl Real Time 就是 10 毫秒。Excl Real Time 代表的是除了子函数的执行之外的耗时，在 request 这个例子中也就是要去除 getParams、execute 函数的耗时，因此，request 的时间为 1 毫秒，这也说明 request 本身耗时较少，真正耗时的是它内部调用的子函数，此时我们继续追踪子函数即可。而 Cpu Time 则为执行该函数实际上消耗的 CPU 时间，因为在 Real Time 中实际上包含了 CPU 等待、进程切换等时间，真正执行代码的时间消耗实际上要比 Real Time 小。

了解完 TraceView 的 UI 后，现在介绍如何利用 TraceView 来看一个更具体的案例。一般而言，性能瓶颈包括两种类型的函数，第一类是调用次数不多，但单次调用很耗时的函数，第二类是那些自身占用时间不长，但调用却非常频繁的函数。

假设我们的页面需要显示一个 Feed 流，它的 ListView Adapter 的代码大致如下：

```
public class SockFeedAdapter extends FeedAdapter {

    // 代码省略

    @Override
```

```
    public View getView(int position, View convertView, ViewGroup parent) {
        long startTime = System.currentTimeMillis();
        // 调用 doSthHeavy 执行耗时操作
        doSthHeavy();
        // 调用父类的 getView 函数
        View view = super.getView(position, convertView, parent);
        // 输出耗时，单位为毫秒
        Log.d("", "### getview time = " + (System.currentTimeMillis() - startTime) + " ms");
        return view;
    }

    private void doSthHeavy() {
        try {
            prepareSth1();        // 耗时 4ms
            prepareSth2();        // 耗时 4ms
            prepareSth3();        // 耗时 10ms
        } catch (Exception e) {
        }
    }

    private void prepareSth1() throws InterruptedException {
        Thread.sleep(4);
    }

    private void prepareSth2() throws InterruptedException {
        Thread.sleep(4);
    }

    private void prepareSth3() throws InterruptedException {
        Thread.sleep(10);
    }

}
```

我们在 getView 函数中模拟了一个耗时操作，即调用了 doSthHeavy 函数，该函数总耗时大约为 18 毫秒，内部分别调用了 prepareSth1、prepareSth2、prepareSth3 三个函数，分别耗时为 4、4、10 毫秒。我们运行程序并且收集该应用的 Trace 数据，得到的结果如图 6-28 所示。

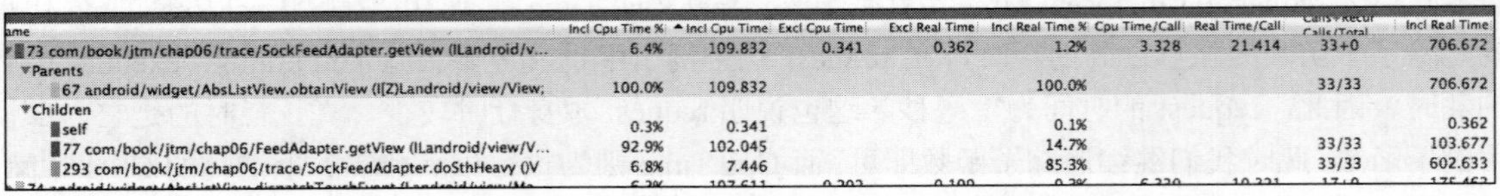

| ame | Incl Cpu Time % | Incl Cpu Time | Excl Cpu Time | Excl Real Time | Incl Real Time % | Cpu Time/Call | Real Time/Call | Calls+Recur Calls/Total | Incl Real Time |
|---|---|---|---|---|---|---|---|---|---|
| 73 com/book/jtm/chap06/trace/SockFeedAdapter.getView (ILandroid/v... | 6.4% | 109.832 | 0.341 | 0.362 | 1.2% | 3.328 | 21.414 | 33+0 | 706.672 |
| Parents | | | | | | | | | |
| 67 android/widget/AbsListView.obtainView (I[Z)Landroid/view/View; | 100.0% | 109.832 | | | 100.0% | | | 33/33 | 706.672 |
| Children | | | | | | | | | |
| self | 0.3% | 0.341 | | | 0.1% | | | | 0.362 |
| 77 com/book/jtm/chap06/FeedAdapter.getView (ILandroid/view/V... | 92.9% | 102.045 | | | 14.7% | | | 33/33 | 103.677 |
| 293 com/book/jtm/chap06/trace/SockFeedAdapter.doSthHeavy ()V | 6.8% | 7.446 | | | 85.3% | | | 33/33 | 602.633 |

▲图 6-28　SockFeedAdapter 的 getView 调用情况

因为我们用的是 ListView，因此，我们知道出现瓶颈的地方应该在 getView 函数。我们逐个分析 getView 函数的参数，第一个为 Incl Cpu Time %，也就是该函数所有调用次数的真实 CPU 耗时占总耗时的 6.4%；Incl Cpu Time 表示 CPU 耗时为 109.832 毫秒，这个时间不包含 CPU 等待、进程切换等时间；Excl Cpu Time 表示 getView 本身（不包含子函数、不包含 CPU 切换耗时）占用的 CPU 时间，Excl Real Time 表示包含函数调用、CPU 等待与切换的总耗时；Incl Real Time % 表示该函数的真实耗时占总耗时的 1.2%。Cpu Time/Call 表示该函数平均的 CPU 耗时，Real Time/Call 表示该函数平均总时间消耗；Calls+Recur Calls/Total 表示调用册数、递归调用次数；Incl Real Time 表示所有调用次数的总耗时，这里为 706.672 毫秒，因为每次的平均耗时为 21.4.14，被调用了 33 次，因此 21.414 乘以 33 就等于 706.672 毫秒。由于 getView 的耗时为 21.414 秒，而它的 Excl Real Time 才是 0.362 毫秒，也就是说除了子函数调用之外，getView 就耗时 0.362 毫秒，因此，可以确认耗时操作不在 getView 中，而在它调用的子函数中。

它调用的子函数在图 6-28 的 Children 下面，Parents 代表的是调用 getView 的函数。因此，要看 Children 下的函数，我们看到 Children 下的函数主要有 FeedAdapter 下的 getView 和 doSthHeavy 两个函数，可以看到 doSthHeavy 函数的 Incl Real Time 为 602.633 毫秒，占用了总时间的绝大部分，因此我们来分析 doSthHeavy 函数，点击该函数即可，如图 6-29 所示。

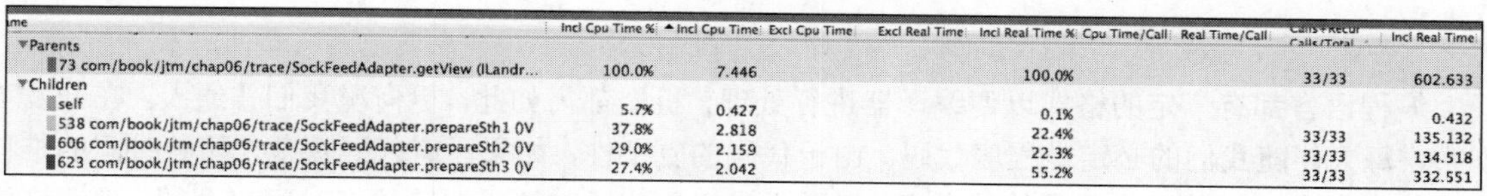

| ame | Incl Cpu Time % | Incl Cpu Time | Excl Cpu Time | Excl Real Time | Incl Real Time % | Cpu Time/Call | Real Time/Call | Calls+Recur Calls/Total | Incl Real Time |
|---|---|---|---|---|---|---|---|---|---|
| ▼Parents | | | | | | | | | |
| 73 com/book/jtm/chap06/trace/SockFeedAdapter.getView (ILandr... | 100.0% | 7.446 | | | 100.0% | | | 33/33 | 602.633 |
| ▼Children | | | | | | | | | |
| self | 5.7% | 0.427 | | | 0.1% | | | | 0.432 |
| 538 com/book/jtm/chap06/trace/SockFeedAdapter.prepareSth1 ()V | 37.8% | 2.818 | | | 22.4% | | | 33/33 | 135.132 |
| 606 com/book/jtm/chap06/trace/SockFeedAdapter.prepareSth2 ()V | 29.0% | 2.159 | | | 22.3% | | | 33/33 | 134.518 |
| 623 com/book/jtm/chap06/trace/SockFeedAdapter.prepareSth3 ()V | 27.4% | 2.042 | | | 55.2% | | | 33/33 | 332.551 |

▲图 6-29 doSthHeavy 函数的耗时情况

通过上述分析，我们就找到了 getView 函数中的 3 个耗时函数，这就是性能瓶颈的根源，如果还有更深层次的问题，那么我们再继续跟进，找到问题之后进行优化即可。

## 6.5 小结

在这章中，我们学习了一些开发中最常见的性能问题，如过度绘制、内存泄漏、缓慢的 UI 渲染。

相信你已经掌握了如何使用工具来检查这些问题，以及如何获取更新的信息来判断你的应用中是否出现了这些性能问题。你有越多的信息，就越容易追踪到问题的原因并且修复它。

# 第 7 章　装点程序"门面"——代码规范

编程语言都有一定的格式以便编译器进行处理，机器都需如此，更何况我们普通人。在开发工作中，每天伴随我们的必定是程序代码。由于代码的复杂性，如果没有代码规范，随着时间的推移我们将很容易忘记某段代码具体的含义。以至于当出现问题时还需要花很多时间来理解、理清这段代码的作用及结构，甚至要用单步调试以确定它的执行路径。当你接到一个完全没有文档、代码混乱的工程开发任务时，你很有可能很不高兴地领受此任务。因此，写好代码、写好注释，不仅利他也是利己，也会让你的开发、维护工作变得轻松自如。

## 7.1 代码规范的第一个重点——排版

排版是代码规范的第一个重点，它直接展示了代码的显示样式。清晰、规范的排版能够让人有一种在阅读优秀文章的感觉。

### 7.1.1 代码缩进

代码块要采用缩进风格编写，缩进的空格数为 4 个。缩进使程序更易阅读，使用空格缩进可以适应不同操作系统与不同开发工具。

如果代码没有缩进那么将难以阅读，没有层次感，例如：

```
public class MainActivity extends Activity {
private TextView mResultTv ;

private void initWidgets(){
// 其他代码
}

}
```

推荐的缩进示例为：

```
public class MainActivity extends Activity {
    private TextView mResultTv ;

    private void initWidgets(){
        // 其他代码
    }

}
```

在函数体的开始、类和接口的定义以及 if、for、do、while、switch、case 语句中的程序或者 static、synchronized 等语句块中都要采用如上的缩进方式。

### 7.1.2 长句分割

较长的语句、表达式或参数（>80 字符）要分成多行书写，长表达式要在低优先级操作符处划分新行，操作符放在新行之首，划分出的新行要进行适当缩进，使排版整齐，语句可读。如果单句代码过长，那么将增加理解难度。例如：

```
    if ( condition1 && condition2&& condition3 ){
       Log.d("tag","Session destroyedcall-id"
                 + event.getSession().getCallId());
    }
```

将复杂的语句划分为多行以便更容易阅读，例如：

```
if ( condition1
     && condition2
     && condition3 ){
     Log.d("tag","Session destroyedcall-id"
                + event.getSession().getCallId());
}
```

### 7.1.3 一句一行

不允许把多个短语句写在一行中，即一行只写一条语句。不用担心代码太长，代码是写给人看的，这样使代码更加清晰。如下例子不符合规范：

```
String name = "Mr.Simple"; String addr = "北京市";
```

推荐的形式：

```
String name = "Mr.Simple";
String addr = "北京市";
```

### 7.1.4 大括号

If、for、do、while、case、switch、default 等语句自占一行，且 if、for、do、while、switch 等语句的执行语句无论多少都要加括号{}，尤其是只有一行语句的情况下容易忽略掉"{}"，case 的执行语句中如果定义变量必须加括号{}。这样会使得阅读代码更加清晰，减少错误产生。

示例 1：

```
if ( condition ){
    // 其他代码
}else{
    // 即使是一行代码也要使用大括号
}
```

示例 2 ：

```
switch( value ) {
   case x:{
```

```
            // 其他代码
            break;
        }
    }
```

需要注意的是，很多读者可能习惯了 C 或者 C++的编码规范，会分别使“{”与“}”独占一行。形如：

```
if ( condition )
{
    doStart();
}
```

这虽然也不会造成什么问题，但是，毕竟不是 Java 的编程规范，俗话说“入乡随俗”，遵循 Java 规范也能够保证代码风格的一致性。

### 7.1.5　空行分隔

相对独立的程序块、变量、函数之间必须加空行。有关联的代码紧凑在一起，相对无关的代码需要一个空行分离，使代码更加清晰。

示例：

```
private void initWidgets() {
    mParam1Edit = (EditText) findViewById(R.id.first_num_edittext);
    mParam2Edit = (EditText) findViewById(R.id.sec_num_edittext);

    mCalBtn = (Button) findViewById(R.id.cal_btn);
    mCalBtn.setOnClickListener(new View.OnClickListener() {
        @Override
        public void onClick(View v) {
            handleClick();
        }
    });

    mResultTv = (TextView) findViewById(R.id.result_tv);
}

private void handleClick() {
    // 处理点击事件
}
```

上述示例是某个 Activity 中对各个 View 进行初始化的函数，EditText 的初始化与 Button、Button 与 TextView 的初始化代码之间都有一个空行，两个函数之间也有一个空行。

### 7.1.6　空行分隔

在两个以上的关键字、变量、常量进行对等操作时，它们之间的操作符前后要加空格；进行非对等操作时，如果是关系密切的立即操作符，例如“.”则不应该加空格。不加空格则难以阅读，例如：

```
int result=param1+param2-param3*3 ;
result*=2;
```

推荐的形式为：

```
int result = param1 + param2 - param3 * 3 ;
result *=2;
```

### 7.1.7 数据与函数的排布

类属性和类方法不要交叉放置，不同存取范围的属性或者方法也尽量不要交叉放置。

格式：

```
类定义 {
   类的公有属性定义
   类的保护属性定义
   类的私有属性定义
   类的公有方法定义
   类的保护方法定义
   类的私有方法定义
}
```

例如：

```
public class BaseFood {
   public String name ;
   public String desc ;
   protected float price ;
   private String addr ;

   public void showDetail(){
   }

   protected void calculateTotalPrice() {
   }

   private void somePrivate() {
   }
}
```

字段和方法都是从 public、protected、private 竖向排布。

### 7.1.8 修饰词顺序

修饰词按照指定顺序书写：[访问权限][static][final] 。

示例：

```
public static final String APP_KEY = "XXXXXX";
```

## 7.2 注释

对于编译器来说，只要代码格式没有问题，基本上都可以被执行。但人不是编译器，如果阅读一份没有注释的代码，那么你就需要阅读整个软件的源码，猜测其基本结构以及原理，这样不仅浪费时间，也不能保证读者的猜测是正确的，因此，为代码写注释是极为必要的。源程序的注释量建议在 20%～30%，由于每个文件的代码注释不一定都可以达到 30%，建议以一个系统内部模块作为单位进行检查。软件维护占整个生命周期的大部分时间，因此，注释的建设对于后期的维护尤为重要。类、函数的作用以及原理、重要的字段都是应该添加注释的地方。注释的内容要清楚、明了，含义准确，防止注释二义性，错误的注释不但无益反而有害。修改代码同时修改相应的注释，不再有用的注释要删除，以保证注释与代码的一致性。

### 7.2.1　类注释

类和接口的注释放在 class 或者 interface 关键字之前，import 关键字之后，没有 import 可放在 package 之后。注释主要是一句话功能简述与功能详细描述。类注释使用如下注释方式：

```
/**
 * 这里写注释
 */
```

为了方便 JavaDoc 收集，注释可根据需要列出作者、内容、功能以及与其他类的关系等。功能详细描述部分说明该类或者接口的功能、作用、使用方法和注意事项，每次修改后增加作者和更新版本号和日期，@since 表示从那个版本开始就有这个类或者接口，@deprecated 表示不建议使用该类或者接口。

```
/**
* 一句话功能简述
* 功能详细描述
* @author [作者](必须)
* @see [相关类/方法](可选)
* @since  [产品/模块版本] (必须)
* @deprecated (可选)
*/
```

示例：

```
package com.book.login;
import java.util.*;

/**
* 用户登录实现类。
* 该类通过新浪微博 Android SDK 实现登录功能，用户登录之后存储到用户的 Token 避免重复登录。
* @author Mr.Simple
* @see 新浪微博开放平台 http://open.weibo.com/
* @since 1.0
*/
public class SinaLogin{
    // 其他代码
}
```

### 7.2.2　注释的位置

类成员变量、公有和保护方法需要写注释，写在被注释元素的上面，并与其上面的代码用空行隔开，注释与所描述内容进行同样的缩排。

注释方式为：

```
/**
 * 这里是注释
 */
```

示例：

```
/**
 * 这里是类注释
 */
public class Logger {
    /**
    * 字段注释
     */
    private String logType;

    /**
    *函数注释
     */
    public void write() {
    }
}
```

### 7.2.3 函数的注释

公有和保护方法注释需要列出方法的一句话功能简述、功能详细描述、输入参数、输出参数、返回值、异常等。

格式如下：

```
/**
* 〈一句话功能简述〉
* 〈功能详细描述〉
* @param [参数 1] [参数 1 说明]
* @param [参数 2] [参数 2 说明]
* @return [返回类型说明]
* @exception/throws [异常类型] [异常说明]
* @see [类、类#方法、类#成员]
* @since [起始版本]
* @deprecated
*/
```

示例：

```
/**
* 用户登录。
* 通过新浪微博 Android SDK 实现用户登录，如果用户安装了新浪微博客户端那么会调用客户端进行登录，否则通过网页登录。登录成功之后保存 token 到本地。
* @param username 用户的新浪微博的用户名
* @param pwd 用户的新浪微博密码
* @return
* @since 1.0
*/
public void login(String username, String pwd) {
    // 登录代码
}
```

### 7.2.4 异常的注释

对于方法内部用 throw 语句抛出的异常，必须在方法的注释中标明，对于所调用的其他方法所抛出的异常，选择主要的在注释中说明。对于非 RuntimeException，即 throws 子句声明会抛出的异常，必须在方法的注释中标明。异常注释用@exception 或@throws 表示，在 JavaDoc 中两者等价，但推荐用@exception 标注 Runtime 异常，@throws 标注非 Runtime 异常。异常的注释必须说明该异常的含义及什么条件下抛出该异常。

示例：

```
/**
*关闭当前数据流。
 * @throws IOException 当关闭流失败时抛出该异常
*/
public void close() throws IOException {
    // 相关代码
}
```

## 7.3 命名

### 7.3.1 包的命名

包的命名格式建议为：[域名].[公司英文名].[项目名].[模块名]，例如，小米公司的多看阅读软件的网络请求模块的包名：com.xiaomi.duokan.network。

### 7.3.2 类与接口的命名

类名和接口使用类意义完整的英文描述，每个英文单词的首字母使用大写、其余字母使用小写的大小写混合法，也就是驼峰命名法。

示例：

```
NewsActivity, CustomerList, ServiceManager, ImageLoaderConfig, SmpTransaction。
```

### 7.3.3 函数命名

函数名使用类意义完整的英文描述：第一个单词的字母使用小写，剩余单词使用驼峰命名法。

示例：

```
private void calculateRate();
public void addNewOrder();
public void setOnClickListener(OnClickListener listener);
```

### 7.3.4 setter 和 getter

方法中，存取属性的方法采用 setter 和 getter 方法，动作方法采用动词和动宾结构。

格式：

```
get + 非布尔属性名()
is + 布尔属性名()
set + 属性名()
动词()
动词 + 宾语()
```

示例：

```
    public String getType();
    public boolean isFinished();
```

```
    public void setVisible(boolean);
    public void show();
    public void setOnClickListener(OnClickListener listener);
```

在 Android 开发中如果一个字段并没有什么对外隐藏的必要，那么直接设置为 public，使得外部直接访问字段，避免调用 setter 和 getter 函数产生额外的资源消耗。

### 7.3.5 字段名

字段名使用意义完整的英文描述，第一个单词的字母使用小写 m（代表 member），剩下的字母使用驼峰命名法。建议将字段设置为 public，这样可以避免额外的 setter、getter 调用开销，如果字段为 public，那么字段名将去掉 m 前缀，以小写字母开头。注意，属性名不能与方法名相同。

示例：

```
// 公有字段不以 m 开头
public String telephoneNum;
// protected 和 private 则以 m 开头
protected String mCustomerName = "Mr.Simple";
private int mOrderNumber = 100;
private int mAge = 0;
```

### 7.3.6 字段名

常量名使用全大写的英文描述，英文单词之间用下划线分隔开，并且使用 static final 修饰。如果只是 static 而不是 final，那么变量以 s 开头，后面以驼峰命名法进行命名。

示例：

```
public static final int MAX_VALUE = 1000;
public static final String DEFAULT_START_DATE = "2001-12-08";
public static final String sRecordCount = 0 ;
```

## 7.4 编码建议

### 7.4.1 beak 语句

对于 switch 语句下的 case 语句，必须在每个 case 分支结束前加上 break 语句。因为 break 才能真正表示该 switch 执行结束，不然可能会进入该 case 以后的分支。至于语法上合法的场景“一个 case 后进入下一个 case 处理”，应该在编码设计上就避免：

```
switch( value ) {
    case 1 :
        break;
    case 1 :
        break;
    default :
        break;
}
```

### 7.4.2 覆写时添加@Override

对重载父类的方法必须进行@Override 声明。

说明：可清楚说明此方法是重载父类的方法，保证重载父类的方法时不会因为单词写错而造成错误（写错方法名或者参数个数，类型都会编译无法通过）。

示例：

```
@Override
public void doRequest(LoginRequest req) throws TimeOutException {
    // 其他代码
}
```

### 7.4.3　指定集合中的元素类型

在使用 List、Map 等集合类型时必须指定元素类型，这样既方便程序阅读，又能除去强制转换的代码。

错误的示例：

```
List mOrders = new ArrayList();
```

推荐示例：

```
List<Order> mOrders = new ArrayList<Order>();
Map<String, Order> mOrderCache = new HashMap<String, Order>();
```

### 7.4.4　显示指明操作符优先级

注意运算符的优先级，并用括号明确表达式的操作顺序，避免使用默认优先级。

说明：防止阅读程序时产生误解，防止因默认的优先级与设计思想不符而导致程序出错。

推荐的形式，示例 1：

（1）int result = (high << 8) | low ;

（2）int result = (a | b) && (a & c));

（3）int result (a | b) < (c & d)　。

不推荐的形式，示例 2：

（1）int result = high << 8 | low;

（2）int result = a | b && a & c;

（3）int result= a|b < c & d。

虽然它的含义与示例 1 一致，但语句不易理解，当你再次看到这段代码时，你肯定需要思考到底哪个操作符被优先执行，而且容易造成判断条件出错。

## 7.5 小结

记住，代码是写给人看的！机器只需要检测你的语法是否合法即可，而人才是看这些代码的唯一读者。保持良好、统一的规范将大大降低代码的维护成本，也能够在一定程度上保证代码质量。因此，良好的代码规范是不可缺少的。

# 第 8 章　让不断升级的系统更好管理——Git 版本控制

本章我们要学习的是 Git 版本控制，在学习 Git 之前我们先来了解一下版本控制。版本控制是一种记录一个或若干文件内容变化，以便将来查阅特定项目版本的系统。本章我们将以软件项目的版本控制作为示例，但实际上你可以对任何类型的文件进行版本控制。

如果你开发过项目，那你一定有这样的经历：想添加或者修改一个功能，又怕将来新增或者修改的代码破坏原有的代码，因此，为了保证已有正确代码可用，你通常会复制一份以防后患。但是随着应用系统的不断升级，你的项目目录可能会变为如图 8-1 所示的情景。

▲图 8-1　手动版本控制

过了一段时间，你想找回某个版本中的功能，但是已经记不清这个功能到底保存在哪个文件夹中，文件夹能够体现的信息只有版本号和一些简单的标识。于是你只能将每个版本导入到 IDE 中，然后运行查看应用的功能，直到找到你所需要的版本。

看着一堆乱七八糟的文件夹，你可能只想保留最新的一个，然后把其他的删掉，又怕哪天会用上，还不敢删，因为一旦删除你将无法恢复到其他的版本。如果是多人合作开发，那么你们如何同步代码呢？用 QQ 传文件，用 U 盘复制？如果你们修改的是同一个文件，那么如何确保这个文件正确合并了所有人编写的代码？

于是你想，如果有一个软件，不但能自动帮我记录每次文件的改动，还可以让同事协作编辑，这样就不用自己管理一堆类似的文件了，也不需要把文件传来传去。如果想查看某次改动，只需要在这个软件里看一下就可以，岂不是很方便？

这个软件用起来就应该如表 8-1 所示的样子，能记录每次文件的改动。

表 8-1　　记住变动情况

| 版　本 | 用　户 | 说　明 |
|---|---|---|
| 1 | 张三 | 添加了登录功能 |
| 2 | 张三 | 添加了短信验证功能 |
| 3 | 李四 | 更新了登录功能 |
| 4 | 张三 | 重构了实现登录的代码 |

通过版本控制系统，可以为每个版本创建一个快照，并且填写相关的记录信息，这样便于你后续回退到这个版本。而你所有的修改、提交都会在版本系统中留下记录，这样就有更多的信息能够定位特定的版本。从此就结束了手动管理多个版本的原始时代，进入到版本控制的新世纪。

Git 是版本控制系统中的后起之秀，它属于分布式版本控制系统。Git 是目前世界上最先进的分布式版本控制系统，它的特点是简单易用、功能强大、速度快。

Git 与其他版本控制系统的差别是它在客户端并不只提取最新版本的文件快照，而是把整个项目仓库完整地镜像下来。这么一来，任何一处协同工作用的服务器发生故障，事后都可以用任何一个镜像出来的项目仓库恢复。因为每一次的提取操作，实际上都是一次对代码仓库的完整备份，如图 8-2 所示。

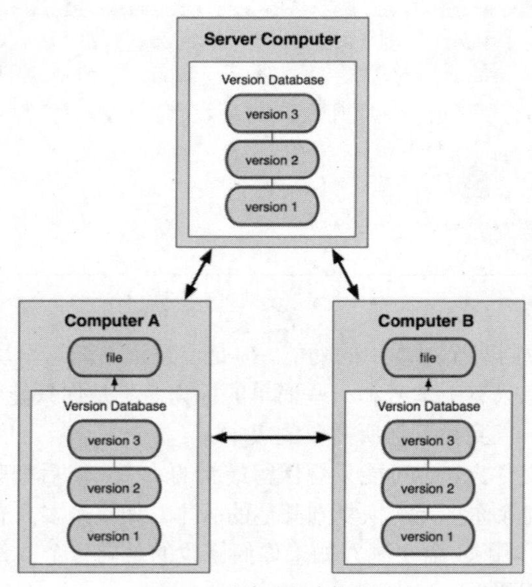


▲图 8-2　分布式版本控制系统

更进一步讲，许多这类系统都可以指定和若干不同的远端代码仓库进行交互。因此，你就可以在同一个项目中，分别和不同工作小组的人相互协作。你可以根据需要设定不同的协作流程，比如层次模型式的工作流，而这在以前的集中式系统中是无法实现的。自 Git 诞生以来，它得到了迅猛发展，目前 Git 已经成为版本控制系统的不二选择。

## 8.1 Git 起源

1991 至 2002 年间，Linux 内核开源项目有着为数众广的参与者，绝大多数的 Linux 内核维护工作都花在了提交补丁和保存归档的繁琐事务上。到 2002 年，整个项目组开始启用分布式版本控制系统 BitKeeper 来管理和维护代码。然而好景不长，到了 2005 年，开发 BitKeeper 的商业公司同 Linux 内核开源社区的合作关系结束，他们收回了免费使用 BitKeeper 的权力。这就迫使以 Linus Torvalds 为首的 Linux 开源社区不得不替换版本控制系统，在尝试了其他系统之后发现现有的系统都不能很好地满足他们的要求。于是当时的"江湖一哥"Linus 决定自己开发一套版本控制系统，他们对新的系统设定了大致如下几个要求。

- 速度
- 简单的设计
- 对非线性开发模式的强力支持（允许上千个并行开发的分支）
- 完全分布式
- 有能力高效管理类似 Linux 内核一样的超大规模项目

有了目标就好办了，身为操作系统、文件系统专家的 Linus 花了两周时间就用 C 完成了一个分布式版本控制系统，这就是 Git 的第一版！一个月之后，Linux 系统的源码已经由 Git 管理。自诞生于 2005 年以来，Git 日臻成熟完善，在高度易用的同时，仍然保留着初期设定的目标。它的速度飞快，极其适合管理大项目，它还有着令人难以置信的非线性分支管理系统，可以应付各种复杂的项目开发需求。

如今，Git 已经非常成熟，被广泛接受与使用，越来越多的项目都迁移到 Git 仓库中进行管理。据称，目前 80% 的 Eclipse 基金会项目已经完全使用 Git 管理，CVS 访问权限已经切换成只读状态。另外，Android 源码、各类 Android 开源库等重要开源项目也大都使用 Git 进行版本控制。因此，掌握 Git 的使用方法已经成为 Android 工程师不可缺少的技能之一。

## 8.2 Git 基本原理

那么 Git 究竟是怎样的一个系统呢？在开始学习 Git 的时候，请不要尝试把各种概念和其他版本控制系统（如 Subversion 和 Perforce 等）相比较，否则容易混淆每个操作的实际意义。Git 在保存和处理各种信息时，虽然操作起来的命令形式非常相近，但它与其他版本控制系统的做法颇为不同。理解这些差异将有助于你准确地使用 Git 提供的各种工具，下面我们来慢慢了解 Git 的基本原理。

### 8.2.1 直接记录快照，而非差异比较

Git 和其他版本控制系统的主要差别在于，Git 只关心文件数据的整体是否发生变化，而大多数其他系统则只关心文件内容的具体差异。这类系统（CVS、Subversion、Perforce，Bazaar 等）每次记录有哪些文件作了更新，以及都更新了哪些行的什么内容，请看图 8-3。

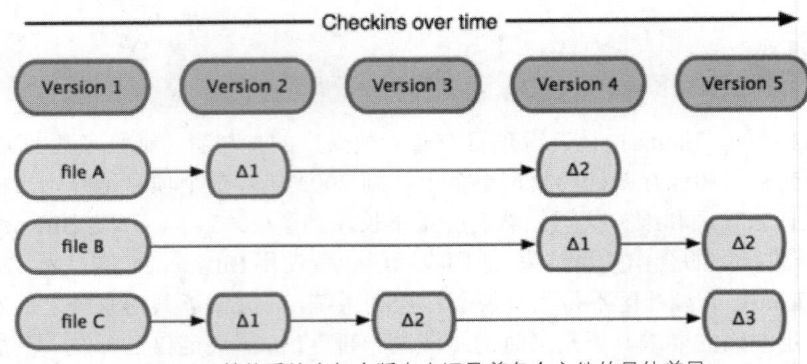


▲图 8-3　其他系统在每个版本中记录着各个文件的具体差异

Git 并不保存这些前后变化的差异数据。实际上，Git 更像是把变化的文件做快照后，记录在一个微型的文件系统中。每次提交更新时，它会纵览一遍所有文件的指纹信息并对文件做一快照，然后保存一个指向这次快照的索引。为提高性能，若文件没有变化，Git 不会再次保存，而只对上次保存的快照做一链接。Git 的工作方式如图 8-4 所示。

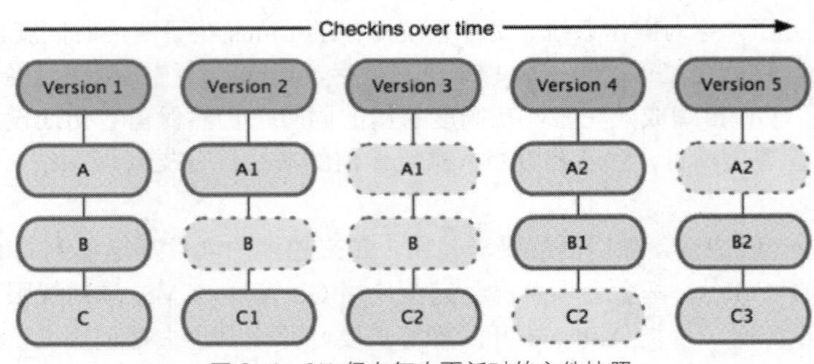


▲图 8-4　Git 保存每次更新时的文件快照

这是 Git 同其他系统的重要区别。它完全颠覆了传统版本控制的套路，并对各个环节的实现方式作了新的设计。Git 更像是个小型的文件系统，但它同时还提供了许多以此为基础的超强工具，而不只是一个简单的 VCS。

### 8.2.2　近乎所有操作都是本地执行

在 Git 中的绝大多数操作都只需要访问本地文件和资源，不需要连接网络。如果用 CVS 的话，几乎所有操作都需要连接网络。因为 Git 将当前项目的历史更新都存储本地磁盘上，所以在处理速度上要比其他依赖于网络的系统快得多。

举个例子，如果要浏览项目的历史更新摘要，Git 不用到外面的服务器上去取数据回来，而直接从本地数据库读取后展示给你看。所以，任何时候你都可以立即翻阅，无需等待。如果想要看当前版本的文件和一个月前的版本之间有何差异，Git 会取出一个月前的快照和当前文件做一次差异运算，而不用请求远程服务器来做这件事，或是把老版本的文件拉到本地来做比较。这样一来，无论你身处何处，都能使用 Git 进行版本控制，这将大大提升工作效率。

### 8.2.3 时刻保持数据完整性

在保存到 Git 之前，所有数据都要进行内容的校验和（checksum）计算，并将此结果作为数据的唯一标识和索引。这项特性作为 Git 的设计哲学，它建立在整体架构的最底层。所以，如果文件在传输时变得不完整，或者磁盘损坏导致文件数据缺失，Git 都能立即察觉。

Git 使用 SHA-1 算法计算数据的校验和，通过对文件的内容或目录的结构计算出一个 SHA-1 哈希值，作为指纹字符串。该字串由 40 个十六进制字符（0～9 及 a～f）组成，看起来就像是：

```
24b9da6552252987aa493b52f8696cd6d3b00373
```

Git 的工作完全依赖于这类指纹字串，所以，你会经常看到这样的哈希值。实际上，所有保存在 Git 数据库中的东西都是用此哈希值来作索引的，而不是靠文件名。

### 8.2.4 多数操作仅添加数据

常用的 Git 操作大多仅仅是把数据添加到数据库。因为，任何一种不可逆的操作，比如删除数据，都会使回退或重现历史版本变得困难重重。在别的 CVS 中，若还未提交更新，就有可能丢失或者混淆一些修改的内容，但在 Git 里，一旦提交快照之后就完全不用担心丢失数据，特别是养成定期推送到其他仓库的习惯的话。这种高可靠性令我们没有太过的后顾之忧，使得我们可以有更多的精力去做更多的尝试。

### 8.2.5 文件的 3 种状态

在 Git 管理下的项目有 3 种状态，这几个状态在理解 Git 原理上非常重要。对于任何一个文件，在 Git 内都只有 3 种状态：已提交（committed）、已修改（modified）和已暂存（staged）。已提交表示该文件已经被安全地保存在本地数据库，即执行了 Git commit 命令；已修改表示修改了某个文件，但还没有提交保存；已暂存表示把已修改的文件放在下次提交时要保存的清单中，也就是执行了 git add 命令。

由此我们看到，Git 管理项目时，文件流转的 3 个工作区域：Git 的工作目录、暂存区域和本地仓库，如图 8-5 所示。

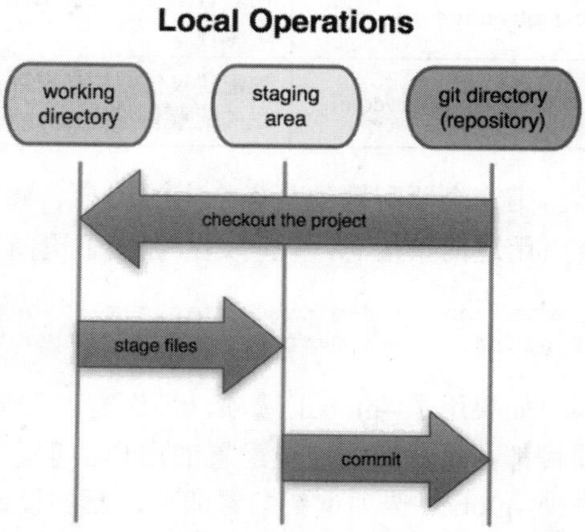

▲图 8-5 工作目录、暂存区域，以及本地仓库

每个项目都有一个 Git 目录（隐藏的.Git 目录），它是 Git 用来保存元数据和对象数据库的地方。该目录非常重要，每次克隆镜像仓库时，实际复制的就是这个目录里面的数据。

Git 对某个目录进行版本控制，那么这个目录就叫做工作目录。这些文件实际上都是从 Git 目录中的压缩对象数据库中提取出来的，接下来就可以在工作目录中对这些文件进行编辑。

所谓的暂存区域只不过是个简单的文件，一般都放在 Git 目录中。有时候人们会把这个文件叫做索引文件，不过标准说法还是叫暂存区域。

基本的 Git 工作流程如下：

（1）在工作目录中修改某些文件；

（2）对修改后的文件进行快照，然后保存到暂存区域；

（3）提交更新，将保存在暂存区域的文件快照永久转储到 Git 目录中。

所以，我们可以从文件所处的位置来判断状态：如果是 Git 目录中保存着的特定版本文件，就属于已提交状态；如果做了修改并已放入暂存区域，就属于已暂存状态；如果自上次取出后，做了修改但还没有放到暂存区域，就是已修改状态。

## 8.3 Git 基本配置

一般在新的系统上，我们都需要先配置下自己的 Git 工作环境。配置工作只需一次，以后升级时还会沿用现在的配置。当然，如果需要，你随时可以用相同的命令修改已有的配置。

Git 提供了一个叫做 git config 的工具，专门用来配置或读取相应的工作环境变量。而正是由这些环境变量决定了 Git 在各个环节的具体工作方式和行为。这些变量可以存放在以下 3 个不同的地方，如表 8-2 所示。

表 8-2　不同地方的作用

| 文　件 | 作　用 |
|---|---|
| /etc/gitconfig | 系统中对所有用户都普遍适用的配置。若使用 git config 时用--system 选项，读写的就是这个文件 |
| ~/.gitconfig | 用户目录下的配置文件只适用于该用户。若使用 git config 时用--global 选项，读写的就是这个文件 |
| 当前项目下的.git/config | 该配置仅仅针对当前项目有效。每一个级别的配置都会覆盖上层的相同配置，所以.git/config 里的配置会覆盖 /etc/gitconfig 中的同名变量 |

第一个要配置的是你个人的用户名称和电子邮件地址。这两条配置很重要，每次 Git 提交时都会引用这两条信息，说明是谁提交了更新，所以，会随更新内容一起被永久纳入历史记录：

```
git config --global user.name "yourname"
git config --global user.email yourname@example.com
```

如果用了--global 选项，那么更改的配置文件就是位于你用户主目录下的那个，以后你所有的项目都会默认使用这里配置的用户信息。如果要在某个特定的项目中使用其他名字或者邮件，只要去掉--global 选项重新配置即可，新的设定保存在当前项目的 .git/config 文件里。

接下来要设置的是默认使用的文本编辑器。Git 需要你输入一些额外消息的时候，会自动调用一个外部文本编辑器给你用。默认会使用操作系统指定的默认编辑器，一般可能会是 Vi 或者 Vim。如果你有其他偏好，比如 Emacs 的话，可以重新设置：

```
git config --global core.editor emacs
```

还有一个比较常用的是，在解决合并冲突时使用哪种差异分析工具。比如要改用 vimdiff 的话：

```
git config --global merge.tool vimdiff
```

Git 可以理解 kdiff3、tkdiff、meld、xxdiff、emerge、vimdiff、gvimdiff、ecmerge 和 opendiff 等合并工具的输出信息。

要检查已有的配置信息，可以使用 git config --list 命令：git config –list，输出的信息大致如下：

```
user.name=mr.simple
user.email=simple@gmail.com
color.status=auto
color.branch=auto
color.interactive=auto
color.diff=auto
// 其他信息
```

有时候会看到重复的变量名，那就说明它们来自不同的配置文件（如 /etc/gitconfig 和 ～/.gitconfig），不过最终 Git 实际采用的是最后一个。除了一次性查看所有配置之外，我们也可以直接查阅某个环境变量的设定，只要把特定的名字跟在后面即可，如 git config user.name，这样就会输出你配置的用户名。

另外，还有一些比较重要的配置就是高亮显示，通过如下几条命令开启一些高亮显示：

```
git config --global color.status auto    # 查看状态时高亮显示
git config --global color.branch auto    # 分支名高亮
git config --globalcolor.ui auto       # 自动高亮
```

最后一个可以提升你效率的配置就是命令的别名配置，我们可以通过别名简化一些常用的命令，例如，checkout 命令可以简化为 co，status 可以设置为 st。设置别名的格式如下：

```
git config --global alias.新名字原始命令
```

例如，将 checkout 设置为 co 的命令为：

```
git config --global alias.co checkout
```

以后使用 gitcheckout 命令时就可以简写为 git co，如果你在工作中需要使用 Git 进行版本控制，那么这个设计可以明显地提升你的工作效率。

## 8.4 Git 基本命令

Git 命令行环境配置好之后我们就可以使用了。而 Git 本身是一个命令行的工具，因此，掌握 Git 命令成为我们使用 Git 版本控制的第一道障碍。好在常用的 Git 命令只有几个，并且参数都比较简单，因此，我们会很容易地跨越这个障碍。而刚开始就直接使用 GUI 工具并不是我们推荐的方式，因为使用 GUI 不仅效率慢，还会使得你根本不了解 Git 本身的工作机制，一旦出现问题你将不能手动进行解决。因此，要使用 GUI 也要建立在能够熟悉 Git 基本命令的前提下。

### 8.4.1　进行版本控制的第一步——Git init

使用 Git 进行版本控制的第一步就是通过在你的项目根目录执行 Git init 命令，该命令会在你的根目录下创建了一个隐藏的.Git 目录，该目录中包含了该项目在 Git 中的相关配置和信息，Git 就是根据里面的数据对你的项目进行版本控制。例如，我们在 git-project 根目录运行 git init 命令，然后再查看根目录下的文件，结果如图 8-6 所示。

```
mrsimple@MrSimples-MacBook-Pro  ~/gitdemo/git-project  git init
Initialized empty Git repository in /Users/mrsimple/gitdemo/git-project/.git/
mrsimple@MrSimples-MacBook-Pro  ~/gitdemo/git-project  master  ls
mrsimple@MrSimples-MacBook-Pro  ~/gitdemo/git-project  master  ls -al
total 0
drwxr-xr-x  3 mrsimple  staff  102  8 14 11:17 .
drwxr-xr-x  3 mrsimple  staff  102  8 14 11:16 ..
drwxr-xr-x  9 mrsimple  staff  306  8 14 11:17 .git
```

▲图 8-6　初始化项目

### 8.4.2　常用的版本控制命令——Git status

在初始化了需要版本控制的项目之后，我们就可以继续进行后续的工作。在我们使用 Git 进行版本控制的过程中，Git status 命令是我们最为常用的命令之一，它用于检查本地项目的状态。现在我们就来学习该命令，首先我们在 git-project 项目中创建一个新的文件，我们命令为 SayHello.java，它的功能就是输出 Hello 字符串。然后执行 Git status 命令，如图 8-7 所示。

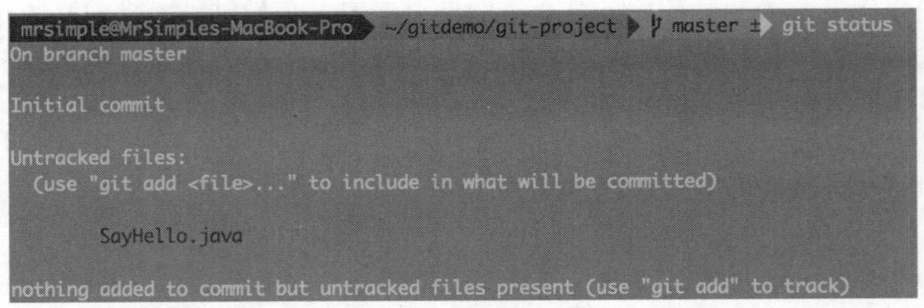


▲图 8-7　查看项目状态

此时我们看到在命令行中给出了一些提示信息，比较显眼的就是红色区域（运行中可看到）的 SayHello.java 文件。咋一看会觉得不知所措，下一步到底要做什么呢？但是仔细看上面的提示我们会发现一些关键的信息，在 SayHello.java 的上、下一行都含有有用的信息，例如，SayHello.java 上一行是 use git add <file> ... to include in what will be commited。这就是告诉我们下一步可以使用 Git add 命令将下面的文件添加到下次要提交的文件列表中。因此，我们下一步要做的就是执行 Git add 命令。

### 8.4.3　添加到追踪列表中——Git add

Git add 命令的作用是将一个或者多个文件添加到 Git 追踪列表中，只有通过 Git add 添加了的文件才会被版本控制管理。从上面的 Git status 中得知，我们下一步要做的就是 Git add 命令。Git add 命令并不像 Git init 、Git status 这样的无参数命令，完整的命令参数复杂，我们只说最常见的两种用法。一种用法是添加某个文件，另一种是添加某个目录下的所有文件。示例如下：

```
git add SayHello.java    # 添加 SayHello.java 这个文件
gitadd .                              # 添加当前目录下的所有文件
```

通常由于 Android 的项目文件比较多，一次性可能会修改多个文件，因此，最为常用的也就是 Git add .命令，一次性将所有文件都添加到下次要添加的列表中。执行该命令之后我们再次执行 Git status 命令查看当前状态（执行完一些重要命令之后通过 Git status 查看状态应该是你使用 Git 的习惯，这样避免出现遗漏等问题）。如图 8-8 所示。

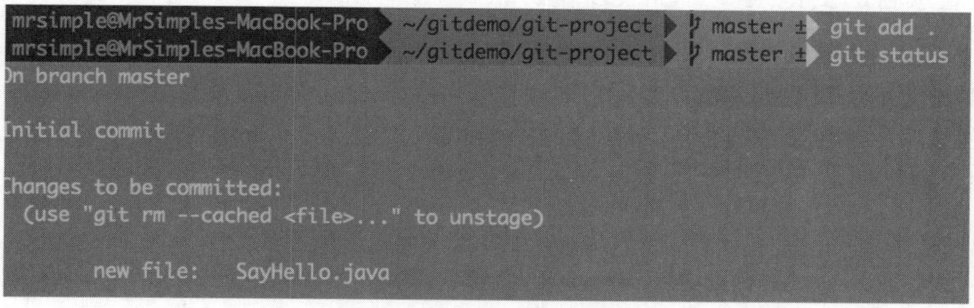

```
mrsimple@MrSimples-MacBook-Pro  ~/gitdemo/git-project  master ±  git add .
mrsimple@MrSimples-MacBook-Pro  ~/gitdemo/git-project  master ±  git status
On branch master

Initial commit

Changes to be committed:
  (use "git rm --cached <file>..." to unstage)

        new file:   SayHello.java
```

▲图 8-8　追踪文件并查看状态

执行 Git add 命令之后可以看到当前项目的修改已经被提交，项目状态变成了前文说的 staged（已暂存）状态，此时 SayHello.java 会在下次提交时被提交到本地仓库。需要注意的是，Git add 命令并不是执行一次就可以的，每次修改项目中的内容之后你都需要执行 Git add 命令进行更新。

假设我们是误操作将不需要追踪的文件进行了 add 操作，那么如何移除呢？答案还是仔细看 Git status 给出的提示信息，这也是 Git 体现人性化的一点，它会在你执行命令时给出下一个你可以要用到的命令，因此，查看 Git 状态就变得更为重要。在图 8-8 中我们看到一句提示： use "git rm --cached <file>..." to unstage 。意思是我们可以通过 git rm --cached 命令将文件从追踪列表中移除，不用担心，这个命令不会将你的文件从本地目录删除，而只会从你的 Git 追踪列表中删除，这样在提交中就不会包含被移除的文件。

### 8.4.4　提交——Git commit

执行 Git add 命令之后，你的文件已经添加到追踪列表。执行这个操作的时间节点应该是你已经完成了一个功能，并且想将这个功能提交到本地仓库中。此时，还需要 Git commit 命令将你的改动真正的提交。Git commit 命令格式如下：

```
git commit -m "这里写你的提交说明"  # 形式 1 ：通过-m 提交简短的信息
git commit          # 形式 2 ：通过 git commit 提交，会跳转到编辑器
```

使用形式 1 相对来说比较方便、快捷，但是，当你的提交信息有一定格式或者需要提交的文字内容较多时，使用形式 2 会是一个更好的选择。执行 Git commit 之后，如图 8-9 所示。

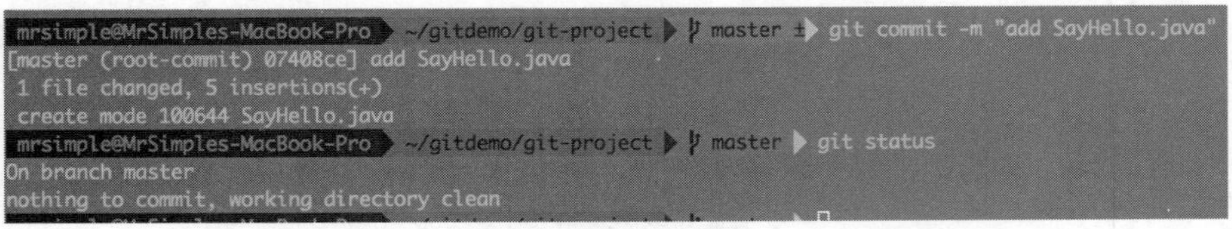

```
mrsimple@MrSimples-MacBook-Pro ~/gitdemo/git-project master ± git commit -m "add SayHello.java"
[master (root-commit) 07408ce] add SayHello.java
 1 file changed, 5 insertions(+)
 create mode 100644 SayHello.java
mrsimple@MrSimples-MacBook-Pro ~/gitdemo/git-project master git status
On branch master
nothing to commit, working directory clean
```

▲图 8-9 提交代码

从图 8-9 中可以看到，我们通过 git commit -m 将这次修改添加到本地仓库，提交信息为“add SayHello.java”。成功之后我们再通过 git status 查看状态，得到的结果是“nothing to commit, working directory clean “。至此，我们就将这次修改提交到本地仓库了。

### 8.4.5 查看项目历史记录——Git log

有的时候我们需要查看某个项目的提交历史，那么我们可以通过 Git log 命令实现。该命令会列出所有的提交记录，这些信息包括提交人、时间、信息，最重要的就是这次提交对应的信息指纹，也就是该项目的目录和文件的整体 SHA-1 值，它代表了这次提交的唯一标识。我们在 git-project 项目中执行 Git log，结果如下：

```
commit 07408ceedfa52473107efc7daa4d7af6c363e192    # 信息指纹
Author: MrSimple <bboyfeiyu@gmail.com>             # 提交人
Date:   Fri Aug 14 12:43:11 2015 +0800             # 时间

    add SayHello.java                              # 提交信息
```

由于我们的项目就提交了一次，因此，也就是输出了这次提交的相关信息。

### 8.4.6 下载程序——Git clone

有的时候我们并不是自己创建项目，而是想要将别人的托管在网站上的开源库下载到自己的计算机中，那么此时我们就需要使用 Git clone 命令。该命令的作用正是将远程项目下载到本地，命令的格式为：Git clone 远程仓库地址。例如，我们要将一个 Android 事件总线库下载到本地，它的地址为 git@github.com:bboyfeiyu/AndroidEventBus.git（网址在这里为 http://github.com/bboyfeiyu/AndroidEventBus），那么我们可以在命令行下执行如下命令：

```
git clone git@github.com:bboyfeiyu/AndroidEventBus.git
```

此时，Git 就会从该地址下载这个项目，如图 8-10 所示。

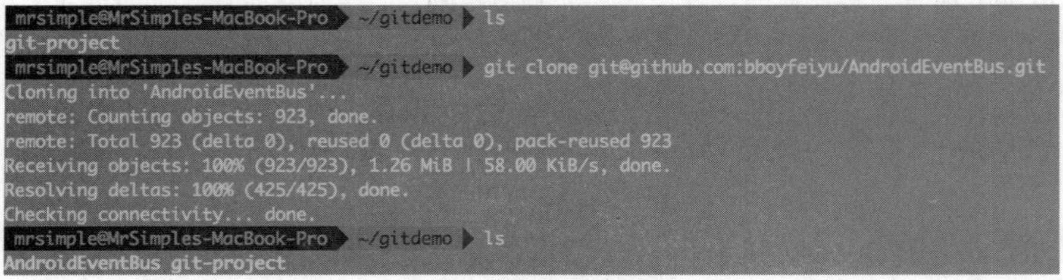

```
mrsimple@MrSimples-MacBook-Pro ~/gitdemo ls
git-project
mrsimple@MrSimples-MacBook-Pro ~/gitdemo git clone git@github.com:bboyfeiyu/AndroidEventBus.git
Cloning into 'AndroidEventBus'...
remote: Counting objects: 923, done.
remote: Total 923 (delta 0), reused 0 (delta 0), pack-reused 923
Receiving objects: 100% (923/923), 1.26 MiB | 58.00 KiB/s, done.
Resolving deltas: 100% (425/425), done.
Checking connectivity... done.
mrsimple@MrSimples-MacBook-Pro ~/gitdemo ls
AndroidEventBus git-project
```

▲图 8-10 clone 项目到本地

执行完成之后就会在当前目录下创建一个 AndroidEventBus 目录来存放这个开源库，项目的所有文件都存放在这个目录中。

### 8.4.7 不同分支——Git branch

大家看图 8-8 可以看到，在命令行的末尾总是显示一个“master”，这实际上是我们所在的 git-project 项目分支名。当你初始化 Git 之后，默认会创建一个 master 分支，你的操作也默认会在 master 分支。不同分支的文件互不影响，因此，当你需要开发一个新的功能时，你可以新建一个新的分支，并且切换到该分支进行开发，当功能完成后你将该分支提交到本地，然后再切换回主分支，并且合并完成新功能开发的分支。例如，我们要创建一个新的类来实现网络聊天，但是，这个我们没有太大的把握能够完成这个功能，为了保险起见，新建了一个 net 分支进行开发，如果完成了就将 net 合并到 master 分支，否则就切换回 master 分支，并且将 net 删除。

首先我们通过 Git branch 命名创建 net 分支，命令为 Git branch net。

执行后效果如图 8-11 所示。

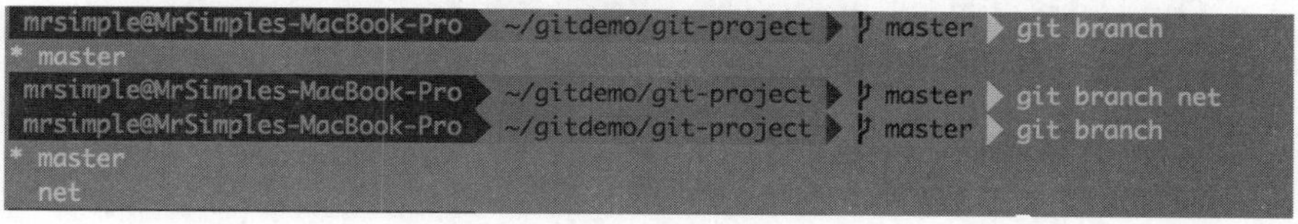

```
mrsimple@MrSimples-MacBook-Pro  ~/gitdemo/git-project  master  git branch
* master
mrsimple@MrSimples-MacBook-Pro  ~/gitdemo/git-project  master  git branch net
mrsimple@MrSimples-MacBook-Pro  ~/gitdemo/git-project  master  git branch
* master
  net
```

▲图 8-11　创建 net 分支

通过 Git branch 命令可以到当前项目的所有分支，在未执行 Git branch net 之前我们只有 master 分之，执行之后我们新增了 net 分支。注意看 master 分支之前有一个星号，这代表你当前所处在的分支，目前，我们就处在 master 分支。那么现在问题来了，我们是要切换到 net 分支进行开发，分支切换需要用到 Git checkout 命令。

### 8.4.8 签出一个分支——Git checkout

checkout 命令的作用是签出一个分支或者一个路径。在开发中常用于分支切换和恢复文件。分支切换命令格式为：

```
git checkout 分支名
```

执行命令之后就会切换到指定的分支上，如图 8-12 所示。

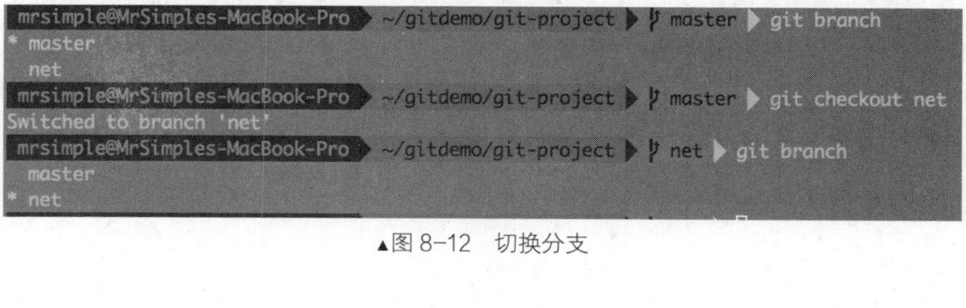

```
mrsimple@MrSimples-MacBook-Pro  ~/gitdemo/git-project  master  git branch
* master
  net
mrsimple@MrSimples-MacBook-Pro  ~/gitdemo/git-project  master  git checkout net
Switched to branch 'net'
mrsimple@MrSimples-MacBook-Pro  ~/gitdemo/git-project  net  git branch
  master
* net
```

▲图 8-12　切换分支

从图 8-12 中可以看到，此时星号目前在 net 前面，表明我们顺利地切换到了 net 分支。这样，我们就可以在 net 分支进行工作了，我们新建一个 Chat.java 类实现网络聊天。此时，git-project 的 net 分支就含有 SayHello.java、Chat.java 两个文件。将 Chat.java 开发完成之后，我们依次执行如下 2 条命令将这次修改提交到本地仓库：

```
gitadd .
git commit -m "add Chat.java"
```

效果如图 8-13 所示。

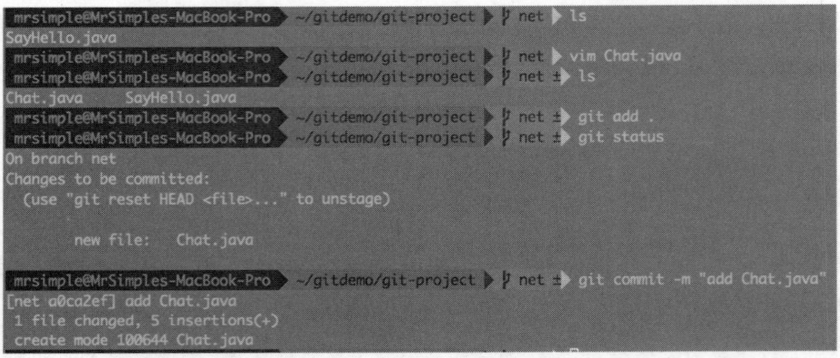

```
mrsimple@MrSimples-MacBook-Pro  ~/gitdemo/git-project  net  ls
SayHello.java
mrsimple@MrSimples-MacBook-Pro  ~/gitdemo/git-project  net  vim Chat.java
mrsimple@MrSimples-MacBook-Pro  ~/gitdemo/git-project  net ±  ls
Chat.java     SayHello.java
mrsimple@MrSimples-MacBook-Pro  ~/gitdemo/git-project  net ±  git add .
mrsimple@MrSimples-MacBook-Pro  ~/gitdemo/git-project  net ±  git status
On branch net
Changes to be committed:
  (use "git reset HEAD <file>..." to unstage)

        new file:   Chat.java

mrsimple@MrSimples-MacBook-Pro  ~/gitdemo/git-project  net ±  git commit -m "add Chat.java"
[net a0ca2ef] add Chat.java
 1 file changed, 5 insertions(+)
 create mode 100644 Chat.java
```

▲图 8-13　在 net 分支提交代码

此时，net 分支的网络聊天功能就开发完成了，功能实现在 Chat.java 中。我们在 net 分支上的操作不会影响 master 分支，也就是说 master 分支目前还是只有 SayHello.java 一个文件。假设现在经过测试，我们的网络聊天功能出现了验证的 Bug，并且不能够被修复，我们只好放弃 net 分支。那么此时我们可以先 checkout 回到 master 分支，然后使用 git branch -d 命令删除 net 分支。依次执行两条命令：

```
git checkout master        # 切回 master 分支
git branch -d net          # 删除 net 分支
```

此时 master 分支还是只有一个 SayHello.java 文件，net 分支的开发对于 master 没有产生影响。如图 8-14 所示。

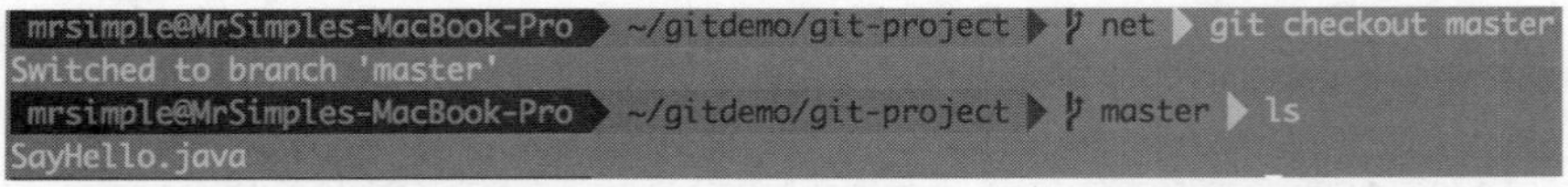

```
mrsimple@MrSimples-MacBook-Pro  ~/gitdemo/git-project  net  git checkout master
Switched to branch 'master'
mrsimple@MrSimples-MacBook-Pro  ~/gitdemo/git-project  master  ls
SayHello.java
```

▲图 8-14　master 分支

checkout 的另一个常用的功能是将文件恢复到修改之前的状态。例如，SayHello.java 的源码在修改之前如下：

```
public class SayHello {
   // 原来的代码省略

   public static void main(String[] args) {
```

```
        System.out.println("Hello");
    }
}
```

现在需要加一个复杂的功能，经过一轮 Coding 之后，SayHello.java 的代码可能已经变得面目全非，而且由于代码过于混乱，使得原来正确的代码也变得不可用，以前与今天的工作都白干了，此时你两眼早已饱含热泪。修改后的 SayHello.java 代码如下：

```
public class SayHello {
    // 原来的代码省略

    private static void eat() {
        // 省略新增的好多代码
    }

    public static void main(String[] args) {
        System.out.println("Hello");
    }

    private static void sleep() {
        // 又省略新增的好多代码~
    }
}
```

如何才能回滚到 SayHello.java 修改之前的状态呢?

还好，Git checkout 提供了这样的功能。我们使用如下命令将 SayHello.java 恢复到修改之前的状态：

```
git checkout -- SayHello.java
```

此时，SayHello.java 就从已修改状态变为最初的版本了。

### 8.4.9 合并分支——Git merge

在上一节中我们切换到 net 分支开发了网络聊天功能，假设开发成功了，那么我们需要将网络聊天功能合并到 master 分支，也就是我们要将 net 分支合并到 master 分支。需要用到的命令为 Git merge。我们在 net 分支提交代码之后，切换到 master 分支，并且执行 Git merge net 命令，如果没有冲突，那么 master 分支将会和 net 分支合并。如图 8-15 所示。

```
mrsimple@MrSimples-MacBook-Pro ~/gitdemo/git-project ▶ master ▶ ls
SayHello.java
mrsimple@MrSimples-MacBook-Pro ~/gitdemo/git-project ▶ master ▶ git merge net
Updating 07408ce..a0ca2ef
Fast-forward
 Chat.java | 5 +++++
 1 file changed, 5 insertions(+)
 create mode 100644 Chat.java
mrsimple@MrSimples-MacBook-Pro ~/gitdemo/git-project ▶ master ▶ ls
Chat.java     SayHello.java
```

▲图 8-15 合并 net 到 master 分支

此时，Chat.java 就被合并到 master 分支了，master 分支也就有了网络聊天的功能。

### 8.4.10　解决冲突

在 Git merge 中没有提到，如果没有冲突才会自动合并，否则将会提出哪些文件产生了冲突。产生冲突的原因是因为有多个开发人员修改了同一个文件的相同地方导致，使得 Git 系统不知道使用谁的代码，此时就需要开发人员自己来抉择，选择其中一份代码，并且将其他的代码删除。

假设研发-A 和研发-B 两位同事同时开发网络聊天功能，因此，他们同时修改了 Chat.java 文件的 eat 函数。研发-A 首先提交了代码到线上的版本控制系统，然后研发-B 此时从线上系统更新代码下来，此时就会产生冲突。当然，在不同分支之间切换开发也可能导致发生冲突，或者说只要是代码合并的操作都有可能出现冲突，原因也是同时修改了文件中的同一处代码段。例如 Chat.java 的原始代码为：

```
public class Chat {
    public static void main(String[] args) {
        System.out.println("Chat with me");
    }
}
```

研发-A 在 master 分支上修改了 Chat.java 的 main 函数的第一行代码，代码如下：

```
public class Chat {
    public static void main(String[] args) {
        System.out.println("Chat with me, I'm RD-A.");
    }
}
```

研发-B 在 net 分支也修改了同样的地方，代码如下：

```
public class Chat {
    public static void main(String[] args) {
        System.out.println("我和研发-A 的代码不一样.");
    }
}
```

此时，研发-B 提交代码到线上系统之后，研发-A 将 net 分支代码同步到本地，并且将 net 分支通过 Git merge 合并到 master 分支。此时就会引发冲突，如图 8-16 所示。

```
mrsimple@MrSimples-MacBook-Pro  ~/gitdemo/git-project  master  git merge net
Auto-merging Chat.java
CONFLICT (content): Merge conflict in Chat.java
Automatic merge failed; fix conflicts and then commit the result.
```

▲图 8-16　产生冲突

从图 8-16 中可以看到，图中指出自动合并失败，Chat.java 产生了冲突。我们看看此时 Chat.java 文件中的内容是怎样的：

```
public class Chat {
    public static void main(String[] args) {
<<<<<<< HEAD
        System.out.println("Chat with me, I'm RD-A.");
=======
        System.out.println("我和研发-A 的代码不一样.");
```

```
>>>>>>> net
    }
}
```

其实很容易看懂这份冲突的文件，它的意思是，在 System.out.println()语句这里出现了多份代码，Git 不知道如何解决。在我们的示例中，在“<<<<<<< HEAD”与“=======”之间的是研发-A 的 master 分支的代码，而“=======”与“>>>>>>> net”则是研发-B 的 net 分支中的代码。这两份代码到底要哪一份，这需要你来裁决，因此，给出了冲突提示。假设研发-A 的代码是正确的，那么需要将“=======”与“>>>>>>> net”之间的代码删除，并且将“<<<<<<< HEAD”、“=======”、“>>>>>>> net”这些冲突标识也删除。最终代码如下：

```
public class Chat {
    public static void main(String[] args) {
        System.out.println("Chat with me, I'm RD-A.");
    }
}
```

此时，冲突就已经被处理了。重新 Git add 和 commit 提交代码即可。

### 8.4.11　为版本打一个标签——Git tag

在完成了所有功能、并且经过测试之后，我们通常会为这个版本打一个标签，这是一个非常重要的功能，建议大家为每个正式发布的版本都创建一个标签，这样便于后续的版本检索与维护。通常一个标签就代表了一个正式版本，通过 Git tag 命令就可以列出当前项目的所有标签。新建一个标签的常用命令如下形式：

```
git tag -a v1.0 -m "这里写相关信息"
```

上述命令新建了一个名为 v1.0 的 tag，然后再次运行 Git tag 命令列出所有标签，得到的结果如图 8-17 所示。

```
mrsimple@MrSimples-MacBook-Pro ~/gitdemo/git-project master git tag
mrsimple@MrSimples-MacBook-Pro ~/gitdemo/git-project master git tag -a v1.0 -m "版本1.0"
mrsimple@MrSimples-MacBook-Pro ~/gitdemo/git-project master git tag
v1.0
```

▲图 8-17　新创建 tag

我们也可以通过“git tag -d 标签名”来删除 tag、“git show 标签名”的形式来查看该分支的具体信息，例如执行 git tag v1.0，得到的结果为：

```
tag v1.0
Tagger: MrSimple <bboyfeiyu@gmail.com>
Date:   Sat Aug 15 08:11:56 2015 +0800

版本 1.0

commit c97418b2a93226296ad0cc4c45b930562ce4261d
Merge: 026ca26 1490b54
Author: MrSimple <bboyfeiyu@gmail.com>
Date:   Fri Aug 14 14:40:26 2015 +0800

解决了冲突
```

当我们的项目托管在远程仓库（如 Github）时，我们可以将标签通过 Git push 命令推送到线上，也可以通过 Git pull 命令将标签从远程仓库上下载下来。这些功能我们将在后面的章节中为大家演示。

### 8.4.12 帮助文档——Git help

本章我们讲述的都是常用命令的简单格式，为了避免引入过多的复杂性命令的其他用法，我们并没有全部演示出来。在日常开发中，我们也只会运用到那些基本的命令、形式，而当你想详细了解某个命令时，你可以使用 Git help 命令来获取完整的使用说明。例如，查看 Git tag 命令的使用说明可以执行 Git help tag 命令，得到的结果如下：

```
NAME
git-tag - Create, list, delete or verify a tag object signed with GPG

SYNOPSIS
git tag [-a | -s | -u <key-id>] [-f] [-m <msg> | -F <file>]
<tagname> [<commit> | <object>]
git tag -d <tagname>http://www.worldhello.net/gotgithub/.
git tag [-n[<num>]] -l [--contains <commit>] [--points-at <object>]
          [--column[=<options>] | --no-column]
[<pattern>http://www.worldhello.net/gotgithub/.]
          [<pattern>http://www.worldhello.net/gotgithub/.]
git tag -v <tagname>http://www.worldhello.net/gotgithub/.


DESCRIPTION
    Add a tag reference in refs/tags/, unless -d/-l/-v is given to delete, list or verify
tags.
// 省略

OPTIONS
// 省略各个参数的说明
```

重点我们就看上述 4 项即可，NAME 中描述的是 Git tag 命令的作用简介，SYNOPSIS 则是该命令的参数简介，DESCRIPTION 是该命令的功能与相关参数的介绍，OPTIONS 则是各参数的含义。通常只需要查看这几项说明就能找到所需的功能。

## 8.5 项目协作——GitHub

GitHub 是一个共享虚拟主机服务，用于存放使用 Git 版本控制的软件代码和内容项目。GitHub 同时提供付费账户和免费账户。这两种账户都可以创建公开的代码仓库，但是，付费账户也可以创建私有的代码仓库。除了允许个人和组织创建和访问代码库以外，它也提供了一些方便社会化软件开发的功能，包括允许用户跟踪其他用户、组织、软件库的动态，对软件代码的改动和 Bug 提出评论等。GitHub 也提供了图表功能，用于显示开发者们怎样在代码库上工作以及软件的开发活跃程度。

截止到 2015 年，GitHub 已经有超过九百万注册用户和 2110 万代码仓库，事实上已经成为了世界上最大的代码存放网站。更重要的是 Android 相关的开源项目几乎都托管在 GitHub 上，而随着 Google Code 的关闭，使得 GitHub 成了开发人员最适合的选择，因此，学习如何通过 GitHub 对代码进行版本控制、多人协作将是你必须掌握的技能，也是你参与到开源世界的第一步。

### 8.5.1 SSH key 配置

在使用 GitHub 之前，我们首先需要到 GitHub 上注册一个账户。在注册账户之后为了避免在使用过程中重复输入用户名、密码，通常需要配置生成 SSH Key，并且把该 SSH key 添加到 GitHub 上，使得在使用远程命令时 GitHub 能够识别我们的机器，并且直接给予操作权限。

首先需要在本机中生成一个 SSH key，命令如下：

```
ssh-keygen -t rsa -b 4096 -C "your_email@example.com"
```

把最后一个参数修改为你用于注册 GitHub 的邮箱即可，执行效果如图 8-18 所示。

```
mrsimple@MrSimples-MacBook-Pro  ~/gitdemo/git-project  master  ssh-keygen -t rsa -b 4096 -C "simple@gmail.com"
Generating public/private rsa key pair.
Enter file in which to save the key (/Users/mrsimple/.ssh/id_rsa): 
```

▲图 8-18 生成 SSH key

此时会询问你要将 SSH key 的相关文件放到哪里，默认路径为/Users/你的用户名/.ssh 目录，直接回车即可。此时又会依次输出一个如下提示：

```
Enter passphrase (empty for no passphrase): [Type a passphrase]
Enter same passphrase again: [Type passphrase again]
```

这两个提示是要求你输入密码的提示，两次都直接回车即可，这就相当于没有密码。此时我们会得到类似下面的结果：

```
Your identification has been saved in /Users/你的用户名/.ssh/id_rsa.
Your public key has been saved in /Users/你的用户名/.ssh/id_rsa.pub.
The key fingerprint is:
01:0f:f4:3b:ca:85:d6:17:a1:7d:f0:68:9d:f0:a2:db your_email@example.com
```

含义是，在/Users/你的用户名/.ssh 目录下生成了 id_rsa 和 id_rsa.pub 文件，在这些文件中存储了你指定用户的 SSH key，通过这个 Key 你就可以直接访问 GitHub 上的项目而不需要输入任何密码。

此时我们的 Key 只是在本地生成了，下一步需要我们将该 Key 绑定到 GitHub 账户上。这个 SSH key 就存储在/Users/你的用户名/.ssh/id_rsa.pub 中，SSH key 大致如下：

```
ssh-rsa
AAAAB3Nzhttp://www.worldhello.net/gotgithub/http://www.worldhello.net/gotgithub/http:
//www.worldhello.net/gotgithub/jY3exd/n your_email@ example.com
```

字符比较长，这里省略了一部分，最后一个就是你的邮箱。此时复制 id_rsa.pub 中的所有内容，并且将它添加到 GitHub 账户的 SSH key 中。首先到你的 GitHub 账户页面，选择右上角头像右边的三角形，此时会弹出一个下拉菜单，选择“settings”。如图 8-18 所示。

此时会进入你的用户设置页面，在设置页面的左下方选择“SSH keys”进入到 SSH key 的管理页面，如图 8-19 所示。

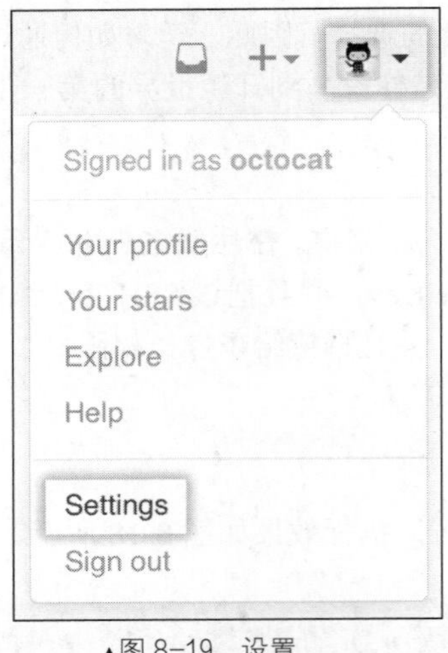


▲图 8-19　设置

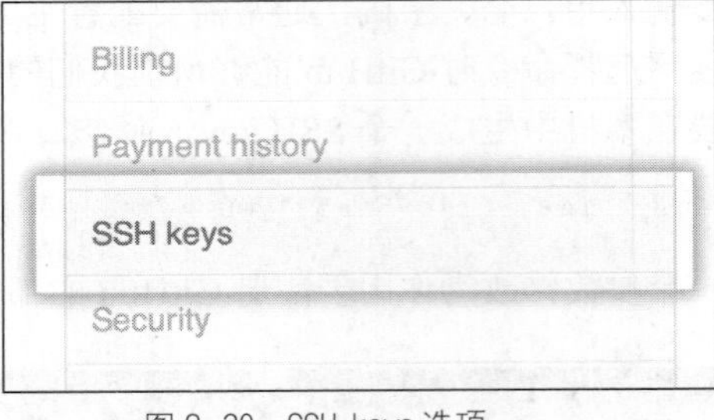


▲图 8-20　SSH keys 选项

然后选择“add SSH key”进入到图 8-20 页面，在这个页面输入你的 SSH key 名字以及从 id_rsa.pub 复制的 SSH key，最后点击 add key 按钮即可。如图 8-21 所示。

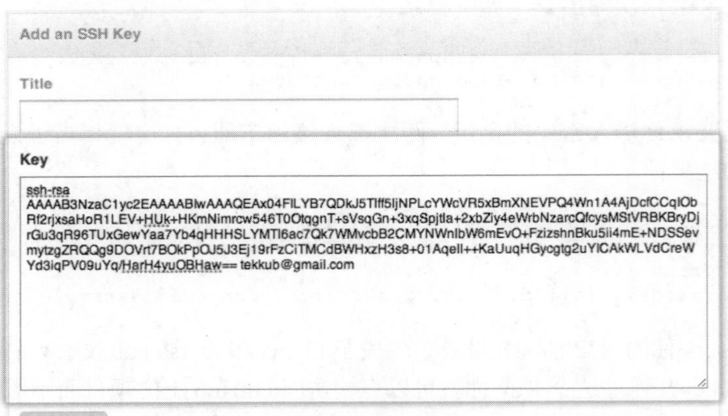


▲图 8-21　粘贴 SSH key 并且设置 title

此时，你的本地 SSH key 就与 GitHub 关联上了。运行 ssh -T git@github.com 命令测试是否添加成功，如果输出如下信息，那么则说明操作成功：

```
Hi 你的用户名! You've successfully authenticated, but gitHub does not
 provide shell access.
```

然后就可以开始你的 GitHub 之旅了。

### 8.5.2　项目托管——it remote

此时我们已经创建好了本地项目 git-project，并且已经配置好了 SSH key，那么下一步你可能想将自己的项目托管到 GitHub 上。那么第一步需要做的就是在 GitHub 上创建一个项目，然后会得到这个项目的地址，类似上述 AndroidEventBus 的地址。如图 8-22 和图 8-23 所示。

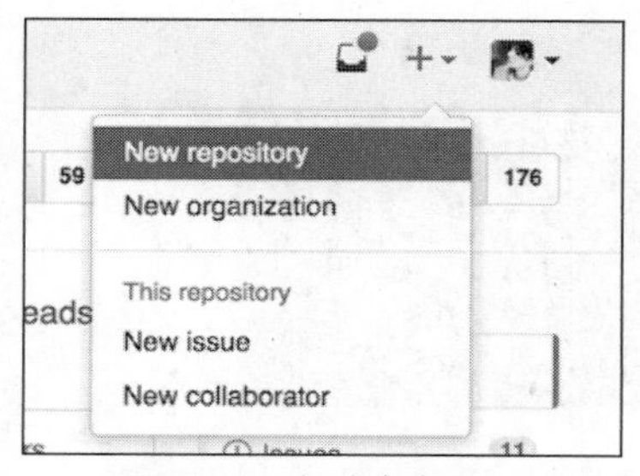


▲图 8-22 新建仓库项目

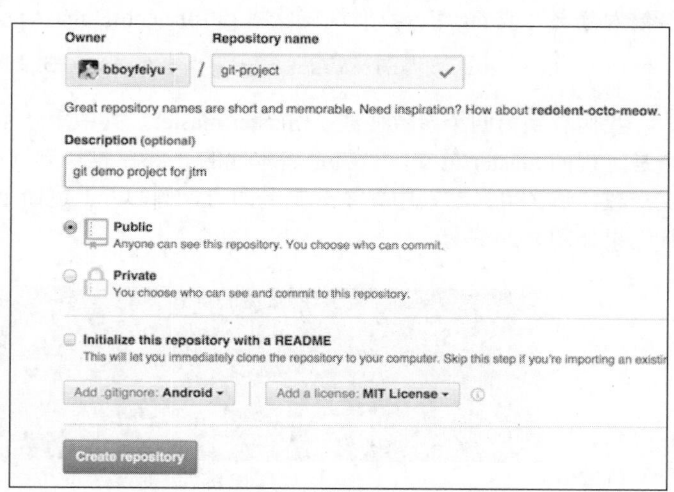


▲图 8-23 设置项目信息

此时，在项目页面的右下角就会看到这个项目的地址，在这里我们使用项目的 SSH 格式的项目地址，即 git@github.com:bboyfeiyu/git-project.git。还有一种常用的是 https 的形式，格式为 https://github.com/bboyfeiyu/git-project.git。一般情况下我们都使用 SSH 的格式，这样就可以通过 SSH key 访问，而不需要输入密码。然后我们需要将该地址添加到本地项目中，使得本地项目与 GitHub 上的项目关联在一起。命令如下：

```
git remote add origin git@github.com:bboyfeiyu/git-project.git
```

通过上述命令我们向本地仓库添加了一个名为 origin、地址为 git@github.com:bboyfeiyu/git-project.git 的远程仓库。可以通过 Git remote -v 命令查看该项目的远程仓库地址了。输出如下：

```
origin    git@github.com:bboyfeiyu/git-project.git (fetch)
origin    git@github.com:bboyfeiyu/git-project.git (push)
```

一个项目可以与多个远程仓库关联，这样你就可以在 push 或者 pull 时选择不同的远程仓库名进行操作，实现多仓库的版本控制。

### 8.5.3 将项目推送到远程仓库——Git push

通过 Git remote 命令之后，我们就可以在本地仓库和远程仓库之间进行数据同步了。用户可以将本地项目提交到该远程仓库中，从而实现在线的版本控制。在与远程仓库进行数据同步之前应该确保我们的项目是已提交状态，也就是执行了 Git commit 之后的状态。

首先我们介绍 Git push 命令，顾名思义，该命令的作用就是将本地仓库的数据推送到远程仓库上。它的一般使用格式为：

```
git push resp br
```

第三个参数为远程仓库名，在 git-project 项目中我们只有一个远程仓库，名为 origin；第四个参数为分支名或 tag 名。我们现在就将 git-project 的 master 分支提交到远程仓库上。输入命令如下：

```
git push origin master:master  # 将本地的 master 分支提交到远程仓库 origin 的 master 分支
```

我们看到第四个参数变成了 master:master，其中第一个 master 代表本地的 master 分支，第二个是远程的 master 分支，也就是将本地的 master 推送到远程的 master 上。如果本地分支和远程分支一致，那么可只写其中一个分支名即可，例如，上述命令可以简化为：git push origin master。执行结果如图 8-24 所示。

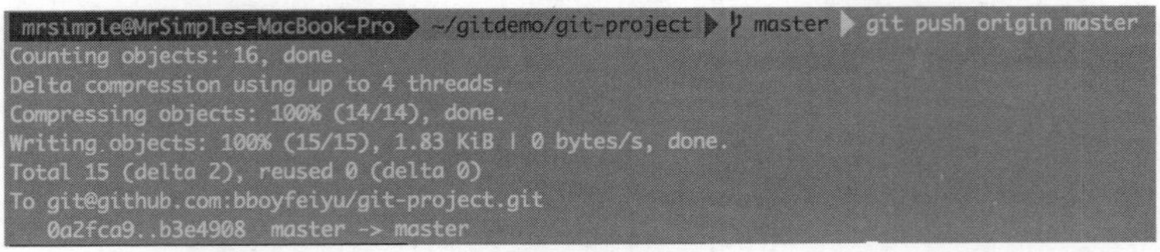

```
mrsimple@MrSimples-MacBook-Pro  ~/gitdemo/git-project  master  git push origin master
Counting objects: 16, done.
Delta compression using up to 4 threads.
Compressing objects: 100% (14/14), done.
Writing objects: 100% (15/15), 1.83 KiB | 0 bytes/s, done.
Total 15 (delta 2), reused 0 (delta 0)
To git@github.com:bboyfeiyu/git-project.git
   0a2fca9..b3e4908  master -> master
```

▲图 8-24　推送代码到远程仓库

而如果需要将本地的 net 推送到远程的 master 则为 net:master，如果需要删除远程仓库的某个分支，格式大致如下：

```
git push origin :net
```

上述命令的作用是删除 origin 远程仓库的 net 分支。

### 8.5.4　更新最代码——Git pull

在上一个例子中我们直接通过 Git push 将本地代码推送到 GitHub 服务器上，然后这并不是一种好的使用习惯。因为在团队协作时，如果你的本地代码不是最新，那么直接使用 Git push 可能会导致线上最新的代码被覆盖的问题，当然很多时候出现这种情况时 GitHub 会拒绝你的提交。在上述例子中，第一次执行 Git push 命令时实际上出现了如图 8-25 所示的提示。

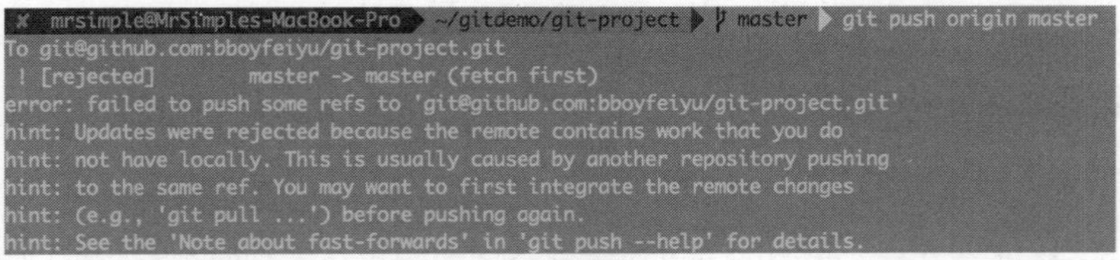

```
✘ mrsimple@MrSimples-MacBook-Pro  ~/gitdemo/git-project  master  git push origin master
To git@github.com:bboyfeiyu/git-project.git
 ! [rejected]        master -> master (fetch first)
error: failed to push some refs to 'git@github.com:bboyfeiyu/git-project.git'
hint: Updates were rejected because the remote contains work that you do
hint: not have locally. This is usually caused by another repository pushing
hint: to the same ref. You may want to first integrate the remote changes
hint: (e.g., 'git pull ...') before pushing again.
hint: See the 'Note about fast-forwards' in 'git push --help' for details.
```

▲图 8-25　推送失败

因为我们在 GitHub 项目创建时我们选中了.gitignore 模板以及 MIT License，因此，该项目中已经包含了文件。而此时我们本地项目并没有与 GitHub 线上的代码进行合并，因此，被 GitHub 服务器拒绝提交。因为，当你的本地代码没有与线上最新代码合并时，直接提交代码则可能会引发冲突，而解决冲突需要在你本地进行操作。因此，好的习惯是在 Git push 之前先通过 Git pull 命令从 GitHub

将最新的代码更新到本地，并且确保合并成功。如果代码合并的过程中产生冲突，那么则需要解决冲突再将代码 push 到 GitHub 仓库。如图 8-26 所示。

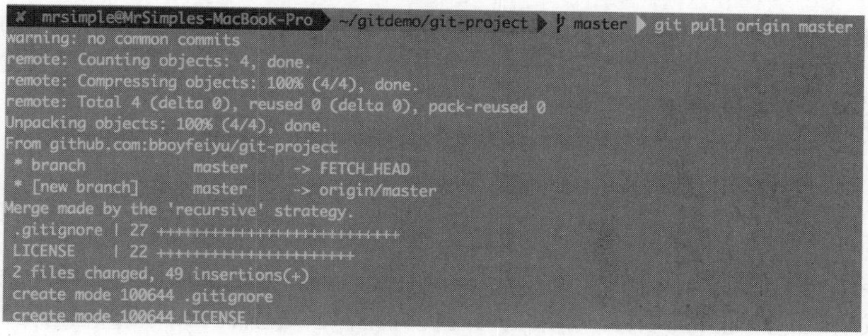

```
✗ mrsimple@MrSimples-MacBook-Pro ~/gitdemo/git-project master git pull origin master
warning: no common commits
remote: Counting objects: 4, done.
remote: Compressing objects: 100% (4/4), done.
remote: Total 4 (delta 0), reused 0 (delta 0), pack-reused 0
Unpacking objects: 100% (4/4), done.
From github.com:bboyfeiyu/git-project
 * branch            master     -> FETCH_HEAD
 * [new branch]      master     -> origin/master
Merge made by the 'recursive' strategy.
 .gitignore | 27 +++++++++++++++++++++++++++
 LICENSE    | 22 ++++++++++++++++++++++
 2 files changed, 49 insertions(+)
 create mode 100644 .gitignore
 create mode 100644 LICENSE
```

▲图 8-26　下拉代码

执行成功之后远程项目就与本地项目合并，此时再次执行 Git push 命令即可将代码更新到 GitHub 上。Git pull 命令除了用于操作分支代码之外，也可以用于操作 tag，使用方式与分支一样，只需要将分支名修改为 tag 名。

### 8.5.5　Giti gnore 忽略文件

在开发过程中，我们可能不需要将一些文件提交到远程仓库中，例如生成的 APK 文件、与本机配置相关的文件等。Git 提供了一个配置文件让用户可以将要忽略的文件添加到配置中，这样在 Git 进行操作时不会对这些文件进行追踪，这些文件只会存在于你的本地文件中。例如，在创建 git-project 时选中了 Android 项目的.gitignore 模板，我们看看该文件中的内容：

```
# Built application files
*.apk
*.ap_

# Files for the Dalvik VM
*.dex

# Java class files
*.class

# Generated files
bin/
gen/

# Gradle files
.gradle/
build/
/*/build/

# Local configuration file (sdk path, etc)
local.properties

# Proguard folder generated by Eclipse
proguard/
```

```
# Log Files
*.log
```

其中以#开头的是注释，其他的都是要忽略的文件类型或者目录。例如，这份.gitignore 文件中我们忽略了 apk、ap_、class、log、local.properties 文件以及 bin、gen、.gradle、build、/*/build、proguard 目录，如此一来这些文件都不会被提交到远程仓库。如果你有一些存有敏感信息的文件，那么可以通过.gitignore 配置来避免泄漏出去。

### 8.5.6　Fork 加 Pull request 多人协作模式

对于软件开发来说，提升自己技术的最好途径就是阅读、学习别人的优秀代码。因此学习、参与著名开源库就成了你提升自我的一条重要途径，这样一来你不免要通过一种协作形式来参与到开源项目的开发中。不仅是开源项目，如果公司的代码托管也是基于 Git，那么也需要这种协作机制。对于 GitHub 来说，最常用协作方式是“Fork +Pull”模式。在“Fork + Pull”模式下，项目参与者不必向项目创建者申请提交权限，而是在自己的托管空间下建立项目的派生项目，这相当于将主仓库的代码复制了一份。如图 8-27 所示。

如图 8-27 所示，git-project 原本属于 mr.simple（用户名为 bboyfeiyu），因此称 mr.simple 下的 git-project 为主仓库。为了与 mr.simple 协作开发，另一个开发人员 chaossss 通过 Fork 的形式复制了一份代码，派生项目都会有链接指向原始项目，派生项目没有独立的缺陷追踪系统（issue），而是必须利用创建者本人的项目中的缺陷追踪系统。chaossss 得到了一份派生的项目之后就可以将这个项目 clone 到本地，然后对该项目进行修改。然后先将代码提交到派生的 GitHub 项目，最后再通过向 mr.simple 的主仓库发送 Pull request 将自己的代码请求更新到主仓库。主仓库管理人员如果合并了 chaossss 的请求，那么 chaossss 的代码就会被录入主仓库当中，否则 chaossss 的代码不会影响主仓库。这样一来就防止了主仓库的代码被其他代码污染，任何代码想进入主仓库都需要经过管理员的审核。而其他参与开发该项目的人则可以在自己派生的项目上随意更改，可以修复 Bug、可以重构代码，最终提交给主仓库。这样一来，项目就会接收到来自外界的代码，使得项目越来越强大、稳定。

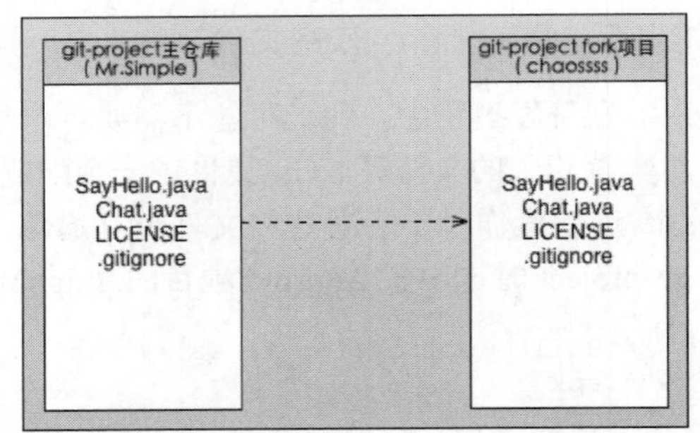


▲图 8-27　Fork 项目

下面我们就以 git-project 为例演示一次 Fork + Pull 的协作模式。例如，chaossss 想为著名开源项目 git-project 贡献代码，那么他首先需要登录到 GitHub，并且进入到 git-project 项目主页，地址为 https://github.com/bboyfeiyu/git-project。第一步他需要 Fork 一份 git-project 项目到自己的名下，如图 8-28 所示。

点击项目名称右侧的 Fork 按钮，便在 chaossss 用户自己的空间下创建了 git-project 派生项目，如图 8-29 所示。

▲图 8-28 git-project 主项目

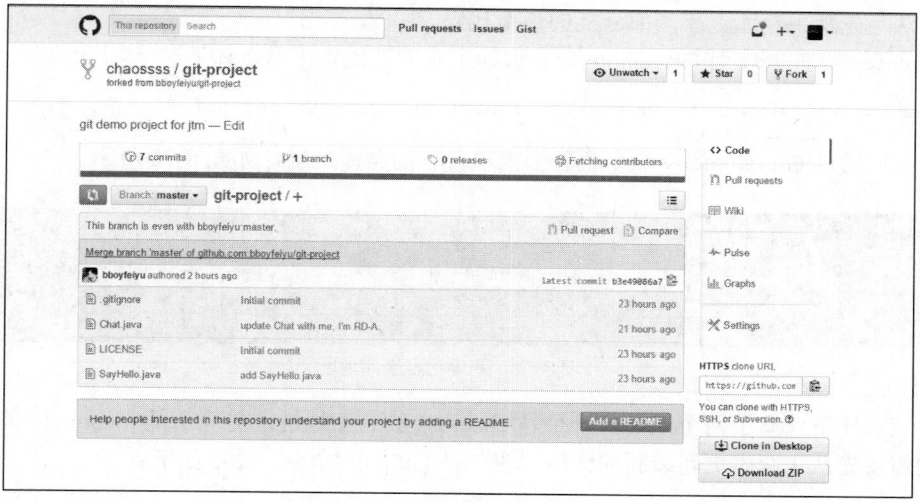

▲图 8-29 chaossss 的 git-project 项目

访问派生后的项目会发现，除了没有 issue 跟踪之外，其他的都和主仓库基本相同，但能够明显看到该项目派生自哪里（forked from 主仓库地址）。此时，chaossss 就可以将 git-project 项目从自己的派生项目中 clone 下来，命令如下：

```
git clone git@github.com:chaossss/git-project.git
```

然后进入到 git-project 目录，并且将 Chat.java 修改如下：

```
public class Chat {
   public static void main(String[] args) {
   System.out.println("链接网络");
      System.out.println("Chat with me, I'm RD-A.");
      System.out.println("关闭网络链接");
```

```
    }
}
```

下一步依次执行如下命令提交本次修改：

```
gitadd .
git commit -m "update Chat.java"
```

最后将这次修改先提交到自己派生的项目中，执行 Push 命令即可。命令如下：

```
git push origin master
```

等待命令执行结束，此时代码就更新到 chaossss 的派生项目了。

但此时 chaossss 提交的代码并没有影响 mr.simple 名下的主仓库，因此，这就需要另一个重要操作：向主仓库发送 Pull request 请求。该请求是将自己派生项目中的最新代码提交到主仓库中，请求主仓库合并。不过在向主仓库提交 Pull request 之前，应该先从主仓库更新代码，并与自己派生项目的代码进行合并。因为可能主仓库也修改了 Chat.java 代码，如果两个仓库修改了同一处代码，那么就会引发冲突，此时如果你提交 Pull request，则会告诉你无法与主仓库自动合并。因此，正确的做法是先从主仓库更新当前分支的最新代码。

首先 chaossss 需要使用 Git remote 命令添加主仓库的地址，命令如下：

```
git remote add simple git@github.com:bboyfeiyu/git-project.git
```

然后我们通过 Git remote -v 命令查看当前项目下的仓库地址，如图 8-30 所示。

```
mrsimple@MrSimples-MacBook-Pro  ~/gitdemo/git-project  master  git remote -v
origin  git@github.com:chaossss/git-project.git (fetch)
origin  git@github.com:chaossss/git-project.git (push)
simple  git@github.com:bboyfeiyu/git-project.git (fetch)
simple  git@github.com:bboyfeiyu/git-project.git (push)
```

▲图 8-30　查看远程仓库地址

此时该仓库下就有了两个地址，一个是 chaossss 的仓库地址，另一个是 mr.simple 的主仓库地址。我们需要先从主仓库更新最新的代码，也就是 Git pull 命令，命令如下：

```
git pull simple master
```

也就是从 mr.simple 的主仓库 git@github.com:bboyfeiyu/git-project.git 的 master 分支处下拉最新代码，然后与 chaossss 的 master 分支合并。这样 chaossss 的 master 分支就包含了 mr.simple 主仓库 master 分支的最新代码。如果有冲突，那么解决冲突，重新提交代码。从主仓库更新代码之后才可以向主仓库发送 Pull request 请求。

首先 chaossss 需要进入到派生项目主页，然后在项目主页的左上部分点击那个带上下箭头的绿色按钮，此时进入到创建 Pull request 的界面。如图 8-31 所示。

这里有两个关键的部分，首先是左边的红框部分，这里是 mr.simple 主仓库的信息，新的代码要推送给主仓库的 master 分支；右边的红框是 chaossss 的仓库，表明 chaossss 要将自己的 master 分支代表提交出去。整个意思就是 chaossss 要将 master 分支的代码提交给 mr.simple 的 master 分支，请求 mr.simple 合并代码。需要注意的是，坐标红框下边有一行绿色的字“able to merge”，这表明 chaossss 的 master 分支与 mr.simple 的 master 分支无冲突，可以直接合并；如果有冲突，则会提示“Can’t automatically merge.”，此时你就需要执行上述我们提到的先从主仓库更新代码，然后再发 Pull request 请求的步骤。虽然不一定需要从主仓库更新代码，但是创建 Pull request 之前从主仓库更新代码是参与协作项目的良好习惯。完成这一步之后，chaossss 的任务就已经完成了。

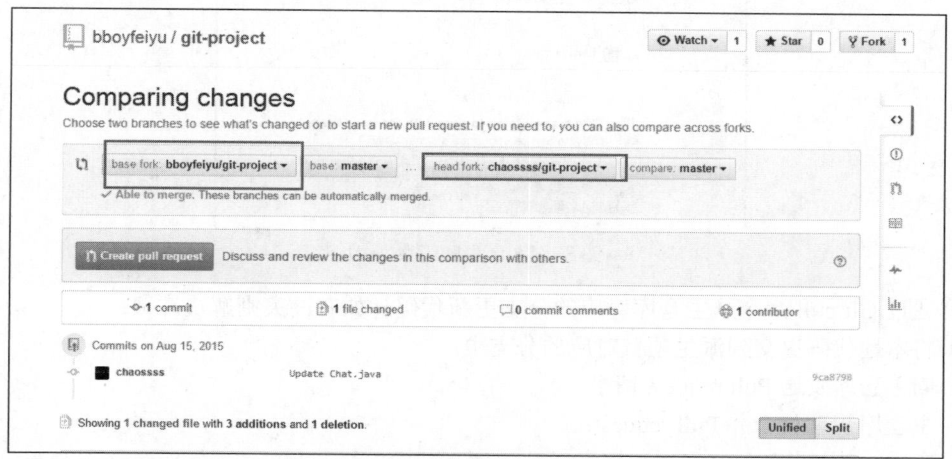


▲图 8-31　创建 Pull request

此时，mr.simple 的主仓库页面会收到一个 Pull request 请求，点击进入后可以看到该 Pull request 的基本信息，如图 8-32 和图 8-33 所示。

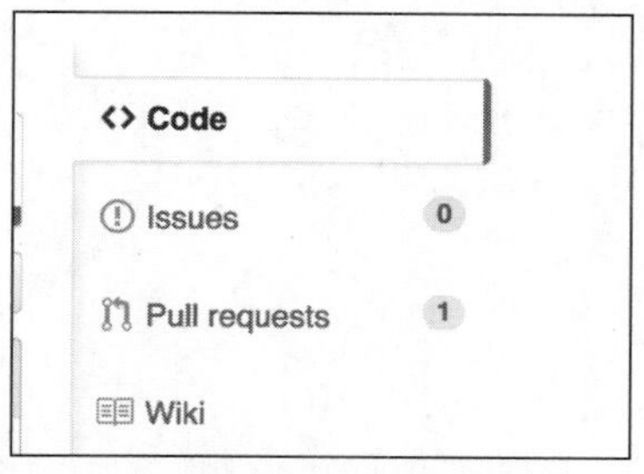


▲图 8-32　新的 Pull request

▲图 8-33　pr 简介

点击该 Pull request 之后进入到详情页面，如图 8-34 所示。

此时，主仓库的管理员只需要点击“merge pull request”即可将 chaossss 的代码合并。这样，整个协作流程就完成了。最后我们总结一下 Fork + Pull 模式有如下几步：

（1）Fork 主仓库得到派生项目；

（2）通过 Git clone 或者 Git pull 将派生项目的代码下拉到本地；

（3）本地修改代码实现功能；

（4）通过 Git add 与 Git commit 命令提交代码到本地；

▲图 8-34　合并 Pull request

（5）通过 Git pull 命令从主仓库对应的分支更新代码，如有冲突则解决冲突；

（6）将本地代码提交到派生项目对应的分支中；

（7）向主仓库发送 Pull request 请求；

（8）主仓库管理员合并 Pull request；

（9）完成一轮协作。

经过上述几个步骤，我们就可以通过 GitHub 进行多人协作了。另外，掌握了这些命令与流程之后，你就可以参与到丰富多彩的开源世界，在那里你将能够学习到最优秀的代码，最前沿的技术，也是你自我提升的一个新起点。

# 第 9 章　开发人员必备的技能——单元测试

学校里软件工程专业的同学可能都学习过软件测试这门课，在这门课中我们会学习单元测试、集成测试、黑盒测试、白盒测试等。我们这里并不是要重新学习这些分类繁多的测试，而只是着重学习单元测试。因为只有单元测试是我们开发人员需要自己完成的，其他的测试类型则是由测试人员进行验证。在大学的课堂里，虽说我们学习过单元测试，但是由于缺乏工作经验以及思想指导，所以，并不能体会单元测试给我们带来的好处，只能明显感觉这又增加了工作量，因此，绝大多数开发人员并不会将单元测试纳入工作范畴，也就是说不写单元测试用例。还有很多开发人员甚至不知道单元测试是什么，因此，在本章将学习单元测试以及它在开发中的重要作用。

## 9.1 什么是单元测试

单元测试从本质上讲也是代码，与普通代码的区别是，它是验证代码正确性的代码。因此，可以给单元测试做个简单的定义：单元测试是开发人员编写的、用于检测在特定条件下目标代码正确性的代码。

软件开发具有天生的复杂性，没有人能做到不测试就能够保证代码正确运行。在正常执行路径下能够执行，但是在其他路径就未必可行。此时，我们关注的只是程序的正确性，以保证程序在各种环境之下具有正确的行为，因此就需要我们对代码进行严格测试。那么现在问题来了，单元测试能够给我们带来哪些好处呢？

## 9.2 为什么要做单元测试

做任何工作通常会考虑它的回报，编写代码更是如此，如果单元测试作用不大，没有人会愿意额外地再写一堆无用的代码。那么单元测试到底能够给我们带来什么优点呢？笔者总结了有如下几点。

（1）便于后期重构。用单元测试尽量覆盖程序中的每一项功能的正确性，这样就算是开发后期，也可以有保障地增加功能或者更改程序结构，而不用担心这个过程中会破坏原来的功能，因为单元测试为代码的重构提供了保障。只要重构代码之后单元测试全部运行通过，那么，在很大程度上表示这次重构没有引入新的 Bug，当然这是建立在完整、有效的单元测试覆盖率的基础上。

（2）优化设计。编写单元测试将使用户从调用者的角度观察、思考，特别是使用 TDD（测试驱动开发）的开发方式，迫使设计者把程序设计成易于调用和可测试，并且解除软件中的耦合。

（3）文档记录。单元测试是一种无价的文档，它是展示函数或类如何使用的最佳文档。这份文档是可编译、可运行的，并且它保持最新，永远与代码同步。

（4）具有回归性。自动化的单元测试避免了代码出现回归，编写完成之后，可以随时随地地快速运行测试。而不是将代码部署到设备上，然后再手动地覆盖各种执行路径，这样的行为效率低下、浪费时间。

上述 4 点虽说只是几句话的描述，但是给程序带来的影响是巨大的。良好的接口设计、正确性、可回归、可测试、完善的调用文档、高内聚、低耦合，这些优点足够我们对单元测试重视起来，并且在项目中进行实战。虽然前期可能会遇到一些困难，例如，不知道要测试哪些内容，但是，当你客服这些困难之后你会感受到单元测试带来的益处。

## 9.3 不写单元测试的借口

很多开发人员不写单元测试，最重要的一个原因是他们并不知道单元测试能够带来什么好处，甚至根本不了解单元测试这个词，那自然就像平行线般与之毫无交集。还有一个比较重要的原因是一些开发人员的编程思想还处在一个相对初级的阶段，开发软件只管实现功能，什么高内聚、低耦合、重构、设计、可测试等都认为太过专业，对于这些名词以及意义还不了解，这自然不会考虑使用了。另外还有一些非思想层面的理由，主要有如下几个。

### 1. 单元测试太花时间了

软件开发工作那么忙，代码都写不完哪有时间写单元测试！这可能是开发人员用的最多的借口了。从某些方面说，这不能算是借口，因为很多开发人员确实在工作上投入的时间特别多。

但是真的是这样的吗？你有没有想过，导致你加班的原因也许就是你花了太多时间在手动测试、调试程序上；或许你没有考虑到灵活性与设计，使得在需求发生变更时你需要花很多时间在复杂的代码堆中完成特定的功能，而这些修改又可能引入新的 Bug，又将导致你需要进行耗时的手动测试、调试……如此反复，代码将变得越来越乱、越来越难以维护，最终导致了无休止的加班。

### 2. 测试不是我的工作

测试确实不是开发人员的工作，但单元测试确实是开发人员的工作。测试包含很多种，而只有单元测试是开发人员的工作范畴。开发人员为应用编写代码，那么自然需要保证代码的正确性。而单元测试正是这种保证代码正确性的白盒测试，也就是在了解代码内部逻辑的情况下进行的有目的的测试，说到了解代码，那么开发者自然是最权威的人。因此，编写单元测试并且为测试人员提交正确的代码进行其他测试是开发人员的职责所在。

### 3. 代码都编译通过了还测什么

一般来说，这是一个不会放在嘴上但可能会藏在心里的借口。代码编译通过只能说是你的代码语法没有什么问题，但是，在正确性上并不能够保证。例如下面的代码会导致编译不能通过：

```
publlc class MainActivity extends Activity {
    // 代码省略
}
```

稍微细心的读者可能发现了，这里将 public 写成了 publlc，这类明显的语法错误能够被编译器捕获到，也就是说编译器只能从语法上给你找出问题。再看下面的例子：

```
public int div(int a, int b ) {
    return a / b ;
}
```

这是一个除法函数，它能够正常编译、运行，但是在当 b 等于 0 时该段代码会引发异常，导致程序奔溃。也就是说我们要确保的是代码能够在各种条件下都能够正确运行，这些都需要我们进行测试，而不是拿编译通过来敷衍自己。

#### 4. 代码原来就没有单元测试，且难以测试

提出这问题的基本上都是接手和维护别人代码的开发者，而原来的代码本身没有单元测试，再加上如果代码的耦合性较高，那么就更难以为这些代码写单元测试了。此时也正是你了解代码的时候，首先为能够测试的部分添加单元测试，保证这些可测试的部分不会被污染。然后在对代码有了足够的了解之后对代码进行重构，降低代码的耦合性，并且慢慢补充测试用例，使得代码低耦合性、可测试性慢慢建立起来。

## 9.4 如何写单元测试

“不积跬步，无以至千里”，因此本节就来学习使用 Junit 来对代码进行单元测试。在 Android 测试中，虽然有很多优秀的测试框架来替代 Junit，但是由于 Junit 的简单性，是我们学习测试的最优秀选择。在针对 Android 平台进行测试时，我们只需要将这些原理移植到 Android 测试框架上即可。下面我们就基于 Eclipse 来一步一步学习 Junit 测试框架。

### 9.4.1 第一个单元测试

如上文所说，单元测试就是验证代码正确性的另一段代码。因此，在测试之前必须要有代码可测。我们首先建立一个用于完成加法操作的类，代码如下：

```
/**
 * 加法接口
 */
public interface Adder {
    public int add(int a, int b);
}

/**
 * 加法实现类
 */
public class AdderImpl implements Adder {

    @Override
```

```
    public int add(int a, int b) {
        return a + b;
    }
}
```

首先我们定义了一个 Adder 接口，该接口中定义了一个 add 方法。AdderImpl 中实现了 Adder 接口，在 add 函数中将 a 和 b 相加并且返回结果。下面我们就新建第一个单元测试类，选择新建 Junit Test Case，如图 9-1 所示。

下一页界面如图 9-2 所示。

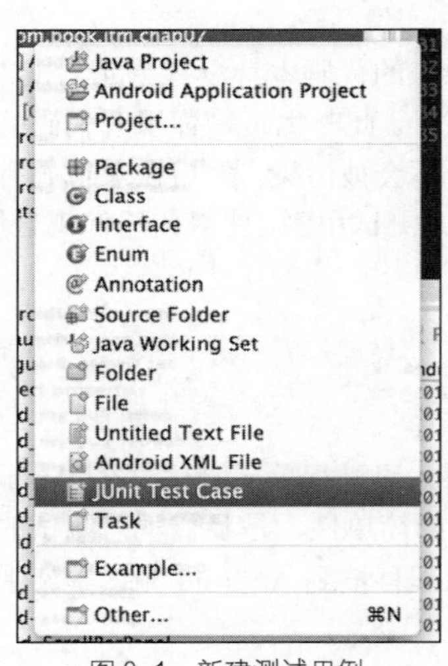


▲图 9-1 新建测试用例

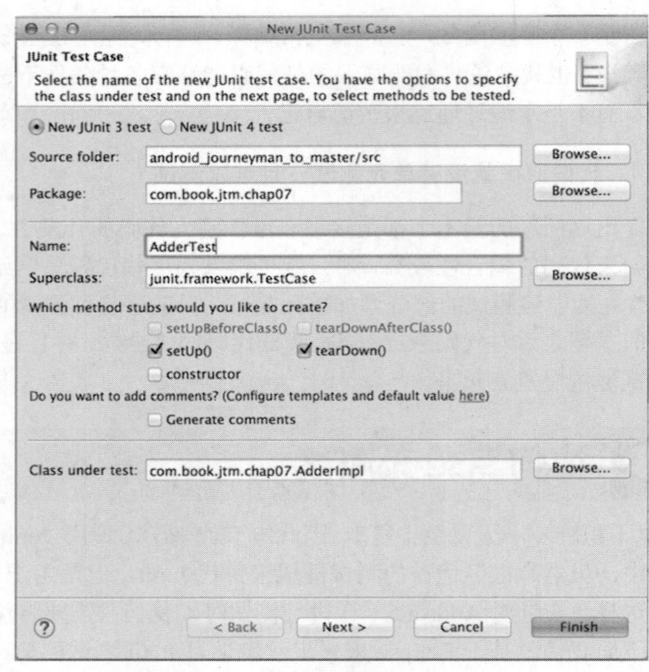


▲图 9-2 界面

新建的测试类我们命名为 AdderTest，该类继承自 Junit 的 TestCase 类，选择的目标测试类为 AdderImpl，然后单击“下一步”按钮，界面如图 9-3 所示。

在图 9-3 中可以选择需要测试的方法，这里选择的就是 add 方法，当然也可以直接在测试类中手动添加代码来测试特定的方法。最后选择“finish”。此时在 AdderTest 中完成相关的测试代码。

```
/**
 * 加法测试类
 */
public class AdderTest extends TestCase {
    // 要测试的接口对象
    Adder mAdder;

    protected void setUp() throws Exception {
        mAdder = new AdderImpl();
        super.setUp();
    }
```

```
    protected void tearDown() throws Exception {
        mAdder = null;
        super.tearDown();
    }

    public void testAdd() {
        assertEquals(0, mAdder.add(0, 0));
        assertEquals(1, mAdder.add(1, 0));
        assertEquals(2, mAdder.add(1, 1));
        assertEquals(0, mAdder.add(1, -1));
        assertEquals(Integer.MAX_VALUE + 1,
                mAdder.add(1, Integer.MAX_VALUE));
        assertEquals(Integer.MIN_VALUE - 1,
                mAdder.add(-1, Integer.MIN_VALUE));
    }
}
```

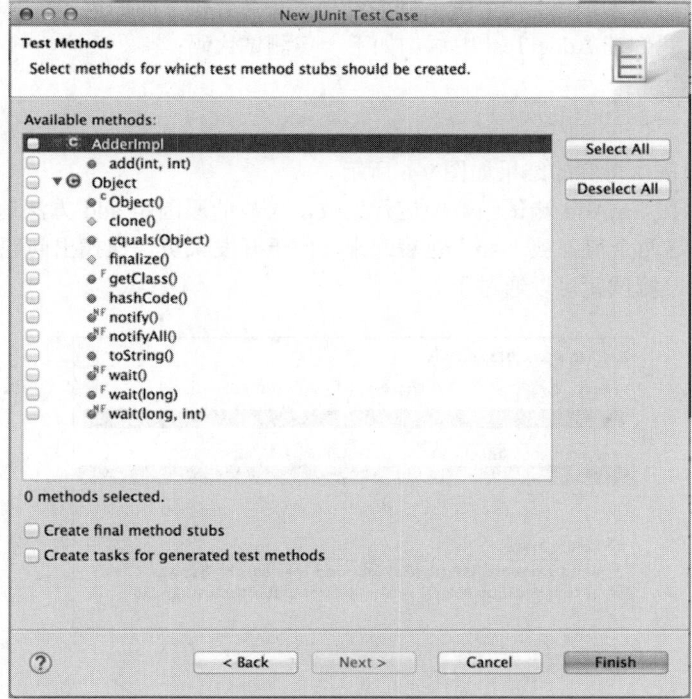


▲图 9-3 选择要测试方法

此时可能会出现找不到 TestCase 类的错误提示，需要手动将 Junit 框架引用到你的工程中。在项目上单击右键，在弹出的菜单中选择 Properties→Java Build Path→Library 项，然后选择 add Library，此时会弹出如图 9-4 所示的界面。

选择“finish”之后引入 TestCase 的包即可。

最后我们在 AdderTest 类名上单击右键，在弹出的菜单中依次选择 Run as → Junit Test 项即可运行该测试用例。得到的结果如图 7-5 所示。

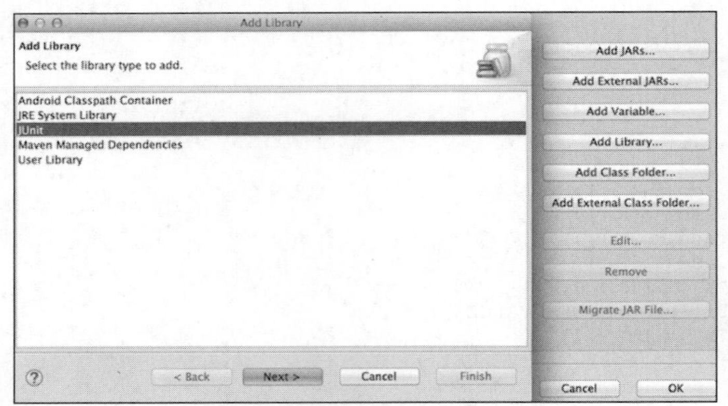


▲图 9-4　添加 Junit

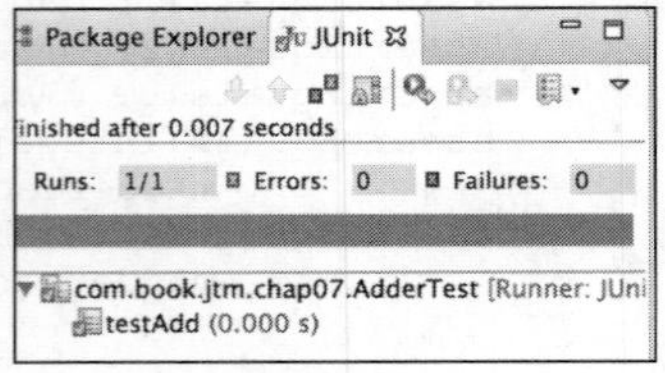


▲图 9-5　运行结果

运行成功后进度条会为绿色，如果失败则为红色，并且会在下面的提示信息中告诉你那个地方测试失败了。例如，我们在 AdderTest 中添加如下一句测试代码：

```
// 1 加 1 等 3，肯定会失败
assertEquals(3, mAdder.add(1, 1));
```

重新运行测试用例，得到的结果如图 9-6 所示。

在图 9-6 中表示在 testAdd 测试函数中运行失败，失败的原因是 add 方法返回的值是 2，但是期待的结果却是 3。这两个值都被“<>”包裹起来，便于开发人员快速找出问题所在。发现问题之后，我们把 3 改为 2，测试就可以通过了。

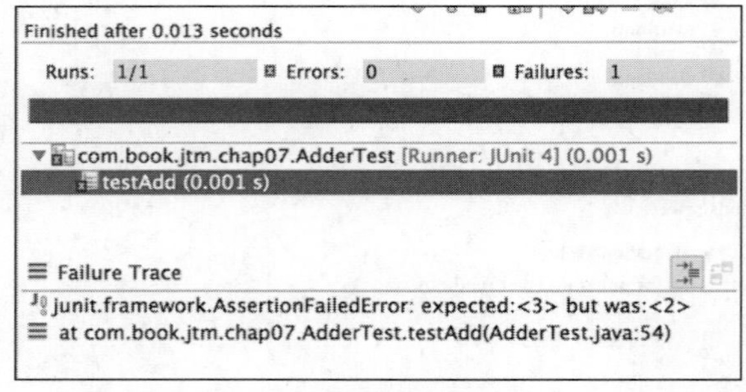


▲图 9-6　测试用例运行失败

## 9.4.2　Junit 简介

上一节中我们完成了第一个看似没有什么用的单元测试，该测试基于 Junit 4。为了更好地学习后续的知识，本节我们就先来了解一下 Junit 框架本身的一些机制。

JUnit 是一个基于 Java 语言的单元测试框架，它由 Kent Beck 和 Erich Gamma 创建，逐渐成为源于 Kent Beck 的 sUnit 的 xUnit 家族中最为成功的一个。Kent Beck 是敏捷开发先驱，就连 Martin Fowler 这样的编程大师都深受其影响。Erich Gamma 则是著名的 GOF 之一，也就是《设计模式：可复用面向对象软件的基础》作者之一。据说 Junit 框架最初是 Kent Beck 在一次长途飞机上完成的，以至于许多年以后，Kent Beck 说："我想我们是在飞机上写程序。"

#### 9.4.2.1 Junit 执行流程

开发人员需要新建一个继承自 TestCase 的类，然后在该测试类中添加测试函数。测试函数必须以 test 开头，并且是 public 的，例如上一节中的 testAdd。而在每个 TestCase 被执行之前都会调用 setup 方法进行初始化，例如上一节中的 mAdder 对象就是在该方法中初始化，当然，这个 mAdder 也可以在每个测试方法中进行处理。在 TestCase 结束之前则会调用 tearDown 函数进行一些扫尾工作。它的执行流程大致如图 9-7 所示。

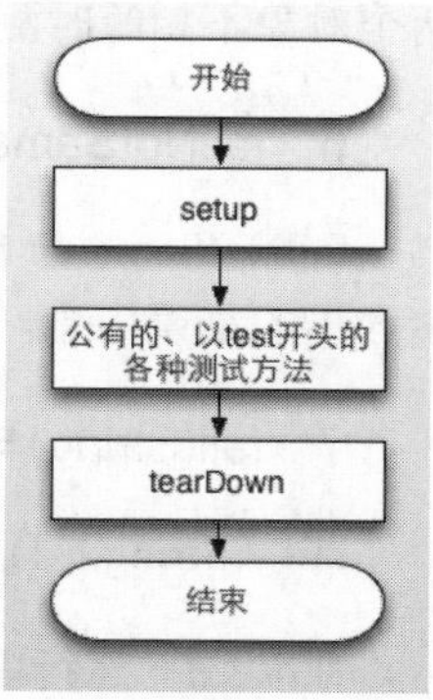

需要注意的是，每个测试方法、TestCase 之间并没有什么关联，它们的执行顺序也不一定是代码中的顺序，因此，试方法之间不要存在依赖性。



▲图 9-7　流程图

#### 9.4.2.2 Junit 的断言和失败提示

单元测试的目的就是验证代码的正确性，因此，提供了多重断言函数，也就是以 assert 开头的函数，分别用来验证各类相等性问题。大致有如下几类：

##### 1. assertEquals

assertEquals 的作用是判断两个值或者对象是否相等。该函数含有两个参数，参数 1 为预期的值，参数 2 为计算得到的值。通过判断两个值是否相等得出结果，如果相等那么测试通过，否则测试失败。

##### 2. assertTrue 与 assertFalse

assertTrue 与 assertFalse 顾名思义就是分别验证真与假，它只有一个 boolean 类型的参数。当参数与 assert 后面的 true 或者 false 对应时则表示通过，否则失败。例如当 assertTrue( 1 == 2 )，则测试失败，因为 1 == 2 的值为 false，如果是 assertTrue( 1 == 1 )，那么测试通过。assertFalse 原理相同。

##### 3. assertNull 与 assertNotNull

与 assertTrue、assertFalse 类似，assertNull 与 assertNotNull 也只有一个参数，不过这个参数是 Object 类型，它用于对对象判空或者非空。例如，当 assertNull ( null )，则测试通过，因为值为 null; 如果是 assertNull("hello")，那么测试失败。assertNotNull 原理相同。

##### 4. assertSame 与 assertNotSame

assertSame 用于判断两个对象是否是同一个对象，assertNotSame 则是判断两个对象不是同一个对象。与 assertEquals 不同的是，assertSame 强调的是两个对象为同一个对象，而 assertEquals 只要两个对象相等即可，即调用 equals 函数时返回 true。

#### 5. failNotEquals

该函数有 3 个参数，第一个参数为失败时的提示信息，参数 2 为期望值，参数 3 为实际值。当两个对象不相等时测试抛出参数 1 的错误信息，否则测试通过。

#### 6. failNotSame 与 failSame

failNotSame 与 failNotEquals 参数一致，不同的是 failNotSame 两个对象不是同一个对象时抛出参数 1 的错误信息，否则测试通过。

#### 7. fail(String)与 fail()

fail（String）直接抛出当前测试用例参数 1 中的错误信息，而 fail 则会给出默认的错误信息。

### 9.4.2.3　运行多个测试类——TestSuite

上节中演示的都是运行单个测试类，但是，现实生活中我们可能需要同时运行多个测试类。此时，我们的 TestSuite 就派上用场了。TestSuite 就是用来执行多个测试类的集合，使用 Junit 4 有两种实现方式。第一种是通过 JUnit4TestAdapter 包装测试类，并且将 JUnit4TestAdapter 对象添加到 TestSuite 中。我们新建一个 DiverTest 测试类和 MathTestSuite 类，MathTestSuite 代码如下：

```
public class MathTestSuite {

    public static Test suite() {
        TestSuite suite = new TestSuite("com.book.jtm");
        // 添加测试用例
        suite.addTest(new JUnit4TestAdapter(AdderTest.class));
        suite.addTest(new JUnit4TestAdapter(DiverTest.class));
        return suite;
    }
}
```

在 MathTestSuite 类中有一个静态的 suite 函数，在该函数中返回一个 Test 对象，这个对象就是 TestSuite 类型的。在 suite 函数中将多个测试类通过 JUnit4TestAdapter 包装后添加到 TestSuite 对象中即可。然后以 Junit 测试用例的形式运行这个 MathTestSuite 即可运行这两个测试类。如图 9-8 所示。

另一种形式是使用注解，代码修改如下：

```
@RunWith(Suite.class)
@Suite.SuiteClasses({
    AdderTest.class,    // 加法的测试用例
    DiverTest.class,    // 除法的测试用例
})

public class MathTestSuite {
}
```

Finished after 0.007 seconds
Runs: 2/2　Errors: 0　Failures: 0
Test for package1 [Runner: JUnit 4] (0.001 s)
com.book.jtm.chap07.AdderTest (0.001 s)
com.book.jtm.chap07.DiverTest (0.000 s)

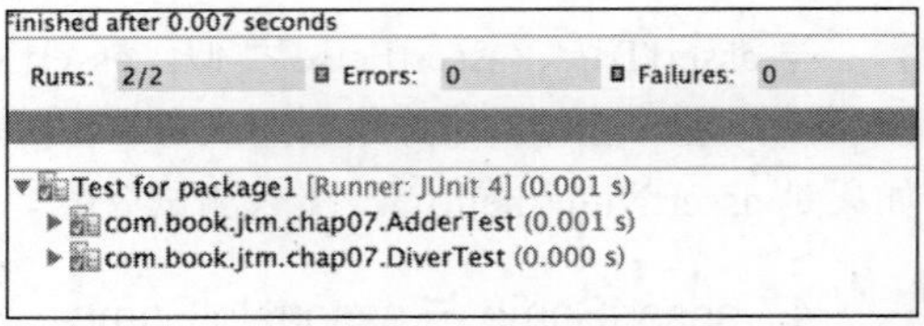

▲图 9-8　运行 TestSuite

此时 MathTestSuite 成了一个空类，测试类被添加到注解当中了。运行 MathTestSuite 也可以得到如图 9-8 所示的结果。

Junit 只是为我们提供了基本的测试环境，测试哪些内容才是我们学习单元测试的重点。下一节中我们就一起来学习单元测试要测试的点，通过这些测试点来保证我们的单元测试能够覆盖到一些特殊的条件，使的测试变得更有价值。

## 9.5 测试哪些内容

测试的目的无非是保证程序的正确性，因此，尽可能模拟各种条件来执行程序确保各执行路径都被覆盖是单元测试的首要任务。然而测试哪些内容，需要哪些测试条件，这是新手们最头疼的地方。本节我们指出单元测试比较重要的测试点，通过这些覆盖点，我们将会更容易找出代码的问题所在。

### 9.5.1 边界条件

边界条件是单元测试需要重点测试的地方之一，因为很多 Bug 的出现就是在某些边界条件上。我们在开发过程中，代码都建立在正常边界之内，对于边界与边界外的条件测试相对较少。边界条件可以概括为一个词：CORRECT，分别为如下几点。

（1）一致性（Conformance）：值是否和预期一致。可以理解为当输入并不是预期的标准数据时，被测试方法是否可以正确输出预期结果或抛出异常。例如要实现一个加法功能，有两个 EditText 分别输入两个整型数字，但当用户输入的不是整型而是文字时如何处理。

（2）有序性（Ordering）：值是否像期望的那样是无序或有序的。

（3）区间性（Range）：值是否位于合理的最小值和最大值之间，例如，圆的角度为 1～360°，当用户设置进来的角度为 400° 时你如何处理。

（4）依赖性（Reference）：代码是否引用了一些不在代码本身控制范围之内的外部资源，当这些外部资源存在或不存在时代码是否可以产生相应的预期结果。例如需要将图片缓存到 SD 卡中，如果 SD 卡被移除或者没有 SD 卡我们做何处理；

（5）存在性（Existence）：值是否存在。测试方法是否可以处理值不存在的情况，例如对象为 null 的情况下得到的结果是什么。

（6）基数性（Cardinatity）：是否恰好有足够的值。这里的基数指的是计数，测试方法是否可以正确计数，并检查最后的计数值。

（7）时间性（Time）：所有事情的发生是否是有序的、是否在正确的时刻、是否恰好及时。与时间相关问题有：相对时间（时间上的顺序）、绝对时间（消耗的时间和时钟上的时间）、并发问题。例如，方法调用的时间顺序、代码超时、不同的本地时间、多线程同步等。

这短短的几段文字包含了很多信息，也是代码容易出现问题的“重灾区”。了解这些代码易于出问题的条件，往往能够在很大程度上帮助我们找到隐藏的 Bug。

### 9.5.2 覆盖执行路径

有的人指出，软件就是一堆由 if—else 代码构建出来。虽说这样的言论把软件开发看得过于简单，但也从一定程度上指出了软件是由多种执行路径组成的，几乎没有软件是从头到尾只有一条执行路径。对于单元测试而言，覆盖各执行路径也是保证软件正确性运行重要一环。

北京的地铁从 2014 年 12 月 28 号之后不再是单一票价，变成了分段计价。具体的计价算法我们不过多研究，这里我们也当家做主一回，在我们的代码中自己定个规则。我们的代码中也是分段计价，6 公里内 3 元、6～12 公里 4 元，12～22 公里 5 元、22～32 公里 6 元，更远的就统一收取 7 元。我们的代码如下：

```
public final class SubwayCalculator {
    /**
     * 地铁票按距离计算价格
     * @param miles 公里
     * @return 返回车票价格
     */
    public static int subwayPrice(int miles) {
        if (miles <= 6) {
            return 3;
        } else if (miles > 6 && miles < 12) {
            return 4;
        } else if (miles > 12 && miles < 22) {
            return 5;
        }else if (miles > 22 && miles < 32) {
            return 6;
        }
        // 其他距离我们简化为 7 元
        return 7;
    }
}
```

subwayPrice 中有多个执行路径，分别对应各个条件，因此我们需要覆盖到各个路径，以便检测各条件下的代码正确性。我们的测试代码如下：

```
public class SubwayCalTest extends TestCase {
    @Test
    public void testSubwayPrice() {
        // 边界条件
        assertEquals(0, SubwayCalculator.subwayPrice(-1));
        assertEquals(0, SubwayCalculator.subwayPrice(0));

        // 6 公里(含)内 3 元
        assertEquals(3, SubwayCalculator.subwayPrice(1));
        assertEquals(3, SubwayCalculator.subwayPrice(5));
        assertEquals(3, SubwayCalculator.subwayPrice(6));

        // 6~12 公里(含)4 元
        assertEquals(4, SubwayCalculator.subwayPrice(7));
        assertEquals(4, SubwayCalculator.subwayPrice(11));
        assertEquals(4, SubwayCalculator.subwayPrice(12));

        // 12~22 公里(含)5 元
        assertEquals(5, SubwayCalculator.subwayPrice(13));
        assertEquals(5, SubwayCalculator.subwayPrice(15));
        assertEquals(5, SubwayCalculator.subwayPrice(22));

        // 22~32 公里(含)6 元
        assertEquals(6, SubwayCalculator.subwayPrice(23));
        assertEquals(6, SubwayCalculator.subwayPrice(28));
        assertEquals(6, SubwayCalculator.subwayPrice(32));

        // 更远的距离 7 元
```

```
        assertEquals(7, SubwayCalculator.subwayPrice(33));
        assertEquals(7, SubwayCalculator.subwayPrice(50));
    }
}
```

执行路径基本上全部覆盖，我们执行一下测试用例。结果第一条测试代码就出现错误了，提示信息为“expected:<0> but was:<3>”，错误的代码为当乘坐的公里数为-1 时返回的价格为 3，但是期望的值是 0。回过头看 subwayPrice 函数发现，我们没有对小于等于 0 的情况做处理，这是一个边界问题。我们在 subwayPrice 函数中修改如下：

```
public static int subwayPrice(int miles) {
    if ( miles <= 0 ) {
        return 0 ;
    } else if (miles <= 6) {
        return 3;
    } else if (miles > 6 && miles < 12) {
        return 4;
    } else if (miles > 12 && miles <22) {
        return 5;
    }else if (miles > 22 && miles <32) {
        return 6;
    }
    // 其他距离简化为 7 元
    return 7;
}
```

继续执行测试用例，这次应该正确了吧！

万万没想到啊！在公里数为 12 的测试代码运行失败，抛出如下信息：“expected:<4> but was:<7>”，也就是期望的价格是 4 元，但是返回的却是 7 元，居然差那么多。这是为什么呢？

看来我们只能仔细查一查代码，经过一番查找发现，当公里数为 12 时，并不会执行到 return 4 的代码。因为 return 4 的条件为公里数大于 6 并且小于 12，而此时的值是等于 12，因此不会进入该分支。同样，return 5 的条件是大于 12 并且小于 22，也不会进入。最终会执行 return 7，这也是边界问题！

最终的 subwayPrice 函数如下：

```
public static int subwayPrice(int miles) {
    if ( miles <= 0 ) {
        return 0 ;
    } else if (miles <= 6) {
        return 3;
    } else if (miles > 6 && miles <= 12) {
        return 4;
    } else if (miles > 12 && miles <= 22) {
        return 5;
    }
    else if (miles > 22 && miles <= 32) {
        return 6;
    }
    // 其他距离简化为 7 元
    return 7;
}
```

**测试通过！**

我们在根据某些指导原则测试代码时，很有可能会引出其他测试问题。例如，我们在覆盖执行路径时找到了多处边界问题。当我们掌握这些问题并且将其运用到测试中时，我们还会发现更多的问题。

使用单元测试能够让我们更早地发现问题，如果没有单元测试，必须手动单击应用进行测试，这样不仅效率低下、浪费时间，也不能保证你每次都会执行完整的路径覆盖，这样就有可能存在 Bug。从另一方面说，你对于底层的接口正确性没有一个有力的把控，那么，当出现问题时根本不知道问题出在哪，因此，你只能慢慢的 Debug，查找问题的根源。这样不仅严重消耗时间，随着软件的复杂度越来越大，花费在确定代码正确性的时间也越来越多，最终导致你频繁地加班，深陷软件调试的“大泥潭”。

因此，尽早、尽量地测试是你高效开发的重要、必要手段。前期可能需要花费一下时间，但是它带来的好处以及效率提升却是长久的。当然，这些只是单元测试可测试点的一部分，更多的内容大家可以参考单元测试的相关书籍。

## 9.6　模拟所需的功能模块——Mock 对象

### 9.6.1　手动 Mock 对象

在有些时候，我们的测试需要依赖于其他功能模块，但是，由于某些原因这些功能不能在测试时运用，或者该功能模块还未开发完成，不能投入使用。那么此时为了不阻塞我们的开发、测试过程，往往会通过 Mock 对象的方法来创建一个模拟所需功能模块的形式来继续我们的测试过程。还有一些场景也需要 Mock 对象，例如，对象很难被创建、真实对象运行较慢、真实对象有用户界面、真实对象的错误很难出现（如网络错误）。

下面我们看一个具体的例子。

小明和小刘共同开发一款记事本软件，这款记事本需要一个登录功能，登录成功之后才能进行写笔记、存笔记等操作。小明和小刘分工合作，小明负责的是本地记事本的操作功能，也就是 UI 以及将笔记保存到数据库的工作，而小刘负责的是记事本的网络相关功能，如登录等。但是，在小刘完成登录请求之前，小明必须使用登录功能来进行笔记的数据库存储测试。每条笔记将会有一个用户 id 字段标识该标记的创建者，因此该 id 是唯一的。

假设登录接口将返回用户的信息，包含用户唯一的 id，代码如下：

```
public interface Login {
    public User login(String username, String pwd);
}
```

用户信息类：

```
public class User {
    public String id; // 唯一的用户 id
    public String name;// 用户名

    public User(String aId, String aName) {
        id = aId;
        name = aName;
```

```
    }
}
```

还有存储笔记的 DAO 类，代码如下：

```
public class NoteDAO {
    public void saveNote(User user, String note) {
        if (user.id != null && !user.id.equals("")) {
            System.out.println("存储笔记 : ");
        }
    }
}
```

此时我们新建一个测试类来测试笔记的存储功能，而我们的存储功能又依赖于登录功能，我们的测试类代码如下：

```
public class NoteTest extends TestCase {

    @Test
    public void testSaveNote() {
        // 模拟一个 Login 实现
        Login login = new MockLoginImpl() ;
        NoteDAO noteDAO = new NoteDAO() ;
        // 存储记事本到本地
        noteDAO.saveNote(login.login("Mr.Simple", "my_pwd"),
        "这是我们的记事本内容");
    }
}
```

在 testSaveNote 函数中首先创建了一个 MockLoginImpl 对象，并且调用该对象的 login 函数得到已登录的用户对象。当然，这并不是一个通过网络登录的实现类，它就是一个模拟登录的类。代码如下：

```
public class MockLoginImpl implements Login {

    @Override
    public User login(String username, String pwd) {
        return new User("123", username);
    }
}
```

我们直接在 login 函数中返回一个 id 为 123 的用户以完成本地的笔记存储功能。这样小明既不需要等待小刘完成登录功能再测试，也不需要网络请求进行登录，测试效率提高了很多，一举多得。

通过 Mock 对象的方式避免了一些耗时的、无法使用的功能，能够提高测试效率，也能避免依赖一些特定的环境和功能，在一定程度上使得开发过程成为并行的模式。因此，掌握 Mock 对象也是学习单元测试的必备武器。

### 9.6.2 使用 Mockito 库

Mockito 是一个基于 MIT 协议的开源 Java 测试框架，它能够 Mock 对象、验证结果以及为测试用例打桩。上一节我们通过手动创建 Mock 类型的方法模拟被测试对象的行为，这些被测试对象可能还未交付或者难以部署，因此，就需要通过模拟这些测试类的行为来达到单元测试的效果。但是，如果新建 Mock 类型，则导致测试工程中产生较多的 Mock 类型，也不便于维护。用 Mockito 可以改变这种现状，它在运行时 Mock 对象，并且模拟被测试对象的行为，从而达到消除依赖的效果。这样的结果简化了测试代码，使测试代码更易于阅读和修改。注意，在 Android 工程中使用 Mockito 时需要确保包含了 dexmaker-mockito-1.0.jar、dexmaker-1.0.jar 类库。

我们常用的功能都在 org.mockito.Mockito 包下，它们都是一些静态函数，因此，在使用 Mockito 时通过静态导入包会让代码变得更简洁：

```
// 静态导入会使代码更简洁
import static org.mockito.Mockito.*;
```

下面就来介绍 Mockito 的一些常用功能，在我们的例子中，使用的 Mockito 版本为 1.9.5。

#### 9.6.2.1 验证某些行为

```
// 创建 Mock 对象
List mockedList = mock(List.class);

// 使用 Mock 对象
mockedList.add("one");
mockedList.clear();

// 验证函数的调用次数
verify(mockedList).add("one");
verify(mockedList).clear();
```

一旦 Mock 对象被创建了，Mock 对象会记住所有的交互，然后就可以选择性地验证你感兴趣的交互。上述例子中调用 verify 验证 add、clear 函数被调用了一次，verify（mockedList）相当于 verify(mockedList, times(1))。后续章节会更详细地介绍 verify 函数。

#### 9.6.2.2 如何做一些测试桩（Stub）

```
//可以 mock 具体的类型,不仅只是接口
 LinkedList mockedList = mock(LinkedList.class);

// 测试桩，在调用 get(0)时返回 "first"
 when(mockedList.get(0)).thenReturn("first");
// 调用 get(1)时抛出异常
 when(mockedList.get(1)).thenThrow(new RuntimeException());

// 输出 "first"
 System.out.println(mockedList.get(0));
// 抛出异常
 System.out.println(mockedList.get(1));
// 因为 get(999) 没有打桩，因此输出 null
 System.out.println(mockedList.get(999));
```

默认情况下，所有的函数都有返回值。Mock 函数默认返回的是 null，一个空的集合或者一个被对象类型包装的内置类型，例如 0、false 对应的对象类型为 Integer、Boolean。

该功能在我们测试中是非常常用的，因为需要使用测试桩模拟被测试对象的一些行为。我们要模拟 mockedList.get(0)时返回的数据，这样就可以不依赖 mockedList 的具体类型来进行测试，使得测试代码可以与具体类型进行解耦。

#### 9.6.2.3 参数匹配器

Mockito 以自然的 Java 风格来验证参数值：使用 equals()函数。有时，当需要额外的灵活性时，你可能需要使用参数匹配器，也就是 argument matchers：

```
// 使用内置的 anyInt()参数匹配器，当调用 get(整型值)时都返回 "element"
when(mockedList.get(anyInt())).thenReturn("element");
// 使用自定义的参数匹配器（ 在 isValid()函数中返回你自己的匹配器实现 ）
when(mockedList.contains(argThat(isValid()))).thenReturn("element");

// 输出 element
System.out.println(mockedList.get(999));
// 你也可以验证参数匹配器
verify(mockedList).get(anyInt());
```

参数匹配器使验证和测试桩变得更灵活，它能够设定被测试函数的参数取值，使我们的测试代码更有普适性。为了合理地使用复杂的参数匹配，使用 equals()与 anyX() 的匹配器会使得测试代码更简洁、简单。有时，会迫使你重构代码以使用 equals()匹配或者实现 equals()函数来帮助你进行测试。

使用参数匹配器时有一点需要注意，即如果使用参数匹配器，所有参数都必须由匹配器提供。例如下面的示例：

```
// 下面的代码是正确的,因为 eq()也是一个参数匹配器
verify(mock).someMethod(anyInt(), anyString(), eq("third argument"));
// 下面的代码是错误的,因为所有参数必须由匹配器提供，而参数"third argument"并非由参数//匹配器提供，因此会抛出异常
verify(mock).someMethod(anyInt(), anyString(), "third argument");
```

像 anyObject()和 eq()这样的匹配器函数不会返回匹配器。它们会在内部将匹配器记录到一个栈当中，并且返回一个假的值，通常为 null。这样的实现是由于被 Java 编译器强加的静态类型安全检查。结果就是你不能在验证或者测试桩函数之外使用 anyObject()和 eq()函数。

#### 9.6.2.4 验证函数的确切调用次数、最少调用、从未调用

```
//using mock
mockedList.add("once");

mockedList.add("twice");
mockedList.add("twice");

mockedList.add("three times");
mockedList.add("three times");
mockedList.add("three times");

// 下面的两个验证函数效果一样,因为 verify 默认验证的就是 times(1)
verify(mockedList).add("once");
verify(mockedList, times(1)).add("once");

// 验证具体的执行次数
verify(mockedList, times(2)).add("twice");
verify(mockedList, times(3)).add("three times");

// 使用 never()进行验证,never 相当于 times(0)
```

```
 verify(mockedList, never()).add("never happened");

// 使用 atLeast()/atMost()
 verify(mockedList, atLeastOnce()).add("three times");
 verify(mockedList, atLeast(2)).add("five times");
 verify(mockedList, atMost(5)).add("three times");
```

verify 函数默认验证的是执行了 times(1)，也就是某个测试函数是否执行了 1 次。因此，times(1)通常被省略了。times 可以判断函数被调用的确切次数，atLeast 表示至少调用的次数，atMost 表示最多调用的次数，never 则表示从未调用，通过这几个可以判断一个函数被调用的次数。

#### 9.6.2.5　确保交互操作没有执行在 Mock 对象上

```
// 使用 Mock 对象
 mockOne.add("one");

// 普通验证
 verify(mockOne).add("one");
// 验证某个交互是否从未被执行
 verify(mockOne, never()).add("two");
// 验证 Mock 对象没有交互过
 verifyZeroInteractions(mockTwo, mockThree);
```

#### 9.6.2.6　简化 Mock 对象的创建

通常我们都使用 Mock 函数创建 Mock 对象，但是，还有一种更简单的方式，那就是使用@Mock 注解，这种方式有如下几个优点。

（1）最小化重复地创建代码。

（2）使测试类的代码可读性更高。

（3）使验证错误更易于阅读，因为字段名可用于标识 Mock 对象。

使用@Mock 注解构建 Mock 对象的代码示例如下：

```
public class ArticleManagerTest extends TestCase {
    @Mock
    private ArticleCalculator calculator;
    @Mock
    private ArticleDatabase database;
    @Mock
    private UserProvider userProvider;
    private ArticleManager manager;

   @Override
   protected void setUp() throws Exception {
       super.setUp();
       // 初始化 Mock 对象
       MockitoAnnotations.initMocks(this);
       // 没有使用@Mock 注解的则需要使用其他初始化方式
       manager = mock(ArticleManager.class);
}}
```

注意！当你使用@Mock 注解时需要在使用这些 Mock 对象之前调用 MockitoAnnotations.initMocks()函数来进行初始化，调用该函数之后，所有使用@Mock 注解的对象就会被创建。

#### 9.6.2.7 为连续的调用做测试桩（stub）

有时需要为同一个函数调用的不同的返回值或异常做测试桩，典型的运用就是使用 Mock 迭代器。早期版本的 Mockito 并没有这个特性，例如，可以使用 Iterable 或者简单的集合来替换迭代器。这些方法提供了更自然的方式，在一些场景中为连续的调用做测试桩会很有用。示例如下：

```
when(mock.someMethod("some arg"))
  .thenThrow(new RuntimeException())
  .thenReturn("foo");

// 第一次调用 : 抛出运行时异常
mock.someMethod("some arg");
// 第二次调用 : 输出"foo"
System.out.println(mock.someMethod("some arg"));
// 后续调用 : 也是输出"foo"
System.out.println(mock.someMethod("some arg"));
```

另外，连续调用的另一种更简短的版本：

```
// 第一次调用时返回"one",第二次返回"two",第三次返回"three"
when(mock.someMethod("some arg"))
  .thenReturn("one", "two", "three");
```

#### 9.6.2.8 为回调做测试桩

为泛型接口 Answer 打桩。在执行某个函数时可能控制函数的内部执行过程，例如，某个函数是异步调用，那么可能希望在测试时调用它的回调，此时我们可以考虑使用 Answer 来做测试桩。示例如下：

```
when(mock.someMethod(anyString())).thenAnswer(new Answer() {
Object answer(InvocationOnMock invocation) {
        // 获得函数调用的参数
        Object[] args = invocation.getArguments();
        // 获得 Mock 对象本身
        Object mock = invocation.getMock();
        return "called with arguments: " + args;
    }
});

// 输出 : "called with arguments: hehe"
System.out.println(mock.someMethod("hehe"));
```

通过这种方式可以在操作 someMethod 函数中的参数、Mock 对象，例如，这是一个异步方法时，我们可能会有一个 Listener 参数，通过 Answer 可以获取到这个 Listener，并且在 answer 函数中调用对应的回调函数。

#### 9.6.2.9 doReturn()、doThrow()、doAnswer()、doNothing()和 doCallRealMethod()系列方法的运用

doXxx 这些函数在我们进行测试时非常有用，它们能够模拟被测函数的很多行为，例如，返回特定的值、抛出异常等。例如，当你想为一个无返回值的函数打桩时可以使用 doThrow 函数，示

例如下：

```
doThrow(new RuntimeException()).when(mockedList).clear();
// 下面的代码会抛出异常
mockedList.clear();
```

当你调用 doThrow(), doAnswer(), doNothing(), doReturn()和 doCallRealMethod() 这些函数时，可以在适当的位置调用 when()函数，这样当触发 when 中指定的函数时就会执行 doXxx 中的行为。当你需要下面这些功能时这是必须要做的。

（1）测试 void 函数。

（2）在受监控的对象上测试函数。

（3）不止一次地测试同一个函数，在测试过程中改变 Mock 对象的行为。

#### 9.6.2.10 监控真实对象

你可以为真实对象创建一个监控(spy)对象。当你使用这个 spy 对象时，真实的对象也会调用，除非它的函数被打桩。你应该尽量少使用 spy 对象，使用时也需要小心，例如 spy 对象可以用来处理遗留代码。Spy 的示例如下：

```
List list = new LinkedList();
// 监控一个真实的对象
 List spy = spy(list);
 // 你可以为某些函数打桩
 when(spy.size()).thenReturn(100);

 // 通过 spy 对象调用真实对象的函数
 spy.add("one");
 spy.add("two");

// 输出第一个元素
System.out.println(spy.get(0));
// 因为 size()函数被打桩了,因此这里返回的是 100
System.out.println(spy.size());
// 交互验证
verify(spy).add("one");
verify(spy).add("two");
```

理解监控真实对象非常重要！有时，在监控对象上使用 when(Object)来进行打桩是不可能或者不切实际的。因此，当使用监控对象时，请考虑用 doReturn、Answer、Throw()函数族来进行打桩。例如：

```
List list = new LinkedList();
List spy = spy(list);

 // 不可能 : 因为当调用 spy.get(0)时会调用真实对象的 get(0)函数,此时会发生
//IndexOutOfBoundsException 异常，因为真实 List 对象是空的
 when(spy.get(0)).thenReturn("foo");
 // 你需要使用 doReturn()来打桩
 doReturn("foo").when(spy).get(0);
```

Mockito 并不会为真实对象代理函数调用，实际上它会复制真实对象。因此，如果你保留了真实对象并且与之交互，不要期望从监控对象得到正确的结果。当你在监控对象上调用一个没有被

stub 的函数时，并不会调用真实对象的对应函数，你不会在真实对象上看到任何效果。因此结论就是：当你在监控一个真实对象时，你想为这个真实对象的函数做测试桩，那么就是在自找麻烦。或者你根本不应该验证这些函数。

#### 9.6.2.11 为下一步的断言捕获参数

Mockito 以 Java 代码风格的形式来验证参数值：即通过使用 equals()函数，这是用参数匹配的方式，因为这样会使得测试代码更简单、简洁。在某些情况下，当验证交互之后要检测真实的参数值时这将变得有用。例如：

```
ArgumentCaptor<Person> argument = ArgumentCaptor.forClass(Person.class);
// 参数捕获
verify(mock).doSomething(argument.capture());
// 使用 equal 断言
assertEquals("John", argument.getValue().getName());
```

我们建议使用没有测试桩的 ArgumentCaptor 来验证，因为，使用含有测试桩的 ArgumentCaptor 会降低测试代码的可读性，因为 captor 是在断言代码块之外创建的。另一个好处是，它可以降低本地化的缺点，因为如果测试桩函数没有被调用，那么参数就不会被捕获。总之，ArgumentCaptor 与自定义的参数匹配器相关。这两种技术都能用于检测外部传递到 Mock 对象的参数。然而，使用 ArgumentCaptor 在以下的情况下更合适：

- 自定义不能被重用的参数匹配器；
- 你仅需要断言参数值。

#### 9.6.2.12 综合示例演练

下面我们看一个更具体的例子，假设有一个功能是获取某个学生的信息，这些信息存储在服务端，从服务端下载过一次之后就需要存储到数据库中，然后下次需要使用该学生的信息时直接使用数据库的信息即可。A 同学负责的是开发网络操作的模块，而 B 同学负责的是数据库模块。但是由于 A 同学速度较快，因此网络部分的代码很快就完成了，但是他需要 B 同学的模块进行组合来测试，而此时 B 同学并没有完成数据库模块的开发工作。为了验证网络模块以及这部分的业务逻辑，A 同学打算通过 Mock 数据库操作的方式来测试自己的代码。

我们的学生类只有一个 id 和名字字段，代码如下：

```
public class Student {
    public int id;
    public String name;

    @Override
    public String toString() {
        return "Student [id=" + id + ", name=" + name + "]";
    }
}
```

然后创建一个 StudentDAO 用于数据库操作，接口代码如下：

```
public interface StudentDAO {
    Student getStudentFromDB(int sid);
}
```

最后我们实现业务逻辑的控制类 StuController，源代码为：

```
public class StuController {
    private StudentDAO mStudentDAO;

    public Student getStudentInfo(int sid) {
        Student student = null;
        if (mStudentDAO != null) {
             // 从数据库中获取
             student = mStudentDAO.getStudentFromDB(sid);
        }
        if (student == null) {
             // 从网络上获取
           student = fetchStudentInfo(sid);
        }
        return student;
    }

    private Student fetchStudentInfo(int sid) {
        System.out.println("从网络上获取学生信息");
        // 模拟一个学生数据
        Student student = new Student();
        student.id = 456;
        student.name = "server-user";
        return student;
    }

    public void setStudentDAO(StudentDAO dao) {
        this.mStudentDAO = dao;
    }
}
```

从代码中可以看到，StuController 依赖 StudentDAO 类型，但是 StudentDAO 目前却没有开发完成，因此，不能通过真实的 StudentDAO 对象进行测试，需要模拟一个 StudentDAO。

新建一个测试类，代码如下：

```
public class StuControllerTest extends TestCase {

    StuController mController;
    StudentDAO mStuDao;

    @Override
    protected void setUp() throws Exception {
        super.setUp();

        mController = new StuController();
        // Mock 了一个 StudentDAO 对象
        mStuDao = mock(StudentDAO.class);
        // 注入对象
        mController.setStudentDAO(mStuDao);
    }
}
```

首先在 setUp 函数中初始化了 StuController 对象，然后 Mock 了一个 StudentDAO 对象，并且将 StudentDAO 对象注入到 StuController 对象中，使 StuController 中的数据库操作对象被替换。然后添加一个测试用例 testGetStudentInfo，代码如下：

```
public void testGetStudentInfo() {
      Student returnStudent = new Student();
      returnStudent.id = 123;
      returnStudent.name = "mock-user";

      // 调用 getStudentFromDB 时返回 returnStudent 对象
      when(mStuDao.getStudentFromDB(anyInt())).thenReturn(returnStudent);
      // 调用 getStudentInfo
      Student student = mController.getStudentInfo(123);
      // 验证数据
      assertEquals(student.id, 123);
      assertEquals(student.name, "mock-user");
  }
```

在 testGetStudentInfo 函数中我们设定当调用 mStuDao 的 getStudentFromDB 函数时返回一个 id 为 123、用户名为 mock-user 的学生对象。然后我们调用了 mController 的 getStudentInfo 函数，在这个函数中又会调用 mStuDao 的 getStudentFromDB 函数，因此，我们得到的对象应该是 getStudentFromDB 返回的对象，也就是 returnStudent。

我们再来看一个用例，即 testGetStudentInfoFromServer，代码如下：

```
public void testGetStudentInfoFromServer() {
    // 调用 getStudentFromDB 时返回 null
    when(mStuDao.getStudentFromDB(anyInt())).thenReturn(null);
    // 调用 getStudentInfo
    Student student = mController.getStudentInfo(456);
    // 验证数据
    assertEquals(student.id, 456);
    assertEquals(student.name, "server-user");
}
```

当调用 mStuDao 的 getStudentFromDB 函数时返回 null，这样在 StuController 的逻辑中就会调用从服务器获取用户数据的函数 fetchStudentInfo，该函数中会返回 id 为 456、名字为 server-user 的学生对象。

从上述两个示例中可以看到，即使 StudentDAO 没有具体的实现类，我们也能够通过 Mockito 很方便地模拟它的行为，使得我们能够解除依赖以便测试现有的功能模块，而不必等到具体的 StudentDAO 实现才能够进行测试，这就提升了开发效率。

有时我们可能需要捕获函数中的一些参数，例如该函数如果是异步的，但是为了模拟异步函数的回调被执行，可能需要通过做测试桩的形式完成。我们看 testCaptureParam 测试用例：

```
public void testCaptureParam() {
    // 注意：创建一个 Mock 对象
    StuController mockController = mock(StuController.class) ;

    doAnswer(new Answer<Void>() {
        @Override
        public Void answer(InvocationOnMock invocation) throws Throwable {
            int studentId = (Integer)invocation.getArguments()[0] ;
            System.out.println("学生 id : " + studentId);
            assertEquals(666, studentId);
            return null;
        }
    }).when(mockController).getStudentInfo(anyInt()) ;
  // 调用 getStudentInfo 函数
```

```
        mockController.getStudentInfo(666) ;
    }
```

在 testCaptureParam 中我们 Mock 了一个 StuController 对象，然后设定在 mockController 调用 getStudentInfo 函数时对该调用做出应答，我们可以在 answer 函数中获取 Mock 对象、函数中传递的参数等，然后就可以在 answer 中进行相应的处理。例如，在 testCaptureParam 中我们传递的参数是 666，那么我们在 answer 函数中也可以得到这个参数。如果参数是一个回调，那么我接手动执行回调即可。

通过上述的示例可以看到，Mockito 能够很方便地 Mock 对象，从而达到解除依赖、快速开发的效果，尤其是在进行 TDD 开发时，这可以提高开发效率。而使用 Mockito 进行测试时也能够让你更深入地了解到哪些模块是需要解除耦合，例如 StuController 中的 fetchStudentInfo 无法进行测试，那么就需要将该功能解耦，例如将该功能提取到一个独立的接口，然后再通过 Mock 或者真实的对象进行网络操作，这样我们不仅能够单独测试 fetchStudentInfo 的功能，也使得 fetchStudentInfo 从 StuController 解耦，降低了系统的耦合，提升了系统的灵活性、可扩展性。

## 9.7 Android 中的单元测试

Junit 是针对 Java 平台的测试框架，Google 在 Junit 的基础上进行了扩展，使之能够在 Android 上运行测试用例，Android 平台下所有的测试类都是 InstrumentationTestCase 的子类，它的内部封装了 Instrumentation 对四大组件进行操作，而 InstrumentationTestCase 继承自 Junit 的 TestCase。本节就来学习一下 Android 上的单元测试。

### 9.7.1 第一个单元测试

这次使用的 IDE 是 Google 的 Android Studio 1.3 Beta 版，首先新建一个 Android 项目，我们将它命名为 SimpleCalculator，代码结构如图 9-9 所示。

该项目的功能是用户输入两个数字，按下“计算结果”按钮之后将这两个数相加，并且将结果显示在一个 TextView 上。结果如图 9-10 所示。

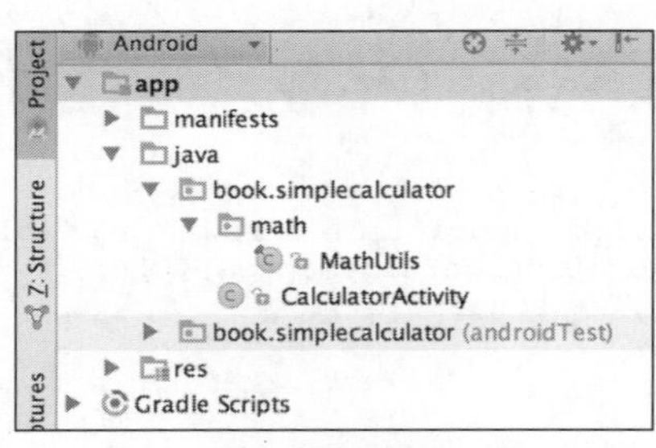


▲图 9-9　项目结构

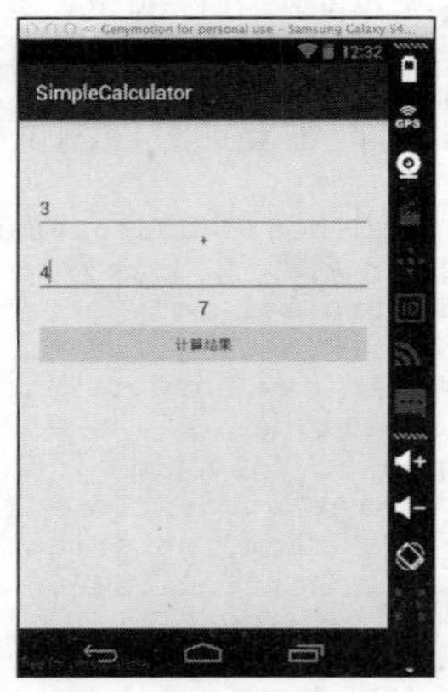


▲图 9-10　计算器 UI

我们将计算的代码放到了 MathUtils 类中，代码如下：

```
public final  class MathUtils {

   private MathUtils() {
      throw  new IllegalArgumentException("不能实例化") ;
   }

   public static int add(int a, int b) {
      return a + b;
   }
}
```

我们的第一个 Android 上的单元测试就是对这个类进行测试。新建一个名为 MathUtilsTest 的 Java 类，然后填写代码如下：

```
public class MathUtilsTest extends TestCase {

   public  void testAdd() {
      assertEquals(0, MathUtils.add(0, 0));
      assertEquals(1, MathUtils.add(1, 0));
      assertEquals(2, MathUtils.add(1, 1));
      assertEquals(0, MathUtils.add(1, -1));
      assertEquals(Integer.MAX_VALUE + 1,
      MathUtils.add(1, Integer.MAX_VALUE));
      assertEquals(Integer.MIN_VALUE - 1,
      MathUtils.add(-1, Integer.MIN_VALUE));
   }
}
```

然后运行 MathUtilsTest 即可将该测试运行到 Android 设备上，结果如图 9-11 所示。

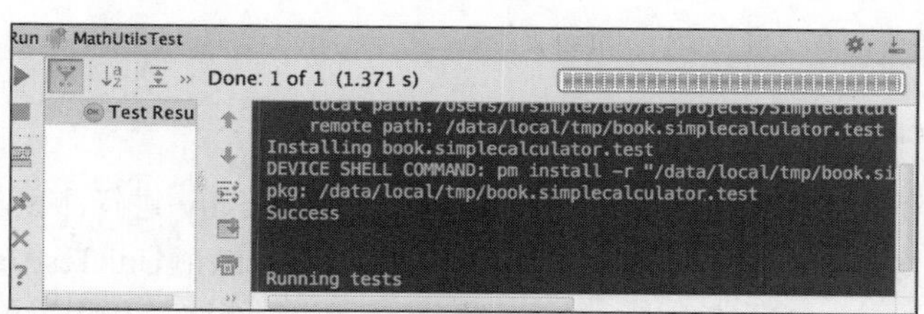


▲图 9-11　测试用例运行成功

如果成功则会显示如图 9-11 所示的结果，如果测试失败，则绿色的进度条会变成红色，并且会给出类似在 Eclipse 中的错误提示。例如，在 MathUtilsTest 中添加一个测试用例，代码如下：

```
public  void testOthers() {
    assertEquals(2,5);
}
```

重新运行该测试用例，结果如图 9-12 所示。

从上述程序中可以看到，Android 上的单元测试与使用 Junit 类似，只是 IDE 更换了，当然，如果使用 Eclipse 开发，那么 IDE 也就是显示的 UI 不一致，其他都是一样的，测试内容也不会修改，还是边界条件、路径覆盖等内容。Android 由于自身的一些特性还包含了其他的测试类型，如测试 Activity、Service、ContentProvider，因此我们下节就来学习如何使用 InstrumentationTestCase

类族进行测试。

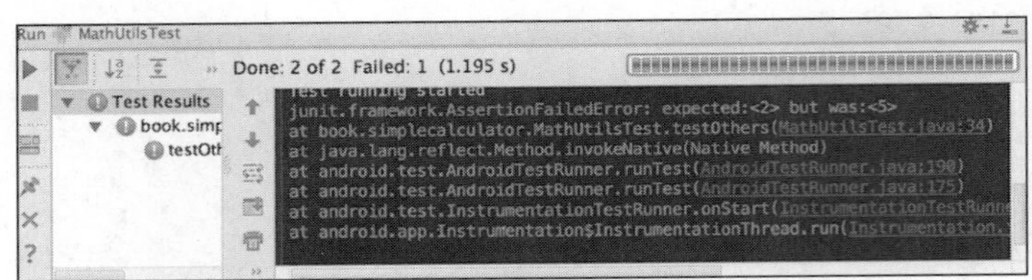


▲图 9-12　测试用例运行失败

## 9.7.2　使用 Instrumentation 测试

### 9.7.2.1　需要 Context 的测试用例

在 Android 开发中，Context 是一个极为重要的类型，启动 Activity、获取资源、获取系统服务等都需要它。我们很多工具类可能也会需要 Context 进行相关的操作，如获取资源等。Android 提供了一个 AndroidTestCase 来运行与 Android 平台相关的测试类，它有一个 mContext 字段，可以通过这个 Context 来完成测试工作。示例代码如下：

```
public class ContextTestCase extends AndroidTestCase {

    public  void testContext() {
        assertNotNull(mContext);
        // 做其他测试
    }
}
```

与普通的测试用例一样，直接运行即可。

### 9.7.2.2　测试 Activity

有时我们不仅需要测试业务逻辑，可能还需要对单个 Activity 进行测试。Android 提供了一个 ActivityUnitTestCase 类用来对 Activity 进行单元测试，通过 ActivityUnitTestCase 用户可以启动某个 Activity、测试布局、Intent 参数等内容，使得我们对 Activity 能够做一些简单的单元测试。

我们先来看看 CalculatorActivity 的代码：

```
public class CalculatorActivity extendsActivity {

    EditText mParam1Edit ;
    EditText mParam2Edit ;
    // 计算按钮
    Button mCalBtn ;
    // 计算结果
    TextView mResultTv ;

    @Override
    protected void onCreate(Bundle savedInstanceState) {
        super.onCreate(savedInstanceState);
        setContentView(R.layout.activity_main);
        initWidgets();
    }
```

```
    private void initWidgets() {

        mParam1Edit = (EditText)findViewById(R.id.first_num_edittext) ;
        mParam2Edit = (EditText)findViewById(R.id.sec_num_edittext) ;
        // 计算按钮
        mCalBtn = (Button)findViewById(R.id.cal_btn) ;
        mCalBtn.setOnClickListener(new View.OnClickListener() {
            @Override
            public void onClick(View v) {
                int param1 = Integer.valueOf(mParam1Edit.getText().toString().trim()) ;
                int param2 = Integer.valueOf(mParam2Edit.getText().toString().trim()) ;
                 // 调用 MathUtils 完成计算功能
                int result = MathUtils.add(param1, param2) ;
                 // 更新 UI
                mResultTv.setText(String.valueOf(result));
            }
        });
        mResultTv = (TextView)findViewById(R.id.result_tv) ;
    }
}
```

下面我们看看 CalculatorActivity 的测试类代码：

```
public class CalculatorActivityUnitTest extends ActivityUnitTestCase<CalculatorActivity> {

    CalculatorActivity mMainActivity;
    EditText mParam1Edit;
    EditText mParam2Edit;
    Button mCalBtn;
    TextView mResultTv;

    public CalculatorActivityUnitTest() {
        super(CalculatorActivity.class);
    }


    @Override
    protected void setUp() throws Exception {
        super.setUp();

        Intent intent = new Intent(getInstrumentation().getTargetContext(),
                CalculatorActivity.class);
        startActivity(intent, null, null);

        mMainActivity = getActivity();
        checkWidgets();
    }

    public void checkWidgets() {
        mParam1Edit = findViewById(R.id.first_num_edittext);
        assertNotNull(mParam1Edit);
        assertEquals("", mParam1Edit.getText().toString());

        mParam2Edit = findViewById(R.id.sec_num_edittext);
        assertNotNull(mParam2Edit);
        assertEquals("", mParam2Edit.getText().toString());

        mCalBtn = findViewById(R.id.cal_btn);
        assertNotNull(mCalBtn);
```

```
        mResultTv = findViewById(R.id.result_tv);
        assertNotNull(mResultTv);
    }

    public void testAddInActivity() {
        // 更新 UI 的操作执行在 UI 线程
        mParam1Edit.setText("2");
        mParam2Edit.setText("3");
        // 单击 calBtn
        mCalBtn.performClick();
        // 执行判断
        assertEquals(5, resultString2int());
    }

    private int resultString2int() {
        return Integer.valueOf(mResultTv.getText().toString());
    }

    private <T extends View> T findViewById(int id) {
        return (T) mMainActivity.findViewById(id);
    }
}
```

我们在该测试类中首先获取了被测试的 Activity，接下来获取该 Activity 中的各视图组件，然后就会执行 testAddInActivity 这个测试用例，在该测试用例中我们将参数 1 设置为 2，参数 2 设置为 3，然后单点击计算按钮，此时就会执行相加操作。最后我们验证结果是不是等于 5。

在 App 模块的 build.gradle 中添加 testInstrumentationRunner，示例如下：

```
android {
    compileSdkVersion 21
    buildToolsVersion "21.1.2"

    defaultConfig {
        applicationId "book.simplecalculator"
        minSdkVersion 10
        targetSdkVersion 21
        versionCode 1
        versionName "1.0"

        testInstrumentationRunner "android.test.InstrumentationTestRunner"
    }
}
```

运行 CalculatorActivityUnitTest 即可执行该测试用例。

Android 还提供了 ActivityInstrumentationTestCase2 类进行功能测试，ActivityInstrumentationTestCase2 通过 Instrumentation 来启动目标 Activity，用户可以通过 getActivity 方法来获取到这个被测试的 Activity，并且可以访问该 Activity 的所有 UI 元素、执行单击事件等操作，也就是说可以通过代码的形式模拟用户的行为。需要注意的是，ActivityInstrumentationTestCase2 运行测试代码并不运行在 UI 线程，因此，不能在测试代码中更新 UI，而需要通过 runTestOnUiThread 或者 Activity 的 runOnUiThread 函数将更新操作运行在 UI 线程，然后再调用 getInstrumentation().waitForIdleSync() 等待 UI 线程执行上述更新操作之后再继续执行。

下面就是通过 ActivityInstrumentationTestCase2 对 CalculatorActivity 进行测试的代码：

```
public class CalculatorActivityTest extends
        ActivityInstrumentationTestCase2<CalculatorActivity> {
    // 字段省略

    public CalculatorActivityTest() {
        super(CalculatorActivity.class);
    }

    @Override
    protected void setUp() throws Exception {
        super.setUp();
        mMainActivity = (CalculatorActivity) getActivity();
        checkWidgets();
    }

    public void testAddInActivity() {
        // 更新 UI 的操作执行在 UI 线程
        mMainActivity.runOnUiThread(new Runnable() {
            @Override
            public void run() {
                mParam1Edit.setText("2");
                mParam2Edit.setText("3");
            }
        });

        // 等待 UI 线程空闲之后再继续执行
        getInstrumentation().waitForIdleSync();
        // 单击 calBtn
        TouchUtils.clickView(CalculatorActivityTest.this, mCalBtn);
        // 执行判断
        assertEquals(5, resultString2int());
    }

    // 代码省略
}
```

代码与 CalculatorActivityUnitTest 中基本一致，只是在 testAddInActivity 中略有修改。由于这些操作更新了UI，因此，需要将这些操作运行在UI线程。等待UI线程执行完毕之后，使用 TouchUtils 在计算按钮上触发单击事件，此时就会执行相加操作。最后验证结果是不是等于 5。此外，ActivityInstrumentationTestCase2 还可以发送键盘事件、控制 Actiivty 生命周期等功能，以此来对 Activity 进行更全面的功能测试。

当然这两个测试很简单，这就是一个 Activity 测试类的基本模型。我们还需要补充更多的测试用例以覆盖各种执行路径以及输入一些非法的数值使得计算出现问题等。在此限于篇幅就不多过讲述，大家可以自行补充该 Activity 的测试用例。然而现实开发中，我们可能不会对 Activity 进行测试，因为 UI 变化在移动开发中比较频繁，这就导致测试代码也变化频繁。我们可以通过一些模式（如 MVP 架构）来将业务逻辑抽离到独立的类中，并且对这些功能类进行测试，而不对 UI 进行测试，UI 只是调用功能类完成功能，这样一来就能够隔离 UI 变化带来的测试类变化，避免频繁、重复的工作。

#### 9.7.2.3 测试 Service

Service 作为 Android 四大组件之一在开发中扮演着重要的角色，它的工作是在后台执行一些耗时操作或者不依赖于 UI 层在后台进行一些操作，例如，退出音乐播放器的 Activity 之后音乐依然继续播放。但是，需要注意的是，Service 并不是默认执行在一个子线程，它依然执行在 UI 线程，它只是为后台执行提供了一些基础环境。因此，如果我们在 Service 中执行耗时的操作时需要手动创建线程或者使用 IntentService。关于 Service 不再做过多赘述，本节中会将计算操作放到 CalculateService 中来完成。代码如下：

```
public class CalculateService extends Service {

    int mParam1 ;
    int mParam2 ;

    @Override
    public int onStartCommand(Intent intent, int flags, int startId) {
        parseParams(intent);
        return super.onStartCommand(intent, flags, startId);
    }

    private void parseParams(Intent intent) {
        mParam1 = intent.getIntExtra("param1", 0) ;
        mParam2 = intent.getIntExtra("param2", 0) ;
    }

    public int result() {
        return MathUtils.add(mParam1, mParam2) ;
    }

    @Nullable
    @Override
    public IBinder onBind(Intent intent) {
        return null;
    }
}
```

在启动 Service 时会调用 onStartCommand 函数，从该函数的 Intent 参数中取出两个被加数，然后在 result 函数中调用 MathUtils 类的 add 函数完成相加功能。下面看看该 Service 的测试类：

```
public class CalculateServiceTest extends ServiceTestCase<CalculateService> {
    CalculateService mCalService ;

    public  CalculateServiceTest() {
       super(CalculateService.class);
    }

    @Override
    protected void setUp() throws Exception {
        super.setUp();

        startCalService();
    }

    private void startCalService(){
        Intent intent = new Intent(mContext, CalculateService.class) ;
        intent.putExtra("param1", 2) ;
        intent.putExtra("param2", 3);
        startService(intent);
        mCalService = getService() ;
        // 不为空
```

```
        assertNotNull(mCalService);
    }

    public void testAdd() {
        assertEquals(5, mCalService.result());
    }
}
```

Android 提供了 ServiceTestCase 类来测试 Service，它提供了一个 startService 函数来启动 Service，在 startService 中又会调用 Service 的 onStartCommand 函数。此外，它还提供了启动 Service 的另一种方式，也就是 bindService。在我们的测试代码中，我们创建了一个 Intent，并且传递了两个被加数，然后启动 CalculateService。最后会执行 testAdd 测试用例，测试调用 CalculateService 的 result 函数就会计算 Intent 中传递的两个被加数的和，最终得到结果为 5。

Service 的测试与 Activity 类似，也是由 Android 提供一个测试类，该类能够控制 Service 的一些生命周期方法，使得测试 Service 变得很简单。

#### 9.7.2.4 测试 ContentProvider

ContentProvider 在四大组件中用得相对少一些，但是它的测试却比其他几个组件更为重要。因为你一旦使用了 ContentProvider，它就对所有人都开放了，因此，它的正确性尤为重要。而单元测试正是测试这类 API 接口的最方便、最有效的方式。

还是以计算器为例，需要建立一个 ContentProvider 将每次的计算公式和计算结果存储到 ContentProvider 中。我们的 ContentProvider 代码如下：

```
public class CalHistoryProvider extends ContentProvider {

    private static final String CONTENT = "content://";
    public static final String AUTHORIY = "com.book.jtm.calculator";
    /**
     * 该 ContentProvider 所返回的数据类型定义,数据集合
     */
    public static final String CONTENT_TYPE = "vnd.android.cursor.dir/vnd." + AUTHORIY;
    /**
     * 单项数据
     */
    public static final String CONTENT_TYPE_ITEM = "vnd.android.cursor.item/vnd." + AUTHORIY;

    /**
     * 数据集合操作时的 URI
     */
    public static final Uri HISTORY_URI = Uri.parse(CONTENT + AUTHORIY + "/" +
    CalDbHelper.TABLE_NAME);
    // 操作分类
    static final int HISTORY = 1;
    static final int HISTORY_ITEM = 2;

    private SQLiteDatabase mDatabase;

    static UriMatcher uriMatcher = new UriMatcher(UriMatcher.NO_MATCH);
    static {
        uriMatcher.addURI(AUTHORIY, "history", HISTORY);
        uriMatcher.addURI(AUTHORIY, "history/*", HISTORY_ITEM);
    }
```

```
    @Override
    public boolean onCreate() {
        mDatabase = new CalDbHelper(getContext()).getWritableDatabase();
        return true;
    }

    @Override
    public Uri insert(Uri uri, ContentValues values) {
        long newId = mDatabase.insert(CalDbHelper.TABLE_NAME, null, values);
        if (newId > 0) {
            Uri returnUri = Uri.parse(CONTENT + AUTHORIY + "/"
                    + CalDbHelper.TABLE_NAME + "/" + newId);
            return returnUri;
        }
        throw new IllegalArgumentException("Failed to insert row into" + uri);
    }

    @Override
    public Cursor query(Uri uri, String[] projection, String selection, String[]
    selectionArgs, String sortOrder) {

        Cursor cursor = null;
        switch (uriMatcher.match(uri)) {
            case HISTORY:
                cursor = mDatabase.query(CalDbHelper.TABLE_NAME, projection,
                        selection, selectionArgs, null, null, sortOrder);
                ;
                break;

            case HISTORY_ITEM:
                String formula = uri.getPathSegments().get(1);
                cursor = mDatabase.query(CalDbHelper.TABLE_NAME, projection,
                        "formula = ?", new String[]{formula}, null, null, sortOrder);
                break;
        }
        return cursor;
    }

    @Override
    public String getType(Uri uri) {
        switch (uriMatcher.match(uri)) {
            case HISTORY:
                return CONTENT_TYPE;
            case HISTORY_ITEM:
                return CONTENT_TYPE_ITEM;
            default:
                throw new RuntimeException("错误的uri");
        }
    }
    // delete, update 代码省略
}
```

上述代码很简单，就是建立了一个 authoriy 为 com.book.jtm.calculator、Uri 为 content://com.book.jtm.calculator/history 的 ContentProvider。ContentProvider 实际上只是对 SQLite 数据库进行了一层包装，根据 Uri 操作对应的数据库表完成相应的功能，为了节约篇幅，我们只完成了插入和查询功能。这里还使用了一个 CalDbHelper 类，代码如下：

```
public class CalDbHelper extends SQLiteOpenHelper {

    private static final String DB_NAME = "history.db";
    public static final String TABLE_NAME = "history";
```

```
    private static final int DB_VERSION = 1;

    public static final String FORMULA_COLUMN = "formula";
    public static final String RESULT_COLUMN = "result";

    private static final String HISTORY_TABLE_SQL = "CREATE TABLE " + TABLE_NAME + " ("
            + FORMULA_COLUMN + " TEXT PRIMARY KEY , "
            + RESULT_COLUMN + " INTEGER , UNIQUE(formula) " +
            ")";


    public CalDbHelper(Context context) {
        super(context, DB_NAME, null, DB_VERSION);
    }

    @Override
    public void onCreate(SQLiteDatabase db) {
        db.execSQL(HISTORY_TABLE_SQL);
}
// 代码省略
}
```

在该类中我们建立了一个名为 history.db 的数据库，该数据库中有一个 history 表，history 表中含有两个字段，分别为计算公式（字符串）和计算结果（整型）。下面看看我们的测试代码：

```
public class CalHistoryProviderTest extends ProviderTestCase2<CalHistoryProvider> {

    public CalHistoryProviderTest() {
        super(CalHistoryProvider.class, CalHistoryProvider.AUTHORIY);
    }

    public void testInsertOneItem() {
        ContentResolver contentResolver = getMockContentResolver() ;
        // 插入数据之前 size 为 0
        Cursor cursor = contentResolver.query(CalHistoryProvider.HISTORY_URI,
                null, null, null, null) ;
        assertEquals(0, cursor.getCount());
        cursor.close();

        // 插入一条数据
        final String formula = "3+5";
        final int result = 8 ;

        ContentValues values = new ContentValues() ;
        values.put(CalHistoryProvider.CalDbHelper.FORMULA_COLUMN, formula);
        values.put(CalHistoryProvider.CalDbHelper.RESULT_COLUMN, result);
        // 插入数据
        contentResolver.insert(CalHistoryProvider.HISTORY_URI, values) ;

        // 验证是否插入成功
        cursor = contentResolver.query(CalHistoryProvider.HISTORY_URI, null, null, null, null) ;
        assertEquals(1, cursor.getCount());
        // 移到第一项
        cursor.moveToFirst() ;
        // 检测数据
        assertEquals(formula, cursor.getString(0));
        assertEquals(result, cursor.getInt(1));

        // 关闭光标
```

```
        cursor.close();
    }
}
```

CalHistoryProviderTest 继承自 ProviderTestCase2 类，ProviderTestCase2 提供了一个用于测试的 ContentResolver，我们通过 getMockContentResolver 函数可以得到。获取到 ContentResolver 之后，就可以根据指定的 Uri 对表进行操作。

在 CalHistoryProviderTest 的 testInsertOneItem 测试用例中，首先检测了 history 表中的数据项为 0。第二步向该表中插入一条数据，然后查询表的数据，最终将得到的数据进行验证。这样一来我们就验证了数据的插入、查询功能，当然，完整的测试还需要做更多的用例覆盖，包含数据更新、删除以及根据条件进行查询，限于篇幅我们不展开讨论。

## 9.8 测试驱动开发（TDD）简介

TDD 的全称叫做 Test-Driven Development，也就是测试驱动开发。它是一种软件开发的流程，其由敏捷的“极限编程”引入。它的原理就是先写测试用例，然后再写功能代码，确保所有对外暴露的代码都可测试，并且通过测试。具体的流程分为如下几步。

（1）新建一个测试类，添加测试用例。

（2）新建实现功能的类。

（3）运行测试，由于功能类未完成，测试失败。

（4）补充功能类，实现功能。

（5）再次运行测试，使得测试通过。

（6）重复这个过程完成整个应用的开发。

TDD 的两个主要优点是代码可测试，它从测试出发，保证了代码的可测试性；而在测试的过程中，为了可测试的需求，开发人员必须将一些逻辑从 UI 等难于测试的地方解耦出来，使得系统的耦合度降低，使得代码粒度更小，结构清晰；另外，它天生就有一定的测试覆盖率，因此，可以为后续的升级维护提供正确性保证。运用 TDD 最大的问题是它的上手难度较高，开发人员需要一定的能力以及一段时间的适应才能驾驭这种方法。如果你要使用 TDD 的开发方式，那么测试框架建议选择 Robolectric，它将测试运行在 JVM 之上，省去了将测试部署、加载到模拟器的耗时操作，同时避免一些由于 Stub 引起的问题。

下面还是以计算器的例子来说明这个过程。

假设我们要创建一个计算器应用，我们的需求很简单，在用户界面上输入两个被加数然后完成加法的计算。新建工程之后，新建一个测试用例，代码如下：

```
public class AddTestCase extends TestCase {

    public void testAdd() {

    }
}
```

此时我们建立了一个 testAdd 的测试用例，由于还没有写功能代码，因此，这个测试也没有必要运行。但是我们知道需要一个完成相加功能的类，因此，需要新建一个功能类，命名为 TddMath，代码如下：

```
public class TddMath {
    public static int add(int a, int b) {
        return 0;
    }
}
```

在 TddMath 中的 add 函数中直接返回为 0，这个例子中，add 方法比较简单，但是如果 add 是另一个比较复杂的函数时，并不能立刻就能够正确实现它，因此，这里模拟一个错误的实现，或者说你以为完成了这个函数时但实际上却是错误的，总之，此时 add 方法会返回一个错误的结果。

有了功能类之后把我们的测试类修改如下：

```
public class AddTestCase extends TestCase {

    public void testAdd() {
        assertEquals(3, TddMath.add(1,2));
    }
}
```

完成了功能的开发，此时运行测试用例来验证我们的成果。结果如图 9-13 所示。

开发了半天换来的却是失败！但起码我们立刻就知道了 add 方法是错误的，这也是 TDD 带来的优点之一，即能够尽可能早地发现问题，并且解决问题。出现错误我们就得修复它，如果代码较为复杂，可能需要一段时间来处理问题，还好我们的演示代码较为简单，在 TddMath 中修改为：

```
public class TddMath {
    public static int add(int a, int b) {
        return a + b;
    }
}
```

此时重新运行代码，测试用例就可以通过了，如图 9-14 所示。

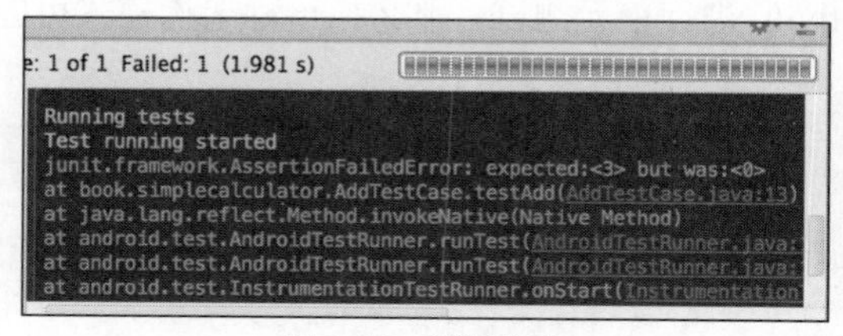


▲图 9-13　测试失败

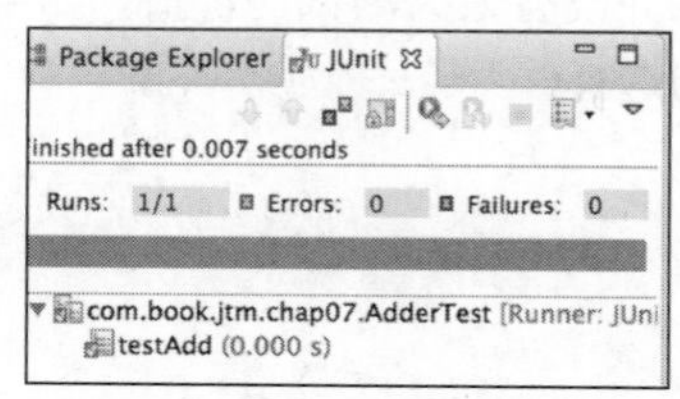


▲图 9-14　测试用例结果

此时，一轮 TDD 就完成了。

在显示开发中肯定不会这么简单，我们需要不断地新建测试用例，测试失败，修正代码，重复测试，完成功能。经过一轮一轮的测试、修正、测试，我们的软件系统就会具有良好的可测试性，并且各模块间的耦合也相对较低。例如，完成一个小功能，在不使用 TDD 的情况下可能会直接把它写到 Activity 类中，这样一来，越来越多的小函数就会慢慢地被遗留在 Activity 中，最终导致 Activity 变得臃肿；而 TDD 要求可测试性，我们的功能函数需要被测试，为了测试一个功能函数而要使用整个 Activity 进行测试，这显然成本太大，此时为了便于测试，开发人员就会考虑将这个小函数抽离到一个独立的类型中，这样就降低了耦合性，类的粒度也会变小，结构也更为清晰。

从另一方面说，为了使代码具有可测试性，可能会寻找一个便于测试的软件架构，通过这个架构将逻辑与 UI 解耦，使得业务逻辑独立与 UI 层，这样既便于测试，也能够很好地应对易变的 UI，最终使整个系统能够拥抱变化。

## 9.9 小结

本章我们学习了单元测试的部分基础知识，对于单元测试、在 Android 中进行单元测试以及 TDD 有了一个初步的了解，在测试框架方面我们也只讲解了 Instrumentation 测试类族，然而学习一些第三方优秀的测试框架是非常有必要的，如 Robolectric、Espresso、UI Automator 等。一章能够讲述的东西较少，因此更详细、专业的知识需要你阅读更专业的书籍。然而理论并不能带来实践能力，“纸上得来终觉浅，绝知此事要躬行”，在有了一些了解之后自己动手实践才能更有体会。

具备了一些知识之后我们更关心的是我们到底要做多少测试呢？

这里我们引用 Kent Beck 的回答，“老板为我的代码付报酬，而不是测试，所以，我对此的价值观是——测试越少越好，少到你对你的代码质量达到了某种自信（我觉得这种的自信标准应该要高于业内的标准，当然，这种自信也可能是种自大）。如果我的编码生涯中不会犯这种典型的错误（如在构造函数中设了个错误的值），那我就不会测试它。我倾向于去对那些有意义的错误做测试，所以，我对一些比较复杂的条件逻辑会异常地小心。当在一个团队中，我会非常小心地测试那些会让团队容易出错的代码。”作为敏捷开发以及极限编程奠基人的这个回答确实有点出乎意料，有的人看到这个回答之后惊呼到“我们有许多程序员在忠实地追求着 100%的代码测试覆盖率，因为这些程序员觉得 Kent Beck 也会这么干！”

Kent Beck 并不是让大家不要写测试，也不鼓励大家盲目的测试。在对自己代码有一定自信的前提下对一些易于出错的地方进行完整的测试覆盖，而不要盲目地追求测试覆盖率。例如 Activity 实际上并没有太大测试的价值，如果需要对 Activity 进行单元测试，那么换一种架构模式可能是你更好的选择。

# 第 10 章　六大原则与设计模式

在工作初期，我们可能会经常有这样的感觉，自己的代码接口设计混乱、代码耦合较为严重、一个类的代码过多等，当自己回过头再看这些代码时可能都会感概怎么写成那样。再看那些知名的开源库，它们大多有着整洁的代码、清晰简单的接口、职责单一的类，这个时候我们通常会捶胸顿足而感叹：什么时候老夫才能写出这样的代码！

在做开发的这些年中，我渐渐地感觉到，其实国内的一些初、中级工程师写的东西不规范或者说不够清晰的原因是缺乏一些指导原则。他们手中挥舞着面向对象的大旗，写出来的东西却充斥着面向过程的气味。也许是他们不知道有这些原则，也许是他们知道但是不能很好运用到实际代码中，亦或是他们没有在实战项目中体会到这些原则能够带来的优点，以至于他们对这些原则并没有足够的重视。

本章没有详细介绍 OOP 六大原则、设计模式、反模式等内容，只是对它们做了一些简单的介绍。并不是因为它们不重要，而是由于它们太重要，因此我们必须阅读更详尽的书籍来涉入这些知识。设计模式可以参考《设计模式之禅》《设计模式：可复用面向对象软件的基础》以及《Android 源码设计模式解析与实战》，反模式的权威书籍则为《反模式：危机中软件、架构和项目的重构》一书。

## 10.1 面向对象六大原则

下面我们就以第 4 章中的 Android 网络框架 SimpleNet 为例来学习这六大面向对象的基本原则，体会这些原则在开发过程中带来的强大能量。

在此之前，有一点需要大家知道，熟悉这些原则并不是说你写出的程序就一定灵活、清晰，只是为你的优秀代码之路铺上了一层栅栏，在这些原则的指导下你才能避免陷入一些常见的代码泥沼，从而让你专心写出优秀的东西。

### 10.1.1　单一职责原则

单一职责原则的英文名称是 Single Responsibility Principle，简称是 SRP，简单地说就是一个类只做一件事。这个设计原则备受争议却又极其重要。只要你想和别人争执、怄气或者是吵架，这个原则是屡试不爽的。因为单一职责的划分界限并不是如马路上的行车道那么清晰，很多时候都是需要靠个人经验来界定。当然，最大的问题就是对职责的定义，什么是类的职责，以及怎么划分类的职责。

试想一下，如果你遵守了这个原则，那么你的类就会划分得很细，每个类都有比较单一的职责，这不就是高内聚、低耦合么！当然，如何界定类的职责这需要你的个人经验了。

在 SimpleNet 中，我觉得很能够体现 SRP 原则的就是 HttpStack 这个类族了。HttpStack 定义了一个执行网络请求的接口，代码如下：

```
public interface HttpStack {
    /**
     * 执行 Http 请求,并且返回一个 Response
     */
    public Response performRequest(Request<?> request);
}
```

从上述程序中可以看到，HttpStack 只有一个 performRequest 函数，它的职责就是执行网络请求并且返回一个 Response。它的职责很单一，这样在需要修改执行网络请求的相关代码时，只需要修改实现 HttpStack 接口的类，而不会影响其他的类的代码。如果某个类的职责包含有执行网络请求、解析网络请求、进行 gzip 压缩、封装请求参数等，那么在你修改某处代码时就必须谨慎，以免修改的代码影响了其他的功能。当你修改的代码能够基本上不影响其他的功能。这就在一定程度上保证了代码的可维护性。注意，单一职责原则并不是说一个类只有一个函数，而是说这个类中的函数所做的工作是高度相关的，也就是高内聚。HttpStack 抽象了执行网络请求的具体过程，接口简单清晰，也便于扩展。

**优点**

（1）类的复杂性降低，实现什么职责都有清晰明确的定义。

（2）可读性提高，复杂性降低，那当然可读性提高了。

（3）可维护性提高，可读性提高，那当然更容易维护了。

（4）变更引起的风险降低，变更是必不可少的，如果接口的单一职责做得好，一个接口修改只对相应的实现类有影响，对其他的接口无影响，这对系统的扩展性、维护性都有非常大的帮助。

### 10.1.2　里氏替换原则

面向对象的语言的三大特点是继承、封装、多态，里氏替换原则就是依赖于继承、多态这两大特性。里氏替换原则简单来说就是所有引用基类、接口的地方必须能透明地使用其子类的对象。通俗点讲，只要父类能出现的地方子类就可以出现，而且替换为子类也不会产生任何错误或异常，使用者可能根本就不需要知道是父类还是子类。但是，反过来就不行了，有子类出现的地方，父类未必就能适应。

还是以 HttpStack 为例，SimpleNet 定义了 HttpStack 来表示执行网络请求这个抽象概念。在执行网络请求时，只需要定义一个 HttpStack 对象，然后调用 performRequest 即可，至于 HttpStack 的具体实现由更高层的调用者指定。这部分代码在 RequestQueue 类中，示例如下：

```
/**
 * @paramcoreNums 线程核心数
 * @paramhttpStack http 执行器
```

```
    */
    protected RequestQueue(intcoreNums, HttpStackhttpStack) {
      mDispatcherNums = coreNums;
      mHttpStack = httpStack != null ? httpStack : HttpStackFactory.createHttpStack();
    }
```

HttpStackFactory 类的 createHttpStack 函数负责根据 API 版本创建不同的 HttpStack，实现代码如下：

```
// 根据API版本选择HttpClient或者HttpURLConnection
public final class HttpStackFactory {
    // API 9
    private static final int GINGERBREAD_SDK_NUM = 9;

    /**
     * 根据SDK版本号来创建不同的Http执行器,即SDK 9之前使用HttpClient,之后则使用
HttlUrlConnection
     * @return
     */
    public static HttpStackcreateHttpStack() {
          intruntimeSDKApi = Build.VERSION.SDK_INT;
          if (runtimeSDKApi>= GINGERBREAD_SDK_NUM) {
            return new HttpUrlConnStack();
        }
        return new HttpClientStack();
    }
}
```

上述代码中，RequestQueue 类中依赖的是 HttpStack 接口，而通过 HttpStackFactory 的 createHttpStack 函数返回的是 HttpStack 的实现类 HttpClientStack 或 HttlUrlConnStack。这就是所谓的里氏替换原则，任何父类、父接口出现的地方子类都可以出现，这不就保证了可扩展性吗！

任何实现 HttpStack 接口的类的对象都可以传递给 RequestQueue 实现网络请求的功能，这样 SimpleNet 执行网络请求的方法就有很多种可能性，而不是只有 HttpClient 和 HttpURLConnection。例如，用户想使用 OkHttp 作为 SimpleNet 的执行引擎，那么创建一个实现了 HttpStack 接口的 OkHttpStack 类，然后在该类的 performRequest 函数中执行网络请求，最终将 OkHttpStack 对象注入 RequestQueue 即可。

细想一下，很多应用框架不就是这样实现吗？框架定义一系列相关的逻辑骨架与抽象，使得用户可以将自己的实现注入到框架中，从而实现变化万千的功能。

**优点**

（1）代码共享，减少创建类的工作量，每个子类都拥有父类的方法和属性。

（2）提高代码的重用性。

（3）提高代码的可扩展性，实现父类的方法就可以“为所欲为”了，很多开源框架的扩展接口都是通过继承父类来完成的。

（4）提高产品或项目的开放性。

**缺点**

（1）继承是侵入性的。只要继承，就必须拥有父类的所有属性和方法。

（2）降低代码的灵活性。子类必须拥有父类的属性和方法，让子类自由的世界中多了些约束。

（3）增强了耦合性。当父类的常量、变量和方法被修改时，必需要考虑子类的修改，而且在缺乏规范的环境下，这种修改可能带来非常糟糕的结果——大片的代码需要重构。

### 10.1.3 依赖倒置原则

依赖倒置原则这个名字看着有点不好理解，“依赖”还要“倒置”，这到底是什么意思？依赖倒置原则的几个关键点如下。

（1）高层模块不应该依赖低层模块，两者都应该依赖其抽象。

（2）抽象不应该依赖细节。

（3）细节应该依赖抽象。

在 Java 语言中，抽象就是指接口或抽象类，两者都是不能直接被实例化的。细节就是实现类、实现接口或继承抽象类而产生的类就是细节，其特点就是可以直接被实例化，也就是可以加上一个关键字 new 产生一个对象。依赖倒置原则在 Java 语言中的表现就是：模块间的依赖通过抽象发生，实现类之间不发生直接的依赖关系，其依赖关系是通过接口或抽象类产生的。软件先驱们总是喜欢将一些理论定义得很抽象，弄得不是那么容易理解，其实就是一句话：面向接口编程，或者说是面向抽象编程，这里的抽象指的是接口或者抽象类。面向接口编程是面向对象精髓之一。

采用依赖倒置原则可以减少类间的耦合性，提高系统的稳定性，降低并行开发引起的风险，提高代码的可读性和可维护性。

第 2 章中的 RequestQueue 实现类依赖于 HttpStack 接口（抽象），而不依赖于 HttpClientStack 与 HttpUrlConnStack 实现类（细节），这就是典型的依赖倒置原则的体现。如果 RequestQueue 直接依赖了 HttpClientStack，那么 HttpUrlConnStack 就不能传递给 RequestQueue 了。除非 HttpUrlConnStack 继承自 HttpClientStack。但这么设计明显不符合逻辑，HttpUrlConnStack 与 HttpClientStack 并没有任何的 is—a 的关系，如果使 HttpUrlConnStack 继承自 HttpClientStack，那么整个类族就混乱了。因此，正确的设计就是依赖于 HttpStack 抽象，HttpStack 只是负责定义规范，HttpClientStack 与 HttpUrlConnStack 分别实现具体的功能，它们之间是“兄弟”之间的平等关系，而不是“父子”的层级关系，这样一来两个实现都可以注入到 SimpleNet 中，也保证了 SimpleNet 的扩展性。

**优点**

（1）可扩展性好。

（2）耦合度低。

### 10.1.4 开闭原则

开闭原则是 Java 世界里最基础的设计原则，它指导我们如何建立一个稳定的、灵活的系统。开闭原则的定义是：一个软件实体如类、模块和函数应该对扩展开放，对修改关闭。在软件的生命周期内，因为变化、升级和维护等原因需要对软件原有代码进行修改时，可能会给旧代码引入错误。因此，当软件需要变化时，我们应该尽量通过扩展的方式来实现变化，而不是通过修改已有的代码来实现。

在软件开发过程中，永远不变的就是变化。开闭原则是使我们的软件系统拥抱变化的核心原则之一。对扩展开放，对修改关闭这样的高层次的概括，即在需要对软件进行升级、变化时应该通过扩展的形式来实现，而非修改原有代码。当然这只是一种比较理想的状态，是通过扩展还是通过修改旧代码需要根据代码自身来定。

在 SimpleNet 中，开闭原则体现得比较好的是 Request 类族的设计。我们知道，在开发 C/S 应用时，服务器返回的数据格式多种多样，有字符串类型、xml、Json 等。而解析服务器返回的 Response 的原始数据类型则是通过 Request 类来实现的，这样就使得 Request 类对于服务器返回的数据格式有良好的扩展性，即 Request 的可变性太大。

例如，返回的数据格式是 Json，那么，使用 JsonRequest 请求来获取数据，它会将结果转成 JsonObject 对象，我们看看 JsonRequest 的核心实现：

```
// 返回的数据类型为 Json 的请求, Json 对应的对象类型为 JSONObject
public class JsonRequest extends Request<JSONObject> {

    public JsonRequest(HttpMethod method, String url,
         RequestListener<JSONObject> listener) {
         super(method, url, listener);
}

// 将 Response 的结果转换为 JSONObject
@Override
public JSONObjectparseResponse(Response response) {
       String jsonString = new String(response.getRawData());
       try {
           return new JSONObject(jsonString);
       } catch (JSONException e) {
       e.printStackTrace();
       }
       return null;
    }
}
```

JsonRequest 通过实现 Request 抽象类的 parseResponse 解析服务器返回的结果，这里将结果转换为 JSONObject，并且封装到 Response 类中。

例如，SimpleNet 添加对图片请求的支持，即要实现类似 ImageLoader 的功能。这个时候我的请求返回的数据是 Bitmap 图片。因此，我需要在该类型的 Request 中得到的结果是 Request，但支持一种新的数据格式不能通过修改源码的形式，这样可能会为旧代码引入错误，但是，你又必须实现功能扩展。这就是开闭原则的定义：对扩展开放，对修改关闭。我们看看 SimpleNet 是如何做的：

```
public class ImageRequest extends Request<Bitmap> {

   public ImageRequest(HttpMethod method, String url,
      RequestListener<Bitmap> listener) {
      super(method, url, listener);
   }

  // 将数据解析为 Bitmap
   @Override
   public Bitmap parseResponse(Response response) {
         return BitmapFactory.decodeByteArray(response.rawData,
```

```
            0, response.rawData.length);
    }
}
```

ImageRequest 类的 parseResponse 函数中将 Response 中的原始数据转换为 Bitmap 即可。当我们需要添加其他数据格式时，只需要继承自 Request 类，并且在 parseResponse 方法中将数据转换为具体的形式即可。这样通过扩展的形式来应对软件的变化或者说用户需求的多样性，既避免了破坏原有系统，又保证了软件系统的可扩展性。依赖于抽象，而不依赖于具体，使得对扩展开放，对修改关闭。开闭原则与依赖倒置原则、里氏替换原则一样，实际上最终都遵循一句话：面向接口编程。

**优点**

（1）增加稳定性。

（2）可扩展性高。

### 10.1.5 接口隔离原则

客户端不应该依赖它不需要的接口；一个类对另一个类的依赖应该建立在最小的接口上。根据接口隔离原则，当一个接口太大时，我们需要将它分割成一些更细小的接口，使用该接口的客户端仅需知道与之相关的方法即可。

可能描述起来不是很好理解，我们还是以示例来加强理解吧。

我们知道，在 SimpleNet 的网络队列中是会对请求进行排序的。SimpleNet 内部使用 PriorityBlockingQueue 来维护网络请求队列，PriorityBlockingQueue 需要调用 Request 类的 compareTo 函数来进行排序。试想一下，PriorityBlockingQueue 其实只需要调用 Request 类的排序方法就可以了，其他的接口它根本不需要，即 PriorityBlockingQueue 只需要 compareTo 这个接口，而这个 compareTo 方法就是我们上述所说的最小接口。当然，compareTo 这个方法并不是 SimpleNet 本身定义的接口方法，而是 Java 中的 Comparable<T>接口，但我们这里只是为了学习，至于哪里定义的无关紧要：

```
public abstract class Request<T> implements Comparable<Request<T>> {

    /**
     * 排序方法,PriorityBlockingQueue 只需要调用元素的 compareTo 即可进行排序
     */
    @Override
    public intcompareTo(Request<T> another) {
        Priority myPriority = this.getPriority();
        Priority anotherPriority = another.getPriority();
        // 如果优先级相等,那么按照添加到队列的序列号顺序来执行
        return myPriority.equals(anotherPriority) ?this.getSerialNumber()
                - another.getSerialNumber()
                : myPriority.ordinal() - anotherPriority.ordinal();
}
// 代码省略
}
```

PriorityBlockingQueue 类相关代码：

```
public class PriorityBlockingQueue<E> extends AbstractQueue<E>
   implements BlockingQueue<E>, java.io.Serializable {

   // 代码省略

   // 添加元素时进行排序
   public boolean offer(E e) {
      if (e == null)
         throw new NullPointerException();
      final ReentrantLock lock = this.lock;
      lock.lock();
      int n, cap;
      Object[] array;
      while ((n = size) >= (cap = (array = queue).length))
            tryGrow(array, cap);
            try {
                 Comparator<? super E>cmp = comparator;
                // 没有设置 Comparator，则使用元素本身的 compareTo 方法进行排序
                if (cmp == null)
                    siftUpComparable(n, e, array);
                else
                    siftUpUsingComparator(n, e, array, cmp);
                size = n + 1;
                notEmpty.signal();
      } finally {
         lock.unlock();
      }
      return true;
   }

   private static <T> void siftUpComparable(int k, T x, Object[] array) {
      Comparable<? super T> key = (Comparable<? super T>) x;
      while (k > 0) {
      int parent = (k - 1) >>> 1;
         Object e = array[parent];
         // 调用元素的 compareTo 方法进行排序
         if (key.compareTo((T) e) >= 0)
            break;
         array[k] = e;
         k = parent;
      }
      array[k] = key;
   }
}
```

从 PriorityBlockingQueue 的代码可知，在元素排序时，PriorityBlockingQueue 只需要知道元素是个 Comparable 对象即可，不需要知道这个对象是不是 Request 类以及这个类的其他接口。它只需要排序，因此，只要知道它是实现了 Comparable 接口的对象即可，Comparable 就是它的最小接口，也是通过 Comparable 隔离了 PriorityBlockingQueue 类对 Request 类的其他方法的可见性。

**优点**

（1）降低耦合性。

（2）提升代码的可读性。

（3）隐藏实现细节。

### 10.1.6　迪米特原则

迪米特法则也称为最少知识原则（Least Knowledge Principle），虽然名字不同，但描述的是同一个原则：一个对象应该对其他对象有最少的了解。通俗地讲，一个类应该对自己需要耦合或调用的类知道得最少，这有点类似接口隔离原则中的最小接口的概念。类的内部如何实现、如何复杂都与调用者或者依赖者没有关系，调用者或者依赖者只需要知道它需要的方法即可，其他的一概不关心。类与类之间的关系越密切，耦合度越大，当一个类发生改变时，对另一个类的影响也越大。

迪米特法则还有一个英文解释是：Only talk to your immedate friends（只与直接的朋友通信）。什么叫做直接的朋友呢？每个对象都必然会与其他对象有耦合关系，两个对象之间的耦合就成为朋友关系，这种关系的类型有很多，例如组合、聚合、依赖等。

例如，SimpleNet 中的 Response 缓存接口的设计。

```
/**
 * 请求缓存接口
* @param<K> key 的类型
 * @param<V> value 类型
 */
public interface Cache<K, V> {
    public V get(K key);
    public void put(K key, V value);
    public void remove(K key);
}
```

Cache 接口定义了缓存类需要实现的最小接口，依赖缓存类的对象只需要知道这些接口即可。例如，需要将 Http Response 缓存到内存中，并且按照 LRU 的规则进行存储。我们需要 LruCache 类实现这个功能，代码如下：

```
// 将请求结果缓存到内存中
public class LruMemCache implements Cache<String, Response> {

    /**
     * Reponse  LRU 缓存
     */
    private LruCache<String, Response>mResponseCache;

    public LruMemCache() {
        // 计算可使用的最大内存
        final intmaxMemory = (int) (Runtime.getRuntime().maxMemory() / 1024);

        // 取八分之一的可用内存作为缓存
        final intcacheSize = maxMemory / 8;
        mResponseCache = new LruCache<String, Response>(cacheSize) {
            @Override
            protected intsizeOf(String key, Response response) {
                return response.rawData.length / 1024;
            }
        };

    }

    @Override
    public Response get(String key) {
        return mResponseCache.get(key);
```

```
    }

    @Override
    public void put(String key, Response response) {
        mResponseCache.put(key, response);
    }

    @Override
    public void remove(String key) {
        mResponseCache.remove(key);
    }
}
```

在这里，SimpleNet 的直接朋友就是 Cache 或者 LruMemCahce，间接朋友就是 LruCache 类。SimpleNet 只需要直接和 Cache 类交互即可，并不需要知道 LruCache 的对象的存在，即真正实现缓存功能的对象是 LruCache。这就是迪米特原则，尽量少地知道对象的信息，只与直接的朋友交互。

**优点**

（1）降低复杂度。

（2）降低耦合度。

（3）增加稳定性。

面向对象六大原则在开发过程中极为重要，它们给灵活、可扩展的软件系统提供了更细粒度的指导原则。如果能够很好地将这些原则运用到项目中，再在一些合适的场景运用一些经过验证过的设计模式，那么开发出来的软件在一定程度上能够得到质量保证。其实这六大原则最终可以简化为几个关键词：抽象、单一职责、最小化。那么在实际开发过程中如何权衡、实践这些原则，也是需要大家在工作中不断地思考、摸索。

## 10.2 设计模式

在软件工程中，设计模式是对软件设计中普遍存在、反复出现的各种问题所提出的通用解决方案。这个术语是由 Erich Gamma 等人在 1990 年从建筑设计领域引入到软件工程领域，从此设计模式在面向对象设计领域逐渐被重视起来。

设计模式并不直接用来完成代码的编写，而是描述在各种情况下要如何解决软件设计问题。面向对象设计模式通常以类或对象来描述其中的关系和相互作用，它们的相互作用能够使软件系统具有高内聚、低耦合的特性，并且使软件能够应对变化。

### 模式的 4 个要素

#### 1. 模式名称

模式名称用一两个词来描述模式的问题、解决方案和效果。基于一个模式词汇表，同行、同事之间就可以通过它们进行交流，文档中也可以通过模式名代表一个设计。模式名可以帮助我们思考，便于我们与其他人交流设计思想及设计结果。

### 2. 问题

描述了应该在什么情况使用设计模式。它解释了设计问题和问题存在的前因后果，它可能描述了特定的设计问题，例如，某个设计不具备良好的可扩展性等，也可能描述了导致不灵活设计的类或对象结构。

### 3. 解决方案

描述了设计的组成成分，它们之间的相互关系及各自的职责和协作方式。因为模式就像一个模板，可应用于多种不同场合，所以解决方案并不描述一个具体的设计或实现，而是提供设计问题的抽象描述和怎样用一个具有一般意义的类或者对象组合来解决这个问题。

### 4. 效果

描述了模式应用的效果及使用模式应权衡的问题。尽管我们描述设计决策时，并不总提到模式效果，但它们对于评价设计选择和理解使用模式的代价及好处具有重要意义。软件效果大多关注对时间和空间的衡量，它们也表述了语言和实现问题。因为复用是面向对象设计的要素之一，所以模式效果包括它对系统的灵活性、扩充性或可移植性的影响，显式地列出这些效果对理解和评价这些模式很有帮助。

设计模式为反复出现的局部软件设计问题指出了通用的解决方案，在很大程度上促进了面向对象软件工程的发展。它将这些常见的设计问题一一总结，将大师们的经验、教训、设计经验分享给所有人，使得即使是刚入门的工程师也能够设计出可扩展、灵活的软件系统，大大提升了软件质量。关于设计模式领域的书籍大家可以参考《设计模式之禅》和《Android 源码设计模式解析与实战》。

## 10.3 避免掉进过度设计的怪圈

当你掌握一些设计模式或者手法之后，比较容易出现的问题是过度设计。有的人甚至在一个应用中一定要将 23 种常见的设计模式运用上，这就本末倒置了。设计模式的四大要素中就明确指出，模式的运用应该根据软件系统所面临的问题来决定是否需要使用现有的设计。也就是说，在出现问题或者你预计会出现那样的问题时才推荐使用特定的设计模式，而不是将各种设计模式套进你的软件中。

不管在设计、实现、测试之间有多少时间都应该避免过度设计，它会打破你的反馈回路，使你的设计得不到反馈，从而慢慢陷入危险中。所以你只需要保持简单的设计，这样就有时间来测试该设计是否真的可行，然后作出最后的决策。

当设计一款软件时，从整体高度上设定一种架构模式，确定应用的整体架构，然后再分析一些重要模块的设计思路，并且保证它们的简单性、清晰性，如果有时间可以使用 Java 代码模拟一个简单的原型，确保设计是可行的，最后就可以付诸行动了。切记不要过度地追求设计，适当就好，当我们发现或者预计到将要出现问题时再判断是否需要运用设计模式。

## 10.4 反模式

反模式是一种文字记录形式，描述了对某个问题必然产生的消极后果的常见解决方案。由于管理人员或者开发人员不知道更好的解决方案，缺乏决定特定问题所需的经验或知识，或者说不适合的条件下套用了某个设计模式，这些都会造成反模式。与设计模式类似，反模式描述了一个一般的形式、主要原因、典型症状、后果，以及最后如何通过重构解决问题。

反模式是把一般情况映射到一类特定解决方案的有效方法。反模式的一般形式为它所针对的哪类问题提供了一个易于辨识的模板。此外，它还清楚地说明了与该问题相关联的症状以及导致这一问题的内在原因。这些模板元素完整地说明了反模式存在的情况。这个一般形式可以减少使用设计模式时最为常见的问题：把特定设计模式应用于不正确的环境。

反模式为识别软件行业反复出现的问题提供了实际经验，并为大多数常见的问题提供了详细的解决方案。反模式对业界常见的问题进行总结，并且告诉你如何识别这些问题以及如何解决。它有效地说明了可以在不同层次上采取的措施，以便改善应用开发过程、软件系统和对软件项目的有效管理。

总的来说，设计模式总结了在特定问题下正确的解决方案，而反模式则是告诉你在特定的问题上的错误解决方案以及它们的原因、解决方案，通过最终的解决方案，它能够将腐化的软件系统拉回正轨。

## 10.5 小结

本章分析了 SimpleNet 中的面向对象六大原则的运用，通过具体的示例使读者对这些原则有更具体的认识，从更细的粒度上为软件开发提出了指导原则。然后简单介绍了设计模式，设计模式是从模块粒度上为某个场景下的常见软件问题提出了灵活的解决方案。通过这些经过前人反复验证的设计，使缺乏经验的工程师也能够构建出灵活的子模块，积少成多，使得软件系统能够拥抱变化。最后，我们介绍了反模式的基本概念，反模式为我们介绍了一些常见的反面软件设计，并且指出这些反面设计的症状、面临的问题，以及最终的解决方案，使得我们能够摆脱软件的焦油坑，走上灵活软件的康庄大路。

然而，任何一本书都不足以使你快速地成长为面向对象专家。灵活的软件设计需要知识、经验与思考，好的设计通常是经历了时间的洗礼慢慢演化而来，工程师的成长也是一样。因此，掌握必要的面向对象、设计模式、反模式等知识，并且在工作中不断实践、思考，将使你的软件设计之路走得更从容、顺畅。

# 第 11 章　使系统适应变化——重构

重构是使用一系列手法，在不改变行为的前提下调整其内部结构。这里需要注意的地方有两点，首先是重构前后软件的行为应该保持一致，当前前提是这个行为是正确的，否则我们的重构就相当于引入了 Bug；其次是重构要修改代码的内部结构，使得代码变得更简单、清晰。通过重构，使得已经腐化的软件系统慢慢回到正确的轨道，使我们的软件系统持续、健康的发展。

被大家熟知的重构手法有数十种，本章我们只介绍一些比较常用的重构手法，使大家对重构有一个大致的了解，更多的资料大家可以参考重构的权威书籍《重构：改善既有代码的设计》。

## 11.1 为什么要重构

我们平时的工作已经够忙了，为什么还要修改能够工作的代码来给自己增加工作量呢？这就提出了一个问题，我们为什么要重构，或者说重构能够带给我们什么好处。

需要注意的是，我们重构的目标是优化现有的代码，也就是说我们要让现有的代码具有更好、更清晰的结构，提升它的可读性、可维护性、可扩展性。当我们的软件系统结构变得清晰时，我们后续的维护工作就会越来越容易，这样我们往后的工作量就会越来越少。试想一下，如果你的代码杂乱不堪，当你需要添加一个功能时，你需要跨越很多个类型进行修改，而每看到一段旧代码你都需要经过一番思考、回忆、咨询同伴才知道这段代码的大体含义，当你修改了这段代码时你心里还不是很明确那个函数的具体逻辑。此时，你相当于掉进了焦油坑，你的工作只是在这个大坑里挣扎，里面有太多的不确定性，导致新功能难以增加，出现 Bug 难以修复，加班越来越多。

要避免上述说的一切，重构这一步是至关重要。因为不可能在我们设计第一版时我们的软件、代码结构就是完全正确的，我们的软件结构会随着系统的升级而演化。此时我们就需要不断地的重构代码以使系统适应变化，因此重构的优点就是我们能够使软件系统保持清晰、简单、可扩展的特性，有了这些特性就能够让我们的开发速度更快，而在重构过程中我们也会发现旧代码的问题，从而处理掉旧代码的 Bug。在这个过程中我们对整个系统又更加了解了，对于我们后续的工作也很有帮助。

良好设计是维持软件开发速度的根本。重构可以帮助你更快速地开发软件，因为，它能将“腐化”的系统拉回正轨，它甚至还可以提高设计质量。当谈论重构时，常常有人问我应该怎样安排重构时间表，这又提出了另一个问题：何时进行重构？

## 11.2 什么时候重构

在我看来，重构并不是一件需要安排一个特定的时间来做的事，除非当前系统已经“腐化”到了非常严重的程度，否则重构应该随时随地进行。你不应该为重构而重构，重构应该伴随在你的开发中，不断地开发、不断地重构，在开发的过程中持续重构以保持软件的优良结构。

虽然我们不建议单独找时间来进行重构，但仍有一些时间节点是我们做重构的好时机。

最常见的重构时机就是我想给软件添加新特性的时候。此时，重构的第一个原因往往是为了帮助我理解需要修改的代码。这些代码可能是别人写的，也可能是我自己写的。当我发现我并不能很快速、直接地理解这段代码时，我就会考虑重构。之所以这么做是因为这段代码并不是那么容易理解，而我需要通过重构让它变得更简单、清晰。

另一个时机是在调试程序时进行重构。此时进行重构多半是为了让代码更具可读性。当我看着代码并努力理解它的时候，说明它还不够清晰，这可能也是为什么我们需要调试这段代码的原因。你可以这么想：如果收到一份 Bug 报告，这就是需要重构的信号，因为代码还不够清晰，导致引入了 Bug。

很多公司有 review 代码的机制，因为这种机制可以改善代码质量，也有助于在开发团队中传播知识，使缺乏经验的工程师能够从经验丰富的工程师身上学到知识。我的代码也许对我自己来说很清晰，但在他人看来可能并不是这样。从多个角度看问题可能会发现问题所在，因为做 review 代码的人可能对于软件中的一些细节并不了解，他只关注局部足够清晰。当审核人员发现某个模块没有达到要求时，那么说明这里也正是需要重构的地方。此时，与审核人员探讨如何重构不仅能够使系统更加清晰，也能够向资深人士学习到更多的知识，增进同事之间的交流。

结对编程是 review 代码的升级版，把代码复审的积极性发挥到了极致。两名工程师坐在一起使用同一台计算机进行工作，A 写代码时 B 同时在旁边进行讨论、实时 review 代码，如果发现问题，A 和 B 进行及时沟通，并且商量重构策略，最后改进代码。通过结对编程的形式能够显著改善代码的质量，因为它将软件开发、重构、多人讨论结合到一起，结对编程时也会避免走入知识的盲区，在代码的可读性、可维护性上也会有更多的考虑，这种形式下开发出来的软件具有更高的可靠性。

## 11.3 常用的重构手法

### 11.3.1 提取子函数

提取子函数顾名思义就是将部分代码段从一个大的代码块提取到子函数中，从而使得原本很长的函数拆分为更多细小的函数。提取子函数又使我们必须为每个子函数取名，良好的命名又会给这个函数产生自解释的作用，也相当于文档的功能，这会使代码更加清晰、易于理解与维护。这是一个化繁为简的拆分过程，它的运用场景就是将很长的函数拆分为多个细小的函数，通过组合这些函数来完成旧代码的功能。

那么一个函数多长才是合适？函数本身的长度并不是问题，因为提取子函数的原因并不是单纯地因为长度，而是在一个函数之内做了太多界限明显的多个操作，它关键在于函数的功能是否内聚。如果提炼函数可以提升代码的清晰度，那就去做，就算函数名称比提炼出来的代码还长也无所谓。

提取一个子函数的第一步就要明确这个函数的作用，因为我们的意图很明确，就是将代码段从一个更粗粒度的函数中提取出来，这个子函数的功能职责必须单一。考虑好这个函数的功能之后，我们就需要根据这个函数的功能来给它赋予一个恰当的名字，好的名字能让这个函数具有自解释性。

然后将要提炼的代码从源函数复制到新建的子函数中，如果新的子函数中引用了其他变量，那么需要通过参数传递或者通过其他函数获取。最后，直到新函数中没有错误，并且代码逻辑正确。此时，我们就可以用新的子函数替代旧代码中的代码段，然后进行测试即可。

例如，我们有一个 printAllStudnetsInfo 函数，它的功能是从数据库中读取所有学生的信息，然后对这些学生信息按照 id 进行升序排序，最后输出所有学生的信息。原来的代码如下：

```
// 输出数据库中所有学生的信息
private void printAllStudnetsInfo() {
    // 构建结果集
     List<Student>allStudents = new ArrayList<Student>();
     // 模拟从数据库获取所有学生信息
     for (inti = 5; i>0 ;i--) {
        Student student = new Student();
        student.id = i;
        student.name = "user - " + i;
        student.tel_no = String.valueOf(new Random().nextInt(200000));
        student.cls_id = new Random().nextInt(5);
         // 添加到集合中
        allStudents.add(student) ;
    }

    Collections.sort(allStudents, new Comparator<Student>() {
        @Override
        public intcompare(Student lhs, Student rhs) {
            return (int) (lhs.id - rhs.id);
         }
      });

      for (Student student :allStudents) {
        System.out.println("### 学生信息 : " + student);
      }
    }
```

上述的代码中 printAllStudnetsInfo 函数主要做了如下几步。

（1）从数据库读取所有学生信息（模拟的数据）。

（2）对数据进行排序。

（3）输出所有学生的信息。

从上述可以看到，printAllStudnetsInfo 函数内的职责太多了，将各种函数包揽到其中，导致函数体过长。我们现在就要分解这个函数，根据它的功能，我们将它分解为 3 个函数，分别对应它的 3 步操作，即读取数据、排序、输出数据。首先我们新建一个 loadAllStudentsFromDB 函数用于从数据库中读取数据，实现代码如下：

```
private List<Student> loadAllStudentsFromDB() {
    List<Student>allStudents = new ArrayList<Student>();
    for (inti = 5; i>0 ;i--) {
        Student student = new Student();
        student.id = i;
        student.name = "user - " + i;
        student.tel_no = String.valueOf(new Random().nextInt(200000));
        student.cls_id = new Random().nextInt(5);
        // 添加到集合中
        allStudents.add(student) ;
    }
    return allStudents ;
}
```

此时我们将 printAllStudnetsInfo 函数中读取数据部分的代码去掉，替换为调用 loadAllStudentsFromDB 函数，修改如下：

```
// 输出数据库中所有学生的信息
private void printAllStudnetsInfo() {
    // 从数据库中读取所有学生信息
    List<Student>allStudents = loadAllStudentsFromDB() ;
    // 排序
    Collections.sort(allStudents, new Comparator<Student>() {
        @Override
        public intcompare(Student lhs, Student rhs) {
            return (int) (lhs.id - rhs.id);
        }
    });
    // 输出信息
    for (Student student :allStudents) {
        System.out.println("### 学生信息 : " + student);
    }
}
```

此时，我们从数据库中读取所有学生信息的功能函数就提取出来了，函数名 loadAllStudentsFromDB 很好地说明了它的作用，当其他人看到这个函数时基本上一眼就能够看懂它的作用。另外，将这个功能独立出来之后，当其他函数需要这个功能时，直接调用该函数即可，而不必每次都输出同样的代码，造成太多的代码重复。代码重复的问题很多时候都是由于我们没有将一些功能函数更细小化，导致使用该功能时就直接写在需要这个功能的函数体中。

另外两个我们分别提炼出排序和输出信息的函数，函数名分别为 sortStudents 和 printStudentsInfo。实现如下：

```
private void sortStudents(List<Student> students) {
    Collections.sort(students, new Comparator<Student>() {
        @Override
        public intcompare(Student lhs, Student rhs) {
            return (int) (lhs.id - rhs.id);
        }
    });
}

private void printStudentsInfo(List<Student> students) {
    for (Student student : students) {
        System.out.println("### 学生信息 : " + student);
    }
}
```

最后我们的 printAllStudnetsInfo 函数修改如下：

```
// 输出数据库中所有学生的信息
protected void printAllStudnetsInfo() {
    // 从数据库中读取所有学生信息
    List<Student>allStudents = loadAllStudentsFromDB();
    // 对学生数据进行升序排序
     sortStudents(allStudents);
    // 输出所有学生信息
     printStudentsInfo(allStudents);
}
```

此时 printAllStudnetsInfo 中的代码就变得比较清晰了，适当的函数名加上简单的注释，printAllStudnetsInfo 很容易理解，可读性得到了很大的提升。当我们需要修改其中的某个功能时，只需要进入到对应的函数进行修改，而不必担心会影响其他功能，提升了代码的可维护性。另外，更细粒度的函数更容易被复用，提升了代码的复用性。

提取子函数是重构手法中最为基础的，我们只有维持内部结构的清晰性才能够在更高的层次上进行重构。然而，很多长的函数并不像 printAllStudnetsInfo 函数按照逻辑功能划分开来，很多时候不同功能的代码都是夹杂在一起，这也正是它需要被重构的理由。此时，你需要在完全理解代码的前提下对这个“胖”函数进行“手术”，将相关的变量通过参数传递给子函数、将结果返回给调用函数等，确保各个子函数能够正确工作，然后将它们替换到原来的函数中即可。

当每个类中的函数都相对比较清晰、简单的时候，如果有更高层次的结构问题我们也更容易识别出来，然后再进一步重构。

### 11.3.2 上移函数到父类

在面向对象开发过程中，继承是我们复用、设计代码的重要手段。然而继承体系中也是容易滋生代码重复的地方，尤其是对整个类族不是特别熟悉时，子类 A 要实现功能 A，但是实际上父类中却含有该功能函数，子类 B 同时也需要该功能，也不知道其他类型中含有这样的功能。这就导致了同一个功能函数分布在不同的类型中，使得严重的代码重复。而当这个功能函数要修改以应对需求变更时，那么你很可能只修改了其中一个类中的函数，而分散在其他类功能相等的函数却未做处理，这就容易引发 Bug。

如果某个函数在多个子类中都有相同的实现，这就是将该函数上移到父类中的适用场景。将相同功能的函数提到父类中，使得多个子类同时运用一份代码，减少代码重复率、出错率。如果并不是所有的子类都需要这个功能函数，那么你可能需要考虑为这些需要该功能函数的子类创建一个共同的父类，然后将该函数移到这个共同的父类中。

实现上移函数很简单，就是将多个子类的功能函数提取到父类中。因此，我们首先要在父类中新建一个功能函数，并且将子类中的功能代码复制到父类的函数中。如果多个子类的功能函数有差异，那么你需要根据差异来简单修改函数的参数列表以及实现，以使得它符合多个子类的需求，如果差异较大，那么可以使特定的子类覆写该函数。

我们看一个交通工具的例子，抽象类 Vehicle 中有启动、停止、加速、减速、打开车门、关闭车门的功能函数，代码如下：

```
public abstract class Vehicle {

    public void start() {
         System.out.println("启动车子");
    }

    public void stop() {
         System.out.println("停车");
    }

    public void speedup() {
        System.out.println("加速");
    }

    public void speedDown() {
        System.out.println("减速");
    }

    public void openDoor() {
        System.out.println("打开车窗吹吹风");
    }

    public void closeDoor() {
        System.out.println("关闭车门");
    }
}
```

我们新建一个奥迪车的具体实现类，该类继承自 Vehicle，然后我们发现 Vehicle 类居然没有实现转弯的功能函数，我们的奥迪车必须要有这个功能函数的，因此我们的奥迪车实现类如下所示：

```
public class Audi extends Vehicle {

    public void turn() {
        System.out.println("转弯");
    }
    // 其他功能
}
```

随着业务的扩展，我们需要往交通工具类族中添加宝马车的类型。但是，此时写宝马类的开发人员可能已经不是写 Vehicle 和 Audi 类的人，他对于这个类族并不是那么了解，经验也不是那么丰富，但是，他也发现要添加转弯功能，因此他的解决方案就是直接在宝马车类型中添加这个函数。实现如下：

```
public class BWM extends Vehicle {

    public void turn() {
        System.out.println("转弯");
    }

    // 其他功能
}
```

这样，交通工具类族中就有了两份同样的代码，而它们都是属于同一个类族中。此时，我们就可以通过上移函数的手法将重复的代码处理掉。首先我们在 Vehicle 中添加 turn 函数，然后将 Audi 和 BMW 中的 turn 函数去掉，代码如下：

```
public abstract class Vehicle {
    // 其他代码

   public void turn() {
        System.out.println("转弯");
   }
}

public class Audi extends Vehicle {

   // 其他功能函数
}


public class BMW extends Vehicle {

   // 其他功能函数
}
```

通过上移函数，我们就可以复用父类的 turn 函数。当 turn 函数需要进行修改时，我们也只需要修改父类中的实现即可。而不需要到不同的类中进行修改，如果出现需要到多个类修改功能一致的代码，那么也是需要重构的信号。

很多时候，是否需要上移代码并不是那么容易被发现，类族中的代码较多时，如果你对它们并不是很了解，那么你可能无法发现那些重复的代码，从而导致重复的代码越来越多。也不是所有的公用函数都应该放到最顶层的父类中，有的情况是你需要在现有的父类和子类之间再建立一个类，使得它作为中间层，并且把相应的功能函数移到新建的类中，而这个类则作为含有这个共同功能的基类，这样避免这个功能函数影响类族的所有类型，如果父类中含有了子类不需要的函数，那么就需要运用下移函数到子类的手法。

### 11.3.3　下移函数到子类

面向对象的类族体系中除了同一段代码存在多个子类的情况之外，还有一种常见的情况是父类含有了子类不需要的函数，使得子类强制性地获得了这个功能。无关的功能强加于子类，这也是一种耦合。这种情况恰好与上移函数的操作相反，我们需要将父类中并不是所有子类都含有的功能下移到下一个类型层次，因此，需要新建一个父类型，让公用这些功能操作的子类继承自这个新的父类。

例如上一节的 Vehicle 示例中，Vehicle 中含有开门、关门的功能函数。但问题是并不是所有的交通工具都有车门，自行车也是交通工具，但是它们并没有车门，乘坐这类交通工具无时无刻都能够感受风的凉爽。因此，Vehicle 类就使得自行车等无车门的子类含有了开门、关门的功能函数，这是不能接受的！尤其是当你的代码被他人引用时，不存在的功能函数却在类型中出现，这会让用户迷惑。因此，要处理掉这种情况。

首先要做的就是创建新的类型，使得这个类型作为含有这个功能的所有子类的基类，然后将那些功能函数下移到这个新的基类中，并且让需要这些功能的子类继承自新的基类。这么说起来有点抽象，我们结合 Vehicle 类族来修改。问题已经明朗了，就是打开、关闭车门的问题。因此，需要新建一个含有这两个功能的新的基类，新建的类为 Car。代码如下：

```
public abstract class Car extends Vehicle {
    public void openDoor() {
        System.out.println("打开车窗吹吹风");
    }

    public void closeDoor() {
        System.out.println("关闭车门");
    }
}
```

也就是将 Vehicle 中的开门、关门函数移到了 Car 类中，同时 Car 也作为抽象类存在。然后让含有车门的类继承自 Car 类，让自行车等没有车门的类继承自 Vehicle。Vehicle、Audi、Bike 类型的代码如下：

```
// Vehicle 没有了开门、关门操作
public abstract class Vehicle {

    public void start() {
        System.out.println("启动车子");
    }

    public void stop() {
        System.out.println("停车");
    }

    public void speedup() {
        System.out.println("加速");
    }

    public void speedDown() {
        System.out.println("减速");
    }

    public void turn() {
        System.out.println("转弯");
    }
}

// 奥迪车有车门
public class Audi extends Car {

    public void startGPS() {
        System.out.println("使用 GPS 导航");
    }
}

// 自行车没车门，继承自 Vehicle
public class Bike extends Vehicle {
    public void checkChains() {
        System.out.println("检查是否掉链子了");
    }
}
```

通过函数下移、新建类型，将并不是所有子类公用的代码移到了合适的层次。这样一来就实现了分解，自行车不会含有开门、关门的操作，而 Car 类也让开门、关门的功能函数得到了复用，整个类型层次也更为清晰。

上移、下移函数能够处理函数的层级问题，相似的问题还有上移、下移字段，它们的操作都非常类似，无非是字段处在了不恰当的类型层级上，将字段搬移到新的层次中即可。

### 11.3.4　封装固定的调用逻辑

软件项目说得简单点就是代码段的逻辑组合，也就是说代码都是按照一定的逻辑执行的。要完成某个功能，需要先执行 A，再执行 B，最后执行 C，这些逻辑通常比较固定。在实现了 A、B、C 功能之后就要调用它们实现功能，但是，如果每次都调用这 3 个功能函数，必然会造成代码重复。解决这种问题的方法就是封装，通过封装一个函数将这 3 个子步骤包含在其中。例如，当我们要开车时，我们通常会执行关门、启动车子、加速 3 个操作，代码如下：

```
Car audi = new Audi();
audi.closeDoor();
audi.start();
audi.speedup();

Car bmw = new BMW();
bmw.closeDoor();
bmw.start();
bmw.speedup();
```

如果我们在多处要调用开车的相关代码，那么就必须每次都要按照顺序写这 3 个步骤，这就造成了代码重复。一种更好的方式是我们通过一个函数封装这个流程，使得它像智能汽车一样，我们只要告诉它加速到多少速度，后续的事情就让它自动去完成。我们把封装了这 3 步的汽车类命名为 SmartCar，代码如下：

```
public abstract class SmartCar extends Car {

    public final void autoSpeedup(int speed) {
          this.closeDoor();
          this.start();
          this.speedup();
          System.out.println("加速到 : " + speed);
    }
}
```

我们在 autoSpeedup 函数中按照顺序调用了 3 个关门、启动、加速 3 个操作，这样在其他地方需要这些功能时只需要调用 autoSpeedup 函数即可。autoSpeedup 函数实际上运用了模板方法模式，它封装了 3 个逻辑流程，并且这个流程不能被修改，但是子类可以覆写 3 个逻辑函数实现特有的功能。通过这种封装，我们就能够简化多个函数调用的成本，从而提升可维护性、降低代码重复率。

### 11.3.5　使用泛型去除重复逻辑

在开发中，我们经常会遇到一种情况：一个类族中的操作都是一致的，只是操作的对象类型不同。在我们不了解泛型的情况下，可能会为每个类型创建一个对应的操作类。但是，这样的问题显而易见，就是相同的代码重复了多次，而且每个功能函数的代码都是重复的，这个问题极为严重。当你发现有一个操作的函数实现有误时，就需要在所有相关的操作类型中修改类似的代码，这样的代码非常脆弱，一不小心就会漏掉一些类型，导致程序出问题时才能够发现。

解决这类问题的有效方法就是使用泛型。泛型提供了操作多种类型的抽象，使得你可以用同一个类的代码操作多种类型的对象，从而降低代码的重复率。例如，在不使用泛型的情况下我们要创建一个用于存储 Int 和 String 的集合类，它们都有存储、获取以及获取它的 size 的操作，实现代码如下：

```
// 存储 String 的集合类
public class IntArrayList {
   private int[] dataSet;

   public IntArrayList(int size) {
      dataSet = new int[size];
   }

   public intget(int position) {
      return dataSet[position];
   }

   public void add(intpos, int data) {
       dataSet[pos] = data;
   }

   public intsize() {
      return dataSet.length;
   }

}

// 存储 String 的集合类
public class StringArrayList {
   private String[] dataSet;

   public StringArrayList(int size) {
       dataSet = new String[size];
   }

   public String get(int position) {
      return dataSet[position];
   }

   public void add(intpos, String data) {
       dataSet[pos] = data;
   }

   public intsize() {
      return dataSet.length;
   }

}
```

从上述程序中可以看到 IntArrayList 和 StringArrayList 都实现了 get、add、size 三个函数，它们的代码都是一样的，只是操作的具体类型不一样。如果要为每个类型都写一份类似的代码，那么我们的工作就永远做不完了，因为用户可以定制无数的类型，为每种类型都实现这样的类肯定不是你的选择。简化这类工作的武器就是泛型，将所有类型抽象起来，操作抽象而不是具体，这样就不需要为每个具体的类实现相同的功能。

下面看看抽象集合类 SimpleArrayList 的实现：

```
public class SimpleArrayList<T> {
    private T[] dataSet;

    public SimpleArrayList(int size) {
        dataSet = (T[]) new Object[size];
    }

    public T get(int position) {
        return dataSet[position];
    }

    public void add(intpos, T data) {
        dataSet[pos] = data;
    }

    public intsize() {
        return dataSet.length;
    }
}
```

在 SimpleArrayList 中我们把对象数组换成了 T[]，然后在创建对象数组时，首先创建 Object[]类型的数组，然后再转换为具体的 T[]，因为直接使用 new T[]是不行的，Java 不能直接创建不可具体化的数组。再之我们在 add、get 函数中都使用的是泛型参数 T，而不是某个具体的类型。我们在使用 SimpleArrayList 时就会指定具体的类型，运行时，我们的 T 也就会变成具体的类型。使用 IntArrayList、StringArrayList 与 SimpleArrayList 的代码如下：

```
// 使用 IntArrayList
IntArrayListintArr = new IntArrayList(2);
intArr.add(0, 3);
intArr.add(1, 55);
System.out.println(intArr.get(1));
// 使用 StringArrayList
StringArrayListstrArr = new StringArrayList(3);
strArr.add(0, "hello");

System.out.println(strArr.get(0));

// 使用 SimpleArrayList 存储整型
SimpleArrayList<Integer>intArrayList = new SimpleArrayList<Integer>(3);
intArrayList.add(0, 3);
intArrayList.add(1, 55);
System.out.println(intArrayList.get(1));

 // 使用 SimpleArrayList 存储 String
SimpleArrayList<String>strArrayList = new SimpleArrayList<String>(3);
strArrayList.add(0, "hello,SimpleArrayList");
System.out.println(strArrayList.get(0));
```

通过泛型，我们能够很好地抽象代码，复用通用的逻辑、减少代码量。泛型在开发中也非常常见，Android JDK 中的集合类都是泛型类，如 List、Set、Map 等，因此，掌握泛型的运用将是我们抽象代码的重要一步。

### 11.3.6　使用对象避免过多的参数

当程序越来越复杂时，一些函数的参数可能就会多起来。你常会看到特定的一组参数总是一起被传递，可能有好几个函数都使用这一组参数，这些函数可能属于同一个类，也可能各为其主。如果在一个函数中含有较多的参数，且有部分的类型是一样的，那么我们称这样的一组参数为数据泥团。我们可以运用一个对象封装所有这些参数，然后再在将该对象作为函数的参数，具体的参数值我们从该对象中获取。这样我们就将多个参数简化为了一个，使得函数更加简洁、易于理解与使用。

本项重构的价值在于缩短了参数列的长度，程序员都知道，过长的参数列总是难以理解的。当有多个参数类型一样时，混淆它们的概率非常大，这就增加了该函数的使用成本。

解决这种问题的方法是新建一个类，将一组相关的参数作为该类的字段，并且开放这些字段的设置、获取方法。然后将函数中的相关参数替换为这个类型的对象，在该函数中通过获取函数得到具体的参数值即可。

例如，有一个功能是分享内容到朋友圈，它的参数有标题、文本、缩略图、原文链接、创建者姓名，代码如下：

```
public void shareToMoment(String title, String content, String thumbUrl,
      String targetUrl,String creator) {
      System.out.println("分享到朋友圈: 文章标题为: " + title
            + ", 内容为 = " + content);
}
```

上述有 5 个参数，且类型都是 String，在调用该函数时我们的代码如下：

```
shareToMoment("平凡之路", "我曾经失落失望失掉所有方向,直到看见平凡才是唯一的答案",
      "http://www.xxx.com/images/thumb.png", "http://www.xxx.com", "Jake");
shareToMoment("曾经的你", "滴滴答", null,
            "http://www.xxx.com", null);
```

当你调用这个函数时，你真的能记住第二个和第四个参数分别代表什么吗？还有一个问题是，当我们不需要某个参数时还需要手动将它设置为空，这让我们更容易混淆参数代表的含义。

此时我们的重构方案就是添加一个参数对象类，将数据往该类中转移，将 5 个参数替换为该参数对象。示例代码如下：

```
// 分享内容类
public class ShareData {
    public String title;
    public String content;
    public String thumbUrl;
    public String targetUrl;
    public String creator;
}


public static void shareToMoment(ShareData data) {
      System.out.println("分享到朋友圈: 文章标题为: " + data.title
            + ", 内容为 = " + data.content);
}
```

此时，shareToMoment 函数的参数只有 ShareData 一个了，整个函数看起来简单很多。我们看看 shareToMoment 的使用示例：

```
ShareDatashareData = new ShareData();
shareData.title = "平凡之路";
shareData.content = "我曾经失落失望失掉所有方向,直到看见平凡才是唯一的答案";
```

```
shareData.targetUrl = "http://www.xxx.com";
// 分享到朋友圈
shareToMoment(shareData);
```

当我们调用 shareToMoment 函数时，只需要按需构造 ShareData 对象，然后将它传递给 shareToMoment 即可。此时不需要去记住第二个参数是什么，因为根本就没有第二个参数，我们的参数都封装在 ShareData 中，它们都是具有名称的字段，可以很容易理解。而不需要传递的参数我们也不需要手动置空，字段的默认值就已经是 null 了。通过这个简单的操作，我们使用 shareToMoment 函数所消耗的脑力劳动就大大减小了！

### 11.3.7　重构的支柱——转移函数

转移函数是将一个函数从一个类移动到另一个类中，它是重构理论的支柱。如果一个类中有太多行为（即函数），或一个类与另一个类之间有太多的函数调用，导致高度耦合，我就会考虑转移该函数到更适合的类型中。通过这种手段，可以使系统中的每个类型更简单，使得系统保持清晰性。

然而转移函数并不是像说的那么容易，因为转移一个函数到其他类中时，该函数可能又调用了其他函数，这些函数中可能又引用了当前类中的一些字段。因此，需要考虑这些引用的函数以及字段，最终确定是否需要转移以及如何转移才能不破坏原有的功能。

如果某个函数或者字段只被你打算转移的函数用到，应该将它一起转移。如果另有其他函数使用了这个特性，你可以考虑将使用该特性的所有函数也一起转移，有时候搬移一组函数比逐一搬移简单些。但是，前提是这些函数确实应该被移到另外的类型中。

将函数从一类转移到另一个类中伴随而来的可能就是函数名的修改，因为所处的类不一样，旧的函数名称可能已经不再适合。为了保证旧代码可用，我们可以用原来的函数通过函数调用的形式调用对应的函数实现同样的功能。

例如，一个班级类 AClass 中存储了所有学生的信息，学生类则简单地存储了学生信息，但是学生类中有一个判断是否属于某个班级的函数。代码如下：

```
// 班级类
public class AClass {
   public List<Student> students = new ArrayList<Student>();

   public void add(Student student) {
         students.add(student);
   }
   // 其他函数
}

// 学生类
public class Student {
   public String id;
   public String name;

   public Student(String sId, String sName) {
      this.id = sId;
      this.name = sName;
   }

   // 判断一个学生是否属于某个班级
   public booleanisBelongTo(AClass class1) {
```

```
        for (Student stu : class1.students) {
            if (stu.id.equals(this.id)) {
                return true;
            }
        }
        return false;
    }

    @Override
    public String toString() {
        return "Student [ id=" + id + ", name=" + name + " ]";
    }
}
```

Student 类中的 isBelongTo 函数作用是判断当前学生是否属于某个班级，如果属于，那么返回 true；否则返回 false。从上述程序中我们看到，在 isBelongTo 中核心的操作其实是遍历 AClass 中的 students 集合，然后迭代集合中的 Student 对象进行查找与当前学生 id 相同的数据，如果找到，那么表示该学生属于这个班级；反之就是不属于。

由此我们可以看出，isBelongTo 实际上更多的是与 AClass 进行交互，或者说重点是运用了 AClass 的数据集，而只使用了 Student 的 id 字段。因此，我们考虑将 isBelongTo 函数转移到 AClass 中。修改后的代码如下：

```
public class AClass {
    public List<Student> students = new ArrayList<Student>();

    public void add(Student student) {
          students.add(student);
    }

    public booleancontain(Student student) {
        for (Student stu : students) {
            if (stu.id.equals(student.id)) {
                return true;
            }
        }
        return false;
    }

    // 代码省略
}
```

首先我们在 AClass 中添加了一个 contain 函数，该函数的作用是判断某个学生是否属于这个班级，参数就是要判断的学生对象。而 Student 中的 isBelongTo 函数则修改为通过 AClass 对象代理，并且通过@Deprecated 注解表示该函数已经不建议使用。

```
public class Student {
    public String id;
    public String name;

    @Deprecated
    public booleanisBelongTo(AClassaClass) {
        return aClass.contain(this);
    }

   // 代码省略
}
```

当然，如果你的代码并不是对外公布的库，那么可以选择直接将 Student 中的 isBelongTo 函数删除。下面看看 Student 与 AClass 的使用：

```
Student stu1 = new Student("12", "Jake");
Student stu2 = new Student("34", "Tom");
Student stu3 = new Student("56", "Lily");

AClass class1 = new AClass();
class1.add(stu1);
class1.add(stu2);
class1.add(stu3);

// 通过 AClass 的 contain 函数判断
System.out.println(stu1 + " 是否属于 class1, " + class1.contain(stu1));
// 通过 Student 的 isBelongTo 函数判断
System.out.println(stu1 + " 是否属于 class1, " + stu1.isBelongTo(class1));
```

通过转移函数我们消除了类型之间的过度耦合问题，使得它们的交互逻辑更简洁，易于理解。在现实开发中，转移函数可能并没有那么简单，你需要根据实际情况做出是否需要转移的判断以及哪些函数、字段需要一并转移，在这个过程中可能会引发一些错误。仔细检查这些错误，并且在修改前做版本控制，避免当你无法从代码耦合引发的问题中挣扎出来时，及时地回退到原来的版本来理清思路。总之，在复杂的类型之间转移函数时要时刻保持警惕。

### 11.3.8　将类型码的转为状态模式

当你有一个不可变的类型码，它会影响类型的一些行为，但你无法使用子类化来应对这种变化，那么你可以使用状态模式或者策略模式进行重构。一般来说，这种情况的标志就是像 switch、if-else 这样的条件式。不论哪种形式，它们都是根据不同的类型码执行不同的动作。

这是典型地将 if-else 转换为多态来解决问题的手法，但是，并不是说任何 if-else、switch 都应该这样做，这需要根据它们的功能来决定。如果使用条件式时，当你想添加一种新类型以及类型码时，需要查找并更新所有条件式，但如果使用多态，用户只需建立一个新的子类型，并在其中实现相应的函数，然后在合适的时机构建并且注入该对象即可。用户不需要了解这个子类 ，这就大大降低了系统各部分之间的相依程度，使系统升级更加容易。

例如，在上面的 Vehicle 例子中，当车子的状态为停止时，我们调用 speedup 加速的工作肯定是无效的，因此，我们就需要根据车子的状态来判断是否要执行某些操作。我们的规则如下：

（1）车子停止时调用 start 函数才会启动；

（2）车子启动之后才可以停止（stop 函数）、加速（speedup）；

（3）车子在启动之后才可以调用 stop 函数；

而在停止状态下车子则不会相应加速请求，当车子在启动之后也不会相应执行 start 函数，也就是说我们的操作需要根据车子的状态来进行不同的操作。新版的代码如下：

```
public abstract class Vehicle {

    public static final int STOP = 0;       // 停止状态
    public static final int START = 1;          // 启动状态
    public static final int DRIVING = 2;    // 行驶中
    private intmStatus = STOP;
```

```
    public void setStatus(int status) {
        this.mStatus = status;
    }

    public void start() {
        if (mStatus == STOP) {
              System.out.println("启动车子");
              mStatus = START;
        }
    }

    public void stop() {
        switch (mStatus) {
            case START:
            case DRIVING:
            System.out.println("停车");
            mStatus = STOP;
                break;
        }
    }

    public void speedup() {
        if (mStatus != STOP) {
              System.out.println("加速前进");
              mStatus = DRIVING;
        }
    }

    // 其他代码省略
}
```

我们在 start、stop、speedup 等函数中都要根据交通工具的状态做出相应的操作，每个函数中都充斥着 if-else 或者 switch。当我们要增加一种状态时，我们很可能要在每个函数中修改代码，然后对这个状态下的行为做出修改，这简直就是灾难！这使得代码难以阅读、理解，也很容易引入错误，并且明显地违反了开闭原则。

但是从问题的描述中我们发现一个关键点：车子的状态会影响车子的行为，这让我们很自然地联想到状态模式。状态模式能够很好地将这类根据条件判断来修改行为的丑陋代码消除，下面我们来演示这个过程。

首先创建状态类 VehicleState，代码如下：

```
// 交通工具状态抽象类
public abstract class VehicleState {
    public void start() {
    }

    public void stop() {
    }

    public void speedup() {
    }

    // 其他函数
}
```

状态类中含有会根据状态修改汽车行为的所有函数，以便在切换状态时执行不同的操作。然后我们将 Vehicle 类修改如下：

```
public abstract class Vehicle {
    // 默认设置为停止状态
    private VehicleStatemStatus = new StopState();

    public void setStatus(VehicleState status) {
         this.mStatus = status;
    }

    public void start() {
          mStatus.start();
          mStatus = new StartState();
    }

    public void stop() {
          mStatus.stop();
          mStatus = new StopState();
    }

    public void speedup() {
          mStatus.speedup();
          mStatus = new DrivingState();
    }

    // 其他代码省略
}
```

在 Vehicle 类中，我们将会根据状态改变的工作委托给状态对象，而状态对象中含有与之对应的函数。在不同的状态下，它们有着不同的实现，这样就通过多态的手法实现了不同状态下的不同行为。我们看看几个状态类的实现：

```
// 停止状态
public class StopState extends VehicleState {
    @Override
    public void start() {
          System.out.println("启动汽车");
    }
}
// 启动状态
public class StartState extends VehicleState {
    @Override
    public void start() {
         System.out.println("启动汽车");
    }

    @Override
    public void speedup() {
         System.out.println("加速前进");
    }
}

// 行驶的状态
public class DrivingState extends StartState {
}
```

从上述代码中我们可以看到，StopState 中只有 start 函数是有效的，因为车子在停止的状态下无法执行加速等操作，只有在启动之后才能执行其他的操作；车子启动之后则可以执行停车、加速等操作，行驶的状态与已启动状态的行为一致。这样一来，我们只要切换 Vehicle 的状态就可以实现替换掉 start、stop、speedup 等函数的行为，因为具体的行为实现实际上是在状态类中。通过这种实现消除了条件语句，代码结构也更清晰，可读性和可扩展性更高。

### 11.3.9 什么也不做的对象——NullObject 模式

在开发过程中，我们经常在使用某个对象前要对该对象进行判空，如果不为空才会进行后续的操作，这样的判空检查可能会出现很多次，每当出现这种情况我们都可以使用 NullObject 模式。NullObject 模式就是创建一个什么也不做的对象，作为某些函数的默认返回值，避免了直接返回 null，使得客户端程序无需对返回值进行判空。

例如，我们有一个新闻阅读的 App，它有一个统计分析模块，在用户执行某些操作时向服务端发送统计数据。统计功能的 API 名为 StatisticsAPI，该 API 通过一个配置类进行设置。代码如下：

```
public interface StatisticsAPI {
    public void send(String newMsg);
}

// 配置类
public class Config {
    private StatisticsAPI mStatisticsAPI;

    public void setStatisticsAPI(StatisticsAPI api) {
        this.mStatisticsAPI = api;
    }

    public StatisticsAPI getStatisticsAPI() {
        return mStatisticsAPI;
    }
}
```

但是有一个问题是统计 API 并不一定会被注入，也就是说 Config 类中的 mStatisticsAPI 在运行时有可能为空。我们看看客户端程序调用统计字段的相关代码：

```
public class NewsApp {
    // 配置对象
    Config mConfig;

    public NewsApp(Config config) {
        mConfig = config;
    }

    public void userClick() {
        StatisticsAPI statisticsAPI = mConfig.getStatisticsAPI();
        if (statisticsAPI != null) {
            statisticsAPI.send("userClick");
        }
    }

    public void readNews() {
        StatisticsAPI statisticsAPI = mConfig.getStatisticsAPI();
        if (statisticsAPI != null) {
            statisticsAPI.send("readNews");
        }
    }
```

```
  //代码省略
  }
```

从上述程序中可以看到，在 userClick 和 readNews 函数中我们都会从 Config 对象中获取统计 API 对象，但是，我们并不确定这个对象是否为空，因此，在使用时都需要进行判空，避免出现 NullPointException。当我们调用的次数越多，要写的判空次数也就越多。下面看看如何通过引入 NullObject 对象来解决这个问题。

首先要创建一个什么也不做的 NullObject 类，我们命名为 NullStatisticsAPI，代码如下：

```
public class NullStatisticsAPI implements StatisticsAPI {

    @Override
    public void send(String newMsg) {
         System.out.println("什么也不发出,避免判空而已");
    }

}
```

然后将 Config 类修改如下：

```
public class Config {
    private StatisticsAPI mStatisticsAPI;
    // 不会改变的Null Object
    private static final StatisticsAPI sNotNullApi = new NullStatisticsAPI();

     public void setStatisticsAPI(StatisticsAPI api) {
         this.mStatisticsAPI = api;
    }

    public StatisticsAPI getStatisticsAPI() {
       return mStatisticsAPI == null ?sNotNullApi : mStatisticsAPI;
    }

}
```

Config 中有两个变化的地方，首先加入了一个 static final 的 NullStatisticsAPI 对象，该对象就是我们的 NullObject 对象。它在 getStatisticsAPI 函数中被使用，当 mStatisticsAPI 为 null 时返回 sNotNullApi 对象，否则返回 mStatisticsAPI。这样一来，不管什么情况，通过 getStatisticsAPI 函数返回的对象都不为 null，外部调用时就不需要进行判空了。我们看看此时 NewsApp 的代码：

```
public class NewsApp {
Config mConfig;

    public NewsApp(Config config) {
         mConfig = config;
    }

    public void userClick() {
        mConfig.getStatisticsAPI().send("userClick");
    }

    public void readNews() {
        mConfig.getStatisticsAPI().send("readNews");
    }
```

```
    //代码省略
}
```

这样一来，在需要调用统计对象的地方就去掉了无用的判空代码，使得代码更加清晰、简单。我们看看运行效果，调用代码如下：

```
// 构建配置类
Config appConfig = new Config();
appConfig.setStatisticsAPI(new UmengStatistics());
// 初始化应用
NewsApp newsApp = new NewsApp(appConfig);
// 用户操作
newsApp.userClick();
newsApp.readNews();

// 置空配置类中的统计 API
appConfig.setStatisticsAPI(null);
// 用户操作
newsApp.userClick();
newsApp.readNews();
```

输出结果为：

```
发送统计消息 : userClick
发送统计消息 : readNews
什么也不发,避免判空而已
什么也不发,避免判空而已
```

从上述程序可以看到，当将统计 API 置空之后，使用的是 NullStatisticsAPI 中的实现。此时，不管统计 API 是否为空，通过 getStatisticsAPI 返回的对象都保证可用。需要注意的是，null objects 一定是常量，因为它们任何时候都不会发生变化，也没有必要发生变化，因此，可以使用单例模式来实现它们。

### 11.3.10 使类保持“苗条身材”——分解“胖”类型

当某个类做了应该由多个类做的事时，将这个类称为 large class，这里我们称它们为胖类型，这样的 class 往往含有大量函数和数据。这个类之所以过大是因为它做了很多职责范围之外的事，导致各种功能都填充在它的类中，这种情况明显违反了单一职责原则。因此，解决的方法就是尽量让每个类型符合单一职责，从而保持类的“苗条身材”。

当我们发现这样的类型时，要做的就是分解它们。但在此之前，你应该花时间深入了解这个类的作用与细节，然后规划如何分解它，它的内部应该可以抽离为哪些部分。然后再把相关的字段、函数抽离到各个独立的类型中，最后通过组合调用抽离的类型完成原先的功能。

过大的类型在我们学习面向对象编程初期最容易存在，当我们经验、知识不足时，不知道如何划分类型才是合适的，或者根本没有这样的意识，需要一个功能时就直接写在当前要用的类中。随着软件系统的升级，功能越来越多，积累到每个类中的代码就越来越多，尤其是一些核心的类型就会变得非常臃肿，导致难以维护。

在以前搜索 ImageLoader 时，常常会看到博客上的某人写了一个能够实现简单的图片加载的库。当我们需要一个很轻量级的 ImageLoader 时，很多人就会直接复制这些类型和代码量都很少的实现。

很多常见的 ImageLoader 大概是这样的：

```
public class ImageLoader {
    // 内存缓存
    static Map<String, Bitmap>sMemCache = new HashMap<String, Bitmap>();
    // 模拟的 SD 卡缓存
    static Map<String, Bitmap>sDiskCache = new HashMap<String, Bitmap>();;

    // 加载图片
    public void displayImage(ImageViewimageView, String url) {
        Bitmap bitmap = decodeFromDisk(url);
        if (bitmap == null) {
           bitmap = decodeFromCache(url);
        }
        if (bitmap == null) {
           bitmap = downloadBitmap(url);
        }
        // 设置图片
        imageView.setImageBitmap(bitmap);
        cache(url, bitmap);
    }

    private Bitmap downloadBitmap(String url) {
        System.out.println("执行网络请求,下载图片到本地");
        return new Bitmap();
    }

    private void cache(String key, Bitmap value) {
        cacheInMem(key, value);
        cacheInDisk(key, value);
    }

    private void cacheInMem(String key, Bitmap value) {
        System.out.println("缓存到内容中");
        sMemCache.put(key, value);
    }

    private void cacheInDisk(String key, Bitmap value) {
        System.out.println("缓存到本地文件中");
        sDiskCache.put(key, value);
    }

    private Bitmap decodeFromCache(String key) {
        System.out.println("从内存缓存中解析图片");
        return sMemCache.get(key);
    }

    private Bitmap decodeFromDisk(String key) {
        System.out.println("从本地文件中解析图片");
        return sDiskCache.get(key);
    }
}
```

从上述程序中我们看到，这个 ImageLoader 库的类型结构很扁平、很简单，就是一个 ImageLoader 包揽所有的工作。这种情况在你搜索到的资料中并不少见，在实际开发中也是如此，尤其是一些缺乏实际经验的工程师很容易出现这样的问题。这里的 ImageLoader 完成了太多的功能，首先它需要控制图片加载的整个逻辑，然后还需要下载图片、缓存图片、解析图片，显然它的职责过于复杂了。而下载图片、缓存图片这些都是会存在变化的地方，因为我们可能会将下载引擎换为 okhttp、将图片缓存换成 LRU，当这些地方出现变更时就需要在复杂的 ImageLoader 中找到相关的代码进行修改，这就增加了维护的成本。而过长的类型也难以理解，因为它的职责太多，你搞不清楚它到底是干什么的，它的名字和它的功能似乎并不符合，它难以扩展、难以应对变化。

此时我们只能对它进行瘦身，将各个功能提取到独立的类型中，让它们完成特定的、独立的功能，使它们的功能内聚，也就是我们所说的高内聚。从 ImageLoader 中的代码来看，它主要分为控制图片加载逻辑、图片加载、缓存图片 3 个部分，因此，也将它们拆分为这 3 部分（为了保持示例简洁，直接使用具体类），代码如下所示：

```
// 图片下载
public class ImageDownloader {
    public Bitmap downloadBitmap(String url) {
    System.out.println("执行网络请求,下载图片到本地");
        return new Bitmap();
    }
}

// 图片二级缓存类
public class ImageCache {
    // 内存缓存
    static Map<String, Bitmap>sMemCache = new HashMap<String, Bitmap>();
    //SD 卡缓存
    static Map<String, Bitmap>sDiskCache = new HashMap<String, Bitmap>();

    public void cache(String key, Bitmap value) {
        cacheInMem(key, value);
        cacheInDisk(key, value);
    }

    private void cacheInMem(String key, Bitmap value) {
        System.out.println("缓存到内容中");
        sMemCache.put(key, value);
    }

    private void cacheInDisk(String key, Bitmap value) {
      System.out.println("缓存到本地文件中");
      sDiskCache.put(key, value);
    }

    public Bitmap getBitmap(String url) {
        Bitmap bitmap = decodeFromDisk(url);
        if (bitmap == null) {
            bitmap = decodeFromCache(url);
        }
        return bitmap;
    }

    private Bitmap decodeFromCache(String key) {
        System.out.println("从内存缓存中解析图片");
        return sMemCache.get(key);
    }

    private Bitmap decodeFromDisk(String key) {
        System.out.println("从本地文件中解析图片");
        return sDiskCache.get(key);
    }

}
```

```
// 图片加载控制器
public class ImageLoader {
    // 图片下载器
    private ImageDownloadermDownloader = new ImageDownloader();
    // 图片缓存
    private ImageCachemImageCache = new ImageCache();

    public void displayImage(ImageViewimageView, String url) {
        // 从缓存中获取
        Bitmap bitmap = mImageCache.getBitmap(url);
        if (bitmap == null) {
            // 下载图片
            bitmap = mDownloader.downloadBitmap(url);
        }
        // 设置图片
        imageView.setImageBitmap(bitmap);
        // 缓存图片
        mImageCache.cache(url, bitmap);
    }
}
```

从上述程序中可以看到，我们将 ImageLoader 一拆为三，各个类型的代码量都不多，而且功能比较单一，当缓存出现变更时直接扩展 ImageCache 类即可，下载图片的功能需要变化时则直接操作 ImageDownloader，而此时的 ImageLoader 则负责控制整个图片加载逻辑。通过组合 ImageDownloader、ImageCache 实现下载图片、缓存图片、显示图片等功能，代码简单、结构清晰、易于维护。

## 11.4 小结

本章介绍了一些常用的重构手法，从它们的症状、带来的问题以及如何修正，一步一步将我们编写的代码拉回正规，使得代码能够具有可维护性、可扩展性。然而，重构的手法并不止这些，如何重构代码也会随着每个人的知识面、经验而不同，只要能够让代码变得更简单、更易于扩展与维护，那么所做的修正就是合适的。重构与设计模式经常结对出现，正如 GOF 所说“设计模式为重构提供了目标”，因此，掌握常见的重构手法与设计模式是实现可扩展、可维护的软件系统的关键。

# 第12章　从码农历练成工程师——综合实战

在经历了前面 11 章的学习之后，我们本章会通过一个稍微完整的示例来展示一个项目它从充满问题的版本如何演化为可测试、耦合度低的实现。为了尽量说明问题，本章的代码量稍多，但是，由于都是一些简单的代码，因此，阅读起来并没有太大的压力。在其中我们会运用前几章所学的知识，包含网络请求、多线程、数据库、重构、测试以及代码规范等内容，让我们从另一个角度来看看项目中的常见代码问题以及如何重构，一步一步将腐化、僵硬的软件系统带回简单、灵活的轨道。

该项目的完整代码托管在 github，地址为 https://github.com/bboyfeiyu/jtm-techfrontier-app。在该项目中有 3 个发布版本，分别为 v1.0、v2.0、v2.1-mvp，第一版是充满问题的版本，第二版是进行了简单重构的版本，v2.1-mvp 是通过 MVP 模式重构的版本，并且添加了单元测试。代码逐渐向好的方向演化，大家可以从这几个版本的变化当中思考一些代码设计问题，并且从中学到一些常见的重构方案，最后运用到自己的项目当中。

## 12.1 项目需求

开发技术前线是一个高质量 Android、iOS 技术文章的聚合网站，官网为 http://www.devtf.cn。本章我们的目的就是实现一个简单的客户端，该客户端可以查看开发技术前线的文章列表，点击列表之后可以查看文章的内容，文章列表和文章的内容我们都会存储在数据库中。

该项目麻雀虽小，五脏俱全。在该项目中我们会运用到很多重要的知识，例如获取文章等信息需要使用 http 请求，而执行网络请求又需要通过子线程操作。当获取到文章相关的数据之后又会通过数据库缓存数据，在下次进入应用时会首先从数据库加载，然后再从网络上加载数据，这样避免每次进入应用时会等待网络执行完才有数据。在这个项目中，第一版会演示一些新手经常会出现的代码问题，然后通过分析、重构、测试这些问题，使得代码质量达到很大程度的提升，整个软件系统也将更为灵活、可扩展。

项目完成后的 UI 如图 12-1、图 12-2 和图 12-3 所示。

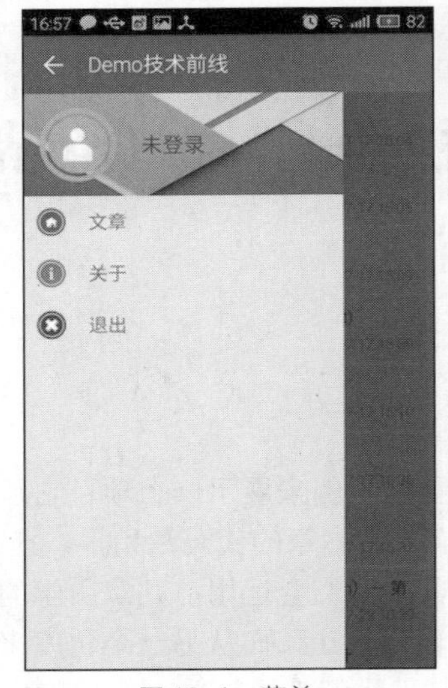


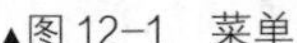
▲图 12-1　菜单

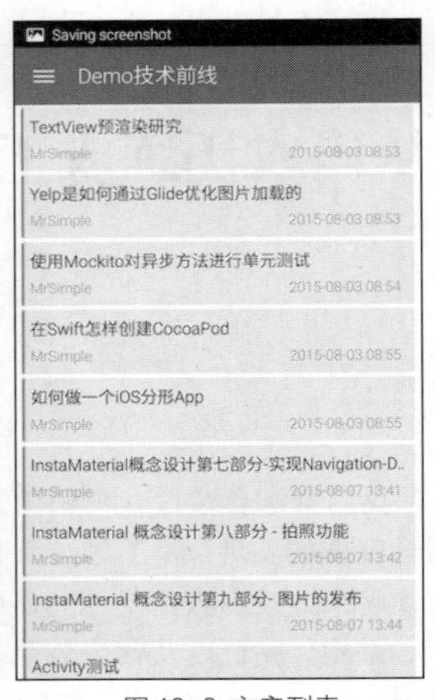


▲图 12-2 文章列表

▲图 12-3 文章内容

因为 Android Studio 可以直接导入 Eclipse 项目，因此，本章的例子我们使用 Eclipse 来进行开发，这样可以满足更多人的需求。

## 12.2 第一版实现

应用的主界面是 MainActivity，该界面由两部分组成，分别是菜单视图和文章列表视图，这两个视图通过 DrawerLayout 组织。菜单部分又分为上下两部分，即用户信息与菜单列表，其中菜单列表通过一个 RecyclerView 实现；文章列表则是由一个包含 RecyclerView 的 Fragment 组成。MainActivity 的布局代码如下：

```
<LinearLayout xmlns:android="http://schemas.android.com/apk/res/android"
    xmlns:tools="http://schemas.android.com/tools"
    android:layout_width="match_parent"
    android:layout_height="match_parent"
    android:orientation="vertical" >
    <!—toolbar 布局-->
  <include layout="@layout/toolbar_layout" />

  <android.support.v4.widget.DrawerLayout
       android:id="@+id/drawer"
       android:layout_width="match_parent"
       android:layout_height="match_parent" >

  <!-- 文章列表界面的 Fragment -->
  <FrameLayout
          android:id="@+id/articles_container"
          android:layout_width="match_parent"
          android:layout_height="match_parent" />

  <!-- 侧滑菜单内容 -->
```

```
<LinearLayout
        android:id="@+id/drawer_view"
        android:layout_width="300dp"
        android:layout_height="match_parent"
        android:layout_gravity="left"
        android:background="#f0f0f0"
        android:orientation="vertical" >

<!-- 用户头像界面 -->
<RelativeLayout
            android:layout_width="match_parent"
            android:layout_height="100dp"
            android:background="@drawable/user_bg"
            android:clickable="true"
            android:padding="10dp" >

<!-- 用户头像界面 -->
<ImageView
               android:id="@+id/user_icon_imageview"
               android:layout_width="80dp"
               android:layout_height="80dp"
               android:layout_centerVertical="true"
               android:contentDescription="@string/app_name"
               android:scaleType="fitXY"
               android:src="@drawable/user_default" />

<TextView
               android:id="@+id/username_tv"
               android:layout_width="wrap_content"
               android:layout_height="match_parent"
               android:layout_centerVertical="true"
               android:layout_marginLeft="20dp"
               android:layout_toRightOf="@id/user_icon_imageview"
               android:gravity="center"
               android:text="@string/not_login"
               android:textSize="20sp" />
</RelativeLayout>

<!-- 菜单界面 -->
<android.support.v7.widget.RecyclerView
           android:id="@+id/menu_recyclerview"
           android:layout_width="match_parent"
           android:layout_height="match_parent" >
</android.support.v7.widget.RecyclerView>
</LinearLayout>
</android.support.v4.widget.DrawerLayout>

</LinearLayout>
```

MainActivity 管理了 3 个 Fragment，分别为文章列表、关于两个 Fragment，当用户点击菜单 RecyclerView 时，会根据用户点击的菜单进行 Fragment 切换。在文章列表 Fragment 中，用户点击某篇文章时则会进入到文章详情页面，该页面中显示文章的具体内容。

我们看看 MainActivity 的大致实现代码：

```
public class MainActivity extends ActionBarActivity {

    protected FragmentManager mFragmentManager;
    Fragment mArticleFragment = new WenzhangFragment();      // 文章列表 Fragment
    Fragment mAboutFragment;                                 // 关于 Fragment
```

```
    private DrawerLayout mDrawerLayout;                    // 菜单布局
    private RecyclerView mMenuRecyclerView;                // 菜单 RecyclerView
    protected Toolbar mToolbar;
    private ActionBarDrawerToggle mDrawerToggle;

    @Override
    protected void onCreate(Bundle savedInstanceState) {
        super.onCreate(savedInstanceState);
        setContentView(R.layout.activity_main);
        mFragmentManager = getFragmentManager();

        mToolbar = (Toolbar) findViewById(R.id.toolbar);
        mToolbar.setTitle(R.string.app_name);
        setSupportActionBar(mToolbar);
        getSupportActionBar().setDisplayHomeAsUpEnabled(true);
        mToolbar.setNavigationOnClickListener(new OnClickListener() {

            @Override
            public void onClick(View v) {
                finish();
            }
        });

        mDrawerLayout = (DrawerLayout) findViewById(R.id.drawer);
        mDrawerToggle = new ActionBarDrawerToggle(this, mDrawerLayout, mToolbar,
                R.string.drawer_open,
                R.string.drawer_close);
        mDrawerToggle.syncState();
        mDrawerLayout.setDrawerListener(mDrawerToggle);

        mMenuRecyclerView = (RecyclerView) findViewById(R.id.menu_recyclerview);
        mMenuRecyclerView.setLayoutManager(new LinearLayoutManager
        (getApplicationContext()));
                List<MenuItem> menuItems = new ArrayList<MenuItem>();
        menuItems.add(new MenuItem(getString(R.string.article), R.drawable.home));
        menuItems.add(new MenuItem(getString(R.string.about_menu), R.drawable.about));
        menuItems.add(new MenuItem(getString(R.string.exit), R.drawable.exit));
        MenuAdapter menuAdapter = new MenuAdapter(menuItems);
        menuAdapter.setOnItemClickListener(new OnItemClickListener<MenuItem>() {
            @Override
            public void onClick(MenuItem item) {
                clickMenuItem(item);
            }
        });
        mMenuRecyclerView.setAdapter(menuAdapter);

        mFragmentManager.beginTransaction().add(R.id.articles_container,
        mArticleFragment).commitAllowingStateLoss();
    }

    // 点击菜单项的处理函数
    private void clickMenuItem(MenuItem item) {
        mDrawerLayout.closeDrawers();
        switch (item.iconResId) {
            case R.drawable.home: // 全部
                mFragmentManager.beginTransaction()
                        .replace(R.id.articles_container, mArticleFragment)
                        .commit();
                break;

            case R.drawable.about: // 关于
```

```
                if (mAboutFragment == null) {
                    mAboutFragment = new GuanyuFragment();
                }
                mFragmentManager.beginTransaction()
                        .replace(R.id.articles_container, mAboutFragment)
                        .commit();
                break;

            case R.drawable.exit: // 退出
                isQuit();
                break;

            default:
                break;
        }
    }
    // 代码省略
}
```

从上述程序中可以看到，MainActivity 的主要职责是负责 View 的初始化以及 Fragment 切换工作，Fragment 显示区域之上是 ActionBar，当用户点击 ActionBar 左上角的按钮时弹出菜单，当用户点击不同的菜单时切换不同的 Fragment。但是，从整体上看 MainActivity 似乎有点混乱，有些代码块过长，并没有那么强的可读性。

在 MainActivity 中有一个 RecyclerView 用于展示菜单，即 mMenuRecyclerView。每个菜单项对应的实体类为 MenuItem，MenuItem 中只存储了菜单的标题以及图标资源 id，代码如下：

```
public class MenuItem {
    public int iconResId;
    public String text;

    public MenuItem(String text, int resId) {
        this.text = text;
        iconResId = resId;
    }
}
```

mMenuRecyclerView 对应的 Adapter 是 MenuAdapter，MenuAdapter 继承自 RecyclerView 内部类 Adapter，因此，需要实现 onCreateViewHolder、onBindViewHolder 等函数，菜单的点击事件则需要通过 setOnItemClickListener 函数来设置。MenuAdapter 的代码如下：

```
public class MenuAdapter extends Adapter<MenuViewHolder> {

    List<MenuItem> mDataSet = new ArrayList<MenuItem>();
    OnItemClickListener<MenuItem> mItemClickListener;

    public MenuAdapter(List<MenuItem> dataSet) {
        mDataSet = dataSet;
    }

    // 绑定数据
    @Override
    public void onBindViewHolder(MenuViewHolder viewHolder, int position) {
        final MenuItem item = getItem(position);
        viewHolder.nameTextView.setText(item.text);
        viewHolder.userImageView.setImageResource(item.iconResId);
        setupItemViewClickListener(viewHolder, item);
```

```
    }

    @Override
    public MenuViewHolder onCreateViewHolder(ViewGroup viewGroup, int viewType) {
        return new MenuViewHolder(inflateItemView(viewGroup, R.layout.menu_item));
    }
    // 设置菜单项点击事件
    public void setOnItemClickListener(OnItemClickListener<MenuItem> clickListener) {
        this.mItemClickListener = clickListener;
}

    protected void setupItemViewClickListener(MenuViewHolder viewHolder, final MenuItem item) {
        viewHolder.itemView.setOnClickListener(new OnClickListener() {

            @Override
            public void onClick(View v) {
                if (mItemClickListener != null) {
                    mItemClickListener.onClick(item);
                }
            }
        });
    }

    protected MenuItem getItem(int position) {
        return mDataSet.get(position);
    }

    protected View inflateItemView(ViewGroup viewGroup, int layoutId) {
        return LayoutInflater.from(viewGroup.getContext()).inflate(layoutId, viewGroup,
false);
    }

    @Override
    public int getItemCount() {
        return mDataSet.size();
    }

    // 菜单项的 ViewHolder
    static class MenuViewHolder extends RecyclerView.ViewHolder {
        public ImageView userImageView;
        public TextView nameTextView;

        public MenuViewHolder(View itemView) {
            super(itemView);
            userImageView = (ImageView)
                itemView.findViewById(R.id.menu_icon_imageview);
            nameTextView = (TextView) itemView.findViewById(R.id.menu_text_tv);
        }
    }
}
```

RecyclerView 显示时会首先调用 MenuAdapter 的 getItemCount 函数获取到总的数据量，然后在 RecyclerView 需要获取数据项时通过 onCreateViewHolder 创建 ViewHolder，并且在 onBindViewHolder 函数中将数据绑定到对应的 Item View 上。这样一来，菜单列表就构建完成了。

默认情况下 MainActivity 中显示的 Fragment 为 WenzhangFragment，该 Fragment 用于显示开发技术前线的文章列表，它由一个包含 RecyclerView 的 SwipeRefreshLayout 组成。进入该 Fragment 时会首先从缓存中读取文章列表，然后再从网络上更新列表，并且最终将更新的数据缓存到数据库中，当用户点击其中的某篇文章时会进入到文章的内容页面。

WenzhangFragment 是由一个包含 RecyclerView 的 SwipeRefreshLayout 组成，而且它们是引用了同一个布局文件 fragment_recyclerview.xml，该布局的 xml 代码如下：

```
<android.support.v4.widget.SwipeRefreshLayout
xmlns:android="http://schemas.android.com/apk/res/android"
    android:id="@+id/swipe_container"
    android:layout_width="match_parent"
    android:layout_height="match_parent" >

<org.tech.frontier.widgets.AutoLoadRecyclerView
        android:id="@+id/articles_recycler_view"
        android:layout_width="match_parent"
        android:layout_height="match_parent" />

</android.support.v4.widget.SwipeRefreshLayout>
```

其中 SwipeRefreshLayout 是 Android Support V4 中的用于实现下拉刷新功能的控件，而 AutoLoadRecyclerView 则是我们继承自 RecyclerView 的控件，它的功能是当滚动到 RecyclerView 底部时会触发加载更多的回调，这个回调需要用户自行设定。

下面来分析 WenzhangFragment 类中的代码。

```
public class WenzhangFragment extends Fragment implements OnRefreshListener,
        OnLoadListener {

    protected ArticleAdapter mAdapter;                          // 文章 Adapter
    protected SwipeRefreshLayout mSwipeRefreshLayout;           //下拉刷新组件
    protected AutoLoadRecyclerView mRecyclerView;        // 文章 RecyclerView
    final protected List<Article> mDataSet = new ArrayList<Article>(); // 文章列表
    private int mPageIndex = 1;                     // 文章的页面索引,用于分页加载

    @Override
    public final View onCreateView(LayoutInflater inflater, ViewGroup container,
            Bundle savedInstanceState) {
        View rootView = inflater.inflate(R.layout.fragment_recyclerview, container, false);
        initRefreshView(rootView);
        initAdapter();
        mSwipeRefreshLayout.setRefreshing(true);
        return rootView;
    }

    @Override
    public void onResume() {
        super.onResume();
        // 从数据库中加载缓存文章
        mDataSet.addAll(DatabaseHelper.getInstance().loadArticles());
        mAdapter.notifyDataSetChanged();
    }

    protected void initRefreshView(View rootView) {
        mSwipeRefreshLayout = (SwipeRefreshLayout)
        rootView.findViewById(R.id.swipe_container);
        mSwipeRefreshLayout.setOnRefreshListener(this);

        mRecyclerView = (AutoLoadRecyclerView)
            rootView.findViewById(R.id.articles_recycler_view);
```

```
        mRecyclerView.setLayoutManager(new LinearLayoutManager(getActivity()
                .getApplicationContext()));
        mRecyclerView.setHasFixedSize(true);
        mRecyclerView.setVisibility(View.VISIBLE);
        mRecyclerView.setOnLoadListener(this);
    }

    protected void initAdapter() {
        mAdapter = new ArticleAdapter(mDataSet);
        mAdapter.setOnItemClickListener(new OnItemClickListener<Article>() {

            @Override
            public void onClick(Article article) {
                if (article != null) {
                    loadArticle(article);          // 调整到详情页面查看文章内容
                }
            }
        });
        // 设置 Adapter
        mRecyclerView.setAdapter(mAdapter);
        // 从网络上获取数据
        getArticles(1);
    }
    @Override
    public void onRefresh() {
        getArticles(1);
    }

    @Override
    public void onLoad() {
        mSwipeRefreshLayout.setRefreshing(true);
        getArticles(mPageIndex);
    }
// 代码省略
}
```

在 WenzhangFragment 中有一个 RecyclerView，该 RecyclerView 用于加载文章列表。在初始化 Adapter 时会调用 getArticles 函数从网络上获取文章数据，然后在 onResume 函数中会先从数据库中加载缓存下来的文章。这样用户进入应用时就会先看到缓存的文章，当网络请求返回时再清空文章列表，然后展示从网络上获取的最新文章，并且将新文章缓存到本地。getArticles 函数的代码如下：

```
// 从网络上获取文章数据
    private void getArticles(final int page) {
        new AsyncTask<Void, Void, List<Article>>() {

            protected void onPreExecute() {
                mSwipeRefreshLayout.setRefreshing(true);
            };

            @Override
            protected List<Article> doInBackground(Void... params) {
                return performRequest(page);
            }

            protected void onPostExecute(List<Article> result) {
                // 移除已经更新的数据
                result.removeAll(mDataSet);
                // 添加新数据
                mDataSet.addAll(result);
```

```
                mAdapter.notifyDataSetChanged();
                mSwipeRefreshLayout.setRefreshing(false);
                // 存储文章列表到数据库
                DatabaseHelper.getInstance().saveArticles(result);
                if (result.size() > 0) {
                    mPageIndex++;
                }
            };
        }.execute();
    }
```

getArticles 函数只是封装了异步请求流程，实际上发请求的函数是 performRequest，该函数的返回值为请求得到的文章列表，我们在 onPostExecute 函数中将数据添加到 RecyclerView 中，并且缓存到数据库。performRequest 的代码如下：

```
// 执行网络请求
private List<Article> performRequest(int page) {
    HttpURLConnection urlConnection = null;
    try {
        String getUrl =
                "http://www.devtf.cn/api/v1/?type=articles&page=" + mPageIndex
                        + "&count=20&category=1";
        urlConnection = (HttpURLConnection) new URL(getUrl)
                .openConnection();
        urlConnection.connect();
        BufferedReader bufferedReader = new BufferedReader(new InputStreamReader(
                urlConnection.getInputStream()));
        StringBuilder sBuilder = new StringBuilder();
        String line = null;
        while ((line = bufferedReader.readLine()) != null) {
            sBuilder.append(line).append("\n");
        }
        String result = sBuilder.toString();
        return parse(new JSONArray(result));    // 将 Json 解析为文章列表
    } catch (Exception e) {
        e.printStackTrace();
    } finally {
        urlConnection.disconnect();
    }

    return new ArrayList<Article>();
}
```

getArticles 函数网络请求的 url 是“http://www.devtf.cn/api/v1/?type=articles&page=1&count=20&category=1”，其中 type=article 代表要请求文章类型的数据，page 代表加载的是第一页数据（因为数据较多，我们需要分页加载），count 则代表每次返回的文章数量，category 等于 1 则代表返回所有类型的文章。返回的结果类型是 JSONArray，我们调用了 parse 函数将 JSONArray 解析为文章列表，parse 函数代码如下：

```
// 解析文章数据
@SuppressLint("SimpleDateFormat")
private List<Article> parse(JSONArray jsonArray) {
    List<Article> articleLists = new LinkedList<Article>();
    int count = jsonArray.length();
    SimpleDateFormat dateformat = new SimpleDateFormat("yyyy-MM-dd HH:mm");
    for (int i = 0; i < count; i++) {
        JSONObject itemObject = jsonArray.optJSONObject(i);
```

```
            Article articleItem = new Article();
            articleItem.title = itemObject.optString("title");
            articleItem.author = itemObject.optString("author");
            articleItem.post_id = itemObject.optString("post_id");
            String category = itemObject.optString("category");
            articleItem.category = TextUtils.isEmpty(category) ? 0 : Integer.valueOf (category);
            articleItem.publishTime = formatDate(dateformat, itemObject.optString ("date"));
            Log.d("", "title : " + articleItem.title + ", id = " + articleItem.post_id);
            articleLists.add(articleItem);
        }
        return articleLists;
    }

    private String formatDate(SimpleDateFormat dateFormat, String dateString) {
        try {
            Date date = dateFormat.parse(dateString);
            return dateFormat.format(date);
        } catch (ParseException e) {
            e.printStackTrace();
        }
        return "";
    }
```

异步任务在后台执行网络请求，返回的结果是 Json，然后将结果解析为文章列表之后添加到 RecyclerView 中并缓存到数据库，这样一个请求流程就完成了。

WenzhangFragment 中的功能不多，但是包含的代码量却不少，大约有 150 行。主要的代码量集中在网络请求上，这些代码包含执行网络请求、解析请求返回的数据、异步任务，这些代码占了超过整个 WenzhangFragment 的代码量的 1/2。正是这些网络请求等与 UI 无关的逻辑都塞到了 Fragment 中，因此，使得 Fragment 的代码量迅速膨胀。

显示文章列表的对象为 mRecyclerView，mRecyclerView 中显示的是文章的基本信息，对应的实体类为 Article，只包含文章的标题、发布时间、发布人等相关信息，代码如下：

```
public class Article {
    public String title;
    public String publishTime;
    public String author;
    public String post_id;
    public int category;
    // 代码省略
}
```

将 Article 绑定到 mRecyclerView 的是 ArticleAdapter，也继承自 RecyclerView 的 Adapter 内部类，也实现了 onCreateViewHolder、onBindViewHolder、getItemCount 函数。代码如下：

```
public class ArticleAdapter extends Adapter<ArticleViewHolder> {
    List<Article> mDataSet = new ArrayList<Article>();
    OnItemClickListener<Article> mItemClickListener;

    public ArticleAdapter(List<Article> dataSet) {
        mDataSet = dataSet;
    }

    protected Article getItem(int position) {
        return mDataSet.get(position);
```

```
    }

    @Override
    public int getItemCount() {
        return mDataSet.size();
    }

    @Override
    public final void onBindViewHolder(ArticleViewHolder viewHolder, int position) {
        final Article item = getItem(position);
        bindArticleToItemView(viewHolder, item);
        setupItemViewClickListener(viewHolder, item);
    }

    public void setOnItemClickListener(OnItemClickListener<Article> mItemClickListener) {
        this.mItemClickListener = mItemClickListener;
    }

    protected void setupItemViewClickListener(ArticleViewHolder viewHolder, final Article item) {
        viewHolder.itemView.setOnClickListener(new OnClickListener() {

            @Override
            public void onClick(View v) {
                if (mItemClickListener != null) {
                    mItemClickListener.onClick(item);
                }
            }
        });
    }

    protected View inflateItemView(ViewGroup viewGroup, int layoutId, boolean attach) {
        return LayoutInflater.from(viewGroup.getContext()).inflate(layoutId, viewGroup, attach);
    }
    // 绑定文章数据
    protected void bindArticleToItemView(ArticleViewHolder viewHolder, Article item) {
        viewHolder.titleTv.setText(item.title);
        viewHolder.publishTimeTv.setText(item.publishTime);
        viewHolder.authorTv.setText(item.author);
    }

    @Override
    public ArticleViewHolder onCreateViewHolder(ViewGroup viewGroup, int viewType) {
        return createArticleViewHolder(viewGroup);
    }
    // 创建文章 ViewHolder
    protected ArticleViewHolder createArticleViewHolder(ViewGroup viewGroup) {
        return new ArticleViewHolder(inflateItemView(viewGroup,
            R.layout.recyclerview_article_item, false));
    }


    // 文章的 ViewHolder
    static class ArticleViewHolder extends RecyclerView.ViewHolder {
        public TextView titleTv;
        public TextView publishTimeTv;
        public TextView authorTv;

        public ArticleViewHolder(View itemView) {
            super(itemView);
```

```
            titleTv = (TextView) itemView.findViewById(R.id.article_title_tv);
            publishTimeTv = (TextView) itemView.findViewById(R.id.article_time_tv);
            authorTv = (TextView) itemView.findViewById(R.id.article_author_tv);
        }
    }
}
```

除了实体类、ViewHolder 的具体类型不同之外，ArticleAdapter 与 MenuAdapter 的代码几乎一致。当我们看到两个类除了具体的类型之外代码都很相似时，那么通过泛型和继承也许能够将代码变得更简单。一旦我们跨过了泛型、抽象这道坎，就相当于打通了任督二脉，我们的代码重复率将会大幅下降。因此，在开发过程中勤于思考如何简化代码会让你的写代码能力得到很大的提升。

最后一个是含有一些提示信息的 Fragment，也就是常见的"关"页面，该页面只是展示一些文本信息，我们这里就不做过多描述。

下一个重要的类型就是显示文章内容的 NeirongActivity，该页面通过 WebView 加载文章内容。用户通过文章列表进入 NeirongActivity 时会传递这篇文章的 id，我们首先会通过网络请求将该文章的内容下载到本地，然后再通过 wrapHtml 函数包装文章内容，在 wrapHtml 函数中会将文章内容、标题包装为一个 html 格式，并且添加 assets 中的 css 样式，使得文章的显示效果更加美观。得到文章内容之后，我们会将这些数据存储到 article_content 表中，该表有两个字段，分别为文章 id 和文章内容。NeirongActivity 的核心代码如下：

```
public class NeirongActivity extends ActionBarActivity {

    protected Toolbar mToolbar;
    ProgressBar mProgressBar;
    WebView mWebView;
    private String mPostId;
    private String mTitle;
    String mJobUrl;

    @SuppressLint("SetJavaScriptEnabled")
    @Override
    protected void onCreate(Bundle savedInstanceState) {
        super.onCreate(savedInstanceState);
        setContentView(R.layout.activity_detail);

        mProgressBar = (ProgressBar) findViewById(R.id.loading_progressbar);
        mWebView = (WebView) findViewById(R.id.articles_webview);
        mWebView.getSettings().setJavaScriptEnabled(true);
        mWebView.setWebViewClient(new WebViewClient() {
            @Override
            public boolean shouldOverrideUrlLoading(WebView view, String url) {
                WebSettings settings = mWebView.getSettings();
                settings.setBuiltInZoomControls(true);
                view.loadUrl(url);
                return true;
            }
        });

        mWebView.setWebChromeClient(new WebChromeClient() {
            @Override
            public void onProgressChanged(WebView view, int newProgress) {
                mProgressBar.setVisibility(View.VISIBLE);
                mProgressBar.setProgress(newProgress);
                if (newProgress == 100) {
```

```
                mProgressBar.setVisibility(View.GONE);
            }
        }
    });

    mToolbar = (Toolbar) findViewById(R.id.toolbar);
    mToolbar.setTitle(R.string.app_name);
    setSupportActionBar(mToolbar);
    getSupportActionBar().setDisplayHomeAsUpEnabled(true);
    mToolbar.setNavigationOnClickListener(new OnClickListener() {

        @Override
        public void onClick(View v) {
            finish();
        }
    });

    Bundle extraBundle = getIntent().getExtras();
    if (extraBundle != null && !extraBundle.containsKey("job_url")) {
        mPostId = extraBundle.getString("post_id");
        mTitle = extraBundle.getString("title");
    } else {
        mJobUrl = extraBundle.getString("job_url");
    }

    ArticleDetail cacheDetail = DatabaseHelper.getInstance().loadArticleDetail(mPostId);
    if (!TextUtils.isEmpty(cacheDetail.content)) {
        loadArticle2Webview(cacheDetail.content);
    } else if (!TextUtils.isEmpty(mPostId)) {
        getArticleContent();
    } else {
        mWebView.loadUrl(mJobUrl);
    }
}
  // 代码省略
}
```

NeirongActivity 的功能是负责通过 webview 加载文章的内容详情，进入到该页面时会检测是否含有文章缓存，如果有缓存则使用缓存，否则会从网络上获取这篇文章的内容，然后会将内容缓存到数据库中。获取文章内容的函数为 getArticleContent 函数，代码如下：

```
private void getArticleContent() {
        new AsyncTask<Void, Void, String>() {
            @Override
            protected String doInBackground(Void... params) {
                HttpURLConnection urlConnection = null;
                try {
                    urlConnection = (HttpURLConnection) new URL(
                     "http://www.devtf.cn/api/v1/?type=article&post_id=" + mPostId)
                            .openConnection();
                    urlConnection.connect();
                    StringBuilder sBuilder = new StringBuilder();
                    String line = null;
                    InputStream netsInputStream = urlConnection.getInputStream();
                    BufferedReader bufferedReader = new BufferedReader(
                      new InputStreamReader(netsInputStream));
                    while ((line = bufferedReader.readLine()) != null) {
                        sBuilder.append(line).append("\n");
                    }
```

```
                return sBuilder.toString();
            } catch (Exception e) {
                e.printStackTrace();
            } finally {
                urlConnection.disconnect();
            }
            return "";
        }

        @Override
        protected void onPostExecute(String result) {
            loadArticle2Webview(result);
            DatabaseHelper.getInstance().saveArticleDetails(
                    new ArticleDetail(mPostId, result));
        }
    }.execute();
}

private void loadArticle2Webview(String htmlContent) {
    mWebView.loadDataWithBaseURL("", wrapHtml(mTitle, htmlContent),
            "text/html", "utf8", "404");
}
```

得到文章内容之后，我们会将文章内容包装成 HTML 格式，然后通过 webview 加载出来。在 loadArticle2Webview 函数中，我们通过 wrapHtml 函数将文章内容构造到一个 HTML 网页中，代码如下：

```
// 包装返回的文章内容，加上一些 CSS 等
private static String wrapHtml(String title, String content) {
    final StringBuilder sb = new StringBuilder();
    sb.append("<!DOCTYPE html>");
    sb.append("<html dir=\"ltr\" lang=\"zh\">");
    sb.append("<head>");
    sb.append("<meta name=\"viewport\" content=\"width=100%; initial-scale=1.0;
    maximum-scale=1.0; user-scalable=0;\" />");
    sb.append("<link rel=\"stylesheet\" href='file:///android_asset/style.css'
    type=\"text/css\" media=\"screen\" />");
    sb.append("<link rel=\"stylesheet\" href='file:///android_asset/default.min.css'
    type=\"text/css\" media=\"screen\" />");
    sb.append("</head>");
    sb.append("<body style=\"padding:0px 8px 8px 8px;\">");
    sb.append("<div id=\"pagewrapper\">");
    sb.append("<div id=\"mainwrapper\" class=\"clearfix\">");
    sb.append("<div id=\"maincontent\">");
    sb.append("<div class=\"post\">");
    sb.append("<div class=\"posthit\">");
    sb.append("<div class=\"postinfo\">");
    sb.append("<h2 class=\"thetitle\">");
    sb.append("<a>");
    sb.append(title);
    sb.append("</a>");
    sb.append("</h2>");
    sb.append("<hr/>");
    sb.append("</div>");
    sb.append("<div class=\"entry\">");
    sb.append(content);
    sb.append("</div>");
    sb.append("</div>");
    sb.append("</div>");
```

```
        sb.append("</div>");
        sb.append("</div>");
        sb.append("</div>");
        sb.append("<script src=\'file:///android_asset/highlight.pack.js\'></script>");
        sb.append("<script>hljs.initHighlightingOnLoad();</script>");
        sb.append("</body>");
        sb.append("</html>");
        Log.e("", "html : " + sb.toString());
        return sb.toString();
    }
```

得到 HTML 页面之后，直接通过 webview 的 loadDataWithBaseURL 函数加载即可。

NeirongActivity 存在与其他几个 Fragment 类似的问题，网络等代码都耦合在 Activity 中，使得原本功能简单的页面承担了太多的职责，网络请求、HTML 包装、异步任务……当 Activity、Fragment 所需要的一切功能都包含在自身的类型中时，那么稍微一扩展功能，这些类型就会迅速膨胀，一两千行代码量也不足以为奇。

最后一个重要的模块就是数据库模块，在第 5 章中已经对数据库进行了深入的讲解。我们的数据库含有两个表，一个是用于存储文章基本信息的 articles 表，另一个是存储文章内容的 article_content 表。我们新建了一个 DatabaseHelper 类用于处理文章的存储与查询，代码如下所示：

```
public class DatabaseHelper extends SQLiteOpenHelper {
    public static final String TABLE_ARTICLES = "articles";
    public static final String TABLE_ARTICLE_CONTENT = "article_content";

    private static final String CREATE_ARTICLES_TABLE_SQL = "CREATE TABLE articles (  "
            + " post_id INTEGER PRIMARY KEY UNIQUE, "
            + " author VARCHAR(30) NOT NULL ,"
            + " title VARCHAR(50) NOT NULL,"
            + " category INTEGER ,"
            + " publish_time VARCHAR(50) "
            + " )";

    private static final String CREATE_ARTICLE_CONTENT_TABLE_SQL = "CREATE TABLE
    article_content (  "
            + " post_id INTEGER PRIMARY KEY UNIQUE, "
            + " content TEXT NOT NULL "
            + " )";

    static final String DB_NAME = "tech_frontier.db";
    static final int DB_VERSION = 1;
    private SQLiteDatabase mDatabase;
    static DatabaseHelper sDatabaseHelper;

    private DatabaseHelper(Context context) {
        super(context, DB_NAME, null, DB_VERSION);
        mDatabase = getWritableDatabase();
    }

    public static void init(Context context) {
        if (sDatabaseHelper == null) {
            sDatabaseHelper = new DatabaseHelper(context);
        }
    }

    public static DatabaseHelper getInstance() {
        if (sDatabaseHelper == null) {
```

```
            throw new NullPointerException("sDatabaseHelper is null,please call init method first.");
        }
        return sDatabaseHelper;
    }

    // 创建数据库
    @Override
    public void onCreate(SQLiteDatabase db) {
        db.execSQL(CREATE_ARTICLES_TABLE_SQL);
        db.execSQL(CREATE_ARTICLE_CONTENT_TABLE_SQL);
    }

    @Override
    public void onUpgrade(SQLiteDatabase db, int oldVersion, int newVersion) {
        db.execSQL("DROP TABLE " + TABLE_ARTICLES);
        db.execSQL("DROP TABLE " + TABLE_ARTICLE_CONTENT);
        onCreate(db);
    }
      // 代码省略
}
```

我们在 DatabaseHelper 中创建了 articles、article_content 两个表，article 表中存储了文章的基本信息，而 article_content 中存储的是文章 id 与文章的内容。然后可以通过 saveArticles 函数将文章列表存储到数据库中，代码如下：

```
// 存储文章列表
    public void saveArticles(List<Article> dataList) {
        for (Article article : dataList) {
            mDatabase.insertWithOnConflict(TABLE_ARTICLES,
                 null, article2ContentValues(article), SQLiteDatabase.CONFLICT_REPLACE);
        }
    }
```

在插入数据时需要将文章实体转换为 ContentValues 对象，实现代码在 article2ContentValues 函数中，代码如下：

```
    // 将文章转换为 ContentValues
    private ContentValues article2ContentValues(Article item) {
        ContentValues newValues = new ContentValues();
        newValues.put("post_id", item.post_id);
        newValues.put("author", item.author);
        newValues.put("title", item.title);
        newValues.put("category", item.category);
        newValues.put("publish_time", item.publishTime);
        return newValues;
    }
```

从数据库中加载文章则调用的是 loadArticles 函数，在该函数中首先得到包含结果的 Cursor，然后再从 Cursor 中读取数据。从 Cursoe 中读取数据的函数为 parseArticles，这两个函数如下所示：

```
    // 从数据加载文章列表
    public List<Article> loadArticles() {
        Cursor cursor = mDatabase.rawQuery("select * from " + TABLE_ARTICLES, null);
        List<Article> result = parseArticles(cursor);
        cursor.close();
        return result;
    }
```

```
//从 Cursor 解析文章列表
private List<Article> parseArticles(Cursor cursor) {
    List<Article> articles = new ArrayList<Article>();
    while (cursor.moveToNext()) {
        Article item = new Article();
        item.post_id = cursor.getString(0);
        item.author = cursor.getString(1);
        item.title = cursor.getString(2);
        item.category = cursor.getInt(3);
        item.publishTime = cursor.getString(4);
        // 解析数据
        articles.add(item);
    }
    return articles;
}
```

除此之外，DatabaseHelper 中还含有存储文章详情、加载文章详情的功能。ArticleDetail 是包含了文章 id 和文章内容的实体类，用于将文章内容存储到 article_content 数据库中。这几个功能与存储、读取 Article 数据类似，在此不再过多赘述。相关代码如下：

```
// 处理存储文章内容
public void saveArticleDetails(ArticleDetail detail) {
    mDatabase.insertWithOnConflict(TABLE_ARTICLE_CONTENT, null,
            articleDetailtoContentValues(detail),
            SQLiteDatabase.CONFLICT_REPLACE);
}

// 通过文章 id 获取文章详情
public ArticleDetail loadArticleDetail(String postId) {
    Cursor cursor = mDatabase.rawQuery("select * from " + TABLE_ARTICLE_CONTENT
            + " where post_id = "
            + postId, null);
    ArticleDetail detail = new ArticleDetail(postId, parseArticleCotent(cursor));
    cursor.close();
    return detail;
}

// 解析文章内容
private String parseArticleCotent(Cursor cursor) {
    return cursor.moveToNext() ? cursor.getString(1) : "";
}

// 文章详情转换为 ContentValues
protected ContentValues articleDetailtoContentValues(ArticleDetail detail) {
    ContentValues contentValues = new ContentValues();
    contentValues.put("post_id", detail.postId);
    contentValues.put("content", detail.content);
    return contentValues;
}
```

总的来说，DatabaseHelper 中的代码都很简单，主要功能有如下 3 部分：

（1）创建两个 articles、article_content 表；

（2）存储、加载文章基本信息列表；

（3）存储、加载文章内容。

存储数据时我们先将数据存储到 ContentValues 中，然后再插入到表中，而在加载时则先从数据库中获取到 Cursor，然后再从 Cursor 中读取数据，最后转换为对应的实体类型。需要注意的是，我们在使用数据库模块时，必须要先调用 DatabaseHelper 的 init 函数进行初始化，我们的初始化函数在 Application 类中，代码如下：

```
public class DemoApplication extends Application {
    @Override
    public void onCreate() {
        super.onCreate();
        DatabaseHelper.init(this);
    }
}
```

此时，我们的第一版 App 就基本构建完成了。运行起来之后就会得到前文的图 12-1、图 12-2 和图 12-3 所示的 UI 界面。

## 12.3 第一版存在的问题与重构

在第一版中我们能够从文字表达上发现很多代码问题，当文字中出现“xxx 与 xxx 的代码很相似”、“xx 类中有如下几个功能”等字眼时，我们应该提高警惕，因为这些就是需要重构的地方。针对第一版的实现情况，我们列出如下几条一些严重的代码问题：

（1）部分类名不规范，如 NeirongActivity；

（2）代码重复，使得类型膨胀，如 ArticleAdapter 和 MenuAdapter 等多个 Adapter 代码很相似；

（3）函数过长、逻辑混乱，难以理解与维护，Fragment、Activity 中的函数过长；

（4）逻辑耦合，难以维护和测试，如 Fragment 和 Activity 中包含了网络请求、业务逻辑。

这些问题在现实开发中非常常见，尤其是开发人员缺乏工作经验时，通常会将各种功能函数塞进 Fragment、Activity 等类型中，导致这些类型非常臃肿，难以维护。下面我们就来一一解决这些问题。

### 12.3.1 类型重命名

首先是简单的命名问题，在开发中，有些读者可能由于英语不是很好，当需要为类取一个名字时总是不能想出一个恰当的单词，为了摆脱这种折磨，就直接使用了拼音。然而拼音很多时候并不能很好地表达它的意思，一个拼音可能代表很多个词，不同的语调组成的词汇含义差距甚远。因此，使用英文单词命令类名、函数名、字段名等元素是我们的首要选择。

在我们的第一版中，我们把文章列表 Fragment、含有关于信息的 Fragment 以及显示文章内容的 Activity 分别命名为 WenzhangFragment、GuangyuFragment、NeirongFragment，这几个名字既不符合命名规范，使用拼音命名导致含义也很模糊，因此，将这 3 个类名修改为 ArticleListFragment、AboutFragment、ArticleDetailActivity，这样名字就容易理解多了。如果在命名类型、函数名、字段名时不能想出特别简单明了的名字，那么可以取一个相对能体现功能的名字，并且加上一些注释，使之更易于理解。不要假设每个人都能光看名字就能理解代码的功能，适当地添加注释会让后续的维护成本降低。

### 12.3.2 去除重复代码

第一版中，代码重复率较高的一个重灾区是 Adapter 类族。在开发中，我们往往需要在很多的地方显示列表，这些列表控件都需要使用 Adapter，例如 ListView、GridView、RecyclerView 等。但是，这些 Adapter 的代码都是很相似的，对于 ListView 与 GridView 类型的 Adapter 来说，它们都要实现 getCount、getItem、getView 等函数，只是具体的数据类型不同而已。对于 RecyclerView 的 Adapter 来说，它们需要实现 onCreateViewHolder、onBindViewHolder、getItemCount 三个函数，它们的差别也只是数据类型以及 ViewHolder。多个类的函数、功能都很相似，而只有具体的类型不同时就可以考虑使用第一章学到的使用泛型来重构这些类型。

在我们的客户端例子中有两个 Adapter，分别是 ArticleAdapter 和 MenuAdapter，它们用于展示绑定文章数据和菜单数据。它们的代码极为相似，除了要处理的数据类型和 ViewHolder 不同之外，它们都分别实现了 onCreateViewHolder、onBindViewHolder、getItemCount 函数，并且也都需要为每个数据项视图设置点击事件。下面就通过泛型的重构手法来对这两个 Adapter 进行重构，首先，需要将这两个 Adapter 通用的代码逻辑封装到一个父类中，这里我们命名为 RecyclerBaseAdapter，我们一步一步来分析它的代码：

```
/**
 * 适用于 RecyclerView 的抽象 Adapter，封装了数据集、ViewHolder 的创建与绑定过程，简化子类的操作
 *
 * @param <D>数据集中的类型，如 Article 等
 * @param <V> ViewHolder 类型
 */
public abstract class RecyclerBaseAdapter<D, V extends ViewHolder> extends Adapter<V> {
    /**
     * RecyclerView 中的数据集
     */
    protected final List<D> mDataSet = new ArrayList<D>();
    /**
     * 点击事件处理回调
     */
    private OnItemClickListener<D> mItemClickListener;

// 函数省略
}
```

从上述程序中我们看到，RecyclerBaseAdapter 类有两个泛型参数，分别为 D 和继承自 ViewHolder 的 V，分别代表数据类型和具体的 ViewHolder 类。在 RecyclerBaseAdapter 中封装了一个 List<D>类型的 mDataSet 字段，这个字段存储了要显示的数据集。需要注意的是，我们的 mDataSet 是 final 类型，这样就不会由于外部的原因使得数据源发生改变，外部只需要把数据添加到 Adapter 中即可，而不需要给我们传递一个 List<D>对象。还有一个 OnItemClickListener<D>的数据项点击事件处理回调，当用户点击每项数据时触发该回调的 onClick 函数。

然后 RecyclerBaseAdapter 分装了 getItemCount、getItem、addItems 三个函数，代码如下：

```
@Override
public int getItemCount() {
    return mDataSet.size();
}
```

```
protected D getItem(int position) {
    return mDataSet.get(position);
}

public void addItems(List<D> items) {
    items.removeAll(mDataSet);  // 去除已经存在的数据
    mDataSet.addAll(items);     // 更新数据
    notifyDataSetChanged();
}
```

这 3 个函数分别用于获取数据集的总数、某个位置下的数据以及将数据添加到数据集中，通过 addItems 添加数据时，内部会直接调用 notifyDataSetChanged 函数通知 RecyclerView 刷新页面，这样就简化了外部的调用流程。

然后 RecyclerBaseAdapter 封装了用于创建 ViewHolder、绑定数据的函数，代码如下：

```
    /*
     * 绑定数据,主要分为两步,绑定数据与设置每项的点击事件处理
     * @see
     * android.support.v7.widget.RecyclerView.Adapter#onBindViewHolder(android
     * .support.v7.widget.RecyclerView.ViewHolder, int)
     */
    @Override
    public final void onBindViewHolder(V viewHolder, int position) {
        final D item = getItem(position);
        bindDataToItemView(viewHolder, item);
        setupItemViewClickListener(viewHolder, item);
    }

    protected View inflateItemView(ViewGroup viewGroup, int layoutId) {
        return LayoutInflater.from(viewGroup.getContext()).inflate(layoutId, viewGroup, false);
    }

    public void setOnItemClickListener(OnItemClickListener<D> mItemClickListener) {
        this.mItemClickListener = mItemClickListener;
    }

    /**
     * ItemView 的点击事件
     * @param viewHolder
     * @param position
     */
    protected void setupItemViewClickListener(V viewHolder, final D item) {
        viewHolder.itemView.setOnClickListener(new OnClickListener() {

            @Override
            public void onClick(View v) {
                if (mItemClickListener != null) {
                    mItemClickListener.onClick(item);
                }
            }
        });
    }

    /**
     * 将数据绑定到 ItemView 上
     */
```

```
    protected abstract void bindDataToItemView(V viewHolder, D item);
}
```

其中最重要的是封装了 onBindViewHolder 这个函数，这个函数分为 3 步，首先获取 position 位置的数据，然后调用 bindDataToItemView 函数来绑定数据，这是一个抽象函数，因此子类必须要覆写这个函数来实现具体的绑定，最后一步是设置每项数据的点击事件。我们将这几步通过 onBindViewHolder 函数统一封装起来，避免子类重复编写这几个流程，这也是我们第 11 章的封装固定的调用逻辑手法。

此时，RecyclerBaseAdapter 类型就完成了。

然将 ArticleAdapter 和 MenuAdapter 继承自 RecyclerBaseAdapter，代码变成如下这样：

```
/**
 * 主页文章列表的 Adapter
 */
public class ArticleAdapter extends RecyclerBaseAdapter<Article, ArticleViewHolder> {

    @Override
    protected void bindDataToItemView(ArticleViewHolder viewHolder, Article item) {
        viewHolder.titleTv.setText(item.title);
        viewHolder.publishTimeTv.setText(item.publishTime);
        viewHolder.authorTv.setText(item.author);
    }

    @Override
    public ArticleViewHolder onCreateViewHolder(ViewGroup viewGroup, int viewType) {
        View itemView = inflateItemView(viewGroup, R.layout.recyclerview_article_item);
        return new ArticleViewHolder(itemView);
    }
}

/**
 * 菜单列表 Adapter
 */
public class MenuAdapter extends RecyclerBaseAdapter<MenuItem, MenuViewHolder> {

    @Override
    protected void bindDataToItemView(MenuViewHolder viewHolder, MenuItem item) {
        viewHolder.nameTextView.setText(item.text);
        viewHolder.userImageView.setImageResource(item.iconResId);
    }

    @Override
    public MenuViewHolder onCreateViewHolder(ViewGroup viewGroup, int viewType) {
        return new MenuViewHolder(inflateItemView(viewGroup, R.layout.menu_item));
    }
}
```

从上述程序中可以看到，这两个 Adapter 的代码量已经很少了，只有两个函数，其中 onCreateViewHolder 函数来创建具体的 ViewHolder，bindDataToItemView 则用于绑定具体的数据到视图上。当 Adapter 类型越多，通过 RecyclerBaseAdapter 减少的代码量也就越多，代码就越精简。

另一个代码重复的问题是 MainActivity 和 ArticleDetailActivity 中都有 ToolBar，而第一版本中会在每个 Activity 中声明该控件并且初始化，我们也有类似的手法消除重复，新建了一个 BaseActionBarActivity，并且封装了整个 Activity 的初始化流程，其中 toolbar 的初始化流程也在其中。代码比较简单，在此就不再过多赘述。

在同一个类族体系中最容易滋生代码重复的问题，例如 Activity、Fragment、Adapter 等类型，在应用中这些类型通常都有多个，也是最容易产生代码重复的地方，当我们发现某些函数、逻辑与"兄弟"类型很相似时，就可以通过提取父类的形式进行重构，避免过多的代码重复，使得代码更易于维护。

## 12.3.3　简化复杂的函数

复杂的函数最直接的问题就是难以理解和维护，当需要对这些复杂的函数做出修改时你可能会有一丝恐惧，生怕引入错误，因此，对这些复杂的函数可能并不是那么熟悉，只是大概猜测应该这么改。当过了一段时间你再看到这段代码时可能又是很陌生，还是需要一定的时间来读这些代码，并且思考它们的逻辑，如果是这种情况，那么就应该对这些函数进行重构了。实际上当你看到那些并不那么容易理解的函数时你就可以考虑进行重构了，按照你认为容易理解的形式进行处理。

在我们的例子中，比较复杂的函数应该是执行网络请求的函数，例如 ArticleListFragment 中获取文章列表的 getArticles 函数、ArticleDetailActivity 中获取文章内容的 getArticleContent 函数。这里以 getArticleContent 函数为例来进行说明，代码如下：

```
/**
 * 文章阅读页面，使用 WebView 加载文章
 */
public class ArticleDetailActivity extends BaseActionBarActivity {

    private void getArticleContent() {
        new AsyncTask<Void, Void, String>() {
            @Override
            protected String doInBackground(Void... params) {
                HttpURLConnection urlConnection = null;
                StringBuilder sBuilder = new StringBuilder();
                String line = null;
                try {
                    urlConnection = (HttpURLConnection) new URL(
                     "http://www.devtf.cn/api/v1/?type=article&post_id=" + mPostId)
                            .openConnection();
                    urlConnection.connect();
                    InputStream netsInputStream = urlConnection.getInputStream();
                    BufferedReader bufferedReader = new BufferedReader(
                       new InputStreamReader(netsInputStream));
                    while ((line = bufferedReader.readLine()) != null) {
                        sBuilder.append(line).append("\n");
                    }
                    return sBuilder.toString();
                } catch (Exception e) {
                    e.printStackTrace();
                } finally {
                    urlConnection.disconnect();
                }
                return "";
            }

            @Override
            protected void onPostExecute(String result) {
                loadArticle2Webview(result);
                DatabaseHelper.getInstance().saveArticleDetails(
```

```
                new ArticleDetail(mPostId, result));
        }
    }.execute();
}

private void loadArticle2Webview(String htmlContent) {
    mWebView.loadDataWithBaseURL("", wrapHtml(mTitle, htmlContent),
            "text/html", "utf8", "404");
}

// 代码省略
}
```

getArticleContent 相对来说并不是那么复杂，但是它确实也不好理解。由于异步任务、网络请求、异常等原因，使得它的代码显得有点混乱，但是它的主要步骤只有如下 3 步：

（1）发起网络请求；

（2）将请求的输入流转为 String 类型；

（3）将得到的文章内容通过 HTML 包装，并且加载到 Webview 中。

当将一个复杂的函数总结为多个部分时，我们为什么不按照这个结构将它分解成更容易理解的小函数呢。这样，当下次再看到这个函数时，我们的理解成本就大大降低了。下面就按照这个过程将 getArticleContent 函数进行重构，为了更能体现出 getArticleContent 的功能，将它的函数名修改为 fetchArticleContentAsync，最终代码如下：

```
private void fetchArticleContentAsync() {
    new AsyncTask<Void, Void, String>() {
        @Override
        protected String doInBackground(Void... params) {
            String result = "";
            HttpURLConnection urlConnection = null;
            try {
                // 执行 get 请求
                urlConnection = performGetRequest(mPostId);
                // 将 InputStream 转为 String 类型
               result = streamToString(urlConnection.getInputStream());
            } catch (Exception e) {
               e.printStackTrace();
            } finally {
               urlConnection.disconnect();
            }
            return result;
        }

        private HttpURLConnection performGetRequest(String postId)
                throws MalformedURLException, IOException {
            HttpURLConnection urlConnection = (HttpURLConnection) new URL(
              "http://www.devtf.cn/api/v1/?type=article&post_id=" + postId)
                    .openConnection();
            urlConnection.connect();
            return urlConnection;
        }

        @Override
        protected void onPostExecute(String result) {
              // 使用 Webview 加载内容
             loadArticle2Webview(result);
             DatabaseHelper.getInstance().saveArticleDetails(
```

```
                new ArticleDetail(mPostId, result));
        }
    }.execute();
}

private static String streamToString(InputStream inputStream) throws IOException {
    StringBuilder sBuilder = new StringBuilder();
    String line = null;
    BufferedReader bufferedReader = new BufferedReader(new InputStreamReader(
            inputStream));
    while ((line = bufferedReader.readLine()) != null) {
        sBuilder.append(line).append("\n");
    }
    return sBuilder.toString();
}
```

在 AsyncTask 的异步任务的 doInBackground 函数中，整个过程主要分为两步，执行请求和解析输入流。分别对应的函数为 perfromGetRequest 和 streamToString 函数，然后在 onPostExecute 函数中将数据加载到 Webview 中。

这样一来我们就将复杂的 doInBackground 中的功能分解到更细小的函数中实现，而每个函数都有名字，也能够起到自文档的作用，使得代码更容易理解。

复杂的函数也总有它的逻辑存在，理解它们的执行逻辑，并且根据这些逻辑拆分出更细小的、内聚的函数往往会使这个函数更容易理解和维护，在这个过程中我们也会对这个函数有更深入的了解。因此，简化复杂函数是我们开发中很重要的技能。

### 12.3.4　明确职责与降低耦合

在上一节中我们简化了 getArticleContent，其中有一个点是我们将静态函数 streamToString 放到了 ArticleDetailActivity 中，那么这样做真的合适吗？当其他 Activity、Fragment 中的网络请求要使用这个函数也是要调用 ArticleDetailActivity 中中的这个函数吗？这样显然不合适！

还有我们的网络请求、数据的解析放在 Activity 中是不是恰当的？如果我们将这些请求都放在 Activity 中，那么当其他类型需要网络请求时就必须重新再实现这套逻辑，构建异步任务、创建 HttpURLConnection、解析数据等，这又使得代码严重重复，我们又回到了一个恶性循环中。这其中的根源是 Activity 中的职责太多导致，网络请求等逻辑不应该出现在 Activity 中，如果将这些写在 Activity 中，那么将导致严重的耦合。职责太多导致耦合、代码重复，使得系统犹如一团乱麻，难以升级、维护，因此根源在它们的职责不单一。

既然找到问题所在，那么我们就对症下药，让每个类型的功能相对单一，也就是常说的“高内聚、低耦合”。在 Android 中，我们可以把 Activity 作为一个视图、页面的控制器，使得它只处理一些与视图、页面跳转相关的逻辑，其他的功能函数则一并提取到独立的类型中，这样就使得 Activity 的代码量大大减少。同理，Fragment 也是这种处理方式。

在我们的例子中，主要的耦合在 Activity 和 Fragment 中的就是网络请求的功能，每当我们需要执行网络请求时，我们就需要在对应的类型中重复写一遍，每写一次就得增加将近百行代码。当我们的功能、请求逐渐增多时，Activity 中可以达到上千行代码量。我们必须防止这种情况发生，否则就会掉进代码的“焦油坑”，难以自拔。

下面就将网络请求的代码从 Activity、Fragment 等类型中抽离出来。

对于我们的例子来说，执行的请求只有 get 请求，而我们的应用性质主要是文章阅读，因此，用的功能也只有 get。为了避免过度设计，我们提供一个类型来简化发送 get 请求。代码如下：

```
/**
 * 网络执行引擎
 */
public final class HttpFlinger {
    private HttpFlinger() {
    }

    /**
     * 发送 get 的异步请求
     *
     * @param reqUrl 网页地址
     * @param parser 返回结果的解析器
     * @param listener 回调,执行在 UI 线程
     */
    public static <T> void get(final String reqUrl, final RespParser<T> parser,
            final DataListener<T> listener) {
        new AsyncTask<Void, Void, T>() {
            @Override
            protected T doInBackground(Void... params) {
                HttpURLConnection urlConnection = null;
                try {
                    urlConnection = (HttpURLConnection) new URL(reqUrl)
                            .openConnection();
                    urlConnection.connect();
                    String result = streamToString(urlConnection.getInputStream());
                    return parser.parseResponse(result);
                } catch (Exception e) {
                    e.printStackTrace();
                } finally {
                    if (urlConnection != null) {
                        urlConnection.disconnect();
                    }
                }
                return null;
            }

            @Override
            protected void onPostExecute(T result) {
                if (listener != null) {
                    listener.onComplete(result);
                }
            }
        }.execute();
    }

    private static String streamToString(InputStream inputStream) throws IOException {
        StringBuilder sBuilder = new StringBuilder();
        String line = null;
        BufferedReader bufferedReader = new BufferedReader(new InputStreamReader(
                inputStream));
        while ((line = bufferedReader.readLine()) != null) {
            sBuilder.append(line).append("\n");
        }
        return sBuilder.toString();
    }

}
```

在 get 函数中我们封装了执行异步请求的流程，包含创建异步任务、发送请求、解析数据、回调结果给客户端这几个功能，客户端程序只需要调用 HttpFling.get 函数即可完成网络请求，而无需每次都重复这些代码，大大简化了使用成本和代码重复率。

需要注意的是，我们的 get 函数是一个泛型函数，参数 1 是请求的 url 地址，参数 2 是网络请求结果的解析器，参数 3 是用于回调解析器解析到的结果的 Listener。例如，我们获取文章列表时得到的请求结果为 String，但是，我们要将这个 String 解析为 List<Acticle>类型，此时 get 的参数 T 就是 List<Acticle>，因此解析器与 DataListener 的泛型参数 T 也为 List<Acticle>，这两个接口的代码如下：

```
// 网络请求结果解析器
public interface RespParser<T> {
    public T parseResponse(String result) throws JSONException;
}

// 数据回调
public interface DataListener<T> {
    void onComplete(T result);
}
```

RespParser 只有一个 parseResponse 函数，该函数接收的参数为 String 类型，也就是服务器端返回的数据类型，然后，RespParser 将 String 类型转换为客户端需要的类型，例如，上述说的 List<Article>。下面看看解析文章列表的解析器的具体实现，代码如下：

```
/**
 * 将服务器返回的 Json 数据转为文章列表的解析器
 */
@SuppressLint("SimpleDateFormat")
public class ArticleParser implements RespParser<List<Article>> {

    private static SimpleDateFormat dateformat = new SimpleDateFormat("yyyy-MM-dd HH:mm");

    @SuppressLint("SimpleDateFormat")
    @Override
    public List<Article> parseResponse(String result) throws JSONException {
        JSONArray jsonArray = new JSONArray(result);
        List<Article> articleLists = new LinkedList<Article>();
        int count = jsonArray.length();
        for (int i = 0; i < count; i++) {
            JSONObject itemObject = jsonArray.optJSONObject(i);
            articleLists.add(parseItem(itemObject));
        }
        return articleLists;
    }

    private Article parseItem(JSONObject itemObject) {
        Article articleItem = new Article();
        articleItem.title = itemObject.optString("title");
        articleItem.author = itemObject.optString("author");
        articleItem.post_id = itemObject.optString("post_id");
        String category = itemObject.optString("category");
        articleItem.category = TextUtils.isEmpty(category) ? 0 : Integer.valueOf(category);
        articleItem.publishTime = formatDate(dateformat, itemObject.optString("date"));
        return articleItem;
    }
```

```
    private static String formatDate(SimpleDateFormat dateFormat, String dateString) {
        try {
            Date date = dateFormat.parse(dateString);
            return dateFormat.format(date);
        } catch (ParseException e) {
            e.printStackTrace();
        }
        return "";
    }
}
```

在 ArticleParser 类中我们的工作就是先将 String 转换为 JsonArray，然后再从 JsonArray 中将 JsonObject 挨个解析为 Article，并且将 Article 添加到结果集中，最后返回给调用端。RespParser 的调用端就是发起网络请求的异步任务的 doInBackground 函数，doInBackground 将 RespParser 解析的结果集作为返回值，例如，这里的返回值就是解析到的 Article 列表，然后在 onPostExecute 函数中就将这个结果集通过 DataListener 回调给最终的调用端。下面看看在 ArticleListFragment 中请求文章列表的代码：

```
    ArticleParser mArticleParser = new ArticleParser();

private void fetchArticles(final int page) {
// 发起网络请求获取文章列表
        HttpFlinger.get(prepareRequestUrl(), mArticleParser, new DataListener
<List<Article>>() {
            @Override
            public void onComplete(List<Article> result) {
                // 添加新数据
                mDataSet.addItems(result);
                // 存储文章列表
                DatabaseHelper.getInstance().saveArticles(result);
                if (result.size() > 0) {
                    mPageIndex++;
                }
                 mSwipeRefreshLayout.setRefreshing(false);
            }
        });
    }
```

从上述程序中可以看到，我们的代码比原来的简单了很多。我们再看看 ArticleDetailActivity 中获取文章内容的网络请求代码：

```
private void fetchArticleContentAsync() {
        String reqURL = "http://www.devtf.cn/api/v1/?type=article&post_id=" + mPostId;
        HttpFlinger.get(reqURL, null,
                new DataListener<String>() {
                    @Override
                    public void onComplete(String result) {
                        loadArticle2Webview(result);
                        DatabaseHelper.getInstance().saveArticleDetails(
                                new ArticleDetail(mPostId, result));
                    }
                });
}

    private void loadArticle2Webview(String htmlContent) {
        mWebView.loadDataWithBaseURL("",
```

```
        HtmlUtls.wrapArticleContent(mTitle, htmlContent),
                "text/html", "utf8", "404");
    }
```

通过 HttpFlinger 的封装，网络请求的代码减少了。ArticleDetailActivity 的代码量从 220 行降低到了 130 行，将近减少了 50%；而 ArticleListFragment 的代码量则从 230 行降到了 160 行，减少了将近 30%。可见，高内聚、低耦合确实是软件开发中的重要秘诀。

在开发中，Activity、Fragment 等类型过于臃肿是非常常见的现象。这些问题的根源就是它们承担了太多的职责，各种逻辑耦合在 Activity、Fragment 类中，导致代码量急剧膨胀，用不了多久，Activity、Fragment 中的代码量就会数千行，导致难以维护。因此，将这些类型中的与 UI 无关的代码提取到独立的类型中，将使得 Activity、Fragment 的代码量迅速减少，也使得系统更加清晰、易于维护。当然，选择合适的架构模式也是很重要的一步。

## 12.4 降低复杂性——MVP 架构

经过重构之后，我们的 App 结构已经比较清晰了，各模块的职责也相对明确。但是，我们的 Activity、Fragment 类中还是存在相关的逻辑，例如，执行网络请求、然后对获取到的数据进行去重等操作，当功能复杂起来时也会使 Activity 等控制类的代码量变得很臃肿。如今的架构大致如图 12-4 所示。

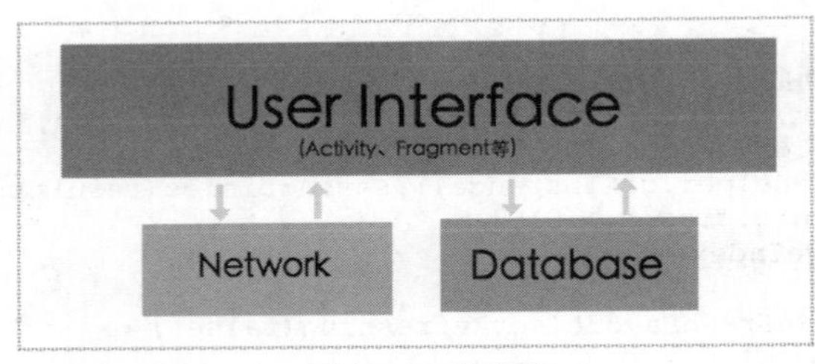


▲图 12-4　架构图

从图 12-4 中可以看到，UI 层直接和网络、数据库打交道，这样势必会有一些逻辑被耦合进 UI 层。因此，需要从架构的角度解决这些问题。

我们要运用的架构模式是 MVP 模式，MVP 全称 Model View Presenter。该模式非常适合 Android 项目，它能够有效地降低 View 复杂性，避免业务逻辑被塞进去 View 角色中，使得 View 变成一个混乱的大泥坑。MVP 分别代表了架构中的 3 个角色。

### 1. Presenter—交互中间人

Presenter 主要作为沟通 View 和 Model 的桥梁，它从 Model 层检索数据后，返回给 View 层，使得 View 和 Model 之间没有耦合，也将业务逻辑从 View 角色上抽离出来。

### 2. View—用户界面

View 通常是指 Activity、Fragment 或者某个 View 控件，它含有一个 Presenter 成员变量。通常

View 需要实现一个逻辑接口，将 View 上的操作通过会转交给 Presenter 进行实现，最后 Presenter 调用 View 逻辑接口将结果返回给 View 元素。

## 3. Model—数据的存取

对于一个结构化的 App 来说，Model 角色主要是提供数据的存取功能。Presenter 需要通过 Model 层存储、获取数据，Model 就像一个数据仓库。更直白的说 Model 是封装了数据库 DAO 或者网络获取数据的角色，或者两种数据获取方式的集合。

MVP 模式会解除 View 与 Model 的耦合，同时又带来了良好的可扩展性、可测试性，保证了系统的整洁性、灵活性。可能对于简单的应用来说 MVP 稍显麻烦，各种各样的接口与概念，使得整个应用充斥着零散的接口，但是它却是确保当你的应用变得复杂时依然能够保持清晰的结构，它能够非常好地组织应用结构，使得应用变得灵活，拥抱变化。MVP 的交互图如图 12-5 所示。

MVP 模式可以分离显示层和逻辑层，它们之间通过接口进行通信，降低耦合。理想化的 MVP 模式可以实现同一份逻辑代码搭配不同的显示界面，因为它们之间并不依赖于具体，而是依赖于抽象。这使得 Presenter 可以运用于任何实现了 View 逻辑接口的 UI，使之具有更广泛的适用性，保证了灵活度。

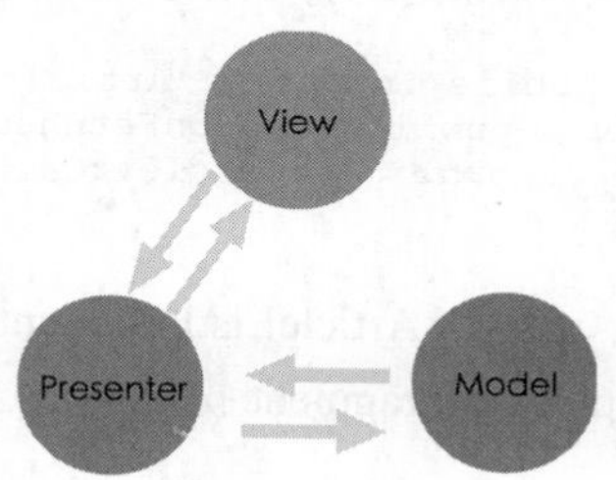

▲图 12-5 MVP 模式

我们知道，在 Android 上业务逻辑和数据存取是紧耦合的，很多缺乏经验的工程师很可能会将各种各样的业务逻辑塞进某个 Activity、Fragment 或者自定义的 View 类中，使得这些组件的单个类型臃肿不堪，其中又含有一些异步任务，导致某个类超过千行代码。当然，对于功能复杂的应用来说，一个类超过千行代码并不是什么大惊小怪的事，我们所要指出的重点是业务逻辑与 View 元素严重地耦合在一起导致了类型膨胀的问题。

对于一个可扩展、稳定的应用来说，我们需要分离各个层，主要是 UI 层、业务逻辑层和数据层。毕竟，我们不知道以后还要加入什么逻辑，是从本地数据库检索数据？还是从远程的服务器中？我们的 UI、数据库是否会被替换？例如，随着产品的升级，UI 可能会被重新设计，此时 UI 发生了变化，由于业务逻辑耦合在 View 中，UI 变化导致我们修改新的 View 控件，此时就需要到原来的 View 中抽离具体的业务逻辑，这将是一件非常折磨人也易于出错的事，最终还是需要将业务逻辑抽离开来。

MVP 模式可以让 UI 界面和数据分离，我们应用至少可以分为 3 层，这样使得我们也可以对这 3 个层次进行独立单元测试。MVP 模式可以让我们从 Activity、Fragment 等 View 角色中分离大部分代码，使得每个类型的代码量大幅度减少，职责单一，易于维护。

MVP 并不是一个标准化的模式，它有很多种实现方式，也可以根据自己的需求和自己认为对的方式去修正 MVP 的实现方式，它可以随着 Presenter 的复杂程度变化。只要保证我们是通过 Presenter 将 View 和 Model 解耦合、降低类型复杂度、各个模块可以独立测试、独立变化，这就是正确的方向。

下面我们就通过 MVP 模式重构我们的应用客户端。

首先要定义 View 角色，定义一个 MvpView 接口代表 View 角色的抽象定义，它有两个接口分别为加载数据时显示 loading 和加载完数据之后隐藏 loading。代码如下：

```
public interface MvpView {
    public void onShowLoding();
    public void onHideLoding();
}
```

然后是具体的 View 角色，对于我们的例子而言，Activity、Fragment 就是我们需要重构的地方。首先要对这些类型定义一个功能接口。例如，对于文章列表 Fragment，我们定义一个 ArticleListView，它的功能将从网络或者数据库中获取到的文章列表显示到 RecyclerView 上，然后还有一个功能是第一次从网络上加载到数据后会将从数据库加载到的缓存文章清除，因此，需要一个清除功能，ArticleListView 定义如下：

```
/**
 * 展示文章列表的 MVP View 接口
 */
public interface ArticleListView extends MvpView {
    public void onFetchedArticles(List<Article> result);
    public void clearCacheArticles();
}
```

然后 ArticleListFragment 要实现这个接口，在这些接口中实现相应的功能，即此时 ArticleListFragment 扮演的是这个 MvpView 角色，相关代码如下：

```
/**
 * 显示文章列表的 Fragment
 */
public class ArticleListFragment extends Fragment implements OnRefreshListener,
        OnLoadListener, ArticleListView {
    protected SwipeRefreshLayout mSwipeRefreshLayout;
    protected AutoLoadRecyclerView mRecyclerView;
    protected ArticleAdapter mAdapter;
    private ArticleListPresenter mPresenter = new ArticleListPresenter();

    // 代码省略

    @Override
    public void onResume() {
        super.onResume();
        // 关联该 View 到 Presenter 中
        mPresenter.attach(this);
        // 加载数据
        mPresenter.fetchLastestArticles();
    }

    @Override
    public void onRefresh() {
        mPresenter.fetchLastestArticles();
    }

    @Override
    public void onLoad() {
        mPresenter.loadNextPageArticles();
    }

    @Override
    public void onFetchedArticles(List<Article> result) {
```

```
        mAdapter.addItems(result);
    }

    @Override
    public void clearCacheArticles() {
        mAdapter.clear();
    }

    @Override
    public void onShowLoding() {
        mSwipeRefreshLayout.setRefreshing(true);
    }

    @Override
    public void onHideLoding() {
        mSwipeRefreshLayout.setRefreshing(false);
    }

    @Override
    public void onDestroy() {
        super.onDestroy();
        mPresenter.detach();
    }
}
```

从上述程序中可以看到，此时的 Fragment 很简单，只有一些初始化视图和对视图进行一些简单的代码，相关的业务逻辑都通过 ArticleListPresenter 来实现。这里又引入了 MVP 中的另一个核心元素 Presenter。我们已经介绍过 Presenter 是 View 与 Model 交互的中间人，我们的业务逻辑也包含在该角色中。这样就相当于 Presenter 要持有 View 对象，而我们的 View 对象往往是 Activity、Fragment，当 Activity 退出时 Presenter 如果正在执行一个耗时的网络请求，那么将导致 Activity 的内存无法被释放而造成内存泄漏。因此，需要定义一个含有关联、取消关联 View 角色的 Presenter 基类，代码如下：

```
/**
 * Presenter 抽象类
*/
public abstract class BasePresenter<T extends MvpView> {
    T mView;

    public void attach(T view) {
        mView = view;
    }

    public void detach() {
        mView = null;
    }
}
```

其中的 T 就是一个具体的 MVP 的 View，因为每个 Presenter 都需要与 View 打交道。在初始化时通过 attach 关联 View，在 Activity 或者 Fragment 的 onStop 或 onDestory 时调用 detach 取消关联。

然后我们定义继承自 BasePresenter 的 ArticleListPresenter 类，将 ArticleListFragment 的业务逻辑转移到该类中，代码如下所示：

```
/**
 * 文章列表的 Presenter 负责从网络上加载最新的文章列表。第一次加载最新文章列表时，先从数据库中加载缓存，
然后再从网络上加载最新的数据。
*/
public class ArticleListPresenter extends BasePresenter<ArticleListView> {
   public static final int FIRST_PAGE = 1;              // 第一页数据，代表最新的数据
   private int mPageIndex = FIRST_PAGE;          // 索引，用于下拉下一页数据
   ArticleParser mArticleParser = new ArticleParser();
   private boolean isCacheLoaded = false;

   /**
    * 第一次先从数据库中加载缓存,然后再从网络上获取数据
    */
   public void fetchLastestArticles() {
      if (!isCacheLoaded) {
         mView.fetchedArticles(DatabaseHelper.getInstance().loadArticles());
      }
      // 从网络上获取最新的数据
      fetchArticlesAsync(FIRST_PAGE);
   }

   private void fetchArticlesAsync(final int page) {
      mView.onShowLoding();
      // 请求文章列表
      HttpFlinger.get(prepareRequestUrl(page), mArticleParser,
        new DataListener<List<Article>>() {
          @Override
          public void onComplete(List<Article> result) {
             mView.onHideLoding();
             if (!isCacheLoaded && result != null) {
                 // 第一次从网络上获取数据,则需要清空数据库的旧缓存
                mView.clearCacheArticles();
                isCacheLoaded = true;
             }

             if (result == null) {
                return;
             }
             // 将文章列表回调给 View 角色
             mView.onFetchedArticles(result);
             // 存储文章列表
             DatabaseHelper.getInstance().saveArticles(result);
             updatePageIndex(page, result);
          }
      });
   }
   // 代码省略
}
```

从上述程序中可以看到网络请求、数据库操作等相关的业务逻辑都被隔离在 Presenter 中。这样一来，ArticleListFragment 等 View 角色就只负责处理视图的显示、页面跳转等简单功能，避免了业务逻辑耦合在 Activity、Fragment 等 View 角色中，导致难以维护和修改。而 Presenter 则负责具体的业务逻辑处理，从数据库、网络获取资源，并且对数据、操作进行一些逻辑处理。我们的 MVP 中实际上并没有真正意义上的 Model，这是因为我们的项目规模暂时可以忽略掉这部分的结构。当我们的业务比较复杂时，可以将获取数据的操作移到一个独立的 Model 层，Model 就是我们的数据源，而不是在 Presenter 中来控制这个逻辑，此时 Model 相当于你的数据中心。这样一来，Presenter

的职责就更为内聚。因此，如何设计与实现架构模式需要根据你的项目规模而定，灵活运用而不是生搬硬套才能使效率和成本达到平衡。

经过这一轮重构，我们的架构图变为如图 12-6 所示。

从图 12-6 中可以看到，Presenter 角色处在了 UI 和网络、数据库操作的中间，它的作用正是如此，处理业务逻辑和获取数据，使得具体的逻辑从 UI 层解耦出来。各个模块功能内聚，而又环环相扣，这就是大家常说的“高内聚、低耦合”“功能正交性”等开发秘诀。

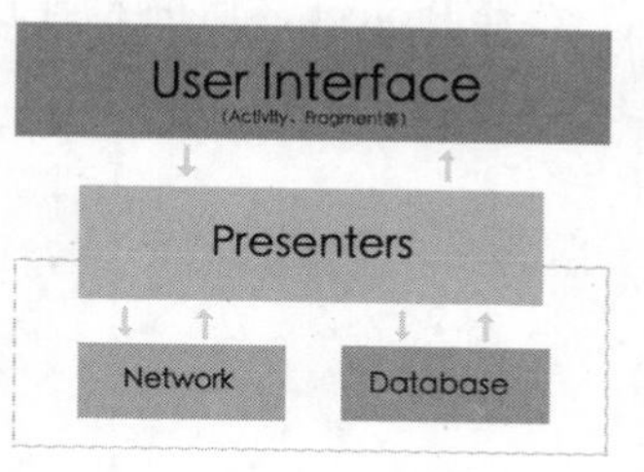

▲图 12-6　应用的 MVP 架构

## 12.5 开启单元测试之路——添加单元测试

### 12.5.1　创建测试工程

在第九章中我们已经介绍了单元测试以及它的优点等，总的来说，单元测试能够带来的最明显的优点就是让你的代码可测试、低耦合。而测试能够提升你的开发效率，因为你不需要每写了一个功能就编译、运行 App，然后经过一轮点击才可以看到效果，通过单元测试，你只需要运行单元测试就可以直接检测结果，成本要低得多。而当你需要重构某个模块时，单元测试又是保证代码正确性的保障，如果你重构之后单元测试通过，那么说明你重构后的代码没有错误，当然，前提是你原来的单元测试覆盖率足够高。当然，还有一点就是单元测试能够让你对代码有足够的信心，你知道你覆盖了哪些情况，确保这些情况下不会出现 Bug，而当你没有单元测试时，你只能猜测那是对的，因为人为地每次手动测试不免会漏掉很多测试路径。而当这些问题暴露出来时，你只能一步一步跟踪调试，找出代码的问题所在，模块 A 引用了模块 B，模块 B 又引用了模块 C，但是你不能确定到底是哪个模块出现的问题，因此陷入了耗时的调试与纠结之中。

虽然单元测试优点那么多，但是，实行单元测试确实不是一件简单的事，尤其是刚开始接触时，也就是这个原因，使得我们很多人都在前期就放弃了，就连 Android“牛人”Jake Wharton 都吐槽过 Android 应用难以测试。当你适应之后，你就会发现单元测试带来的巨大好处。

本章我们就通过一个具体的示例来简单学习单元测试在实际的 Android 应用中的运用，以此开启我们的单元测试之路。

在开始之前，需要确定测试什么，对于 Android 而言，单元测试应该主要覆盖在底层接口上。例如，我们的网络请求的参数与 Response 解析、数据库的增删改查、业务逻辑覆盖等几个方面。下面就来看看具体的例子。

首先创建一个测试工程，如图 12-7 所示。

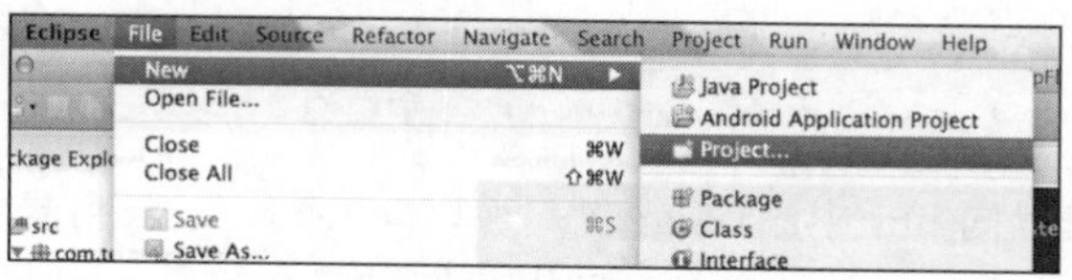

▲图 12-7　创建工程

选择 Project 之后进入到工程模板界面，如图 12-8 所示。

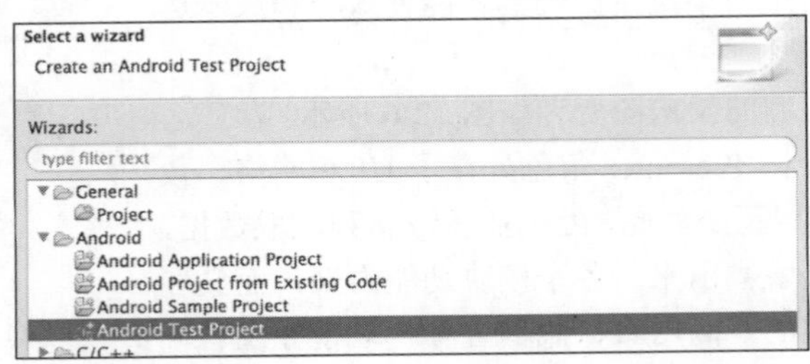


▲图 12-8　选择工程模板

此时我们选择 Android Test Project 类型，然后点击下一步会进入到输入测试项目名的页面，输入项目名即可。再下一步进入到选择被测试的项目页面，如图 12-9 所示。

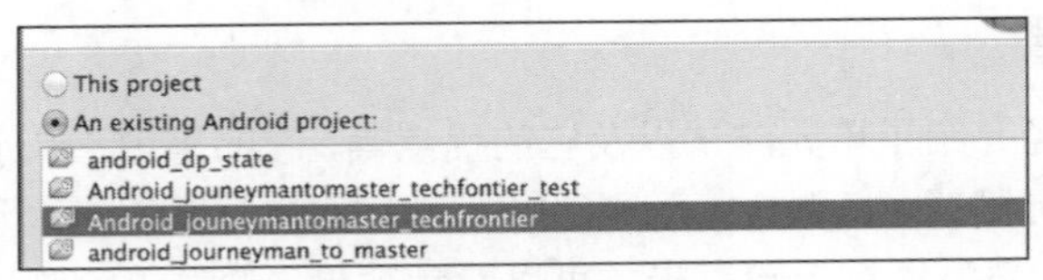


▲图 12-9　选择被测试的项目

我们的客户端项目名为 Android_jouneymantomaster_techfrontier，选中之后点击下一步，然后选择一个 Android SDK 版本即可。

测试工程与普通 Android 项目很相似，不同点在于 AndroidManifest.xml 中会有一个 instrumentation 便签，在这个便签中指定了一个 Instrumentation，然后设置了一个 targetPackage，这个 targetPackage 就是被测试项目的包名，例如，我们的开发技术前线的客户端 App 包名就是 com.techfrontier.demo，因此，这个项目就是测试我们的客户端的测试工程。如图 12-10 所示。

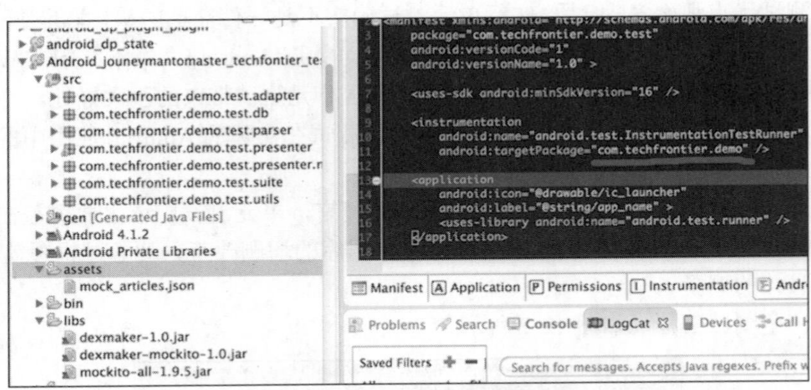

▲图 12-10　测试工程结构

在该项目中我们也可以向 libs 中添加 jar 包，可以向 res、assets 目录中添加资源，它的基本结构与普通 Android 应用工程基本一致。在第 9 章中我们已经介绍了 Android 测试相关的类型以及测试方法，因此，我们就不过多赘述，直接进入测试正题。

### 12.5.2　测试网络请求解析类

网络请求是应用开发中非常基础的部分，因此，它的正确性也尤为重要。随着系统的升级，网络请求协议可能也会面临频繁地改动，对网络请求解析部分的测试是非常必要的。

在我们的例子中，Response 解析类主要有文章列表信息的解析，需要将 Json 字符串解析为文章列表，对应的具体类型为 ArticleParser。新建一个继承自 InstrumentationTestCase 的 ArticleParserTest 类来测试该类型，继承自 InstrumentationTestCase 是因为我们在测试工程的 assets 目录中存放了要模拟的文章列表 Json 数据，我们需要获取到该资源。如果继承自 AndroidTestCase 类，得到的 Context 是被测试工程的 Context，我们通过 AssetsManager 得到的资源是被测试工程。因此，为了得到测试工程的 Assets 目录下的资源，需要继承自 InstrumentationTestCase 类。部分代码如下：

```
public class ArticleParserTest extends InstrumentationTestCase {
    String json;
    ArticleParser mArticleParser = new ArticleParser();         // 要测试的对象

    // 在 setUp 函数中准备测试数据
    protected void setUp() throws Exception {
        super.setUp();
        // 读取测试工程中的资源，需要通过 getInstrumentation().getContext()获取 Context
        json = AssetsUtil.getStringFromAsset(getInstrumentation().getContext(),
                "mock_articles.json");
        assertNotNull(json);
        assertTrue(json.length() > 20);
    }

    protected void tearDown() throws Exception {
        super.tearDown();
    }
    // 代码省略
}
```

在 setUp 函数中首先从测试工程的 Assets 目录下的 mock_articles.json 文件中读取了测试数据，并且将里面的数据转为字符串。需要注意的是，需要通过 getInstrumentation().getContext()得到测试工程的 Context，否则，无法获取到测试工程下的资源。mock_articles.json 文件中的数据如下：

```
[
    {
        "title": "Android 中的 LayerDrawable 和 Drawable.Callback",
        "post_id": "1010",
        "date": "2015-08-24 08:49:40",
        "author": "MrSimple",
        "category": "2"
    },
    {
        "title": "使用 TDD 的方式开发一个 Hackernews 客户端",
        "post_id": "1008",
        "date": "2015-08-24 08:46:33",
        "author": "MrSimple",
        "category": "2"
    }
]
```

在该文件中含有两条文章信息记录，它们的格式为 Json 数组。我们在 setUp 函数中将该文件中的数据转换为字符串。然后在 testParseArticleJson 函数中进行测试，代码如下：

```
// 测试数据解析
    public void testParseArticleJson() {
        try {
            // 从字符串中解析文章列表
            List<Article> articles = mArticleParser.parseResponse(json);
            assertEquals(2, articles.size());

            // 第一项数据
            Article article1 = articles.get(0);
            assertEquals("Android中的 LayerDrawable 和 Drawable.Callback",
            article1.title);
            assertEquals("1010", article1.post_id);
            assertEquals("MrSimple", article1.author);
            // 解析时，时间去掉了代表秒的单位
            assertEquals("2015-08-24 08:49", article1.publishTime);
            assertEquals(2, article1.category);

            // 第二项数据
            Article article2 = articles.get(1);
            assertEquals("使用 TDD 的方式开发一个 Hackernews 客户端", article2.title);
            assertEquals("1008", article2.post_id);
            assertEquals("2015-08-24 08:46", article2.publishTime);
            assertEquals("MrSimple", article2.author);
            assertEquals(2, article2.category);
        } catch (Exception e) {
        }
    }
```

步骤就是将从 mock_articles.json 得到的字符串传递给 mArticleParser 解析，然后得到文章列表对象，再挨个验证解析到的数据是否与 mock_articles.json 中的数据一致。运行测试，如果测试通过，那么说明 ArticleParser 解析类没有问题，否则找出相应的问题进行修复。

我们在 ArticleParserTest.java 文件上点击右键，在弹出菜单中选择"Run as"项，然后选择"Android Test Case"项，如图 12-11 所示。

测试通过之后，我们将看到如图 12-12 所示的界面。

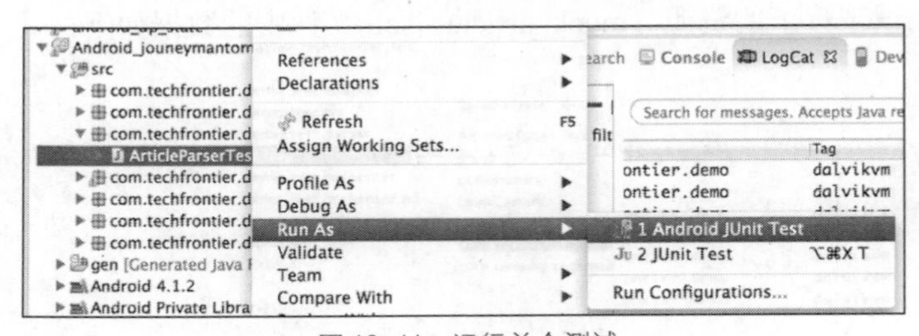


▲图 12-11　运行单个测试

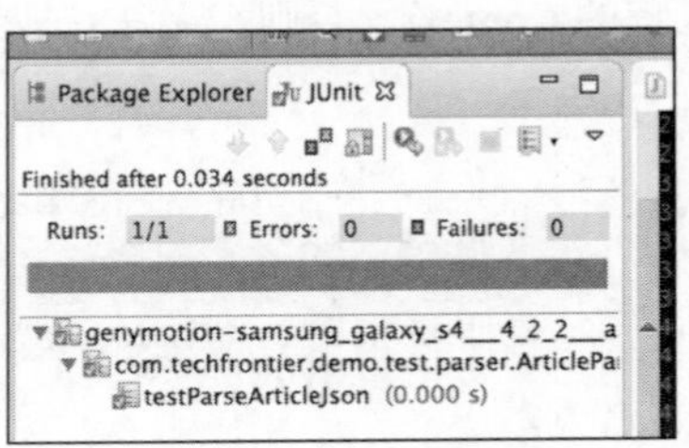


▲图 12-12　测试成功

如果测试失败，那么进度条会呈现红色，此时，根据测试失败的原因查找问题所在，然后修正问题，直到测试通过即可。测试通过，则代表我们的文章列表解析模块没有问题，然后就可以放心地应用该类了。

### 12.5.3 测试数据库操作类

对于 Android 来说，数据非常重要，而且对于数据的操作也相对较为复杂。例如，数据库的增、删、改、查，我们可能需要传递很多参数来构建 SQL 语句，因此，对于数据库的测试也非常重要。如果没有数据库的单元测试，那么就难以验证数据库的正确性。例如，要确保数据正确存储到数据库中的话，我们有如下几个选择：

（1）通过 adb 命令行进入到设备的 sqlite 中，通过 SQL 语句进行查询；

（2）将数据库文件中设备或者模拟器中导入，然后用 sqlite 的管理工具进行打开；

（3）在应用中执行使用了数据库中缓存数据逻辑的操作，然后查看结果。

这 3 种效率都比较低，如果第一次验证不过，那么就需要反复执行时间消耗就会大幅度增长，使得你的数据库开发过程非常缓慢。而通过单元测试，只需要运行测试代码，在几秒钟之内就可以得到反馈。如果出现错误，那么在错误提示中，可以很快地看到测试失败的原因，这很大程度上能够帮助我们快速找到问题所在。

下面就来测试客户端的数据库操作类 DatabaseHelper，首先继承自 AndroidTestCase 新建一个 DatabaseTest 类，然后在 setUp 类将数据库先清空，确保数据库测试不会受到其他数据的干扰。这部分代码如下：

```
/**
 * 数据库操作测试类,含有对文章的插入、删除测试
 */
public class DatabaseTest extends AndroidTestCase {

    DatabaseHelper mDatabaseHelper;

    protected void setUp() throws Exception {
        super.setUp();
        // 初始化 DatabaseHelper.init
        DatabaseHelper.init(mContext);
        mDatabaseHelper = DatabaseHelper.getInstance();
        // 清空数据库中的两个表
        mDatabaseHelper.deleteAllArticles();
        mDatabaseHelper.deleteAllArticleContent();
        checkNoRecord();
    }

    // 确保两个表中都没有数据
    private void checkNoRecord() {
        assertEquals(0, mDatabaseHelper.loadArticles().size());
        assertEquals(0, mDatabaseHelper.loadAllArticleDetails().size());
    }
}
```

运行每个测试用例时都会运行 setUp 函数，在该函数中清空 articles 和 article_content 两个表中的数据避免测试用例之间的数据干扰。

我们首先测试插入数据，测试函数为 testInsertArticles，代码如下：

```
private List<Article> mockTwoArticles() {
      List<Article> mockArticles = new ArrayList<Article>();
      Article article = new Article();
```

```
        article.author = "mrsimple";
        article.post_id = "123";
        article.title = "article-1";
        article.publishTime = "2015-08-28 14:30";
        article.category = 2;
        mockArticles.add(article);

        article = new Article();
        article.author = "Jake";
        article.post_id = "456";
        article.title = "article-2";
        article.publishTime = "2015-08-28 15:12";
        article.category = 3;
        mockArticles.add(article);

        return mockArticles;
    }

    public void testInsertArticles() {
        // 默认情况下数据为 1
        assertEquals(0, mDatabaseHelper.loadArticles().size());
        // mock 了 2 条数据
        assertEquals(2, mockTwoArticles().size());
        // 存储这两条 mock 的数据
        mDatabaseHelper.saveArticles(mockTwoArticles());

        // 获取缓存在数据库中的所有数据
        List<Article> cachedArticles = mDatabaseHelper.loadArticles();
        assertEquals(2, cachedArticles.size());

        Article firstArticle = cachedArticles.get(0);
        assertEquals("mrsimple", firstArticle.author);
        assertEquals("article-1", firstArticle.title);
        assertEquals("2015-08-28 14:30", firstArticle.publishTime);
        assertEquals(2, firstArticle.category);
        assertEquals("123", firstArticle.post_id);

        Article secondArticle = cachedArticles.get(1);
        assertEquals("Jake", secondArticle.author);
        assertEquals("article-2", secondArticle.title);
        assertEquals("2015-08-28 15:12", secondArticle.publishTime);
        assertEquals(3, secondArticle.category);
        assertEquals("456", secondArticle.post_id);
    }
```

在 testInsertArticles 函数中我们首先通过 mockTwoArticles 函数模拟了 2 条 Article 数据，再将这两条数据插入到数据库，然后再通过 loadArticles 函数加载 articles 表中的所有记录，最后挨个字段检测是否与我们插入的数据一致。如果一致，那么则代表插入和查询都没有问题，否则，代表插入或者查询中的某一环出现了问题。我们运行测试，运行结果如图 12-13 所示。

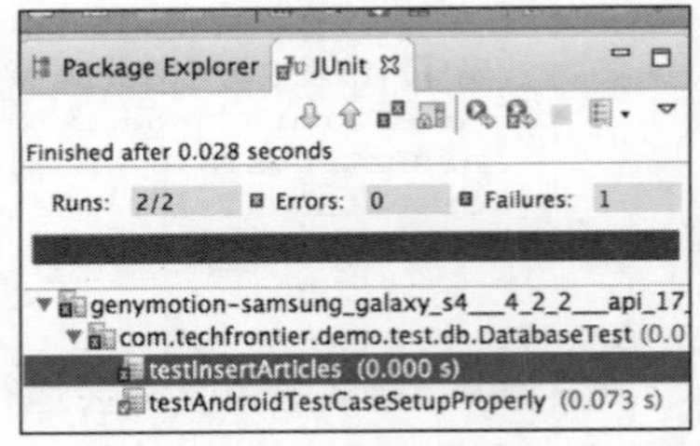


▲图 12-13　测试失败

testInsertArticles 函数测试失败，提示信息如下：

```
junit.framework.ComparisonFailure: expected:<[article-1]> but was:<[mrsimple]>
at com.techfrontier.demo.test.db.DatabaseTest.testInsertArticles(DatabaseTest.java:90)
```

提示信息说，我们在 DatabaseTest 中的第 90 行期望的数据是 article-1，而得到的值确实

mrsimple。我们看到第 90 行的代码为：

```
assertEquals("article-1", firstArticle.title);
```

也就是检测文章的标题，从错误信息看 firstArticle.title 得到的数据确实文章作者的值。那么出现这个问题的地方要么是存储时，要么是从数据库解析数据时出现了问题。我们直接进入数据库 DatabaseHelper 中看看相关代码：

```
public void saveArticles(List<Article> dataList) {
        for (Article article : dataList) {
            saveSingleArticle(article);
        }
    }

    public void saveSingleArticle(Article article) {
        mDatabase.insertWithOnConflict(TABLE_ARTICLES,
            null, article2ContentValues(article),
                SQLiteDatabase.CONFLICT_REPLACE);
    }

    private ContentValues article2ContentValues(Article item) {
        ContentValues newValues = new ContentValues();
        newValues.put("post_id", item.post_id);
        newValues.put("author", item.author);
        newValues.put("title", item.title);
        newValues.put("category", item.category);
        newValues.put("publish_time", item.publishTime);
        return newValues;
    }

    public List<Article> loadArticles() {
        Cursor cursor = mDatabase.rawQuery("select * from " + TABLE_ARTICLES, null);
        List<Article> result = parseArticles(cursor);
        cursor.close();
        return result;
    }

    private List<Article> parseArticles(Cursor cursor) {
        List<Article> articles = new ArrayList<Article>();
        while (cursor.moveToNext()) {
            Article item = new Article();
            item.post_id = cursor.getString(0);
            item.author = cursor.getString(1);
            item.title = cursor.getString(1);
            item.category = cursor.getInt(3);
            item.publishTime = cursor.getString(4);
            // 解析数据
            articles.add(item);
        }
        return articles;
    }
```

从上述程序中可以看到，数据存储没有什么问题，各个字段的设置都是正确的。然后我们看到在从 Cursor 解析数据时，我们的文章 title 的值是从 Cursor 的索引 1 取值的，而我们的文章作者名也是从索引位置 1 取的，因此是这里出现的问题，从错误信息看是我们的标题名变成了作者名，因此，我们的标题取错了，根据创建表时的顺序，我们从索引位置 2 取值就可以了。代码最

终修改为

```
item.title = cursor.getString(2);
```

重新运行测试用例，测试通过，如图 12-14 所示。

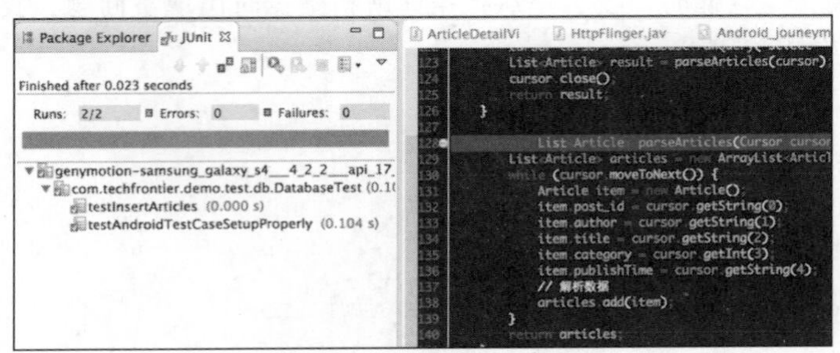

▲图 12-14 数据库测试成功

在 DatabaseTest 中我们还有 testMultiInsertArticles 和 testInsertArticleContent 两个测试用例，详细信息我们就不过多阐述，大家可以自行阅读相关代码。

## 12.5.4 测试业务逻辑 Presenter

Presenter 类中封装了我们应用的业务逻辑，因此，测试 Presenter 类也是非常必要的。在测试 Presenter 时我们将主要是覆盖业务逻辑的路径，例如，对于 ArticleListFragment 而言，比较容易出错的地方在网络请求的 page 参数，page 参数代表服务器上的文章列表的第几页数据。Page 为 1 时代表第一页的最新数据，下拉成功后 mPageIndex 会加 1。当我们下拉到 RecyclerView 底部时会自动加载下一页数据，page 值也就是 mPageIndex 的值，加载成功之后 mPageIndex 也会加 1。那么有这种情况，当我们滚动到底部触发了两次加载更多之后我们的 mPageIndex 为 3，那么此时我们再回到 RecyclerView 顶部，再进行下拉刷新，此时 mPageIndex 是不会加 1 的，因为上拉不会修改下一页地址的索引。

正是因为这个逻辑有点绕才使得我们更应该测试这个业务逻辑，我们的测试代码如下：

```
public class ArticleListPresenterTest extends AndroidTestCase {

  ArticleListPresenter mPresenter = new ArticleListPresenter();

  public void testUpdateIndex() {
     assertEquals(1, mPresenter.getPageIndex());

     List<Article> singleArticles = new ArrayList<Article>();
     singleArticles.add(new Article());

     // 1.模拟第一次加载最新数据
     mPresenter.updatePageIndex(ArticleListPresenter.FIRST_PAGE, singleArticles);
     assertEquals(2, mPresenter.getPageIndex());

     // 2.只有第一次加载最新数据才会更新索引值,因此，再次运行索引值不会更新
     mPresenter.updatePageIndex(ArticleListPresenter.FIRST_PAGE, singleArticles);
     assertEquals(2, mPresenter.getPageIndex());
```

```
        // 3.模拟加载更多的请求,索引值更新
        mPresenter.updatePageIndex(2, singleArticles);
        assertEquals(3, mPresenter.getPageIndex());

        // 4.模拟加载更多,但是请求失败,索引值不更新
        mPresenter.updatePageIndex(3, Collections.EMPTY_LIST);
        assertEquals(3, mPresenter.getPageIndex());
    }
}
```

为了可测试，我们将更新索引的操作独立到 updatePageIndex 函数中，这也是我们单元测试获得的好处，为了测试我们需要提取函数使得它对外可测试，这样也会使我们的函数更细化，避免复杂函数的存在。ArticleListPresenter 类中的 updatePageIndex 的代码如下：

```
    /**
     * 更新下一页的索引,当请求成功且不是第一次请求最新数据时更新索引值。
     * @param curPage 当前页数值
     * @param result 结果,如果 result 中的数据数量大于 0，表示请求成功
     */
    public void updatePageIndex(int curPage, List<Article> result) {
        if (result.size() > 0
            && shouldUpdatePageIndex(curPage)) {
            mPageIndex++;
        }
    }
```

在 testUpdateIndex 测试用例中我们模拟了 4 种情况，如表 12-1 所示。

表 12-1　　模拟的情况

| 条　件 | 结　果 |
|---|---|
| Page 值为 1，表示下拉刷新，mPageIndex 默认值为 1，表示还没有成功下拉过数据 | 当 mPageIndex 为 1，且是下拉最新数据时，如果成功，那么 mPageIndex 会加 1 |
| 当 mPageIndex 大于 1，且 page 值为 1 时，表示已经下拉过一次数据，那么再下拉最新的数据则不会更新 mPageIndex 值，只有加载更多数据成功时才会增加 mPageIndex 的值 | 此时，结果为 mPageIndex 还是 2，不会加 1 |
| Page 值为 2,mPageIndex 值也会为 3，表示加载下一页地址，如果请求成功，那么 mPageIndex 值会加 1 | mPageInex 变为 3 |
| 加载下一页数据，但是加载失败 | mPageIndex 还是为 3，不会增加 |

当然，ArticleListPresenter 中还是有一些地方没有测试到。但是最易于出错的逻辑已经覆盖，在一定程度上也能够满足当前项目的需求。因此，在开发中面对一些难以测试的情况时，我们可能要做出取舍，可接重要程度、成本等因素来权衡是否要对现有的类型进行修改以达到可测试的目的。

### 12.5.5 模拟对象

在测试中由于种种原因，可能我们无法获取到真实的类型或者测试真实的类型依赖太多，为了便于测试，可以通过 mock 对象的形式来进行测试。例如，我们要测试操作文章内容的 Presenter 类 ArticleDetailPresenter，该功能是获取文章内容，然后将内容传递给 ArticleDetailActivity 对象。

它首先检测数据库中是否有缓存，如果有缓存，那么则使用缓存数据；如果没有缓存，那么就需要先从网络中获取内容，然后再传递给 ArticleDetailActivity。

但是测试有一些问题，因为 ArticleDetailPresenter 需要引用 ArticleDetailView 类型，而 ArticleDetailView 的实现类就是 ArticleDetailActivity。那么我们在测试时就要构建 ArticleDetailActivity 对象吗？我们如何创建一个 Activity 对象？这个 Activity 中还有一些数据的依赖，这使得我们的测试成本变得很高。因此，需要通过 mock 对象来去除 ArticleDetailView 的依赖。我们通过 Mockito 来 mock 一个 ArticleDetailView 类型，并且设定在某些调用下的行为。

而为了测试 ArticleDetailPresenter 的一些逻辑，例如，在有缓存的情况下是否调用了 fetchContentFromServer 函数，而我们又不想将 ArticleDetailPresenter 类中的 fetchContentFromServer 函数变为 public，因此，我们手动 mock 了一个 MockArticleDetailPresenter 类型，在该类型中将 fetchContentFromServer 变为公有，这样就可以测试到这个逻辑：

```
public class ArticleDetailPresenterTest extends TestCase {

    @Mock
    ArticleDetailView mDetailView;
    // 手动 mock 的对象
    MockArticleDetailPresenter mPresenter;

    protected void setUp() throws Exception {
        super.setUp();
        // 创建 spy 对象,使得函数能够执行真实的调用,从而模拟调用逻辑
        mPresenter = Mockito.spy(new MockArticleDetailPresenter());
        MockitoAnnotations.initMocks(this);
        // 关联 View
        mPresenter.attach(mDetailView);
    }

    protected void tearDown() throws Exception {
        super.tearDown();
        mPresenter.detach();
    }

    public void testLoadArticleFromDB() {
    // 当调用 mPresenter 的 loadArticleContentFromDB 时返回"fake-content",模拟有缓存的情况
        doReturn("fake-content").when(mPresenter).loadArticleContentFromDB(anyString());

        // 调用加载文章内容
        mPresenter.fetchArticleContent("888","title");
        // 如果有缓存,那么不会执行 fetchContentFromServer 从服务器下载数据
        verify(mPresenter, never()).fetchContentFromServer(anyString(),anyString());

        // 执行了一次 onFetchedArticleContent
        verify(mDetailView, times(1)).onFetchedArticleContent (anyString());
        // 从数据库加载时不显示进度条
        verify(mDetailView, never()).onShowLoding();
        verify(mDetailView, never()).onHideLoding();
    }

     // 代码省略
}
```

首先我们通过两种方式模拟了两个类型，分别为 ArticleDetailView 和 MockArticleDetailPresenter，

在 setUp 函数中初始化了这些对象，而为了执行 MockArticleDetailPresenter 中的真实逻辑，我们使用 spy 函数包装了 MockArticleDetailPresenter 对象，因为，我们测试 MockArticleDetailPresenter 的内部执行逻辑。

首先，在 testLoadArticleFromDB 测试用例中模拟从数据库中加载数据的情况，当调用 MockArticleDetailPresenter 的 loadArticleContentFromDB 函数时我们返回"fake-content"，模拟有缓存的情况。这样一来 Presenter 就不会从服务器中获取数据，也就不会调用 fetchContentFromServer 函数以及 ArticleDetailView 中的显示、隐藏进度的函数。当我们调用 mPresenter 的 fetchArticleContent 函数时，整个逻辑就会被执行。然后我们通过 verify 验证执行路径即可。

同理，我们在 testFetchArticleFromServer 中模拟了从网络上获取数据的测试用来，代码如下：

```
public void testFetchArticleFromServer() {
    // 当调用 mPresenter 的 loadArticleContentFromDB 时返回空字符,模拟无缓存的情况
    doReturn(null).when(mPresenter).loadArticleContentFromDB(anyString());

    // 调用加载文章内容
    mPresenter.fetchArticleContent("888","title");
    // 如果没有缓存,那么就会执行 fetchContentFromServer 从服务器下载文章数据
    verify(mPresenter).fetchContentFromServer(anyString(),anyString());

    // 执行了一次 onFetchedArticleContent
    verify(mDetailView, times(1)).onFetchedArticleContent (anyString());
    // 从数据库加载时不显示进度条
    verify(mDetailView).onShowLoding();
    verify(mDetailView).onHideLoding();
}
```

在这个测试用例中，我们设定了当调用 loadArticleContentFromDB 时返回 null，此时内部逻辑就会调用 fetchContentFromServer 从服务器端下载文章内容，然后回调 ArticleDetailView 的 onFetchedArticleContent、onShowLoading、onHideLoading 函数。这样一来，我们就通过 mock 对象很方便地模拟了 Presenter 中的业务逻辑，同时也保证了一些细节不对外暴露。

### 12.5.6 更多测试

在我们的例子中，单元测试的覆盖率并不是很高，但是已经把易于出错、重要的地方基本都覆盖到了。写多少测试并没有一个固定的原则，正如第 9 章中所说，我们的测试并不是追求覆盖率，而是在各种因素中寻求平衡。在开发中由于时间问题，只要我们将容易出错、易变的地方覆盖到基本上就可以了。当然，如果你有充足的时间，那么越多的单元测试覆盖将会使你的代码质量更有保障，也会使你的系统更易于测试、更灵活。

在测试过程中我们看到，耦合性是影响测试的一个重要原因。由于这些原因，我们可能会放弃对一些逻辑的测试。而 mock 对象是我们解决这类问题的重要手段，因此，掌握 mock 对象是我们学习单元测试的必要技能，像 Mockito、PowerMock 等主流的 mock 框架也是需要我们学习的工具。对于 UI 测试而言，espresso、uiautomator 也是值得学习的框架。

## 12.6 小结

本章从一个充满“腐化味道”的客户端应用说起，演示了开发过程中常见的一些代码问题，并且通过一步一步重构来消除这些问题带来的影响，最终将应用重构为职责分明、架构清晰、可扩展的架构。最后，我们为该项目创建了单元测试，保证底层接口的正确性，也为以后项目的升级、维护做好了保障措施。每当我们修改旧代码时就可以通过单元测试来确保没有引入 Bug，这样不仅能够保证质量，也能够保证我们的开发速度。在这个过程中我们对遇到的问题进行了分析，以及阐述了开发人员重构过程中的思考，以及在各方面考虑下做出的权衡，尽管该项目中还是存在一些问题，但是质量、架构上已经得到了很大的提升。

然而，一千个人眼中有一千个哈姆雷特，不同的人对于架构、代码的看法也不一样。但是最终的目的都是使软件系统保持清晰、灵活、可扩展、可测试，因此只要是走在测试这条道路上，任何的手法都可以说是正确的。

在项目中，笔者特意没有对 DatabaseHelper 类进行重构，但是却为它写好了单元测试，目的就是让读者能够自己动手来练习一下重构过程，并且从中学到一些技巧。在实战中思考、总结，将会使你在技术道路上走得更快。如果只是纸上谈兵，那么即使阅读完本书你也体会不到多大的收获。

## 推荐阅读

### Android 源码设计模式解析与实战

业界第一本讲解 Android 源码设计模式的书。

CSDN 社区专家精心撰写、业界专家邓凡平、郭霖、任玉刚、徐宜生等鼎力推荐。

本书不仅分析了 Android 源码的设计模式，更结合实例演示了如何使用这些设计模式。看这本书，既能学到如何分析、学习 Android 源码，又能提高自己的架构设计水平。

书中的主人公小民就是那些不断追求技术进步，从而得以不断成长的 IT 技术人的代表，小民的成长过程基本上反映了我们现在程序员的成长经历，他的成功很值得我们学习和借鉴。

### 深入解析 Android 5.0 系统

广受读者好评的讲解 Android 系统的畅销书。

小米电视系统软件部总监、原 Motorola 软件总监、德信无线软件部经理等专家鼎力推荐。

学得懂、用得上的、国内第一部真正来自于 Android 开发专家的 Android 系统分析权威指南，讲解了最新版本的热点技术，解决系统开发中的困惑与问题。

书中尽可能详细地给出了主要模块的架构、原理和主干实现，很多模块前后能相互印证用以帮助读者学习，希望通过本书帮助读者快速理解内核的设计思想、获得对 Android 系统进行二次开发的能力。